山东省可持续发展科技示范工程项目
山东省环境保护重点科技项目

黄河三角洲暗管改碱工程技术 实验与研究

彭成山　杨玉珍　郑存虎　张志刚　秦　韧　关元秀　卜凡敏 等编著

U0253288

黄 河 水 利 出 版 社

内 容 提 要

　　本书应用遥感等多源数据融合技术分析了黄河三角洲地区的盐渍化趋势,建立了土壤盐渍化预测预报模型;通过暗管改碱技术的引进和工程实验,创新形成了一整套包括勘察设计、灌排配套、暗管敷设、激光精平、深松破结、维护管理等在内的盐碱地改良系统工程技术;实践探索了大规模、自动化、一次性机械铺设暗管的技术方法;论证了推广应用该项工程技术对于大面积改良我国北方盐碱地、扩大可耕地资源、提高农业综合生产能力的重要作用。

　　本书系农业工程技术开发与推广类科技成果,可作为大规模推广该项工程的决策依据,可为实施系统的敷设暗管作业提供技术规范。

图书在版编目(CIP)数据

　　黄河三角洲暗管改碱工程技术实验与研究／彭成山
等编著．—郑州:黄河水利出版社,2006.2
　　ISBN 7-80734-049-5

　　Ⅰ.黄…　　Ⅱ.彭…　　Ⅲ.黄河－三角洲－盐碱土
改良－研究　　Ⅳ.S156.4

　　中国版本图书馆 CIP 数据核字(2006)第 011704 号

出　版　社:黄河水利出版社
　　　　　　地址:河南省郑州市金水路 11 号　　邮政编码:450003
发行单位:黄河水利出版社
　　　　　　发行部电话:0371-66026940　　　传真:0371-66022620
　　　　　　E-mail:yrcp@public.zz.ha.cn
承印单位:河南省瑞光印务股份有限公司
开　　本:787 mm×1 092 mm　1/16
印　　张:22.5　　　　　　　　　插页:4
字　　数:531 千字　　　　　　　印数:1—2 300
版　　次:2006 年 2 月第 1 版　　印次:2006 年 2 月第 1 次印刷

书号:ISBN 7-80734-049-5/S·77　　　　　　　定价:96.00 元

————东营市界

近代黄河三角洲遥感影像图
(2004 年 10 月 28 日 TM 图像，黄线为东营市界)

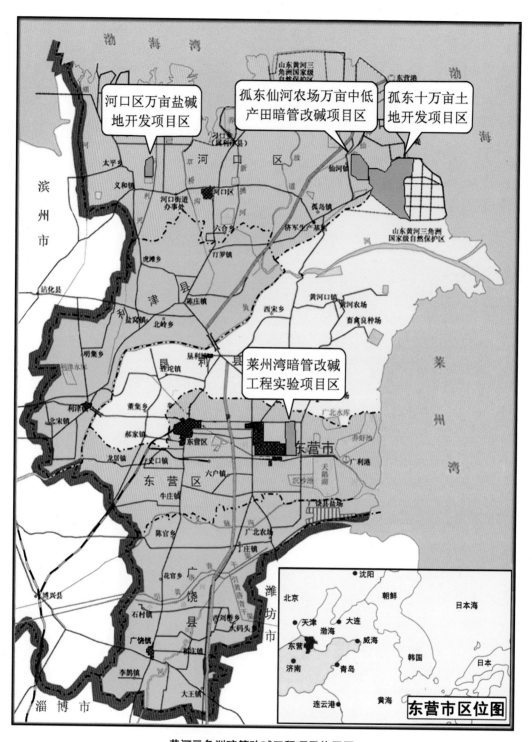

黄河三角洲暗管改碱工程项目位置图

　　2005年5月18日，全国人大常务委员会副委员长韩启德（左一）、原农业部副部长洪绂曾（左三）在东营市市委书记石军（左四）、胜利石油管理局党委书记王立新（左二）、东营市人大常务副主任姜振邦（右二）、东营市副市长周连华（右一）、胜利石油管理局副局长李中树（右三）陪同下，视察孤东暗管改碱项目区

　　胜利石油管理局集体资产管理处处长彭成山向韩启德副委员长一行介绍孤东十万亩暗管改碱工程项目实施情况

胜利石油管理局

暗管排碱
利国利民

乙酉年春 韩启德 题

2005年5月韩启德副委员长题词

暗管改碱工程技术实验与研究成果鉴定会

　　2005年8月27日，黄河三角洲暗管改碱工程技术实验与研究成果鉴定会在北京召开，图为鉴定委员会部分专家。左起：原中国农科院院长刘志澄、中国工程院院士卢良恕（副主任委员）、九三学社中央副主席洪绂曾（主任委员）、原水利部部长杨振怀（副主任委员）、中国工程院院士任继周、原科技部副部长韩德乾。参加鉴定委员会的专家还有：汪懋华（院士）、刘志仁、信乃诠、李东杰、袁琦、刘国华、姚文艺、李泽刚、齐可友等

山东省科技厅副厅长徐茂波(中)主持课题成果鉴定会。胜利石油管理局李中树副局长（右）、东营市政府陈荫鲁副秘书长(左)分别代表胜利石油管理局、东营市人民政府出席会议。九三学社、省、市有关部门的领导和专家参加了鉴定咨询会

课题负责人彭成山对专家质询的问题答辩

项目承担机构与研究人员

项 目 名 称　　黄河三角洲生态治理技术和资源利用研究与示范

立 项 部 门　　山东省环保局　山东省科技厅　山东省财政厅

项目承担单位　　东营市人民政府　胜利石油管理局

课 题 名 称　　黄河三角洲暗管改碱工程技术实验与研究

课题承担单位　　胜利石油管理局集体资产管理处

　　　　　　　　黄河三角洲保护与发展研究中心

课 题 负 责 人　　彭成山

研 究 人 员　　彭成山　　杨玉珍　　郑存虎　　张志刚

　　　　　　　　秦　韧　　关元秀　　卜凡敏　　王启来

　　　　　　　　林国华　　张保国　　庄会江　　刘高焕

　　　　　　　　刘庆生　　宋宏伟　　文福生　　宫艳峰

　　　　　　　　王建明　　刘凤鸣　　黄　翀　　黄建杰

　　　　　　　　李　丽　　王玉臻　　刘　鹏　　张清华

　　　　　　　　朱　彬　　刁在明

序

由于工作的关系，我多次到黄河三角洲考察。这里有广袤的黄河新淤土地，大片土地保持着植被葱郁的原生风貌，是我国最年轻、最广阔的湿地生态系统，也是我国东部最后一块有待大规模开发的资源宝地。这里的浅海资源辽阔，黄河每年挟带大量淡水和有机质入海，使黄河口周围海域成为多种海洋生物和经济鱼类的繁育区。这里蕴藏着丰富的石油天然气资源，是我国第二大油田——胜利油田的中心产油区，新兴的石油城——东营市就在这里。东营市、胜利油田利用改革开放的好政策，推动了石油工业的发展，带动了黄河三角洲的崛起，这个地区已成为山东省经济增长最快的地区之一。看着东营日新月异的变化，我油然而生感慨：此地前途无量啊！

黄河三角洲因为成陆时间短，地下水矿化度高，生态环境脆弱，不适当的开发极易导致土壤盐渍化，从而发生草甸植被的逆向演替，甚至退化为寸草不生的光板地。黄河三角洲有500万亩(33.3万hm^2)盐碱地，为了开发利用这些土地资源发展农业，当地政府和人民创造了许多改良盐碱地的模式，如上农下渔、深沟排碱、蓄淡压碱等，为农业的发展做出了积极的探索。上农下渔是一种生态农业模式，但却很难被规模化、现代化的大农业所应用；深沟排碱是一种传统改碱模式，这种方法有一定的局限性，排沟布局太稀其排碱作用受限，过密则占用大量耕地，沟坡坍塌造成每年维护工作量增大；蓄淡压碱主要是蓄用大量淡水种稻改土，近年来黄河水资源减少，种稻面积已大幅萎缩……有没有一种科学、高效、适宜大范围推广的彻底根治盐碱地的技术方法呢？这个问题不仅是我国同时也是世界农业专家长期探索的重大课题。

2004年11月，我再次去东营商谈推进 "九东（九三学社与东营市）合作"解决"三农"问题。有关领导推荐我去孤东参观东营金川公司实施的机械化暗管改碱工程项目区。在驱车去项目区的路上，一望无际的荒碱地映入眼帘，泛着白色盐碱的荒凉土地上稀稀落落地分布着一些芦苇、柽柳、碱蓬等野生耐盐植物。同行的同志告诉我，金川公司在这块土地上实施暗管改碱实验工程已经5年了。

沿孤东油田西大堤进入项目区，我眼睛不由一亮。呈现在我眼前的是533.3 hm^2浓郁茂密绿油油的芦竹，这与周围的光板地形成了鲜明的对照。据胜利油田主持改碱工程项目的彭成山同志介绍，芦竹是一种多年生禾本科植物，喜温喜湿，多在我国南方生长，茎秆高达3 m以上，是良好的造纸原料，可生长于含盐量1%左右的土壤，因此作为一种过渡型的实验作物予以引种。整个孤东项目区总面积8 000 hm^2，原是滩海潮间带，油田建设了防潮大堤后，才由海滩成为陆地。该区西部地势稍高的1 330多公顷土地曾开发为稻田，实行大水压碱种稻，后因黄河断流而撂荒。还有6 600多公顷平均含盐量高达2.0%以上的重盐碱地长期荒芜。目前这些荒地全部铺上了暗管，种植了芦竹、棉花、大豆、玉米等作物。我所看到的这片芦竹林，原来就是光板地。

暗管改碱与深沟排碱的原理是相同的，均是根据"盐随水来、盐随水去"的水盐运动规律，将充分溶解于土壤中的盐分随水渗入地下暗管排走，从而达到有效降低土壤含盐量的目的。两者的不同点在于：一是开挖明沟排水；一是敷设暗管排水。因此，对于暗管改碱工程来说，铺下一根带孔的PVC波纹管，就等于挖了一条小型排碱沟。在地下铺设暗管不占用耕地，还可根据不同地域的土壤性状和地下水位等条件，科学设计暗管排列的密度、深度和管网系统结构，以及选择合适的裹管滤料，从而使大面积土地快速均匀地洗盐脱盐并长期不返盐。当然，由地下管网汇集的高含盐水体，仍要通过大的明沟排入大海或作其他用途重复利用。为了获得黄河三角洲地区对暗管改碱技术适应性的经验和数据，胜利油田投入了相对较高的实验成本，先是采取"拿来主义"的方法，引进荷兰技术在莱州湾区块铺设暗管，结果发现投资大，管理难度高，农民搞不起。后来经反复实践，对土层信息、土壤性状和铺管技术熟悉和掌握之后，又在仙河农场和孤东项目区创造性地进行实验和研究，寻求更科学的铺管技术和改碱方法，经过5年的艰苦探索，终于形成了一整套包括勘察设计、排灌配套、暗管敷设、激光精平、深松破结、维护管理在内的系统改碱工程技术，获得了大量的工程实验数据和显著的改碱效益。2004年初，由国家投资1 890万元，在已有排灌系统骨架的河口区万亩低产田实施土地整平、水利配套、田间道路整修并敷设暗管的综合改碱工程，竣工当年春灌后全部种植棉花，其中往年已耕种过的地块当年增收103.89万元，撂荒复垦地块增收558.06万元，合计增收661.95万元，预计三年可收回全部投资。

胜利油田自2000年大力治理荒碱地以来，以其雄厚的生产力基础，为实施暗管改碱工程进行了卓有成效的先导性实验，现在奉献给社会的是经反复实践而大幅度降低了成本的技术成果。这一成果已经通过专家的鉴定和认可。经金川公司多次实验与测算，在已有排灌设施的中低产田单纯铺设一级暗管，每公顷成本6 900元左右；在需要实施土地整平、整修排灌设施等配套工程的低产田实施暗管改碱工程，每公顷成本15 000元左右；在未开垦的荒碱地实施系统的暗管改碱配套工程，每公顷成本22 500元左右。从投资的回报率和回收期来看，这一投入规模是适中可行的。暗管改碱成果的推广应用，不仅为提高黄河三角洲土地产出率和改善区域生态环境提供了一项重要的技术选择，而且为我国农业发展做出了十分有益的贡献。我国1.2亿hm^2耕地中，约有1/3是盐碱涝洼造成的中低产田，另有相当多的未被开发利用的盐碱地。这些土地大都处于沿海、沿河、沿湖的平原地区，有着可改造和开发利用的条件，如果在这些地域大力推广暗管排水排碱技术，可大幅度提高土地的综合生产能力，必将为我国农业发展、农民增收、农村繁荣发挥不可估量的重大效益。

2005年10月17日

目　录

第一章　黄河三角洲
暗管改碱工程技术概况

党中央、国务院 2005 年 1 号文件将提高农业综合生产能力放在了重要位置。本书总结了自 1999 年以来对荷兰暗管改碱技术的引进吸收和实践创新过程,研究分析了包括土地勘察、工程设计、暗管敷设、激光精平、灌排配套、养护管理等在内的黄河三角洲暗管改碱系统工程的关键技术问题,同时通过应用遥感与景观图谱技术对大面积国土盐渍化形势进行监测与评价,分析大力推广暗管改碱技术对于全面改善土地质量和产出率、从根本上提升农业综合生产能力的重要作用,相应提出了国家及相关部门和山东省应给予的政策支持。

第一节　暗管改碱技术简介

一、荷兰地下排水技术的发展

荷兰地处欧洲莱茵河三角洲,史称"尼德兰"(Niederlande),意为"低地之国",有 1/4 的国土处于海平面之下,60% 的人口居住在低洼地区,是莱茵河、马斯河、斯海尔德河等多条河流的下游入海通道,又是大西洋北部海流的频繁侵蚀地带。河流动力与海洋动力交互叠置,导致洪水肆虐,形成了极其险恶的地域水环境。但是,由于这里受北大西洋暖流的影响,属温带海洋性气候,且一年四季雨量分配均匀,非常适合人类居住,这就使乐于在此安家立业的荷兰人必须长期与无情的水灾做斗争,其中一项关系居民生命安危的重要工程就是不间断地将地下水排入大海,从而维持一个适宜的地下水位。

到了 20 世纪 30 年代,政府批准实施了著名的须德海工程,建造了长达 30 km 的围海大坝,然后将坝内积水排出,向大海争来了 1 650 km² 的新土地。为避免海水从这片低地中渗涌而出,同时为了排除土地中的盐分,必须不间断地将地下水排入大海,为适应大规模排水的需求,荷兰人采用机械化施工技术在地下埋设管网,使地下水通过管壁孔隙渗入管网、汇集于深沟,然后排出大坝之外。在长期探索实践中逐步形成了系统的暗管排水技术。

二、暗管改碱对荷兰农业现代化的作用

暗管排水工程技术的广泛应用,使莱茵河三角洲土地质量普遍好转,使本来低洼斥

卤的海底盐土变为肥沃的良田。荷兰政府对开垦新土地的移民给予高额津贴和政策扶持，新兴农业企业的发展使土地生产力迅速提高，对于推动荷兰农业结构的改造和实现农业社会化、现代化发挥了巨大的支持作用。荷兰的耕地总面积仅有200万hm²，垦殖率仅为48%，农业就业人口仅有55万，但其农业生产总值高达218亿荷兰盾（128亿美元），其农产品出口额长期高居世界第三位。形成了以乳制品、肉类食品、花卉、蔬菜、水果为主的出口商品系列，畜牧业和园林业成为农业中供给出口的主导产业。土地基本条件的改善不仅有力支持了该国的农业发展，而且对于工业、交通、服务等各产业的承载能力大为增强，也为荷兰生态环境的不断优化提供了可靠的物质基础。

三、暗管改碱的基本原理与技术流程

暗管改碱的基本原理是遵循"盐随水来、盐随水去"的水盐运动规律，将充分融解了土壤盐分而渗入地下的水体通过管道排走，从而达到有效降低土壤含盐量的目的（图1-1）。

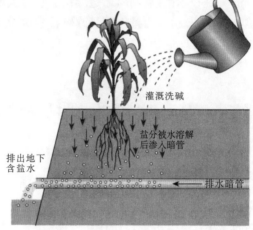

图1-1 暗管改碱原理示意图

暗管排碱是相对于明沟排碱而言的。明排就是挖掘深度低于地下水位的明沟将含盐水体排出（图1-2）。

暗排则是将带孔隙的管道铺设于地下，汇水后排离耕作区（图1-3）。

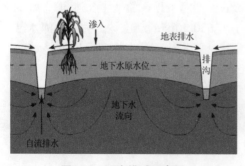

图1-2 明沟排碱示意图

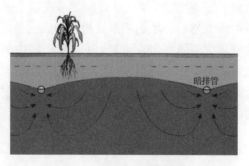

图1-3 暗管排碱示意图

明排与暗排的优势比较见表1-1。

表1-1　　　　　　　　　　　　明排与暗排的优劣比较表

排碱方式	优　点	缺　点
明　排	①开挖技术简单，易于操作； ②维护技术简单	①排沟布设间距大，排碱速度慢； ②土地损失率较高； ③阻碍现代农业的机械化； ④需要很多排水沟、桥梁和闸涵； ⑤因排沟较深，成本较高； ⑥沟渠边坡易塌陷，排沟难以保持足够深度； ⑦维持费用高
暗　排	①暗管可深埋密设，吸盐快，调制效果好； ②无土地损失； ③对农业机械化没有影响； ④无需桥梁、闸涵和许多排水沟； ⑤如大规模应用比明排成本低； ⑥无边坡塌陷问题； ⑦维护费用低； ⑧适于大规模机械化施工	①需引进专业机械； ②小规模应用成本较高

表1-1表明，明排治碱有许多难以克服的问题。对于黄河三角洲地区来说更是如此。由于近、现代黄河三角洲多为沙性土壤，土质疏松，开掘明沟时必须有足够宽度以加大边坡，这样土地损失率很高，且边坡容易塌陷，开挖和维护费用较高。而管排则完全可以避免明排的种种弊端，适合在易渗水的沙壤区推行，只要暗管埋深达到1~2 m，就可完全控制不返碱。

暗管改碱工程的实施首先要对盐碱地进行土壤钻孔调查和地表勘察，以掌握土层构造、渗透性、地下水位、土壤盐碱度及矿物质含量；根据调查和勘察的结果进行管网设计，确定吸水管和集水管的走向与埋深，观察井和集水井的布点位置等。排碱暗管采用PVC打孔波纹管和塑料滤水管，管径通常采用80 mm和110 mm两种，为防止土壤细颗粒进入管道造成淤堵和增加管道周围土壤的渗水性，要将暗管包裹一定厚度的滤料，根据不同土壤类型，选做滤料的材料包括砂石料或土工布等。

暗管改碱田间工程通常只设一级吸水管，或加设一级集水管后排水入明沟。吸水管是埋设在田间的最末一级透水暗管，具有良好的吸聚地下水流和输水的能力。渗入暗管的水分，通过集水管、集水明沟、泵站提水或重力自流排入河道。暗管埋设的方向、间距、管径选择和埋深，应根据田间土壤的特性及田间排水情况进行分析设计，使其在设计深度的平面上形成具有一定间距的、平行的、相互联系的排碱管网系统，从而有效降低农田的地下水位，以防止盐分沿毛细管升于地表；同时，利用灌溉和降雨对暗管上部的含盐土层进行淋洗脱盐，通过地下暗管排出土体，经过暗管改碱系统长期不断地发挥作用，就能从根本上解决土壤的盐碱化问题（图1-4）。

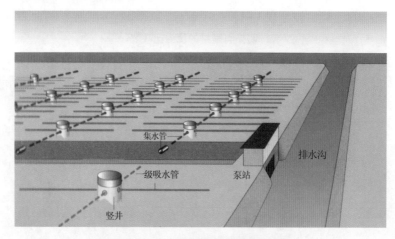

图1-4 系统的暗管改碱管网示意图

　　田间暗管采用从荷兰进口的开沟埋管机铺设，开沟、埋管、裹砂、敷土一次完成并达到1.5~2 m的设计深度（图1-5）。

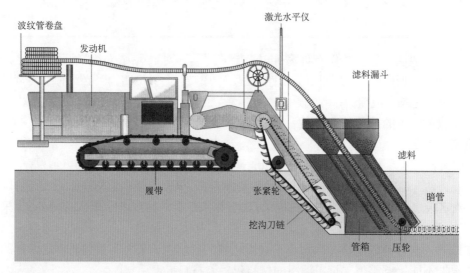

图1-5 开沟埋管机作业示意图

　　暗管铺设的比降可通过激光制导仪自动控制，使暗管达到要求的坡度，以利于地下水的排出。在埋管的同时，将沙滤料包在暗管的周围一起埋入地下。暗管铺设过程具有较高的自动化程度、施工精度和生产效率。一台机械在一个工作日可铺管1 500 m以上，这就使大规模铺设暗管进行大面积的治理和开发盐碱地成为可能。荷兰设备中还有冲洗暗管内壁及孔隙的自动推进喷嘴（图1-6），可自动以高压水流冲开被堵塞的管壁渗孔（图1-7）。每隔2~3年可冲洗一次，从而使暗管改碱设施的长期使用和维护达到一劳永逸的效果。

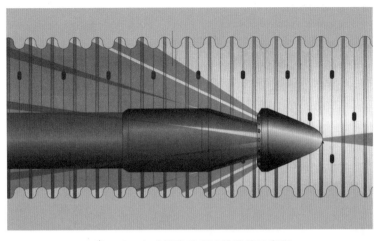

图1-6　自动推进喷嘴冲洗暗管示意图

图1-7　冲洗暗管作业图

四、暗管改碱技术在世界范围和我国部分省区的推广应用

荷兰是一个以商业立国的国家,因其治水活动历史悠久、成就卓著而成为世界上最早向国外输出水利技术的国家。其中暗管改碱技术20世纪六七十年代即在欧洲的许多国家得到推广。70年代在埃及的尼罗河三角洲和印度的恒河流域大规模推广应用获得成功。80年代我国的新疆、黑龙江、宁夏、山东(禹城)等地均实施了暗管排碱实验工程或项目。其中的宁夏银北灌区工程规模较大并给我们带来不少经验和启示。

宁夏河套平原银北灌区地处宁夏回族自治区北部,是黄河青铜峡河西灌区的主要部分。河套以河谷平原为主体,地势平缓,造成地表径流与灌溉用水排泄不畅,盐分积聚地表。加上长期以来大水漫灌、重灌轻排的灌溉方式,使地下潜水位居高不下,加重了土壤的次生盐渍化,使之成为河套地区农业发展的一个重要制约因素。

在治理盐碱方面宁夏人民进行了不懈的努力。过去其主要技术方向是以传统的明排为主，实行深沟滤碱、明沟排水，并配套打竖井、建强排泵站。但明沟排水的缺点一直难以克服。如沙质土壤明沟边坡滑塌严重，每年都要投入大量资金和劳力修复；地势平缓，地下水埋藏浅，难以长距离速排；明沟占地较多，使人均占有耕地越来越少。由于上述原因，大量井、泵处于瘫痪状态。

为了寻求新的排水治碱途径，灌区于80年代初开始试行暗管改碱并获得成功。由于暗管改碱有节省耕地、便于耕作、保证排水深度、养护方便、一次投资长期受益等优点，农民容易接受。到90年代暗管排碱技术在灌区迅速发展，扩大到近6 700 hm²。

大面积实施暗管改碱最大的制约因素是资金投入。1997年以前，限于资金约束，宁夏暗管改碱工程基本上是人工铺设；1998年以来，开始采取了人工、机械两条腿走路的铺设方式，利用美国进口机械铺管405 hm²。1997年以后，宁夏自治区农业综合开发办公室与荷兰王国合作，利用荷方混合贷款，引进荷兰先进机械设备，实施了2.3万hm²的暗管改碱项目。

宁夏中荷合作暗管改碱项目区位于宁夏银北灌区的贺兰、平罗、惠农三县境内，总面积2.3万hm²，项目总投资1 310.6万美元，其中国内配套资金810.6万美元，利用外资总额500万美元，项目期为5年。利用荷兰贷款的要点是引进机械，其中55%的贷款和部分赠款用于购买荷兰设备，其余部分用于技术、培训等，该项目于2004年实施完毕。总体来看，宁夏平原地区利用暗管技术改良盐碱荒地成效显著。经改良后的土地，土质较好，地下水矿化度降低，地下水位明显下降，一般由原来的1 m左右下降到1.5 m以下。由于经济效益非常可观，暗排技术很受农民群众欢迎。宁夏多年来实施的一系列暗管改碱工程也为我们提供了完整的经验和启示。

第二节　胜利油田实施暗管改碱工程取得的显著成效

一、油田实施暗管改碱工程的背景

（一）油田拥有的大量土地资源亟须整治利用

胜利油田不仅是黄河三角洲发展的强大推动力，而且也是黄河三角洲上的用地大户。一是因打井、修路、蓄水等生产作业征用了大量土地；二是过去为解决广大职工两地分居问题安排"大庆户口"所占用并改造为稻田的土地；三是石油城镇及居民点用地等，合计拥有土地10万hm²以上。按照"谁占用、谁补偿、谁破坏、谁复垦"的土地政策，占用如此多的土地每年都要向国家缴纳数千万元的土地开垦费，如果将这笔费用作为黄河三角洲盐碱地改良的启动资金，既符合《土地法》的有关规定，又能使大片荒芜的土地增值，使之变为宝贵的物质财富。于是1999年胜利油田多种经营处经多方考察论证，向胜利石油管理局提出了按照现代企业的运作方式成立专业化的公司、引进荷兰暗管改碱技术、大面积改良盐碱地的动议。这一改碱方式虽然投入较大，但可将一次性投入的成本分解到公司的长期生产过程中去，这就有可能将每亩土地的改良成本降到最低，使暗管排碱技术形成产业化，进入良性循环。

（二）油田改制带来的历史机遇

1998年6月，国家实施石油石化行业重组，形成中石油、中石化南北两大集团公司，胜利油田并入中石化后迅速进入改制运作阶段，将油田的核心业务部分重组上市，将辅助性业务与主业剥离，从而使多种经营的各行业依托主业运行的便利条件大大减弱，并面临着大量职工分流下岗的压力。为解决这一问题，必须寻找新的就业途径。对此，胜利油田拥有的大量土地资源的巨大潜力开始显现出来。而要开发利用大面积的撂荒地，必须首先进行大规模治理与改良，从而使引进暗管排碱技术改良盐碱地问题进入了胜利石油管理局的议事日程。

（三）暗管改碱工程技术非常适合黄河三角洲的实际

过去，黄河三角洲传统的改碱方式，主要是利用黄河水资源大水漫灌、明沟排碱、活水种稻。但由于土壤质地轻，特别是土壤结构中粉粒比例大，而且吸附大量的钠离子，使其分散性和吸附性更强，灌水后多呈糊状，易形成流沙，排渠坍塌十分严重，改碱效果很不理想。进入90年代以来，黄河下游进入长期断流阶段，依靠大量的淡水洗盐已不现实，即使黄河有水，也会因水价上调而大幅度增加成本。对此，暗管改碱技术的应用能够避免明沟排碱的种种弊端，相对节省水资源，且已形成了一套完整的规划设计、机械施工和后期管理及维护技术，引入这一工程技术的时机已经成熟。

（四）省、市与油田领导对暗管改碱工程的积极支持

引进暗管改碱技术得到了东营市决策层的支持。1999年10月，胜利油田、东营市、荷兰荷丰公司三家联合组建了从事盐碱地改良的专业化公司——东营金川水土环境工程有限公司（以下简称金川公司），公司采用独立法人经营、商业化运行的办法，从荷兰引进2台大型开沟埋管机、2套激光制导仪、6台滤料拖车、1台暗管清洗机及土壤调查设备，进行了盐碱地改良工程设计和施工技术等方面的业务培训。2000年，山东省国土资源厅予以立项，黄河三角洲暗管改碱实验工程终于启动，相继成功实施了莱州湾暗管改碱实验工程、孤东十万亩土地开发等项目。油田领导与地方政府领导均对公司组建和工程实施给予了关心和支持。2004年4月，山东省委政策研究室到胜利油田考察并形成了《一条盐碱地开发改造的新路》的调查报告，陈延明副省长作了"进一步搞好示范推广"的重要批示。4月30日，山东省环保局将"黄河三角洲暗管改碱工程技术研究"列入2004年度山东省环保重点科技计划项目，并在资金上给予支持。同年11月，农业部原副部长、东营市政府顾问洪绂曾到施工现场调研并予以充分肯定，提出了在国家层面上对该技术给予评估论证的建议。

二、黄河三角洲暗管改碱实验工程

在荷兰专家的指导下，新建的金川公司员工很快掌握了设备的性能和操作方法，并系统学习了暗管排水改良盐碱地技术的理论依据、设计方法、土壤调查、滤料选择和施工组织等，形成了一支专业化的队伍，为推广和应用暗管改碱技术奠定了基础。

2000年，根据山东省国土资源厅《关于胜利油田莱州湾575 hm² 盐碱地开发项目申请立项的批复》，金川公司将盐碱含量高、寸草不生的莱州湾荒碱地列为暗管改碱技术的实验项目区。该项目区距离渤海十几公里，南距广利河仅1.5 km。区内三条主要

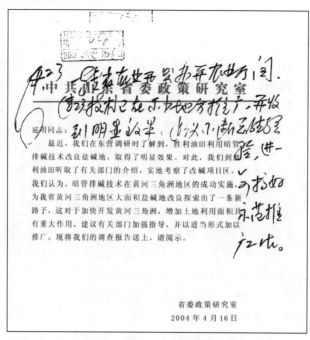

陈延明副省长对暗管改碱调研报告的批示

排渠受潮汐影响明显，排沟内的水矿化度高，以侧渗的形式补给项目区地下水，其地下水位在 1.4~1.8 m 之间，地下水的矿化度一般在 60~100 g/L，土壤的盐分含量高达 20‰~30‰，地面平均海拔 3 m。

根据土壤的含盐量和水文状况，莱州湾实验项目区铺设了复合式暗管改碱系统。自 9 月 14 日开工至 10 月 11 日竣工，共铺设排水暗管 66 000 m。10 月底对暗管改碱的效果进行检验，结果表明，土壤含盐量从 2000 年 3 月份的 20‰~30‰ 降低到 10‰ 以下，

莱州湾暗管铺设工程施工现场

大部分土样的脱盐率在60%以上,调查点的最高脱盐率达到86%,已满足大部分耐盐物种的生长要求。

三、暗管改碱工程的规模化实施

在莱州湾暗管改碱项目实验区取得成功的基础上,金川公司先后实施了孤东仙河农场暗管改碱、垦利六干渠绿化暗管改碱、垦利县森林公园暗管改碱、孤东十万亩土地开发项目暗管改碱和河口区万亩盐碱地开发暗管改碱等工程,共铺设改碱暗管77万m,改碱控制面积4 600 hm²,这些项目均取得了成功(表1-2)。

表1-2   暗管改碱工程统计

序号	项 目 名 称	实施时间(年·月)	工程量(m)	控制面积(hm²)	投资(元)	单位面积投资(元／hm²)
1	莱州湾16#~19#地暗管改碱工程	2000.10	42 909	210.4	2 856 385.00	13 575.9
2	莱州湾14#、15#、20#地暗管改碱工程	2000.10	23 453	98.5	1 441 074.00	14 630.2
3	孤东仙河农场暗管改碱工程	2000.11	148 847	827.0	4 871 241.52	5 890.3
4	孤东农业开发Ⅳ区暗管改碱工程	2002.03	41 813	279.4	1 890 507.00	6 776.3
5	垦利六干渠绿化暗管改碱工程	2002.03	4 016	20.5	167 475.00	8 169.5
6	垦利县森林公园暗管改碱工程	2003.03	3 125	13.3	186 885.00	14 051.5
7	孤东农业开发Ⅰ区暗管改碱工程	2002.10	173 906	1 158.7	9 849 191.15	8 500.2
8	孤东农业开发Ⅱ区暗管改碱工程	2003.05	80 031	624.3	3 850 597.54	6 167.9
9	孤东农业开发Ⅱ区暗管改碱工程	2004.03	58 486	453.3	2 772 395.46	6 116.0
10	河口区万亩盐碱地暗管改碱工程	2004.04	83 676	466.7	3 850 000.00	8 249.4
11	孤东农业开发Ⅱ区三期及Ⅲ区暗管改碱工程	2004.11	109 480	466.7	5 236 132.67	11 219.5
合 计			769 742	4 618.8	36 971 884.34	

孤东十万亩土地开发项目是胜利油田土地开发的重点项目。该项目位于河口区仙河镇东部,东邻孤东油田,西有新卫东河,北依渤海,南靠6号路(黄河北大堤),总面积近6 700 hm²。区内为黄河新淤土地,海拔高度0.4~2.5 m;土壤盐碱化较重,含盐量为10‰~30‰;常年地下水埋深为0.1~1.2 m;地面有少量红柳、芦苇及其他盐生植物。

根据胜利油田要求,金川公司于2001年10月完成孤东十万亩土地开发项目的规划设计方案,12月完成排灌系统设计,2002年建成灌排系统。至2004年底,共铺设暗管46.4万m,控制改碱面积3 000 hm²。孤东十万亩土地开发项目区已成为沟渠纵横、土地平整、灌排系统配套、改碱效果明显的农业开发示范区。2004年，在孤东十万亩土地开发项目区实施改碱第三年的土地上种植棉花 333.3 hm²，每公顷产籽棉 2 250 kg；种植芦竹 533.3 hm²，每公顷产芦竹（干物质）1 200 kg，高产地块达 1 800 kg，芦竹产业开发初见成效。为使暗管改碱工程的产业链向下游延伸，进一步拓展改良土地的综合效益，专门负责土地经营管理的胜利油田金润农业发展有限责任公司（以下简称金润公司）于2002年7月正式成立。

开发前　　　　　　　　　　　　　　　　开发后
孤东十万亩土地项目区开发前后生态状况对照

东营市河口区义和镇万亩盐碱地开发暗管改碱工程是金川公司走向市场的第一个盐碱地改良项目。该项目位于河口区义和镇，土壤含盐量在5‰～15‰之间。设计铺设 ϕ 80田间吸水管 83 676 m。2004年4月12日开工，5月8日完成，历时26天，共铺设暗管 83 676 m，处理管头 185 个，安装检查井 132 个，控制改碱面积 467 hm²。

经过5年来对暗管改碱工程技术的消化、吸收、完善和提高，金川公司、金润公司已创新形成了一整套符合东营实际的系统改碱工程和后续管理的技术和能力，其核心内容包括：勘察设计、暗管敷设、灌排配套、激光精平、深松破结、维护管理等。目前，该公司熟练掌握各工序施工技术和管理的人才及成套设备均已具备，向更大地域范围推广暗管改碱工程技术的条件已经成熟。

四、暗管改碱工程技术的显著成效

（一）机械化程度高

暗管的铺设采用专用机械，开沟、铺管、裹砂、敷土一次完成，并由激光制导系统控制坡降，施工速度快、精度高。一台埋管机平均每天可铺设暗管 1 500 m，控制改碱面积 5～10 hm²，适于大规模盐碱地改良。

（二）改碱效果好

排碱工程实施后，通过控制地下水位，抑制返碱，利用较少的灌溉用水和降水就能在1～2年内使土壤迅速脱盐，从根本上解决了土壤的盐碱危害。孤东仙河农场暗管排碱项目，2000年11月铺设暗管，到2003年11月份，含盐量从平均22‰降低到2.8‰，白花花的盐碱一去不复返。

（三）增加耕地面积

与明沟排碱相比，大量的排水沟被暗管代替，可增加耕地8%～11%，单斗利用率可达74%，区域开发面积利用率达到62.5%，土地利用率大大提高。孤东十万亩土地开发项目区 2 号地 2 斗总面积 198 hm²，埋设暗管后，共设置条田 22 块，净面积 186.5 hm²，土地利用率达 74%，与传统的明沟排碱治理相比，土地利用率大约提高了 20 个百分点。

（四）改碱成本适中

暗管改碱的投入，包括排灌系统配套和暗管铺设在内，一般每公顷投入在 18 000 元左右，首次投入略高于开挖明沟、明渠的费用，但它避免了"年年灌水，年年坍塌，年年清淤"，后期管理维护费用大大降低，由盐碱造成的中低产田改碱费用一般 3～4 年可以收回投资，荒碱地改造一般需要六七年收回投资。如在排灌设施已配套的区域实施铺设暗管工程，成本还将大幅降低。

（五）经济、生态效益显著

实施暗管改碱后，每公顷土地可增加收入 3 000～4 500 元。胜利油田孤东仙河农场 827 hm² 稻田曾因缺水灌溉而严重返碱，被迫撂荒。2000 年埋设暗管后，土壤含盐量很快下降，第二年就重新变为良田，油田职工竞相承包，每公顷平均承包费 1 800 元，当年净增利润 156 万元。同时，暗管改碱技术节水效果显著，可以有效地降低水费成本。莱州湾项目区 367 hm² 耕地，如果靠传统的开渠引水、明沟排水等技术把土壤含盐量降低到 0.2% 以下，每公顷用水量约 9 万 m³，而采用暗管排碱技术，仅用水 1.8 万 m³。工程实施还带来了明显的生态环境效益，特别是过去寸草不生的荒碱地，工程治理后的植被覆盖率可达到 95%，如在黄河三角洲或更大区域成功推广，可对优化生存环境、修复湿地生态和改善气候条件发挥重要作用。

第三节　推广暗管改碱技术的
重要意义与政策支持

一、在黄河三角洲地区推广暗管改碱技术的重要启示

为大力推广暗管改碱系统工程，本书应用中国科学院地理科学与资源研究所 30 多年来对黄河三角洲进行监测与评价的海量数据和分析技术，对近代黄河三角洲发育演变中的盐渍化趋势进行动态分析和模拟预测，在形成土地利用涨落势图谱的基础上提出了分区推广治理的规划措施。由于近代黄河三角洲与"大黄三角"地区（黄淮海平原呈三角形，其顶点在郑州，包括海河平原、黄河下游平原和淮北平原，主要由黄河、淮河、海河三大河流的泥沙冲积而成，其中黄河是塑造主力。与近现代黄河三角洲相比，可以称为"大黄河三角洲"，见图 1-8）的沉积方式与土壤质地具有极大的相似性，于是我们又应用中国农业大学多年来对黄淮海平原水盐运动的研究成果，论证了在该区域推广暗管改碱技术的可行性。翔实的地域适应性研究给我们带来了新的启示：推广暗管改碱技术不仅可在局部地域大幅度提高土地产出率，而且对于在新的形势下提高我国农业综合生产能力方面，也是一项非常重要的基础性工程。因此，应进一步分析其意义作用，提出政策支持措施，供国家决策参考。

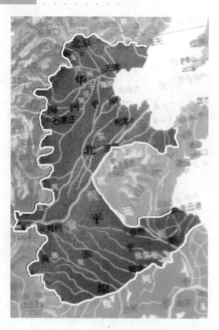

图1-8　黄淮海平原范围图

二、推广暗管改碱技术的重要意义和作用

(1)推广暗管改碱技术和实施暗管改碱项目是从根本上提高农业综合生产能力的基础性工程。党中央、国务院历来高度重视农业。2005年1号文件站在实践"三个代表"重要思想、落实科学发展观和建立和谐社会的战略高度，明确提出了提高农业综合生产能力的九条政策和意见。以暗管改碱为主体的工程技术主要是在土地盐碱、生态环境和生产能力长期处于脆弱状态的地区推广，或者与已有大型灌区的农田基本设施建设配套实施。其主要特点就是可以长期地改善土壤质量，提高土地产出率，有利于建立粮食增产、农民增收的长效机制，因而是解决"三农"问题的一项重要基础性工程。

(2)有计划地推广实施暗管改碱工程对于大幅度提高我国北方地区农业产量和改善生态环境是一个巨大的推动力。对卫星影像监测与社会统计资料的分析结果表明，在我国淮河、秦岭和青藏高原以北的广大地区，包括东北、华北、环渤海和西北地区，均存在程度不同、面积极其广阔的盐碱地（图1-9）。根据中国农业大学应用GIS技术对黄淮海平原土壤盐分分布的研究，表层土壤含盐量在1‰～6‰之间的土地面积就有534万 hm^2，20～30 cm耕层以下相同含盐量的土地面积约757万 hm^2，如通过实施暗管改碱工程将其改造为良田，可大幅度提高为这些贫困地区的农用土地生产力，获得上百亿元的经济效益。如暗管改碱工程在我国北方更广大的地区推广，对于实现大面积产粮区的稳定增产和农民持续增收、增强农业发展后劲，以及改善植被生存基础、优化生态环境，都将起到极大的推动作用。

(3)推行暗管排水代替明沟排水，可有效扩大可耕地面积，这对缓解我国城市化和工业化快速发展同保护耕地的矛盾具有重要意义。随着我国城市化和工业化进程的加快，城市近郊的大量优质农田变为非耕地，这一趋势很难逆转。如果在已有灌排渠系的

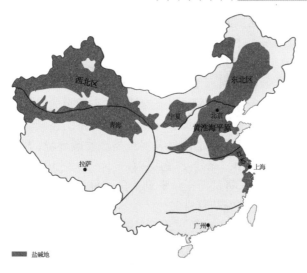

图 1-9　我国北方盐碱地分布图

广大农区大力推行以明排改暗排的工程,原排沟填平后可增加目前占灌区面积10%的新耕地,如以全国现有灌溉面积(5 000万 hm²)可新增耕地 5% 计算,则可实际新增耕地250万 hm²。此外,还可在未开垦的大面积荒碱地带实施改碱工程以扩大耕地面积。这对于在土地管理中落实占一补一的耕地补偿政策是一个新的出路,可有效缓解工农业用地的矛盾,促进经济、社会的全面和谐发展。

(4)在我国开发最晚的黄河三角洲实施以暗管改碱为主体的国土整理实验工程,对于改善这一新国土的基础条件和承载能力,逐步赶上"长三角"(长江三角洲)和"珠三角"(珠江三角洲)的发展水平具有重要的促进作用。近代黄河三角洲是黄河于公元1855年改道山东行水后形成的新陆地,是我国、也是世界上综合条件优越而又开发最晚的大河三角洲。目前,我国的"长三角"、"珠三角"不仅都已建成了发达繁荣的新经济区,而且正在带动"泛长三角"、"泛珠三角"的广大地域腾飞。而近代黄河三角洲发展水平仍然落后的根本原因,除了开发时间短、经济基础薄弱之外,作为承载经济社会发展之本的国土资源存在着严重的盐渍化趋势且产出率低下也是一个非常重要的因素。因此,从新国土的综合整治着眼,在国家和山东省支持下实施以暗管改碱为主体的土地整理计划,对于在近期推动近期黄河三角洲高效生态经济的发展、远期推动大黄河三角洲经济区的振兴,是一项根本性的基础工程。

三、请求国家和省对推广暗管改碱技术给予政策支持

(1)建议国家制定在我国北方地区大力推广实施暗管改碱工程的专题规划,以实现分期施治、长效发展。我国北方地域辽阔,人口众多,但大部分农区存在土地盐碱或次生盐渍化趋势,不少农民因此而处于贫困或仅达温饱状态。为切实提高农业综合生产能力,建议国家组织专家班子,在对北方地区进行充分考察研究的基础上,编制国家级荒碱地改良专题规划,并在相关省、区落实盐碱地开发利用和土地整理计划,支持建立推广实施暗管改碱工程的大型专业公司,有计划地分期分批地将幅员辽阔的盐碱地和中低

产田改造为高产农区,充分挖掘其潜在生产能力并扩大可耕地面积,维护国家粮食安全与生态安全,大踏步地推进农村奔小康步伐。

(2)请求将黄河三角洲地区列为推广实施暗管改碱工业的实验示范区。自2001年九届全国人大四次会议将"发展黄河三角洲高效生态经济"列入国家"十五"计划纲要以来,在国家各部门和山东省委、省政府的积极支持下,东营市的各行各业发展取得了显著成效。但作为生态经济发展载体的土地资源,其与生俱来的盐碱化问题仍是制约高效生态经济发展的关键因素。为从根本上改善黄河三角洲发展环境,国家和山东省对这一地区应采取更加优惠的扶持政策。充分发挥其盐碱地面积大的优势,鼓励在科学论证的基础上规划论证系统改碱工程,将黄河三角洲列为国家推广暗管改碱工程的实验示范区并列入"十一五"计划。要把实施暗管排碱作为农业经济发展的切入点,促其率先实现农业现代化,使黄河三角洲高效生态经济建设实现实质性的跨越。

(3)请求国家有关部门对应用暗管改碱工程技术的项目给予优先支持。请求科技部门将暗管改碱技术列为重点科技推广项目,并支持土地监测信息技术的深度开发和提高工程技术应用和适应能力的研究;国土资源部门将暗管改碱工程作为土地整理的重点项目予以支持,并将工业占地缴纳的耕地开垦费优先用于支持改碱示范和推广项目;水利部门将暗管改碱工程作为农田水利基本建设的主要内容或配套工程予以支持实施,并落实新增耕地及改碱项目区的灌溉用水指标;环保部门积极支持以盐碱地改良为先行、扩大林草种植面积、改善和优化生态环境的行动,在项目立项、资金拨付和生态环境监测等方面给予帮助和扶持;农业部及农业科研院所要对该技术的进一步提高和完善提供帮助,引导其向标准化、规范化发展,针对已改良项目区分别宜农、宜林、宜牧的不同产业化方向提供项目技术和资金支持;国家农业开发办将改良盐碱地工程列为重点农业开发项目给予支持;农业开发银行提供一定额度的贴息贷款,用于改碱设备的购置、培训技术人员和建立实验研究基地;林业部门对滨海盐碱地改良后用于大面积造林的区块按照建设公益林、生态林或防护林的优惠政策给予扶持和补贴,对以改碱技术修复湿地生态项目协调相关专项资金予以支持;各级新闻媒体要实事求是地加大该项技术成果的宣传力度,促进其健康有序地推广应用。

(4)请求各级政府、部门支持胜利油田、东营市以推广暗管改碱工程为契机、大力发展石油接续产业,加快资源型城市经济转型的步伐。目前,同处黄河三角洲的胜利油田和东营市均处在可持续发展的关键阶段。胜利油田开发建设40多年来对国家做出了巨大贡献,累计生产原油8.26亿t,天然气370亿m^3,上缴国家利税1564亿元,为国民经济发展做出了巨大贡献。当前,企业改革、发展、稳定工作遇到了很大的困难与阻力,多年来积累的矛盾很多。按上级要求,油田22万职工有7万多人面临改制分流、移交或下岗,发展接续产业的压力很大;东营市在当前经济规模和安置容量有限的条件下,面临着国家特大企业在改制中向地方转移大量职工的巨大压力,如果处理不当,将带来经济滞后、社会动荡的不利局面。鉴于世界上不少石油城市在关键阶段未能实现爬坡转型终于由盛转衰的历史教训,黄河三角洲亟须得到国家和山东省的阶段性推动和支持。请求国家充分发挥胜利油田和东营市加快发展石油接续产业的迫切愿望和积极性,抓住油价升高的历史机遇,"十一五"期间每年从油田上缴的利润中拿出10%,作为资源型城市经济转型的"接力资金",用于改善黄河三角洲发展环境和重要接续产业的启动。

第二章　黄河三角洲
发育演变中的盐渍化趋势

　　黄河三角洲是世界上形成年代最晚的一个大河三角洲。大量黄河泥沙的沉积造陆使这里拥有了广阔的未被充分开发利用的土地资源。但是由于其成陆时间短、淤土层缺少一个自重压实的地质演变过程,因此土质疏松。另外,由于地下潜水位高,盐分易升地表,加上三角洲长期处于渤海海动力的三面包围和冲击浸润之中,极易导致土壤盐渍化或次生盐碱化。为采取长效的工程技术手段治理这一宝贵的土地资源,必须从宏观上全面认识这一沉积过程与盐渍化交互作用的变化规律,从微观上弄清各类土壤处于盐渍化状态的演变机理。为了在较短的时间内把握这些规律与机理,我们使用了中国科学院地理科学与资源研究所40年来应用"3S"技术对黄河三角洲进行连续监测分析的海量数据成果。

　　"3S"系遥感(RS)、地理信息系统(GIS)和全球定位系统(GPS)的简称。"3S"技术视野广,监测范围广阔,取得环境信息快速而丰富,具有强大的对空间数据的处理能力和对现实世界的模拟能力,在空间要素的叠置过程中能够产生与这些要素相关的、综合的新信息,尤其是对于在短期内认识黄河三角洲这样一个地域广阔且空间要素变化极快的地区,其认识效果会更佳。因此,我们采用中国科学院的一些景观图谱方法、遥感监测手段和多源数据融合技术对黄河三角洲中发育演变过程中的盐渍化趋势进行了分析研究。

第一节　黄河三角洲发育及地貌格局

　　黄河是世界上含沙量最高的河流,每年向黄河河口三角洲和附近海域输送大量的泥沙。黄河三角洲就是由黄河在历史时期输送的巨量泥沙堆积而成的。位于山东省境内的黄河三角洲,展布于渤海湾南岸和莱州湾西岸,地处东经118°31′～119°18′,北纬36°55′～38°16′之间(图2-1),是由古代、近代和现代3个三角洲体系组成的联合体。

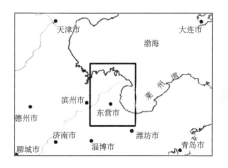

图2-1　黄河三角洲地区位置略图(据刘高焕(1996)改编)

一、黄河三角洲体系

(一) 古代三角洲体系

古代黄河三角洲系黄河自远古至公元 1855 年 (清咸丰五年) 改道山东大清河入海之前多次变迁中冲积而成的诸多三角洲的统称。其地理范围是以河南省巩县为顶点,北至天津、南至徐淮的黄河冲积泛滥地区。由于这一广阔陆地的形成也有海河与淮河的冲积作用,故又称为黄淮海平原。

古代黄河三角洲体系中位于山东的部分,是黄河于公元 11~公元 1048 年期间的行水流路冲积而成。自汉元帝永光四年 (公元前 40 年),河决清河由千乘 (今利津) 入海,至唐景福二年 (公元 893 年),河从千乘改向北流,到无棣的马谷山以东入海为止,其间近 900 年黄河始终保持原路,建造了以北镇 (今蒲城) 附近为顶点的古代黄河三角洲体系,西起套尔河口,南至羊角沟,面积约 7 200 km²。金章宗明昌五年 (公元 1194 年),黄河夺淮河入黄海,在苏北海岸建造了废弃黄河三角洲体系。这一时期山东境内的古三角洲堆积体长期受海水侵蚀改造,海岸线不断后退 (高善明,1989)。

(二) 近代三角洲体系

清咸丰五年 (公元 1855 年),黄河在河南开封铜瓦厢 (今兰考县东坝头) 决口,放弃苏北的旧河道,行东明、长垣、濮州、范县至张秋镇,穿运河,改夺大清河故道,于山东利津县东北部入海,结束了长达 661 年夺淮河入黄海的局面,开始建造以宁海为顶点的近代三角洲体系,面积近 5 400 km²,主要由 3 个亚三角洲堆积体组成。

1. 盐窝—肖神庙为中轴的亚三角洲堆积体 (公元 1855~1904 年)

公元 1855 年,黄河在铜瓦厢决口,夺大清河在铁门关以北老爷庙牡蛎嘴入渤海 (1855 年 8 月至 1889 年 3 月);1889 年 4 月,黄河在韩家垣凌汛漫溢,由毛丝坨 (今建林东) 入海 (1889 年 4 月至 1897 年 5 月);1897 年 6 月,在南北岭子庄附近伏汛决口,水由丝网口 (今宋家坨子) 入海 (1897 年 6 月至 1904 年 6 月)。这三次流路,尾闾从东北摆动到东南入海,形成以盐窝—肖神庙为中轴的亚三角洲堆积体 (图 2-2)。

2. 盐窝—太平镇为中轴的亚三角洲堆积体 (1904~1929 年)

1904 年 7 月,黄河在盐窝伏汛决口,先后由太平镇以北的老鸹嘴、顺江沟、车子沟、套尔河、面条沟 (挑河) 入海 (1904 年 7 月至 1926 年 6 月);1926 年 7 月,在八里庄伏汛决口,由刁口河入海 (1926 年 7 月至 1929 年 8 月)。这两次流路,尾闾沿北和北东方向入海,形成了盐窝—太平镇为中轴的亚三角洲堆积体 (图 2-3)。

3. 宁海—西双河为中轴的亚三角洲堆积体 (1929~1934 年)

1929 年 9 月,在纪家庄人工扒口,先后由南旺河、宋春荣沟、青坨子入海。本期流路形成以宁海—西双河为中轴的亚三角洲堆积体 (图 2-4)。

(三) 现代三角洲体系

1. 甜水沟为中轴的亚三角洲堆积体 (1934~1953 年)

1934 年 9 月,黄河尾闾在一号坝合龙处堵岔未合,引起决口改道。初由毛丝坨故道入海,后逐渐形成神仙沟、甜水沟、宋春荣沟三路入海的形势。1938 年 7 月,郑州花园口决堤,黄河改由徐淮故道注入黄海。1947 年 3 月,花园口口门堵复,黄河重归山东仍

循甜水沟、神仙沟、宋春荣沟分注渤海。本期流路形成了以甜水沟为中轴的亚三角洲堆
积体（图2-5）。

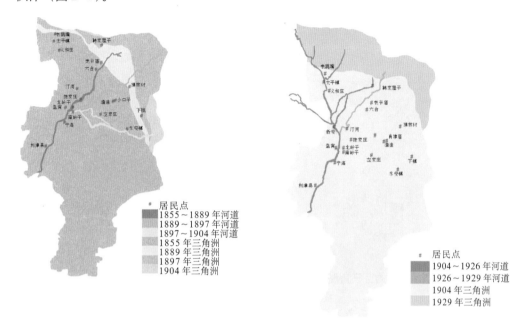

图2-2　盐窝一肖神庙为中轴的亚三角洲堆积体　图2-3　盐窝一太平镇为中轴的亚三角洲堆积体

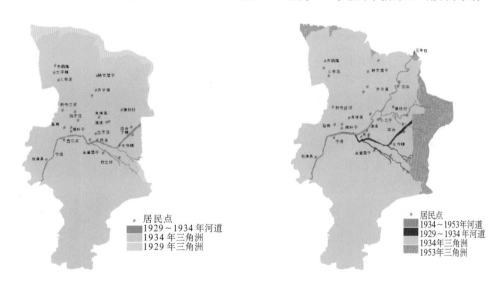

图2-4　宁海一西双河为中轴的亚三角洲堆积体　　图2-5　甜水沟为中轴的亚三角洲堆积体

2.神仙沟为中轴的亚三角洲堆积体(1953～1964年)

1953年7月在小口子附近开挖引河进行人工截弯取直，将甜水沟汇入神仙沟，最终
由神仙沟独流入海。本期流路形成以神仙沟为中轴的亚三角洲堆积体（图2-6）。

3.刁口河为中轴的亚三角洲堆积体(1964～1976年)

1964年1月，河口凌汛成灾，在罗家屋子左堤人工扒口，尾闾向北改道，水由刁口

河入海。本期流路形成以刁口河为中轴的亚三角洲堆积体（图2-7）。

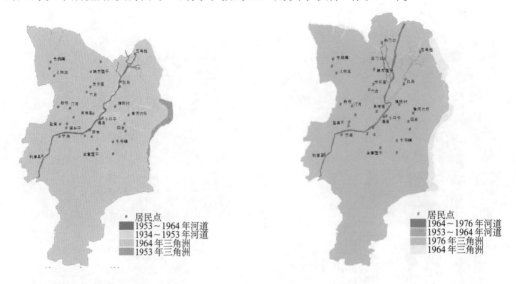

图 2-6　神仙沟为中轴的亚三角洲堆积体　　　　图 2-7　刁口河为中轴的亚三角洲堆积体

4.清水沟为中轴的亚三角洲堆积体(1976至今)

1976年5月，在西河口实施了有计划的人工改道，由清水沟流路入海。本期流路形成了以清水沟为中轴的亚三角洲堆积体（图2-8）。

二、黄河三角洲地貌格局

（一）黄河三角洲地貌格局分类

黄河三角洲地势低平，自西南向东北微倾。区内以黄河故河道高地为骨架，构成了三角洲上的局部分水岭。其地貌格局从总体上可以大致分为4个部分(图2-9)。

1.南部山前冲积平原

此地貌与黄河经此地通渤海之前的古海岸相关，分布范围较小，主要由缓坡高地组成。

2.黄河三角洲平原

该部分包括古代和近现代两个部分，构成了黄河三角洲的地貌主体，主要由黄河多次决口改道泛滥而成。

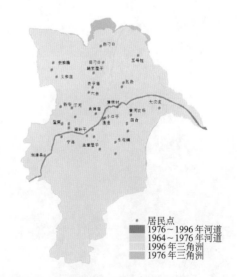

图 2-8　清水沟为中轴的亚三角洲堆积体

3.冲积海积平原

该部分位于冲积平原地貌岸线以下至平均高潮线之间，多为湿地景观，环陆分布，是海陆相互作用的地带。根据海陆作用强烈程度，其宽度变化不一。

4.水下三角洲

该部分指位于河口三角洲的前缘水下部分（图2-9中未标明）。由于黄河水沙的瞬时挟入，致使海洋动力无法将其运移分散，故在现行河口水下三角洲发育，活动性强。而在废弃河口，由于泥沙供应停止，水下三角洲遭受强烈侵蚀，导致其高程降低并向其边缘海域扩展。

图2-9　黄河三角洲地貌分区图

（二）黄河三角洲地貌格局的主要特征

1.地貌格架

黄河三角洲是以河流作用为主的三角洲，三角洲平原上的地貌类型无不留下河流作用的痕迹。三角洲各期数十条大小分流河道均为地上河，河床及两侧的堆积体（天然堤、决口扇）高出周围地面1~2 m，自三角洲顶点向海呈指状辐射。分流河道之间为河间洼地，河道相对密集叠合的地带形成较宽大的指状岗地。岗地向三角洲顶点宁海—渔洼附近辐聚汇合成高程6~7 m的掌状高地。黄河三角洲冲积平原上主要有5条大的指状岗地，向海辐射伸出，形成上部冲积平原地貌格架（崔承琦，1994），主要有：宁海—顺江沟、车子沟一带指状岗地；宁海—渔洼—黄河刁口故道一带指状岗地；宁海—渔洼—神仙沟故道一带指状岗地。此为近代黄河三角洲尾闾河道行水时间最长的地带，是三角洲的主要生长方向；宁海—渔洼—清水沟流路一带指状岗地；宁海—永安、北海铺一带指状岗地。

2.地貌分带性

黄河三角洲地貌分带差异明显（耿秀山，1992）。现行河口与新近废弃河口附近的宏观地貌形态结构为：新生陆上亚三角洲平原—河口沙坝—水下亚三角洲前缘—前三角洲平原—海湾平原。河口废弃较早的近代三角洲形态结构为：近代陆上三角洲平原—潮滩（风暴潮滩和潮间浅滩）—水下岸坡—水下三角洲平原（前三角洲）—海湾平原。

黄河三角洲各地貌类型及分布见图2-10。

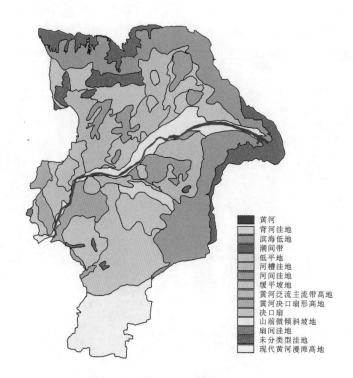

黄河
背河洼地
滨海低地
潮间带
低平地
河槽洼地
河间洼地
缓平坡地
黄河泛流主流带高地
黄河决口扇形高地
决口扇
山前微倾斜坡地
扇间洼地
未分类型洼地
现代黄河漫滩高地

图2-10　黄河三角洲地貌类型

第二节　黄河三角洲气候与水文特征

黄河三角洲的气候与水文对土壤环境影响巨大。气候中的蒸发量大于降水量,水文中的地下水位高、矿化度高,是导致该地土壤盐渍化的决定性因素。其他气候与水文因素皆对黄河三角洲的治理与发展产生重要影响。

一、气候特征

黄河三角洲沿海地区属暖温带季风气候,季风影响显著,四季分明,多风,日照充足。

(一)风

冬季各月多西-北西(W-NW)风;春季偏北风逐渐减少,偏南风逐渐增多;夏季以东南风、南风为主,而北风很少出现;秋季是夏季风向冬季风的转换季节,偏南风逐渐减少,偏北风逐渐增多。全年以南风的频率最大,为11%。全年平均风速为5.3 m/s,其中11月份最大,为6.1 m/s;7月份最小,仅为4.4 m/s。大风日数为:大于6级风的日数全年为138天,其中春季4月份和秋季11月份最多,皆超过14天;夏季7月份最少,仅8天。大于8级风的日数全年为16天。其中秋冬季出现8级风的日数较多,10月份、11月份和2月份均超过2天;夏季6月份、7月份较少,均不足1天。

（二）降水

多年平均降水量为564.4 mm。降水多集中在夏季6~8月份，3个月之和占全年的1/3。冬季各月降水量稀少，仅占全年的3%。全年的降水日数为71天。其中7月份最多，超过13天；6月份、8月份次之，均接近10天。1月份、2月份最少，均不足3天。全年的暴雨（>50 mm）日数仅为2天。历史上最多月暴雨日数为4天，出现在1971年7月份。

（三）雾

全年雾日平均为35.6天，其中12月份最多，平均为8.5天，11月份和7月份次之，各为4天。春季3~5月雾日很少，共为4.5天。最长连续有雾日数为6天，出现在1979年12月份。

（四）气温

该海域冬季气温较低，1月份平均温度最低，为−3.5 ℃，最低温度为−6.3 ℃，气温回升很快，3~5月份，3个月时间平均气温由3.2 ℃增至18.9 ℃。夏季3个月气温变幅不大，6月、7月、8月3个月平均气温分别为22.1 ℃、24.9 ℃和25.9 ℃，平均最高温度7月份最大，为28.8 ℃，8月份次之，为28.7 ℃。秋季气温下降迅速，从9月到11月，平均气温从20.8 ℃降至5.3 ℃。全年该海域平均气温为11.7 ℃。极值气温：冬季极端最低气温可低于−12.7 ℃，其中最低气温达到−23.0 ℃；夏季极端最高气温可达35 ℃以上，其中最高气温曾达41 ℃。

（五）日照、无霜期及蒸发量

黄河三角洲光能资源丰富，日照时间长，平均日照时数1 717.24 h，日照率为61%，太阳总辐射量529.6kJ/cm²，基本可满足一年两作种植制度需要。年平均无霜期211天，一般在4月上旬至10月下旬，各县（区）之间差异较大。其中广饶县最短，平均为198天，利津最长，平均达222天。年平均水分蒸发量为1 933.2 mm，以广饶县最小，为1 882.2 mm，利津最多，达1 998.4 mm。年内分配以冬季最少，进入春季后，随温度升高，蒸发量逐月增加。5月份、6月份达到最大值，蒸发量显著高于降水量。

（六）主要灾害天气

该区主要灾害性天气主要有寒流、台风、风暴潮、冰雹、海冰、海雾等。

二、水文特征

黄河三角洲天然水系包括地表水、土壤水、地下水和海水等系统，它们之间相互关联。黄河是该地区最重要的客水来源，流域总面积752 000 km²，但对本区域的小流域无明显影响。黄河水对于维持当地人民生活、经济发展和生态环境用水具有重要支撑作用，也是实施暗管改碱工程中淋洗土壤盐分的重要水源。

（一）黄河水文

黄河是形成和维持黄河三角洲淡水资源的主导因素。黄河经利津县南宋乡流入东营市，至黄河口，长度138 km。黄河因定期性涨水，一年中有"桃、伏、秋、凌"四汛。近年来随着黄河来水量减少汛情趋淡。

黄河水量多年分配不均，变幅较大，从新中国成立后的水文资料看，最大年平均径流量为973.1亿m³(1964年)，最小年平均径流量为18.8亿m³（1997年），相差51.8倍。黄河水量年内分配不均，随季节波动较大，汛期（7~10月）径流量平均达209.9亿m³，占全年平均径流量的61.7%。2月份径流量最少，平均为10.1亿m³，占全年径流量的2.9%；8月份最大，平均为63亿m³，占全年的18.5%。黄河河口地区年平均流量为1 119m³/s，最大洪峰流量为10 400 m³/s（1958年7月25日），最少流量时断流干河。

黄河平均输沙量为8.6亿t，年最大输沙量为21亿t（1958年），年最小输沙量为0.15亿t（1997年），相差140倍。汛期（7~10月）平均含沙量为35.4 kg/m³。

近年来，随着我国北方趋旱，黄河流域降水减少，加上引黄工程的增加，引水能力不断提高，黄河来水来沙逐年递减，黄河进入大跨度的枯水期（图2-11）。由于黄河下游为悬河，污染物很少排入。但中上游工农业废水的排入使黄河水质严重下降。黄河水的pH值在8.0~8.3之间，属弱碱性水；总硬度在2.16~5.56之间，属弱硬水；矿化度为0.2~0.6 g/L，是本市工农业和人畜用水的主要来源。

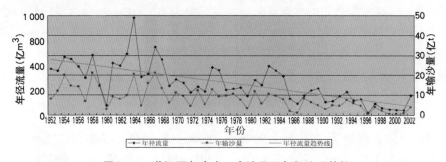

图2-11 黄河历年来水、来沙量及年径流量趋势

（二）地下水系统

黄河三角洲位于华北地台济阳坳陷的东北部，是中、新生代的一个沉降区，地下水蕴藏丰富（图2-12）。

在东营市辖区地表下数百米以内到处分布有多层系统结构的粉沙、淤泥和黏土（图2-13和图2-14），除土壤水带以外，地下水充填在多层系统沉积物的孔隙中，地下水在沙层中的运移要比在淤泥和黏土中运移通畅得多，高渗透性层称为含水层，反之称为隔水层。

辖区内地下水浅部数百米的地质特征变化不大，但是地下水的盐化程度和地下水的起源却变化很大，因而这种特征被用来作为概化地下水系统的标准。

总体上，地下水可以划分为以下系统：

(1)小清河南地下淡水；

(2)小清河北深层地下淡水；

(3)三角洲地区浅层地下淡水透镜体；

(4)浅层地下卤水；

(5)深层地下卤水；

(6)地下微咸水和咸水。

图2-12　黄河三角洲水文地质图

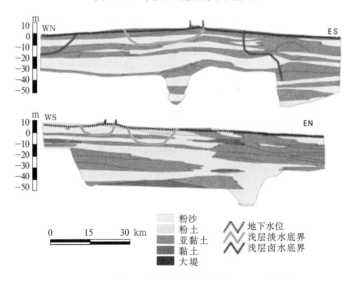

图2-13　黄河三角洲水文地质剖面图（浅层）

小清河南地下淡水系统位于东营市辖区南部山前平原,其余地下水系统均位于三角洲地区,且在浅部分布多为微咸水和咸水,各系统具体特征将在后面论述。由于深层地下水对暗管改碱工程效果影响不大,因此这里仅对浅层地下水予以描述。

1.小清河南地下淡水

小清河以南的地下水位至最大勘探深度（300~400 m）均为淡水,该区也称为全淡区（图2-12）。目前探明的含水层—隔水层,由第四系和新第三系上部组成,主要由

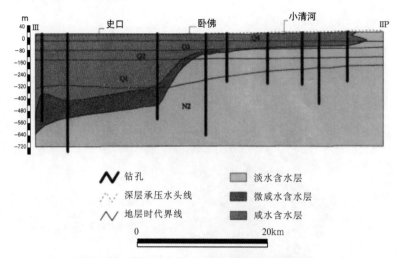

图 2-14 黄河三角洲水文地质剖面图（深层）

发源于鲁中山地的淄河冲洪积物组成。地层自南而北微倾，含水层组呈扇状或片状分布，含水层颗粒由粗变细，层次逐渐增多，单层厚度则渐薄，呈典型的"千层饼"式叠置结构。在垂直方向上，含水层颗粒自下而上由粗变细。含水层系统垂向上概化为潜水—浅层微承压水、中深层承压水及深层承压水 3 个单一含水岩组。地下水的水化学具明显的水平与明显分带；小清河以南的山前地带为全淡水区，向北依次变为咸淡水双层结构和全淡水单一结构。该系统上更新世至下更新世的冲积洪扇一直延伸到利津—史口—六户一线，而上更新世至全新世的冲洪积扇则仅局限在小清河以南。在小清河以南，即石村—颜徐—稻庄—大王的东北境一线以北的三角形地带，面积约 212 km²，为海陆相沉积地带、扇群前缘交接洼地，既是南部扇群局部地下水水流系统的溢出带，也是北部黄河冲积平原局部地下水流系统的排泄区。

2. 小清河北地下微咸水和咸水

除全淡水区外，其他地区均有厚薄不等的微咸水和咸水分布，是黄河三角洲地区含水量最大的水体，含水层厚度自南向北增厚，到广饶县卧佛庄—丁屋—广北农场一线以北在 200 m 以上已无地下淡水分布，微咸水与咸水连为一体，整个咸水体呈楔形插入南部淡水体中，而最终尖灭于全淡水区。矿化度 20~40 g/L，为氯化物硫酸盐型水。在淡水与咸水之间，由于上游淡水体的补给和混合作用，存在着微咸水。总之，微咸水和咸水分布面积及体积巨大，漂浮在其上的地下淡水透镜体不可比拟。

3. 黄河三角洲浅层地下淡水透镜体

三角洲冲海积物主要呈近于水平层状分布，全新世之前的沉积环境为浅海环境，浅部却是以强烈的冲积作用为主。由泛滥平原和决口扇形地组成的现今黄河河床带和古河床带导致了岩相的突变，形成了相对高渗透性的浅部沙体，河水的不断渗入形成了一些浅层地下淡水透镜体（图 2-12），它们漂浮在微咸水或咸水体之上，随着时间的推移，这些淡水透镜体的体积可能会增大或缩小，甚至消失。

三角洲地下淡水透镜体体积和位置的相对快速变化，也许很大程度上可以解释为黄河河床的频繁变迁所致。例如，黄河在 1976 年以前是从区内向北流入渤海湾（刁口河流路)，之后改为现在的向东流入莱州湾(清水沟流路)。如图2-12所示，浅层地下淡水透镜体的位置和规模自1980年以来产生了明显的变化。在20世纪80年代，有4个浅层地下淡水透镜体系统，水体厚度变化范围为5~15 m，面积为45~60 km²。而到20世纪90年代，这4个浅层地下淡水透镜体系统分布的范围大为缩小。这4个浅层地下淡水透镜体系统分别为：①利津县南宋—王庄浅层淡水局部水流系统，面积20~30 km²，沿黄河西侧向北延伸，淡水底界面埋深10~40 m，含水层厚5~10 m，岩性为粉沙、粉细沙；②利津县陈庄盐窝乡老董浅层淡水局部水流系统，面积为30~50 km²，淡水底界面埋深10~15 m，岩性为粉细沙；③利津县虎滩乡西北部浅层淡水局部水流系统，面积约10 km²，淡水底界面埋深5~15 m，岩性为粉细沙；④东营区油郭乡元里浅层淡水局部水流系统，地处黄河南岸，面积为4.2 km²，淡水底界面埋深5~10 m，岩性为粉细沙。这些淡水透镜体以前主要接收现在已废弃或变小的河汊补给。由于沿现代河床缺乏决口扇形地，因而阻碍了新的地下淡水透镜体的形成。

4.黄河三角洲浅层地下卤水

沿渤海1855年以前的海岸线展布，赋存于第四系更新统海积冲积和海积地层中的地下水，其矿化度(TDS)高于50 g/L，形成了浅层地下卤水带。卤水层是由埋藏海水蒸发浓缩而成，呈带状分布，宽度10~20 km不等，东营市内面积为132 km²，包括广饶县东北部、东营区东南部的一部分。卤水层一般埋藏于10~40 m深的粉沙层中，厚3~10 m，最厚30 m，形成于8万~10万年前。在卤水层之间，一般有弱隔水层，局部略具承压性。浅层卤水储量丰富，易采，单井产量大，最大可达250 m³/d，矿化度40~80 g/L，最高116 g/L，水化学类型为Cl-Na水，是东营市卤水的主要开采区。据测算，东营市浅层卤水储量9.6亿m³。

5.地下水的补给和排泄

1)地下水补给

小清河南地下淡水：主要接收南部山区的侧向径流和大气降水的垂直渗透补给。流经区内的淄河已十几年成为干河，不仅无水，而且往往作为排污渠道排放污水，对地下水没有补给还造成污染。随着地下水降落漏斗的扩大，降水和河流的渗透补给也不明显，侧向径流成了惟一的补给源。山东地质矿产勘查开发局正在开展一个利用黄河水进行人工补给的项目。

三角洲浅层地下淡水透镜体：主要接收黄河和大气降水的渗透补给。黄河在三角洲地带是条高于地面的悬河，因此对地下淡水透镜体来说是一稳定的补给源。

浅层卤水：以带状形式分布，带宽为10~20 km，在渤海湾、莱州湾岸边分布。浅层卤水形成于海水的蒸发和浓缩，它与地表水、大气降水和海水有水力联系。

地下微咸水和咸水：接收地表水、降水和海水的补给。

2)地下水排泄

小清河南地下淡水：在天然状态下，地下水向北径流排泄和通过蒸发排泄，现在主要是人为水井排泄，已导致面积达355 km²的降落漏斗。

三角洲浅层地下淡水透镜体：人为抽取和天然蒸发是地下水排泄的主要方式。

地下浅层卤水：人为抽取是排泄的主要方式，卤水用来生产盐和其他化学材料，总计有778口井来开采浅层卤水。

地下微咸水和咸水：目前尚未利用。蒸发和径流入海是该水体的主要排泄方式。

（三）海洋水文

近代黄河三角洲东、北两面临海，水深0~15 m的海域面积4 800 km²。由于三角洲海拔高程低，海水径流和侧渗是造成地下水位高从而导致土壤盐渍化的主要原因。

1.温度、盐度

东营市浅海海水温度受大陆性气候影响较大，一般在12~20 ℃之间，但分布特点不同，春季近岸水温高于远岸，秋季相反。春、夏两季各有两个高温区，分布在黄河口以南及湾湾沟以西，而神仙沟外M_2无潮区为低温区，随着天气变冷，至秋季在神仙沟外则变为高温区。现黄河口附近常年存在一低温区，冬季表层海水温度为0.02 ℃，浅海有3个月的结冰期。黄河口附近经常存在一低盐水舌，盐度跃层较强。

受太阳辐射和潮沙效应的影响，水温的变化明显。五号桩以西海域和黄河口附近，春季表层的变幅可在4 ℃以上。春、夏季节下午在0~5 m层出现较强的温跃层，夜间消失。受黄河淡水影响明显的海区，受潮汐效应的影响，盐度值每日两高两低，日变幅很大。

2.潮汐

以处于黄河三角洲东北部的无潮点为界，无潮点以西处于低潮时，无潮点以南处于高潮时；反之，无潮点以西处于高潮时，无潮点以南处于低潮时。天文潮的这个规律加上风浪等因素往往形成黄河口区的风暴潮，潮灾发生的规律是西部受灾东部安全；反之，东部受灾西部安全。

3.波浪

东营市沿海位于半封闭的渤海内部，加上长山列岛阻隔，外海大浪不易侵入。该海域的波浪主要由渤海上的风生成，具有生成快、消失快、很少出现波周期10 s以上大浪的特点。

第三节　黄河三角洲盐碱地的演化趋势

由于黄河三角洲各堆积体自形成之初就处于海水的冲击和浸润之中，加上新陆地淤土层薄，土质结构疏松，地下水中的盐分易升地表，故三角洲的盐渍化趋势非常明显。

一、黄河三角洲土地盐碱化概况

盐碱地的空间分布在宏观上表现为随距海远近和海拔高低呈明显的带状分布，从沿海向内地，依次分布着滩涂、光板地、重盐碱地、盐田和虾池、芦苇地、轻盐碱地、一般耕地。在微域上随岗、洼起伏而表现出轻盐碱地与一般耕地斑状镶嵌分布的规律（图2-15）。

根据以上影像进行分类测算，黄河三角洲区域内2000年盐碱地面积为235 522.89 hm²，占总面积的30%，其中66%为轻盐碱地，18%为重盐碱地，16%为光板地。

光板地面积37 152.8 hm²，与盐田、虾池交错分布在沿海滩涂内侧的高潮滩地，间

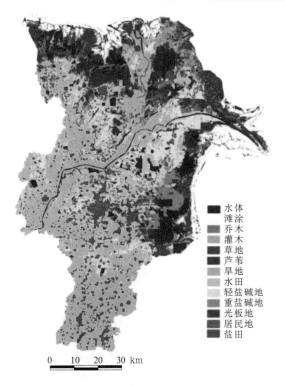

图例：
水体
滩涂
乔木
灌木
草地
芦苇
旱地
水田
轻盐碱地
重盐碱地
光板地
居民地
盐田

0　10　20　30 km

图2-15　2000年黄河三角洲土地影像分类结果

歇性地受海水影响，表层覆盖有一层厚厚的盐霜，含盐量超过了2.0%，地面寸草不生。

重盐碱地面积42 013.8 hm²，分布在光板地的内侧，海拔小于3.5 m的沿海低平地。在下镇—永安—东营东城一线的东南部，以及广北水库和广南水库周围均有大片的重盐碱地分布。受自然降水淋盐作用，土壤由周期性积盐转入季节性脱盐阶段，一些强耐盐植物如翅碱蓬、柽柳等开始生长，土壤逐步进入自然成土过程。

光板地和重度盐碱地是在海水和高矿化地下水综合作用下形成的原生盐碱地。分布区地下水埋深小于1 m，矿化度10～30 g/L，甚至高达100 g/L。土壤可溶性含盐量一般超过1%，盐分组成氯化物占80%以上，阳离子则以钠离子为主，土壤剖面一般都通体高盐。

轻盐碱地面积156 356.3 hm²，是研究区广泛分布的一类盐碱地。黄河以北，轻盐碱地主要分布在河成高地、岗地与洼地之间的缓平低地上；黄河以南，小清河以北，不论是河成高地，还是低平地都有盐碱地分布。大部分轻盐碱地土壤剖面为漏斗型，盐分表聚性强。

二、土地盐碱化时间变化过程

黄河三角洲盐碱地面积呈不断发展趋势，不同类型的盐碱地变化不同（图2-16，图2-17，图2-18）。

轻盐碱地不断增加，1987～1996年的10年间增加了56 016 hm²，从表2-1可以看出，有78 480 hm²的耕地变成了轻盐碱地，而只有24 480 hm²的轻盐碱地得到改良

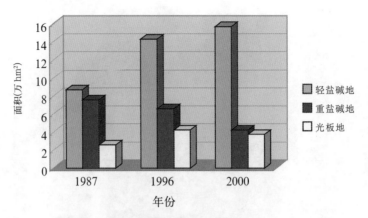

图2-16 1987、1996、2000年盐碱地变化

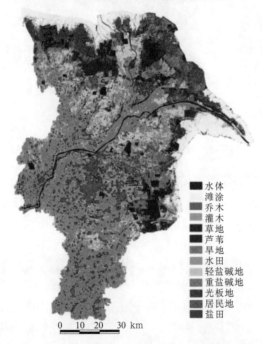

图2-17 1996年黄河三角洲土地影像分类结果

变成了耕地。从表2-2可以看出,1996～2000年的5年间又增加了14 228 hm²,主要变化仍发生在轻盐碱地与耕地之间,期间69 984 hm²的耕地发生了盐碱化,而只有39 168 hm²的轻盐碱地好转。从变化速度看,前10年年均增加约5 600 hm²,后5年年均增加约2 800 hm²,轻盐碱地增长的速度在减缓。

重盐碱地不断减少,前10年减少了9 648 hm²,重盐碱地与轻盐碱地、耕地、林草苇地之间发生了互相转化;后5年减少了23 650 hm²,主要是因为大面积的重盐碱地变成了林草地。前10年年均减少965 hm²,后5年年均减少4 730 hm²,重盐碱地减少的速度在加快。

光板地前10年增加了16 704 hm²,主要是因为水体、林草苇地和重盐碱地变成

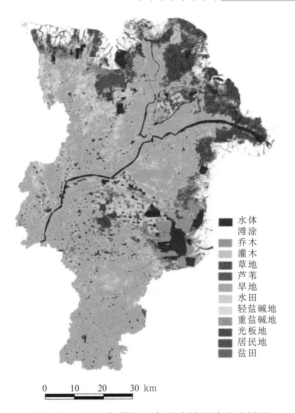

水体
滩涂
乔木
灌木
草地
芦苇地
旱地
水田
轻盐碱地
重盐碱地
光板地
居民地
盐田

0　10　20　30 km

图2-18　1987年黄河三角洲土地影像分类结果

表2-1　　　　　　　1987年和1996年黄河三角洲土地类型之间的转换矩阵　　　（单位：hm²）

土地类型	水体	滩涂	林草苇地	耕地	轻盐碱地	重盐碱地	光板地	居民工矿用地
水体	20 736	6 192	3 744	8 496	3 744	4 320	1 008	0
滩涂	4 032	35 856	1 008	0	0	7 056	8 496	0
林草苇地	6 912	7 488	40 896	16 848	15 984	8 496	8 064	2 736
耕地	4 752	0	14 400	212 976	78 480	8 640	1 872	10 944
轻盐碱地	2 880	0	6 048	24 480	33 840	10 944	2 448	4 896
重盐碱地	7 920	4 608	5 472	13 680	8 784	20 880	7 776	4 608
光板地	2 448	3 744	1 152	1 152	0	5 184	11 952	0
居民工矿用地	0	0	0	0	0	0	0	21 168

了光板地；后5年减少了4 895 hm²，则是因为光板地变成了水体、林草苇地和重盐碱地。

　　从上面的分析可知，在自然和人为活动共同作用下，研究区各种用地类型向两个截然不同的方向发展，但无论是好转还是恶化，都遵循空间上就近转化的规律。例如，由于轻盐碱地与耕地斑状镶嵌分布，它们之间转化频繁，合理利用会使轻盐碱地变为耕

表2-2　　　　　　　　1996年和2000年黄河三角洲土地类型之间的转换矩阵　　　（单位: hm²）

土地类型	水体	滩涂	林草苇地	耕地	轻盐碱地	重盐碱地	光板地	居民工矿用地
水体	34 992	5 328	1 008	3 168	1 872	2 592	864	0
滩涂	5 904	52 560	1 440	0	0	3 312	9 792	0
林草苇地	4 752	1 296	49 248	6 624	8 784	1 008	864	720
耕地	8 640	0	11 520	179 280	69 984	3 168	0	4 464
轻盐碱地	4 896	1 008	20 736	39 168	67 392	4 320	0	4 176
重盐碱地	5 328	3 456	13 392	4 608	8 496	22 896	6 480	1 008
光板地	3 024	3 888	6 048	576	2 592	4 464	20 880	576
居民工矿用地	0	0	0	0	0	0	0	43 776

地，不合理利用则导致耕地次生盐碱化。由海向陆，滩涂、光板地、重盐碱地、水体（虾池）、林草苇地、轻盐碱地、耕地呈带状分布，光板地与滩涂、重盐碱地、水体、林草苇地之间相互转化，轻盐碱地与重盐碱地、耕地之间相互转化。这一规律也可用来指导盐碱地的综合治理和农业生产的发展。

三、土地盐碱化空间演化格局

研究区土地类型可分为岗阶地、河滩地、河成高地、平地、低洼地、滩涂地6类，不同土地类型盐碱化变化情况见表2-3。

表2-3　　　　　　　　　　不同土地类型盐碱化变化情况

土地类型		河滩地	河成高地	平地	洼地	滩涂地
土地面积（hm²）		79 086.87	128 872.17	337 599.36	66 650.58	162 722.52
盐碱地占土地总面积（%）	1987年	8.6	16.1	26.1	20.5	23.8
	1996年	15.5	29.8	35.6	27.0	29.0
	2000年	25.3	29.5	34.0	32.8	25.5

1987～1996年的10年间，盐碱地的发展可以说是遍地开花，除岗阶地外，其他各种地貌类型都有不同程度的盐碱化，特别是河滩地和河成高地大面积的良田盐碱化，1934年黄河摆动点下移渔洼以来形成的河成高地和目前的河滩地在这期间发生了严重的盐碱化。

1996～2000年的5年间，河成高地和平地趋于稳定，河滩地和洼地盐碱化继续发展，其中河口区的次生盐碱地面积继续扩大。滩涂地上的重盐碱地有所减少。

在盐碱地演化过程中，地貌因素至关重要。地形的高低起伏，影响地面、地下径流的运动，土壤中的盐分也就随之发生分异与积累。从大地形来看，盐碱化状况是从高到低逐渐加重。从中小地形来看，在洼地边缘及低洼地的局部隆起处，因蒸发强烈，盐分易于聚集。

轻盐碱地集中分布在平地和河成高地上。1987年、1996年和2000年分别有71.1%、75.5%和76.1%的轻盐碱地分布在平地和河成高地上；重盐碱地主要分布在平地和滩涂地上,1987年、1996年和2000年分别有74.6%、84.4%和84.2%的重盐碱地分布在平地和滩涂上;而光板地则主要分布在滩涂和平地上。岗阶地是惟一没有盐碱地分布的土地类型。

从表2-4可以看出,1987年、1996年和2000年有50%以上的轻盐碱地和重盐碱地分布在平地上。平地由于地势相对低,地下水埋藏浅,是生态环境最为脆弱的一种地貌类型。

表2-4　　　　　　　　不同地貌单元土壤盐碱化状况　　　　　　　　（单位：hm²）

年　份	土地类型	河滩地	河成高地	平　地	洼　地	滩涂地
1987 年	轻盐碱地	4 320	16 416	44 784	9 936	1 728
	重盐碱地	2 016	3 600	39 312	3 456	16 848
	光板地	432	720	4 032	288	20 160
1996 年	轻盐碱地	10 136	32 376	74 888	14 069	1 059
	重盐碱地	605	4 992	34 342	3 782	21 331
	光板地	1 512	1 059	11 044	151	24 811
2000 年	轻盐碱地	15 840	33 552	85 392	20 160	1 728
	重盐碱地	144	4 464	23 760	1 584	11 520
	光板地	4 032	0	5 760	144	28 224

河成高地系指黄河运行一段时间后改道留下的遗迹。河成高地地势高,往往比周围地面高出1~3 m,呈条带状分布,土壤质地多为粉沙质和沙壤质,地下水位埋深一般大于临界深度,且矿化度较低,土壤含盐量小于0.3%,目前已开垦为农田和林地。当地下水位抬高时,河成高地与平地的过渡地带,甚至整个河成高地,地下水埋深小于临界深度,也会发生盐碱化,分布在河成高地上的轻盐碱地1996年比1987年增加了近1倍。

洼地土壤质地多为壤土至重壤土,一般情况下,洼地处于积水状态,为湿生植物所覆盖,只在洼地边缘发生积盐现象。当地下水位居高不下、地表强烈蒸发条件下,洼地盐碱地也会不断扩展。

河滩地是现黄河行水河道大堤以内的土地,受黄河淡水影响,土壤含盐量较低,农业生产条件较好。只有在河口地区,由于黄河不断向渤海推进,一些新淤潮土逐渐脱离黄河淡水影响,淡水层抑制返盐作用减弱,而高矿化地下水的作用增强,土壤向盐碱化方向发展。

第四节　黄河三角洲土地利用涨落势图谱

为了把握土地利用变化的时空演变模式,进一步提取土地利用类型之间的转化信息,对土地利用图谱单元进行重新分类、综合与组合,提取有效信息,这里根据土地利用类型"转移"的方向,采用设定分类原则,建立映射表方法,进行图谱重构,相应地创建了两个"转移"系列图谱,一个是增长系列图谱,另一个是萎缩系列图谱,这两个图谱系列都由3个时序单元的图谱构成,且侧重点不同,各有特色并可以互相补充。

一、"涨势"图谱分析

增长系列图谱(图2-19)分别记录了1956~1984年、1984~1991年、1991~1996年间各土地利用类型"涨势"信息的图谱。3个时序单元图谱结构数据见表2-5和图2-20。图2-20内环是1956~1984年"涨势"图谱结构,中间环是1984~1991年的"涨势"图谱结构,外环是1991~1996年的"涨势"图谱结构。

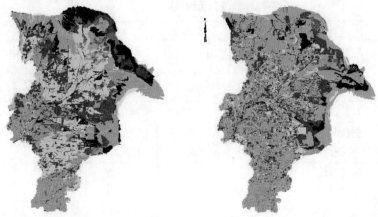

1956~1984年土地利用"涨势"图谱　　1984~1991年土地利用"涨势"图谱

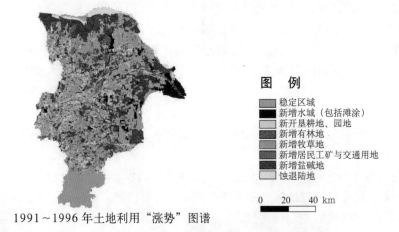

图 例

- 稳定区域
- 新增水域(包括滩涂)
- 新开垦耕地、园地
- 新增有林地
- 新增牧草地
- 新增居民工矿与交通用地
- 新增盐碱地
- 蚀退陆地

0   20   40 km

1991~1996年土地利用"涨势"图谱

图2-19　40年来土地利用"涨势"图谱系列

表2-5　　　　　　　　　　　"涨势"系列3个时序单元的图谱结构　　　　　　　　(单位:万 hm²)

编码	图谱单元类型	1956~1984年	1984~1991年	1991~1996年
1	不变区域	28.98	52.41	37.80
2	新增水域(包括滩涂)	10.75	6.03	4.78
3	新垦殖耕地	19.00	5.78	7.44
4	新增有林地	2.69	1.18	2.16
5	新增牧草地	4.22	2.37	8.34
6	新增居民工矿与交通用地	2.67	2.80	3.96
7	新增盐碱地	12.31	10.31	15.28
8	蚀退陆地	0.75	0.51	1.62

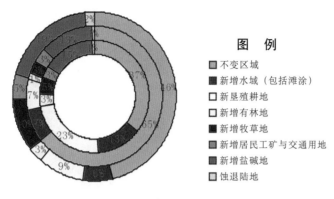

图 例

■ 不变区域
■ 新增水域（包括滩涂）
□ 新垦殖耕地
□ 新增有林地
■ 新增牧草地
■ 新增居民工矿与交通用地
■ 新增盐碱地
□ 蚀退陆地

图 2-20　黄河三角洲"涨势"系列图谱结构

分析"涨势"系列图谱及其图谱结构可知，区域土地利用方式很不稳定，变化强度大，影响范围广，不断开荒垦殖和放牧与土地次生盐渍化的矛盾非常突出，盐碱地的增长中有近60%的面积来源于牧草地和耕地的次生盐渍化，并且随着开荒垦殖和牧草地的扩大，土地次生盐渍化范围也有扩大趋势。在1956～1984年期间，新垦殖的耕地、园地面积最大，主要分布在北部和中部地区。盐碱地的增长位居第二，主要来源于耕地、园地、牧草地的次生盐碱化和部分滩涂盐生植被的发育。而1984～1991年期间，土地次生盐渍化是这期间面积最大的土地利用变化类型，由耕地、牧草地等土地利用方式造成的次生盐渍化面积达5.88万 hm²，斑块破碎，多零星分布。新垦殖为耕地的土地面积为5.78万 hm²，是各种用地类型变化中面积位居第二的变化类型。1991～1996年期间，土地利用变化强度为64%，增长面积最大的是盐碱地，面积为15.28万 hm²，占研究区域面积的19%，主要分布在垦利县东南部和河口区西北部，其中1.08万 hm²来源于耕地；其次是新增牧草地，面积为8.34万 hm²，占10%，主要分布在现行黄河河道的新生湿地和河口驻地北部以及孤岛和仙河镇驻地之间。

二、"落势"图谱分析

萎缩系列图谱（图 2-21）记录了从1956～1984年、1984～1991年、1991～1996年间各土地利用类型"落势"信息的图谱。落势系列3个时序单元的图谱结构见表2-6和图2-22。图2-22中，内环是1956～1984年"落势"图谱结构，中间环是1984～1991年"落势"图谱结构，外环是1991～1996年"落势"图谱结构。

分析"落势"系列图谱，可以看出，原有耕地明显在萎缩，且日益迅速，尤其在刁口河两侧，在最近一个时序单元内出现了大面积的耕地转出斑块，但同时耕地的转入量也位居各类图谱单元前列；牧草地的萎缩在下降，且正向东部河口和北部黄河故道转移；新造陆地所占比例在明显减少，对未利用地和盐碱地的开发力度明显在提高。1956～1984年间，耕地的萎缩主要集中在西半部，即在近代黄河三角洲堆积体宁海顶点以西的部分；1904～1926年间河口区西北部义和镇与四扣乡之间形成了河间洼地，1984～1991年间，耕地萎缩的图谱单元在整个研究区耕地分布范围内插花分布，几乎没有太大的斑块；而到了1991～1996年间，则在黄河刁口故道两侧出现了大面积的耕地转移斑块；从1996年的土地利用图谱中查出，这些斑块的土地利用类型主要变成了牧

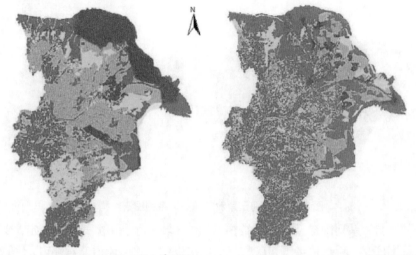

1956~1984年土地利用"落势"图谱　　　　1984~1991年土地利用"落势"图谱

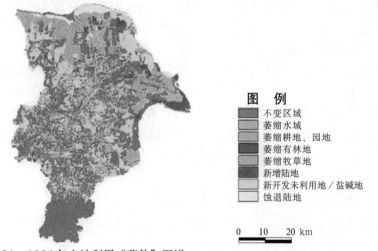

图　例

■ 不变区域
■ 萎缩水域
■ 萎缩耕地、园地
■ 萎缩有林地
■ 萎缩牧草地
■ 新增陆地
■ 新开发未利用地／盐碱地
■ 蚀退陆地

0　10　20 km

1991~1996年土地利用"落势"图谱

图 2-21　40 年来土地利用"落势"图谱系列

表 2-6　　　　　　　　"落势"系列 3 个时序单元图谱分类结构　　　　　　　（单位：万 hm²）

编码	图谱单元类型	1956~1984 年	1984~1991 年	1991~1996 年
1	不变区域	29.46	52.99	39.36
2	萎缩水域	8.33	5.85	11.39
3	萎缩耕地、园地	5.13	7.59	10.67
4	萎缩有林地	2.02	2.07	1.31
5	萎缩牧草地	16.31	5.27	2.29
6	新增陆地	10.70	0.69	1.50
7	新开发地	8.67	6.41	13.24
8	蚀退陆地	0.75	0.51	1.62

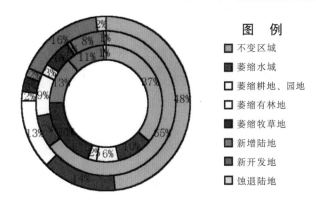

图 2-22　黄河三角洲"落势"系列图谱结构

草地;从 1991～1996 年土地利用转移概率矩阵知道,这段时间内有 14%(即 4.73 万 hm²)的耕地在土地盐渍化后不适于耕作而沦为牧草地,另外还有 3.3%的耕地(1.08 万 hm²)直接变成了难以利用的盐碱地。

从以上两个系列的图谱分析中可知,因为分类原则的不同,会使得"落势"系列图谱与"涨势"系列图谱在某些数据上有些差异,但总体上是基本保持一致的(如不变区域),同时,两者从不同角度研究土地利用变化可以互相补充。

三、40 年来土地利用"涨势"变化过程图谱

40 年来各种土地利用类型都有"涨涨落落",也有保持原来状态不变的区域,但要了解"涨势"排名情况,就需要计算"40 年来的涨势过程图谱"(见图 2-23 和表 2-7)。对"涨势过程"图谱分析可知,"涨势"面积最大的有三类:面积最大的一类是耕地,主要分布在广饶县南部和利津县西部地区;另外两大类是水域和盐碱地,水域主要分布在研究区东部和北部,是 1956～1984 年间新修建的水库和 1976～1984 年间形成的黄河现行水道以及东部沿海的部分滩涂,盐碱地主要在垦利县东部,其余的就是部分牧草地和居民点了。

除了上述占地 15%是处于稳定状态的图谱单元以外,新增盐碱地图谱单元占据了各类图谱单元的绝对优势。1956 年后新开垦的耕地中,有占地 11.47%的图谱单元维持耕作(主要分布在近代三角洲与现代三角洲的河成高地上),占地 5.2%的图谱单元发生了次生盐渍化,位居图谱单元前列,主要分布在 1964～1976 年冲淤的亚三角洲体上。

四、40 年来盐碱地的时空演变模式图谱分析

因为在进行数据集成的过程中往往会产生大量的冗余信息,这就需要对数据再进行综合加工,但同时也会损失部分信息。为了准确、深入、细致地进行研究,在分析综合后的信息时还需要经常参考原来的背景数据,或者同时从这两个图谱中提取需要的信息,生成新的图谱。在此用 40 年来的两个演变过程图谱(图 2-19、图 2-21)进行互相补充,将 40 年来黄河三角洲盐碱地的存在与变化信息提取出来,并综合为新图谱,即盐碱地演变模式图谱(图 2-24)。

图例

始终不变区域
50年代开垦耕地不变区域
90年代新增盐碱地
开垦耕地90年代盐渍化
90年代新牧草地
新垦殖地
建设的居民工矿用地
耕、牧、盐碱交错带
新增水域(包括滩涂)
蚀退带
新盐碱地
新牧草地
新增有林地
新增盐碱地不变
其他
1855年海岸线

0   8km

图 2-23 黄河三角洲40年来土地利用"涨势"变化过程图谱

从盐碱地时空演变图谱中，提取各演变类型所占有的格网单元数，并换算成面积，排序后列表2-8。从表2-8中分析可知，研究区范围内，盐碱地的存在及其利用方式的变化涉及到研究区范围的40%以上，所以盐碱地的开发与利用对黄河三角洲可持续发展的影响是很深刻的。

（一）始终未利用的盐碱地

各个阶段盐碱地的生成及其变化是不同的。1956年以前就是盐碱地，至今仍然是盐碱地的面积有0.19万hm²，主要分布在东部和北部盐场附近以及潮河与马新河之间的马家水库附近。1956~1984年间出现的12.3万hm²盐碱地中，至今仍然是盐碱地的区域面积有1.8万hm²，主要集中在垦利县东部的永安、下镇乡和利津县境内草桥沟东南部的盐窝与罗镇（图2-25）。这些地区的盐碱地主要处于河成高地之间的低洼地带，比较难以利用和治理。

（二）20世纪90年代开始利用的盐碱地分布

20世纪90年代开发利用的新增盐碱地有8.5万hm²，主要沿着公元1855年海岸线附近和1984年的海岸线带状分布，其他的分散在中西部的重盐碱地区。

这种利用模式包括对原生盐碱地的利用和对次生盐碱地的再利用。

（三）变成水域的盐碱地

1956~1984年间产生的盐碱地中，已经有1.5万hm²变成了水域，其中有一部分是滨海滩涂，主要分布在东部垦利县沿海地带、河口区西南部以及利津县西部。

表 2-7　40 年来土地利用"涨势"变化过程主要图谱单元

图谱单元编码	格网数	面积（万 hm²）	所占比率(%)	累计百分比(%)	图谱单元类型
111	1 361 215	12.25	15.05	15.05	始终不变区域
311	1 037 067	9.33	11.47	26.52	1956 年后开垦耕地不变区域
117	465 006	4.19	5.14	31.66	90 年代新增盐碱地
317	316 561	2.85	3.50	35.16	1956 年后开垦耕地 90 年代盐渍化
217	234 316	2.11	2.59	37.75	1956 年后新增水域 90 年代成为盐碱地
715	199 859	1.80	2.21	39.96	1956 年后新生盐碱地 90 年代开辟为牧草地
713	193 018	1.74	2.13	42.09	1956 年后新生盐碱地 90 年代开垦为耕地
611	185 119	1.67	2.05	44.14	50 年代建设的居民工矿用地
115	176 245	1.59	1.95	46.09	90 年代新开垦的牧草地
373	154 614	1.39	1.71	47.80	新垦殖耕地盐渍化再垦殖成耕地
211	152 044	1.37	1.68	49.48	新生水域不变
731	151 913	1.37	1.68	51.16	新生盐碱地
161	148 091	1.33	1.64	52.80	1984 年后新建居民工矿用地不变
218	120 492	1.08	1.33	54.13	新生水域不变 - 90 年代后蚀退
173	120 476	1.08	1.33	55.46	80 年代新生盐碱地垦殖为耕地
312	101 187	0.91	1.12	56.58	垦殖 - 新生水域
116	100 951	0.91	1.12	57.70	90 年代新建居民工矿用地
361	99 368	0.89	1.10	58.80	新垦殖地 - 居民工矿用地不变
737	97 411	0.88	1.08	59.88	新生盐碱地 - 垦殖 - 新生盐碱地
275	94 592	0.85	1.05	60.93	滩涂 - 盐碱地 - 牧草地
511	94 546	0.85	1.05	61.98	平稳牧草地
711	93 440	0.84	1.03	63.01	平稳盐碱地
316	91 390	0.82	1.01	64.02	耕地建筑化

（四）利用方式稳定的盐碱地

40 年来，新开发利用的盐碱地中，有一部分自始至终没有发生退化，面积有 1.95 万 hm²，分布零散，主要分布在利津县西部和近代三角洲堆积体上。

（五）利用方式反复波动的盐碱地

这种利用模式有 4.1 万 hm²，主要包括两种模式：①开发—盐碱地—再开发模式，即新牧草地—盐碱地—牧草地，新利用耕地—盐碱地—耕地，新牧草地—盐碱地—耕地，新耕地—盐碱地—牧草地等；②盐碱地—垦殖、放牧—盐碱地模式，包括盐碱地—耕地—盐碱地，盐碱地—牧草地—盐碱地，盐碱地—耕地—牧草地等。

这种波动利用方式的盐碱地主要分布在河口区和垦利县境内以及广饶县北部的一部分地区。

（六）新生盐碱地

这种模式包括耕地—盐碱地模式、牧草地—盐碱地模式、耕地—牧草地—盐碱地模

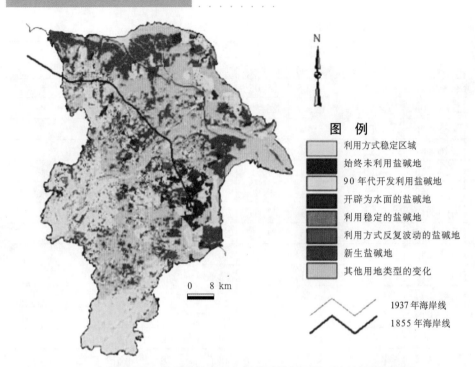

图 例

利用方式稳定区域

始终未利用盐碱地

90年代开发利用盐碱地

开辟为水面的盐碱地

利用稳定的盐碱地

利用方式反复波动的盐碱地

新生盐碱地

其他用地类型的变化

1937年海岸线

1855年海岸线

图 2-24　40年来黄河三角洲盐碱地利用的时空演变模式图谱

式以及滩涂盐碱地模式和未利用地—盐碱地模式等。面积2.7万hm²，与反复波动利用的盐碱地相伴而生，除了滨海滩涂大斑块的分布外，其余多分布在近代黄河三角洲的堆积体上(图2-20)，是盐碱地时空演变模式中面积最大的一类(表2-8)。

表2-8 　　　　　　　　　　　　盐碱地利用演变模式图谱单元排序

编 码	盐碱地利用演变模式	格网数	面积(万hm²)	占地百分比(%)
7	其他用地类型的变化	4 175 736	37.58	46.18
6	新生成的盐碱地	1 414 226	12.73	15.64
8	利用方式稳定的土地	1 349 194	12.14	14.92
2	90年代才开发利用的盐碱地	947 144	8.52	10.47
5	利用方式反复波动的盐碱地	450 092	4.05	4.98
1	始终未利用的盐碱地	318 810	2.87	3.53
4	利用稳定的盐碱地	216 941	1.95	2.40
3	开辟为水面的盐碱地	170 111	1.53	1.88

以上分析立体地再现了黄河三角洲土地自然演化与人类影响相互交织作用下的演变规律。由于植被茂密的新生陆地曾给人们带来"垦利"的欲望，而在大面积开垦而又缺乏工程改碱治理的条件下，土地裸露、盐分上升，逐渐形成次生盐渍化，于是耕地变为弃地，然后又进入新一轮的开垦，从而形成植被逆向演替的恶性循环。各个图谱时段所反映的土地因素"涨落势"特征，清楚地揭示了这一规律的存在。但由于短期行为的驱使，使后人不断踏入前人的误区。因此，是到了坚定地实施盐碱地治理工程、有效阻止无序和不合理垦殖的时候了！

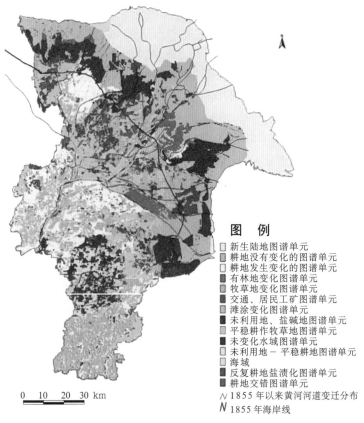

图 例
□ 新生陆地图谱单元
■ 耕地没有变化的图谱单元
□ 耕地发生变化的图谱单元
■ 有林地变化图谱单元
■ 牧草地变化图谱单元
■ 交通、居民工矿图谱单元
■ 滩涂变化图谱单元
■ 未利用地、盐碱地图谱单元
■ 平稳耕作牧草地图谱单元
■ 未变化水域图谱单元
□ 未利用地－平稳耕地图谱单元
■ 海域
■ 反复耕地盐渍化图谱单元
■ 耕地交错图谱单元
〤 1855 年以来黄河河道变迁分布
〤 1855 年海岸线

0　10　20　30 km

图 2-25　40 年来黄河三角洲土地利用变化过程图谱

第五节　土地"涨落势"形成的驱动力分析

由于土地演变所处的客观环境的复杂性，造成土壤盐渍化的原因也是多方面的，这里所说的驱动力，就是指导致土地利用/土地覆被变化的各种动力因素，其范围涉及自然系统和社会经济系统，如气候、土壤、地形、植被、生物地球化学循环、人口变化、贫富状况、市场变化、技术变化、经济增长、政治和经济结构，以及观念和价值等(Stern *et al.*, 1992；Turner *et al.*, 1993)。

一、土地利用／土地覆被变化的自然驱动力(限制因子)

土地利用/土地覆被变化的自然驱动力是指对土地利用活动或者土地覆被变化具有重大关系的生物物理因子，其中比较重要的有气候、水文、地形、土壤、植被以及自然灾害等。

(1)气候条件（如光照、气温和降水等）决定了土地覆被（植被类型）的空间格局和土地利用的方向（如农业种植制度、林牧业结构等）。黄河三角洲的主要作物有冬小麦、玉米、大豆、棉花、高粱和水稻等；主要种植制度有"小麦－玉米"一年二熟，

"小麦－大豆－春玉米"二年三熟，以及各类作物一年一熟。

(2)水文条件。黄河来水是研究区的主要客水资源。除小清河以南地区外，研究区地下水矿化度高，含盐量大，基本上无可利用的地下淡水资源，工农业用水全部依靠黄河。由于对黄河的依赖性太强，黄河断流产生的生态效应明显。黄河断流使三角洲造陆受到抑制，生态演替系列缩短，在"河海两相作用"中，海洋的动力作用将占据主导地位，它会带来一系列负面效应，如海岸蚀退、海侵、风暴潮等自然灾害等。而且，在黄河断流期间，农业生态系统难以维持，在这种情况下耕作和放牧极易造成土壤的次生盐渍化，使生态条件更进一步恶化，使土地利用／土地覆被发生巨大的变化。

(3)地形包括海拔高度、地势起伏和坡度、坡向等要素，它可以对风、光照、降水、热量等自然因子重新进行分配，从而影响着土壤、植被的发育，制约着农林牧用地的空间分布及其利用方式，也影响着工业、交通、城镇建设用地和布局。由于黄河反复摆荡、淤积作用，黄河三角洲新老堆积体上微地貌十分复杂。它由水沙两相河流——黄河塑造，直接影响着水盐两相运移和干湿两相交替过程。从本章上一节的分析中可以看到，地貌单元对土地利用／土地覆被变化的影响是非常大的。但是随着人类技术水平的提高和活动强度的增大，土地利用格局在各种地貌类型上开始向均衡方向发展。

(4)土壤是构成土地的主要因素，也是植物生长的基础，植被对土壤的改良作用在黄河三角洲表现非常明显。不同的土壤类型具有不同的土地利用格局。黄河三角洲主要分布有潮土、盐化潮土和滨海潮盐土这三类。本区的土壤分异主要受土壤含盐量控制，随土壤表层盐分富集程度的不同，土壤存在一个"潮土—盐化潮土—盐潮土"的发育系列，表现在空间上即为离海由远而近的"潮土—盐化潮土—滨海盐潮土"的分布格局。植被也依次发育，随着植被的脱盐作用，当生态演替系列由耐盐植被为主演化到以中生植被为主(如白茅群落)时，农作物就可以生长，于是耕地便随之大面积地出现了。这是生态顺向演替系列，但是人类活动的扰动常常打破了这一顺向演替，如不合理的垦殖和放牧造成土壤大面积返盐，发生次生盐渍化，使之成为难以利用的土地。

(5)自然灾害给工农业生产和人民生命财产的安全造成不同程度的危害。黄河三角洲的自然灾害发生比较频繁，主要包括旱涝、大风、冰雹、暴雨和风暴潮等。由黄河尾闾摆荡、决口引起的洪涝灾害，是两岸人民的心腹之患，但同时它又为人们创造了良好的耕作环境。据20世纪50年代以后9次风暴潮灾(1958、1962、1964、1969、1972、1974、1979、1980、1992年)的统计，农田和草地累计受灾面积达11.2万 hm²，受灾人口达92.2万，溃决海堤达81 km，倒塌房屋达8 058间，损失各类船只1 082艘，经济损失达5.296亿元，特别是1992年我国东部沿海自20世纪50年代以来最大的一次风暴潮，潮位大部分接近或超过历史最高潮位，损失重大，东营市东部沿海地区直接经济损失达5.05亿元，淹没面积9.6万 hm²。自然保护区一千二管理站附近，海水入侵8 km，淹至一千二管理站办公区南1.5 km处，人工刺槐林大部分被淹。被风暴潮侵袭过的土地需要进行漫长的脱盐过程以后，才有可能再耕作。

二、土地利用变化的社会驱动力(主导因子)

当今世界，随着人口增长和科技水平的不断提高，人类正在以前所未有的速度和规模对土地产生重大影响。在几十年甚至百年，由自然因素引起的环境变化幅度相对较小，而人类活动产生的环境变化，在强度上甚至超过了自然因素引起的环境变化，成为主要因素。人类活动的影响主要是通过决定生产和消费的各种社会经济和政治文化因素以及它们之间的相互作用而起作用的，这些因素构成了土地利用变化的社会驱动力。社会驱动力大体可以分成以下几类：人口变化、贫富状况、技术变化、经济增长、政治和经济结构，以及观念和价值(Stern, *et al.*,1992；Turner, *et al.*,1993)。

黄河三角洲(东营市范围)自古以来为移民地区，其土地利用开发过程经历了以下几个历史阶段。

(1)上古开发时期(上古至春秋战国)。从出土文物考证，大约在新石器时代，黄河三角洲南部、西部便有人类居住。夏代即有人在滨海区"煮海水为盐"。春秋时太公姜尚建立齐国，"大兴山海之利，移民北海之滨，逐民煮盐捕鱼"。齐以富强，遂成霸业，为"战国七雄"之首。

(2)古代开发时期(秦汉至明清)。秦置郡县，地属齐郡。汉置"广饶"，含"海滨广斥，饶有鱼盐"之意。此时新生地渐次东扩，移民多来垦荒，三国以后这里开始出现较大村落。隋朝设永利镇，金明昌三年，"以永利镇陞置利津县"。至元代，此地已建有丰园、永阜、宁海、新镇、王家冈等大型盐场。明初"招垦"，山西洪洞、直隶枣强等地大批移民纷至，几遍黄河三角洲全境。清有"劝垦"政策，从康熙十二年(公元1673年)至光绪九年(公元1883年)，利津境内新垦荒地约1 800余顷。清代中叶，域内人口曾高达30万众。

(3)民国屯垦移民与抗日民主政府安垦时期。民国十九年(公元1930年)，韩复榘部五十九旅来此屯垦，大量民田被强行霸占，许多农户另行开荒求生。民国二十四年(公元1935年)，黄河两次在鄄城决口，造成数以万计灾民无家可归。国民党山东省政府迁移4 200余灾民来此落户垦殖，出现八大组(现永安)、一村、二村……二十五村等地名。

1941年秋垦区解放，抗日民主政府贯彻"丰衣足食"的安置政策，奖励贫苦农民来此垦荒定居。1942～1943年，共安置移民1.7万户，8.5万人，安置地累计2.3万hm²。至新中国成立时，域内人口为67.52万。

(4)新中国成立后农业发展时期。新中国成立初至60年代，人民政府先后组织了6次较大规模的移民：1948年安置鲁西南灾民3 000多人；1950年安置长清、平阳、东平3县灾民1 597人；1950年安置东平县移民1万人；1958年安置梁山县移民5 200人；1961～1962年"自然灾害"时期，从广饶迁往垦利1万人，连同原有垦户2 000人组建成了垦利新安公社(今黄河口镇)；1968年，由东平湖区移民6 948人。以上所举移民，大多在黄河三角洲定居，亦有少量迁回原籍。

新中国成立后农业发展时期又包括提高耕垦指数、扩大耕地面积阶段(1949～1954年)，充分利用土地资源潜力、扩大复种面积阶段(60～70年代)，提倡化学农业、开始大力兴修水利阶段(70～80年代)，实现多种经营、调整用地结构、建立各种生产基地阶段(80年代以后)。在不同的历史时期，政治和经济结构、人口、贫富、技术水平、经济政策以及观念和价值都有很大不同，这些因素都在影响着土地利用的变化过程。新中国成立后，东营市所在地的社会经济状况发生了很大的变化，人口发展主要经历了①惯性增长阶段(1949～1957年)：人口由1949年的67.52万增长到1957年的78.65万；②急剧减少阶段(1957～1962年)："大跃进"和三年"自然灾害"期间，人口净减少5.08万；③持续高速增长阶段(1962～1973年)：到1973年，人口突破120万；④持续减速增长阶段(1973～1981年)：1981年人口达到121.68万；⑤稳定增长阶段(1981～2002年)：1997年人口达到167万（其中，非农业人口的比重不断增长，1997年达到57.7万，占总人口的34.5%，其中，仅胜利石油管理局的在册职工就有23.8万，占全市全民所有制职工总数的72.7%），2002年人口达到179万。

胜利油田对东营市的经济腾飞起了很大推动作用，它的影响遍及经济和社会生活的各个方面，同时也对土地利用产生了深刻的影响。一方面，胜利油田兴修了一批交通干道，其油井专线路纵横交错，为东营市的交通便利提供了保障；胜利油田修建的大小水库星罗棋布，既解决了东营市的工业用水和居民用水，又为农业灌溉创造了条件；胜利油田还建设了大小电厂多座，基本上保证了东营市的用电量；胜利油田拥有大批的影剧院、医院等社会福利设施，无疑大大丰富了东营人民的文化生活，保证了东营人民的身体健康。经过胜利油田几十年的开发，油、气井星罗棋布，遍及东营市境内的各个角落，形成了油洲加绿洲的独特景观，使一些本来荒无人烟、尚待开发的土地充满了生机和活力。1988年，胜利油田拥有耕地1.2万hm^2(统计数)，占全市耕地面积的6.9%；粮食产量7 900万kg，占全市粮食总产量的13.6%。另一方面，胜利油田作为黄河三角洲的用地大户，对其的开发也带来了原始生态与植被的破坏、环境污染、耕地荒废、湿地水循环的阻隔等，加剧了本区的生态退化。特别是油田在20世纪六七十年代开垦大面积原始荒碱地所种植的水稻田，由于种种原因而弃置，造成土地返碱、植被稀疏甚至成为光板地，这些都需要在新时期进行大规模的工程治理。

新中国成立以来，地方政府对土地资源的开发、整治、利用、保护采取了一系列措施，对于提高生产力、促进农业生产的迅速发展起了极为重要的作用。但在土地利用方面仍存在很多问题，如土地利用集约化程度低、广种薄收、"重用轻养"，造成地力下降；生产力水平低，"游垦农业"严重地破坏了生态植被的顺向演替规律，造成"盐随水来"的水盐两相运移机制；农业用地结构不尽合理、自然优势尚未充分发挥，重农轻林、重农轻牧、重垦轻保的现象较为严重；水资源不足与浪费现象并存，"重灌轻排"，而浪费的水资源往往成为抬高地下(高矿化度)水位、造成次生盐渍化的主要原因；对地下淡水的利用"重采轻补"，导致地下淡水位严重下降，形成海水倒灌侵入地下淡水区；土地权属界线不清、行政区划几经分合、土地纠纷仍有发生，其原因一方面是由历史上对黄河新淤地抢耕抢种以及"游垦"、"游牧"等土地利用方式引起的，另一方面是由在历史上土地确权不明确以及建市时与邻区边界的遗留问题等造成的。

综合分析自然、社会因素对土地利用/土地覆被变化的影响因素可知，黄河三角洲盐碱地的工程治理，必须充分认识盐渍化过程中的自然规律，采取更加科学的综合措施进行系统化整治，同时考虑到社会、人文因素对土地演变过程的重大影响作用，应适时制定土地开发与保护、工程治理与可持续利用并重的政策体系。惟其如此，才能使以暗管改碱技术为主体的系统治理工程发挥出更大的综合效益。

第三章　黄河三角洲土壤盐碱化遥感监测与预报

为了在一定时限内对黄河三角洲的土壤盐碱化问题有一个总体的认识,需要寻求更全面、更准确、更快捷的技术手段。遥感（RS）技术能从高空间视角形成俯瞰全局的宏观监测效果,同时结合地面调查、采样验证以及各种自然、经济、社会的统计数据,在多时相遥感数据、多尺度专题矢量数据、多指标地理背景数据的基础上,采用多层面、定量化的研究方法,对区域内盐渍化发生、发展和演变过程进行模拟分析,从而为治理土壤盐碱化的科学决策提供依据。

第一节　土壤盐碱化遥感监测

区域土壤盐碱化监测方法可分为野外定位观测、土壤调查和遥感动态变化监测。不同的方法各有其优缺点,不可互相替代。只有将各种方法综合运用,才能优势互补,达到快速、准确监测土壤盐碱化的目的。

随着土壤盐碱化监测技术的不断提高,区域土壤盐碱化预测预报研究也有了较大进展,由定性向半定量、定量方向发展。定性预报方法主要有地理相似法和专家预报法,运用较少;半定量预报方法主要有水盐均衡法和概率统计法,水盐均衡法应用最为广泛,国外始于20世纪30年代,我国则始于20世纪50年代;基于水盐运移规律的数学模型预报方法国外始于20世纪50年代,我国20世纪80年代才开始这方面的研究,由于参数获取困难,其在农业方面的应用受到限制。

20世纪70年代以来,遥感和GIS技术在区域土壤盐碱化监测预报中发挥越来越重要的作用。从国内外文献资料看,土壤盐碱化遥感监测目前仍处在目视判读阶段,结果因人而异,准确性、客观性较差。基于GIS的土壤盐碱化预测预报研究处于尝试阶段,但GIS与环境建模方面的问题已成为一大研究热点。

一、主要数据源

黄河三角洲可持续发展信息系统（刘高焕等,1997、1998）和地学信息系统（何庆成等,1999）中存储有黄河三角洲DEM数据和地质、水文地质、地貌、土壤、土地利用、水文与水资源、行政区划、交通、灾害等自然与社会经济方面的基础数据。另外,还收集了黄河三角洲1976～2000年的Landsat影像数据,东营市垦利气象站1991～1999年逐月气象观测数据(东营市气象局),东营市各灌区1991～1999年的引黄数据（东营市水利局)，黄河三角洲76个地下水观测孔1991～1997年的水位观测数据(中国水文地质工程地质勘察院)，黄河三角洲20世纪80年代中期土壤剖面50 cm、100 cm、150 cm、200 cm深度土壤含盐量数据和同期的地下水矿化度数据(中国水文地质工程地质勘察院)。所有这些矢量数据、栅格数据和监测统计数据存储在统一的地理信息系统中，成为我们进行黄河三角洲盐碱地研究的数据支撑系统。

二、土地盐碱化监测技术路线

区域土地盐碱化现状调查和动态变化监测，将传统的野外土壤调查与遥感监测相结合，从微观到宏观，全面地把握区域土壤盐碱化的现状。

根据研究区数据情况，我们选择了20世纪80年代中期、90年代中期和2000年初期3个时段作为监测目标。根据点、线、面相结合的原则，以Landsat TM和ETM影像数据为主要信息源(即1987年5月7日和1996年5月31日Landsat TM影像，2000年5月2日Landsat ETM影像)，以现有的黄河三角洲可持续发展地理信息系统为支撑，以遥感影像数字图像处理技术为主要手段，从宏观上把握区域土地盐碱化状况。而野外土壤调查则架起了遥感影像与实地景观之间的桥梁，不仅为遥感影像数字处理提供训练场地和分类结果评价数据，而且从微观上认识区域土地盐碱化程度、剖面性状及其他物理化学属性。

三、土地盐碱化监测方法

(一) 数据预处理

对数字图像进行必要的拉伸和增强处理，以提高图像的可判读性。用1/50 000地形图对其中的一景影像作地理校正，地面控制点应在整个图面选择且均匀分布，总误差不超过10 m，用二阶多项式对影像进行转换，并用双线性内插法对影像进行30 m重采样；然后，对其他景影像进行影像对影像的地理校正；最后，从校正好的影像上裁出覆盖研究区的子域，以便减少数据量，提高处理速度。

(二) 监测方法

1.概述

迄今为止，目视判读是土壤盐碱化定量研究和动态分析的重要手段。近几年有人运用监督分类法来提取盐碱地信息，但传统的监督分类与非监督分类主要是基于影像的光谱特征，受遥感数据光谱分辨率和空间分辨率制约，精度有限(关元秀，2001)。

遥感影像除具有光谱信息外，还有时间信息和空间信息，为充分利用遥感数据资源，提高盐碱地分类精度，我们将运用综合分类法来提取盐碱地信息。综合分类法主要体现在以下几个方面：多季相影像数据综合，挖掘影像的时间信息；监督分类与非监督分类综合，挖掘影像的光谱信息；分类后处理过程中，则运用影像空间或结构信息，进行地学相关规律综合分析。

由于所用数据为多季影像的综合，用传统的监督分类法训练样本的选择有一定的困难。我们先对合成影像进行非监督分类生成模板，并在野外调查中划定的训练场地内选择训练样本添加到模板中，对模板进行评价、编辑，直到模板识别情况满足要求，然后用最大似然分类法对影像进行分类。将监督分类与非监督分类综合，能取长补短，选取最佳训练样本来提高分类精度（E.Chuvieco 和 R.Congalton，1988）。

任何区域的地理环境中，各要素不是孤立的，而是相互联系、互相制约的。各要素互相作用形成了一个统一的整体。根据地学相关规律，运用遥感影像的空间或结构信息，进行综合分析，是分类后处理或影像制图综合不可或缺的一步。它不仅能改善分类影像的目视效果，而且能极大地提高分类精度（G.G.Groom，*et al*.，1996；骆剑承，1999）。

最常用的遥感动态监测方法基本可分为逐个像元对比和分类后对比两种。前者没有进行分类，而是直接将多期遥感影像进行逐个像元(Pixel-by-Pixel)对比来发现变化，该方法可以避免由于分类所带来的误差，但不能从中获取具体的变化类型信息；后者是在对比多时相遥感影像前，先进行各时相遥感影像的单独分类，该方法的优点是能获取各个像元的变化类型，但结果在很大程度上取决于各时相影像单独分类的精度。

2.分类方案

盐碱地在标准假彩色合成影像上呈现不规则的由暗到亮白色片状分布或与林地、草地、庄稼地插花分布。光板地表面有一层厚厚的盐霜，成片分布在沿海地区。在野外土壤调查和数据分析的基础上，根据影像所反映的地学景观特点和盐碱地遥感监测的目的，确定分类方案，见表3-1（关元秀，2001）。

表3-1　　　　　　　　　　　　　　　分类方案

类别	含义
水体	指陆地水域和水利设施用地，包括河流水面、水库水面和坑塘水面、养虾池以及潮沟
滩涂	指沿海大潮高潮位与低潮位之间的潮浸地带，河流湖泊常水位至洪水位之间的滩地
林草苇地	指生长乔木、灌木等林木的林地，生长草本植物为主的畜牧业用地以及芦苇地
耕地	种植农作物的土地，表层土壤含盐量0.2%左右
轻盐碱地	土壤含盐量0.6%~1.0%，与耕地插花分布
重盐碱地	表层有明显的盐结皮，仅生长有稀疏的翅碱蓬、蒿类等天然耐盐植物
光板地	分布区海拔小于2 m，土壤含盐量2.0%以上，基本无植物，表层有1~2 cm厚的盐霜
居民工矿用地	指城乡居民用地、工矿企事业单位用地

3.训练样本

训练样本是多个代表某种可识别模式的像素组，系统将通过计算训练样本的各种统计值来生成用于最终分类的模板。因此，训练样本选择对分类结果的重要影响是不言而喻的（杨存建，2001）。用我们在野外工作中选好的训练场地，并借助于一些相关的辅助数据，根据不同地物的影像特征，用不同的方法选择训练样本，以最大限度地提高样本的代表性。例如，对于水体、滩涂以及大片的耕地等低空间频率的地物，用多边形工具来选取，而像居民地、盐碱地等较高空间频率的地物则用种子像素（Seed Pixel）增长的方式来选取。对训练样本的均值、方差、波段协方差等光谱统计特征进行分析，并对其生成的模板进行评价和进一步编辑。训练样本的选择是一个反复进行、不断改善的过程。经过反复试验，直到样本识别情况满足要求。采用交互式选择训练样本不仅能选择光谱统计值最具代表性的样本，而且能确定影像光谱特征与地物之间的准确关系，达到最满意的分类。用所生成的模板对判决函数进行训练,最后运用最大似然分类法对影像进行分类。

4. 分类后处理

尽管我们在影像时相选择与组合训练样本的选择中做了大量工作来提高分类精度,但由于我们采用的分类方法,即监督分类和非监督分类都是基于影像光谱特征的,分类结果仍存在以下问题:①存在"类别噪声"。由于遥感图像计算机分类处理是针对每个像素单独进行的,结果在分类图像中会出现大片同类地物中夹杂着散点分布的异类地物的不一致现象,这些杂类地物常称为"类别噪声"。②居民地混分。由于居民地是由建筑物、盐碱地、空闲地、绿地以及水体等组成的复杂的镶嵌体,易与盐碱地、休闲地、盐田等混分。③水田混分。水田在休闲期和幼苗期易与芦苇、滩涂及其他水体混分。④盐田混分。盐田本来属于工矿用地,但由于其大部分区域为水覆盖,易与水体特别是虾池混分。

遥感影像分类后处理的理论依据是:遥感影像本身除具有光谱信息外,更重要的是由各像元之间不同的空间组织方式所表现出的空间信息特征;基于光谱特征的监督分类,大部分像元的归属是正确的;任何区域地理环境中,地理景观在空间分布上有一定的规律性和自相关性。

遥感影像分类后处理的步骤是:第一步,确定每一类地物中包含或排除其他地物的判决规则,这是分类后处理的基础。例如,研究区平均海潮 2 m 左右,在海拔低于 2 m 的滩涂上,若出现大面积的固定居民地或耕地是不现实的,应排除;而出现林地、草地、虾池和盐田便属正常现象,应保留。第二步,确认分类不妥的像素,作为待处理目标,例如滩涂上的居民地。第三步,划出大部分像素归属正确的区域,作为掩膜,也叫感兴趣区域 (AOI)。为分类有误的像素重新赋值是掩膜处理的实质,例如,以滩涂为掩膜来修正其中将光板地误分为居民地的像素,保留其他正确部分。另外,也可以根据实际情况用一些邻域分析函数,如众数函数、最大值函数、最小值函数等来达到"去伪存真"的目的。第四步,对分类影像实施掩膜处理后,返回第二步,直到处理完所有发现的问题。每次掩膜处理所用的掩膜是用前一次掩膜处理的结果生成的。

针对不同的问题,采取了相应的处理对策:①为了消除类别噪声的影响,通常需要把每个像素的类别属性与其周围的邻近像素进行比较,若该像素与周围像素很不一致,则应将其调整到符合一致性的情况。由于它是基于邻近像素特征的比较分析,所以称为"上下文分析"法。我们选用 3 × 3 的窗口,用众数函数 (Majority) 对分类结果作了上下文分析。②选用 1999 年 8 月 28 日的影像提取居民地信息,由于 8 月份地面植被生长旺盛,居民地与其他地物之间的反差较大,易于区分。至于居民地与盐田的区分则根据其分布的不同海拔,盐田一般分布在海拔低于 2 m 的沿海滩涂上,而居民地海拔则高于 2m。我们用 DEM 作掩膜,消除混分为居民地的盐田。由于 1999 年 8 月 28 日与 2000 年 5 月 2 日相距不远,可将提取的 1999 年 8 月份居民地专题数据当做居民地现状数据用。固定居民地有一个从无到有、从小到大的发展过程。后期影像上不是居民地的,一般在前期也不是 (杨存建, 2001)。据此我们可用 1999 年 8 月份的居民地专题数据为掩膜,来处理影像分类过程中出现的居民地与休闲地及盐碱地等的混分问题。③研究区水田在分布上有其特殊的规律,主要分布在河口区、东营区、垦利县城、利津县城和孤岛镇的居民地周围,这是它的位置特征;水田为规则的长方形条块,相隔其间的是排灌渠系,这是其形状特征。根据水田的位置特征和形状特征,可以很容易地确定真正的水田,做出水田掩膜,修正误分为芦苇和滩涂的像素。④盐田与虾池都分布在沿海滩涂上缘,表现为水体的光谱特征,但二者所表现的几何形状不同。盐田几何图形为方形或长方形,充满卤水的盐池呈深蓝色,结晶池呈白色,未充卤水的盐池呈均一的浅灰色,废弃盐田色调不均一,但几何图形仍可辨别,以卤水晒盐为主的盐池无进水和排水渠道。虾池呈长条形的网状结构。池内多数因有海水而为深蓝色,池与池之间仅以坝相隔,坝的色调呈白色,并有阴影,这是因为虾池堤坝比盐田的堤坝高而宽。一般虾池分布于高潮滩与超潮滩,至少有两个深水沟或河流与虾池相连,一个为进水沟,一个为排水沟,无自然潮水沟也必然有人工开挖的潮水沟,目视判读很容易将二者区分开。划出盐田掩膜,修正误分为水体的盐田。

5.精度评价

Lunetta 等(1991)指出遥感信息处理的过程中误差在不断地累积,从数据获取、数据处理、分析转换、成图、决策到实施的整个过程中,误差越来越大。为了给用户提供可靠的数据并让用户正确使用数据,需要对分类结果给予科学合理的评价。

分类总精度为96.33%;Kappa系数为0.95。

精度评价是指比较实地数据与分类结果,以确定分类过程的准确程度。最常用的精度评价方法是基于误差矩阵(Error Matrix)的方法,误差矩阵是一个 N 行 $\times$ N 列矩阵(N 为分类数),用来简单比较参照点和分类点。矩阵的行代表分类点,列代表参照点,主对角线上的点为分类完全正确的点(表3-2)。对分类图像的每一个像素进行检测是不现实的,需要选择一组参照像素,参照像素必须随机选择。我们采用分层随机采样法,对三期分类影像和经过后处理的分类结果进行评价,发现初始分类图精度都在60%左右,而经过后处理的最终分类结果的精度可达90%左右。

表3-2　　　　　　　　1987年5月7号TM影像分类误差矩阵

项目	水体	滩涂	林草苇地	耕地	轻盐碱地	重盐碱地	光板地	居民工矿用地	合计	误分比例(%)
水体	17	0	0	0	0	0	0	0	17	0
滩涂	0	0	0	2	0	0	0	0	32	6.3
林草苇地	0	0	39	0	0	0	0	0	39	0
耕地	1	0	0	122	0	1	0	3	127	3.9
轻盐碱地	0	0	0	1	37	0	0	1	39	5.1
重盐碱地	0	0	1	0	0	23	0	0	24	4.2
光板地	0	0	0	0	0	0	12	0	12	0
居民工矿用地	0	0	0	1	0	0	0	9	10	10.0
合计	18	0	40	126	37	24	12	13	300	—
漏分比例(%)	5.6	0	2.5	3.2	0	4.2	0	30.8	—	—

Kappa 分析是评价分类精度的多元统计方法，对 Kappa 的估计称为 KHAT 统计，Kappa 系数代表被评价分类比完全随机分类产生错误减少的比例，计算公式如下：

$$K = \frac{N\sum_{i=1}^{r} x_{ii} - \sum(x_{i+}x_{+i})}{N^2 - \sum(x_{i+}x_{+i})} \tag{3-1}$$

式中：r 为误差矩阵的行数；x_{ii} 为 i 行 i 列（主对角线）上的值；x_{i+} 和 x_{+i} 分别为第 i 行和第 i 列的和；N 为样点总数。

第二节　土地盐碱化动态分析

地下水的深浅、矿化度的高低，是土壤是否发生盐碱化的决定性条件。不论是自然条件形成的地下水埋藏浅，还是人为活动不当抬高地下水位，只要小于临界深度，就会引起土壤盐碱化。地下水临界深度就是使土壤不致返盐的地下水埋深（中国农业科学院农田灌溉研究所，1977）。

近 15 年来黄河三角洲土地盐碱化呈发展趋势，最直接的原因是自然和人为因素综合作用下的区域水量不均衡，外在表现是区域地下水位升高。根据黄河三角洲地下水观测资料和前人的研究成果，对黄河三角洲水量均衡和水位动态变化进行分析，在此基础上从自然和社会两方面来探究引起黄河三角洲土地盐碱化动态变化的因子。

一、土地盐碱化现状

研究区 2000 年盐碱地面积 23.5 万 hm²，占总面积的 30%，其中 66% 为轻盐碱地，18% 为重盐碱地，16% 为光板地。见图 3-1。

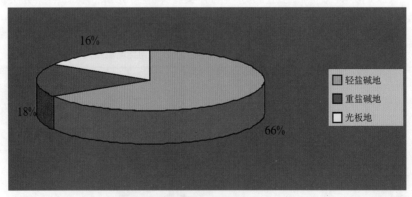

图 3-1　盐碱地构成（2000 年）

盐碱地的空间分布在宏观上表现为随距海远近和海拔高低呈明显的带状分布，从沿海向内地，依次分布着滩涂、光板地、重盐碱地、盐田和虾池、芦苇地、轻盐碱地、一般耕地。在微域上随岗、洼起伏而表现出轻盐碱地与一般耕地斑状镶嵌分布的规律。

光板地面积 3.7 万 hm²，与盐田、虾池交错分布在沿海滩涂内侧的高潮滩地，受海海水间歇性影响，表层覆盖有一层厚厚的盐霜，含盐量超过了 2.0%，地面寸草不生。

重盐碱地面积4.2万hm²，分布在光板地的内侧，海拔低于3.5 m的沿海低平地。在下镇—永安—东营东城一线的东南部,广北水库和广南水库周围有大片的重盐碱地分布。受自然降水淋洗作用,土壤由周期性积盐转入季节性脱盐阶段,一些强耐盐植物如翅碱蓬、柽柳等开始生长,土壤开始了自然成土过程。

光板地和重度盐碱地是在海水和高矿化度地下水综合作用下形成的原生盐碱地。分布区地下水埋深小于1 m,矿化度一般为10～30 g/L,甚至高达100 g/L。土壤可溶性含盐量一般超过1%,盐分组成氯化物占80%以上,阳离子则以钠为主,土壤剖面一般通体高盐。

轻盐碱地面积15.6万hm²,是研究区广泛分布的一类盐碱地。黄河以北,轻盐碱地主要分布在河成高地、岗阶地与洼地之间的缓平低地上;黄河以南,小清河以北,不论是河成高地,还是低平地都有盐碱地分布。大部分轻盐碱地土壤剖面为漏斗型,盐分表聚性强。

二、土地盐碱化时间变化模式

研究区盐碱地面积呈不断发展趋势,不同类型的盐碱地变化不同（图3-2、表3-3、表3-4）。轻盐碱地面积不断增加,1987～1996年的10年间增加了5.60万 hm²,从表3-3可以看出,有7.85万 hm²的耕地变成了轻盐碱地,而只有2.45万 hm²的轻盐碱地得到改良变成了耕地。1996～2000年的5年间轻盐碱地面积又增加了1.42万 hm²,主要变化仍发生在轻盐碱地与耕地之间,期间7.00万 hm²的耕地发生了盐碱化,而只有3.92万 hm²的轻盐碱地好转。从变化速度看,前10年年均增加0.56万 hm²,后5年年均增加0.28万 hm²,轻盐碱地增长的速度在减缓。

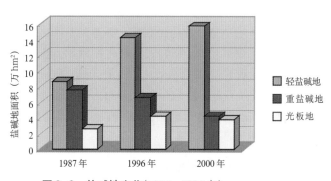

图3-2　盐碱地变化(1987～2000 年)

重盐碱地不断减少,前10年减少了0.96万 hm²,重盐碱地与轻盐碱地、耕地、林草苇地之间互相转化。后5年减少了2.3万 hm²,主要是因为大面积的重盐碱地变成了林草地。前10年年均减少0.10万 hm²,后5年年均减少0.47万 hm²,重盐碱地减少的速度在加快。

光板地前10年增加了1.67万 hm²,主要是因为水体、林草苇地和重盐碱地变成了光板地,后5年减少了0.49万 hm²,则是因为光板地变成了水体、林草苇地和重盐碱地。

表 3-3　　　　　　　　　　1987 年和 1996 年不同土地类型之间的转换矩阵　　　　（单位：hm²）

项　目	水体	滩涂	林草苇地	耕地	轻盐碱地	重盐碱地	光板地	居民工矿用地
水体	20 736	6 192	3 744	8 496	3 744	4 320	1 008	0
滩涂	4 032	35 856	1 008	0	0	7 056	8 496	0
林草苇地	6 912	7 488	40 896	16 848	15 984	8 496	8 064	2 736
耕地	4 752	0	14 400	212 976	78 480	8 640	1 872	10 944
轻盐碱地	2 880	0	6 048	24 480	33 840	10 944	2 448	4 896
重盐碱地	7 920	4 608	5 472	13 680	8 784	20 880	7 776	4 608
光板地	2 448	3 744	1 152	1 152	0	5 184	11 952	0
居民工矿用地	0	0	0	0	0	0	0	21 168

表 3-4　　　　　　　　　　1996 年和 2000 年不同土地类型之间的转换矩阵　　　　（单位：hm²）

项　目	水体	滩涂	林草苇地	耕地	轻盐碱地	重盐碱地	光板地	居民工矿用地
水体	34 992	5 328	1 008	3 168	1 872	2 592	864	0
滩涂	5 904	52 560	1 440	0	0	3 312	9 792	0
林草苇地	4 752	1 296	49 248	6 624	8 784	1 008	864	720
耕地	8 640	0	11 520	179 280	69 984	3 168	0	4 464
轻盐碱地	4 896	1 008	20 736	39 168	67 392	4 320	0	4 176
重盐碱地	5 328	3 456	13 392	4 608	8 496	22 896	6 480	1 008
光板地	3 024	3 888	6 048	576	2 592	4 464	20 880	576
居民工矿用地	0	0	0	0	0	0	0	43 776

从上面的分析可知，在自然和人为活动共同作用下，研究区各种用地类型向两个截然不同的方向发展，但无论是好转还是恶化，都遵循空间上就近转化的规律。例如，由于轻盐碱地与耕地斑状镶嵌分布，它们之间转化频繁，合理利用可以把轻盐碱地垦殖为耕地，不合理利用则导致耕地次生盐碱化。由海向陆，滩涂、光板地、重盐碱地、水体（虾池）、林草苇地、轻盐碱地、耕地呈带状分布，光板地与滩涂、重盐碱地、水体、林草苇地之间相互转化，轻盐碱地与重盐碱地、耕地之间相互转化。这一规律也可用来指导国土整治和发展农业生产。

三、土地盐碱化空间变化模式

从土地类型来看，盐碱地的空间分布格局变化不大。研究区土地类型可分为岗阶地、河滩地、河成高地、平地、低洼地、滩涂地等 6 类。轻盐碱地集中分布在平地和河成高地上，1987 年、1996 年和 2000 年分别有 71.1%、75.5% 和 76.1% 的轻盐碱地分布在平地和河成高地上；重盐碱地主要分布在平地和滩涂地上，1987 年、1996 年和 2000年分别有 74.6%、84.4% 和 84.2% 的重盐碱地分布在平地和滩涂上；而光板地则主要分布在滩涂和平地上。岗阶地是惟一没有盐碱地分布的土地类型（表 3-5）。

1987～1996 年的 10 年间，盐碱地的发展可以说是遍地开花，除岗阶地外，其他各种地貌类型都有不同程度的盐碱化，特别是河滩地和河成高地大面积的良田盐碱化，1934

表3—5　　　　　　　　　　不同土地类型盐碱化变化情况

土地类型		河滩地	河成高地	平地	洼地	滩涂地
面积（万hm²）		7.9	12.9	33.8	6.7	16.3
盐碱地占总面积(%)	1987年	8.6	16.1	26.1	20.5	23.8
	1996年	15.5	29.8	35.6	27.0	29.0
	2000年	25.3	29.5	34.0	32.8	25.5

年黄河摆动点下移渔洼以来形成的河成高地和目前的河滩地在这一期间发生了盐碱化。

1996~2000年5年间，河成高地和平地趋于稳定，河滩地和洼地盐碱化继续发展，其中河口区次生盐碱地面积继续扩大。滩涂地上的重盐碱地面积有所减少。

四、地下水动态与水量均衡

水量均衡是地下水动态变化的实质，地下水动态变化是水量均衡的外部表现。地下水动态变化是水量各均衡项发生变化的结果，是在降水、农田腾发、土壤水动态变化、河流水位、引黄渠系渗漏、引黄灌溉、地下水侧向径流和海水倒灌等影响因素作用下水分系统所产生的响应，这一响应将对土壤盐碱化产生极为深刻的影响。

（一）地下水位季节性变化特点

研究区地下水埋深较浅，地下水补给主要靠降水，地下水的排泄主要靠蒸发和植物的蒸腾，地下水位变化与降水的时间分布关系极为密切。一般情况下，地下水位每年有一个峰和谷。峰出现在降水集中的7、8月份，而谷出现在降雨稀少的3、4月份。从每年的10月份到第二年的5月份降水入渗补给地下水量很少，在蒸发作用下，地下水位不断下降，地下水处于消耗状态。由于是否引黄灌溉、距河远近等空间上的差异，小清河以北地区地下水动态可分为灌溉型和水文型。

1.灌溉型地下水动态

引黄灌溉区地下水动态受灌溉和降水的影响多次出现高峰（图3-3），一般在春灌期（3~5月份）、汛期（7~9月份）潜水位最高。在春灌前、汛期前潜水位最低。

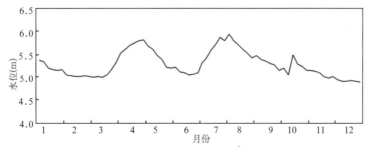

图3—3　11370522253观测井1991年水位动态变化曲线

2.水文型地下水动态

距河、海和水库较近地区的地下水，除了接受降水、引黄灌溉的补给外，还接受河水、海水和水库水的侧渗补给，地下水位变幅小，没有明显的峰和谷（图3-4）。

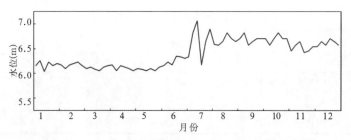

图 3—4　11370521304 观测井 1995 年水位动态变化曲线

（二）地下水位多年变化特征

地下水位不仅有季节变化，它的多年变化也很值得注意。这种变化具有很重要的意义，它决定着土壤盐碱化发展的方向。地下水位的多年变化取决于年补给量的变化，是在一定时期内水量平衡状况的反映。

从位于利津县罗镇乡牛家的观测井 11370522252（图 3—5）和位于垦利县西宋乡西宋的观测井 11370521304（图 3—6、图 3—7）1991～1997 年的地下水位动态变化曲线看，无论是引黄灌溉区还是近河区，年际之间地下水位的升降有一定的周期性和相似性。从多年变化看，地下水位变化趋势与降水变化趋势有一定的相关性，1992 年是转折点，1992 年与 1991 年相比，地下水位普遍下降，从 1992 年开始，地下水位逐年上升，不同区域地下水位上升幅度不等，1996 年地下水位有所回落，到 1997 年大部分地区地下水位恢复到 1991 年的水平。随机抽取了 23 个地下水位观测井观测资料，发现其中有 13 个观测井的年平均地下水位与年降水量相关系数达到 0.6 以上。

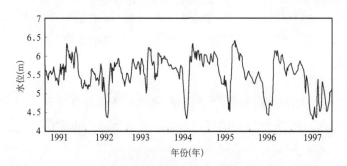

图 3—5　11370522252 观测井水位动态变化曲线（1991～1997 年）

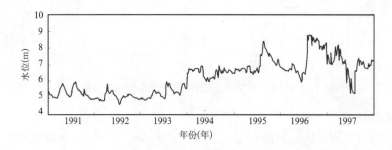

图 3—6　11370521304 观测井地下水动态变化曲线（1991～1997 年）

图3-7　地下水观测井分布图

靠近黄河的利津县、垦利县的引黄灌溉农业区，1997年与1991年相比，地下水位有所上升，年平均地下水位上升最大的近2 m。河口区、东营市则变化不大。南部广饶县的井灌区，地下水位则不断下降，形成了大小不一的降落漏斗。

（三）区域水量均衡

地下水位变动实质上是地下水量平衡状况的反映，地下水量平衡状况决定地下水位的升降及其变化特征和过程。研究区地下水量平衡状况往往受区域水量平衡的影响。黄河三角洲的水分是在一定的时空条件下，在大气、土体和地下水中进行频繁交换和循环着。水分来量主要是大气降水(R)、地表径流(F_s)和侧向补给的地下径流(F_g)，去量主要是蒸散(E)、地表径流入海(O_s)和地下径流入海(O_g)。黄河三角洲水量平衡方程可列为（石元春，1983）：

$$R+F_s+F_g=E+O_s+O_g+\Delta M \tag{3-2}$$

式中：ΔM为某一平衡时段内开始和结束时的水量差值。

针对黄河三角洲的具体情况，对水量平衡方程可作这样的处理：①地下径流非常滞缓，侧向地下径流补给量与地下径流入海量相差不多，可以相互抵消；②水量平衡为多年平衡，$\Delta M=0$。建立黄河三角洲水量平衡模型（图3-8）。

进入平衡区的水分，绝大部分都要经过一系列的复杂转化过程，才被排出平衡区之外。降水主要转化项目有：入渗补给土壤、入渗补给地下水和径流入海；来自区外的地表径流主要是黄河水，部分以灌溉和河渠侧渗形式进入土壤和地下水系统，其余则以地表径流形式入海。转化为地下水的部分，因势差上升进入土壤，与原土壤水分一起以蒸发和蒸腾的形式排出。

在对研究区20世纪90年代气象资料、地下水观测资料、引黄灌溉资料以及黄河三角洲水文地质条件、土壤状况、土地利用等综合分析的基础上，对黄河三角洲1991～

1999 年区域水量作了均衡分析（表 3-6）。

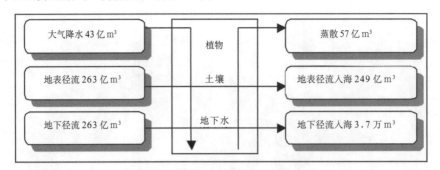

图 3-8　黄河三角洲水量均衡模型

表 3-6　　　　　　　　　黄河三角洲水量均衡表（1991～1999 年）　　　　　　（单位：万 m³）

年份	来水量				去水量			均衡
	黄河侧渗	引黄	降水	合计①	排水	蒸发	合计②	差额①-②
1991	34.4	147 818	423 618	571 470.4	45 717.6	483 722.5	529 440.1	42 030.3.0
1992	27.7	158 270	292 656	450 953.7	36 076.3	565 338.5	601 414.8	-150 461.1
1993	30.0	151 154	456 534	607 718.0	48 617.4	532 467.0	581 084.4	26 633.6
1994	28.6	131 891	541 008	672 927.6	53 834.2	558 267.8	612 102.0	60 825.6
1995	23.8	128 723	641 628	770 374.8	61 630.0	517 690.7	579 320.7	191 054.1
1996	22.4	138 868	406 926	545 816.4	43 665.3	511 543.5	555 208.8	-9 392.4
1997	13.4	113 180	389 610	502 803.4	40 224.3	577 315.4	617 539.7	-114 736.3
1998	21.8	124 935	522 054	647 010.8	51 760.9	487 705.1	539 466.0	107 544.8
1999	32.0	152 370	272 766	425 168.0	34 013.4	509 350.1	543 363.5	-118 195.5

　　黄河侧渗按 3 000 m³/(km·a) 计算，其中考虑了黄河断流的影响；引黄水量和降水量分别由东营市水利局和气象局提供实测数据；排水按年总来水量的 8% 计算，蒸发系数为 0.35。

　　从表 3-6 可以看出，黄河三角洲来水量主要是降水量和引黄水量，而去水量主要为蒸发量。蒸发带走了水分，留下了盐分，即使在区域水分平衡的情形下，区域盐分仍处于盈余状态。受旱涝交替的气候条件影响，黄河三角洲 10 年来水量平衡盈亏交替出现，总体上区域水量有一定盈余，这是黄河三角洲土壤积盐的根本原因所在。

五、不同地貌单元土地盐碱化空间分异

　　研究区地貌可分为岗阶地、河滩地、河成高地、平地、低洼地和滩涂地 6 类(图 3-9)。岗阶地为海拔 10 m 以上的山前洪积地和河流阶地，主要分布于山麓地带；河滩地主要是黄河滩地和新河口漫滩地；河成高地为黄河决口扇、古河床及河道自然堤；平地由山麓洪积平地、黄河漫流沉积平地组成，分布较广；低洼地主要是扇间洼地、黄河堤外槽状地、黄河冲积静水低地、河间洼地和泄湖洼地；滩涂地为沿海岸线的盐碱滩地。

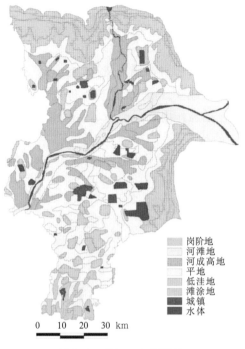

岗阶地
河滩地
河成高地
平地
低洼地
滩涂地
城镇
水体

0　10　20　30 km

图 3-9　黄河三角洲地貌

（一）不同地貌类型土地盐碱化差异

地形地貌的高低起伏，影响地面、地下径流的运动，土壤中的盐分也就随之发生分异与积累。从大地形来看，盐碱化状况是从高到低逐渐加重。从中小地形来看，在洼地边缘及低洼地的局部凸起处，因蒸发强烈，易于盐分聚集。

从表 3-7 可以看出，1987 年、1996 年和 2000 年有 50% 以上的轻盐碱地和重盐碱地分布在平地上。平地因地势相对低，地下水埋藏浅，是生态环境最脆弱的一种地貌类型。

表 3-7　　　　　　　　不同地貌类型土壤盐碱化状况　　　　　　　　（单位：hm²）

地貌类型		河滩地	河成高地	平地	低洼地	滩涂地
1987 年	轻盐碱地	4 320	16 416	44 784	9 936	1 728
	重盐碱地	2 016	3 600	39 312	3 456	16 848
	光板地	432	720	4 032	288	20 160
1996 年	轻盐碱地	10 136	32 376	74 888	14 069	1 059
	重盐碱地	605	4 992	34 342	3 782	21 331
	光板地	1 512	1 059	11 044	151	24 811
2000 年	轻盐碱地	15 840	33 552	85 392	20 160	1 728
	重盐碱地	144	4 464	23 760	1 584	11 520
	光板地	4 032	0	5 760	144	28 224

河成高地是指黄河运行一段时间后改道留下的遗迹。河成高地地势高，往往比周围地面高出 1～3 m，呈条带状分布，土壤质地多为粉沙质和沙壤质，地下水位埋深一般大于临界深度，且矿化度较低，土壤含盐量小于 0.3%，目前已开垦为农田和林地。当地下水位抬高时，河成高地与平地的过渡地带甚至整个河成高地，地下水埋深小于临界深度，也会发生盐碱化，分布在河成高地上的轻盐碱地 1996 年比 1987 年增加了近 1 倍。

洼地土壤质地多为壤土至重壤土，一般情况下，洼地处于积水状态，为湿生植物所覆盖，只在洼地边缘发生积盐现象。当地下水位居高不下、地表强烈蒸发条件下，洼地盐碱地也会不断扩展。

河滩地是现黄河行水河道大堤以内的土地，受黄河淡水影响，土壤含盐量较低，农业生产条件较好。只有在河口地区，由于黄河不断向渤海推进，一些新淤潮土逐渐脱离黄河淡水影响，淡水层抑制返盐作用减弱，而高矿化地下水的作用增强，土壤向盐碱化方向发展。

不同地貌类型土地盐碱化发生和变化的原因需从土壤积盐机制谈起。

(二) 微地貌影响下的土壤积盐机制

Peck(1978)指出，土地发生盐碱化必须具备的三大因子是盐分来源、水分来源和使盐分向地表运移的机制。浅层地下水包括土壤水和地下水，它是影响土壤盐分运动非常活跃的因素。土壤积盐过程是伴随着地下水上升和土壤水的蒸发过程而进行的 (图3-10)。

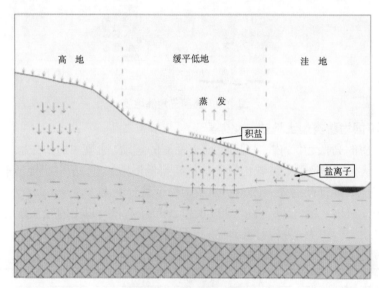

图3-10　土壤成盐机制

河成高地地下水埋深超过临界深度，土壤不受地下水影响，降水或灌溉后，除部分渗入土壤外，大部分形成地面径流顺坡流向低地；地下径流坡降较大，流速较快，其土壤水盐以下行水平运动为主，一般不发生盐碱化。

缓平低地和洼地是水盐的汇集之地，地下水埋深一般小于临界深度，甚至有一些浅平洼地，潜水面高出地面，水分的蒸发损失可以由地下水源源不断地补给。但是缓平低地和洼地的不同部位积盐强度不同，在洼地边缘相对高起之处，因其地表暴露面大，蒸发十分强烈。试验证明，在这些相对高起的地方，一般都同时存在着纵向和横向两个方面的湿度差。根据土壤毛管水由湿度大的土层向湿度小的土层移动的一般规律，微斜高地既有毛管上升水流的补给，也有毛管侧向水流的补给，当水分沿土壤毛细管由下向上、由缓平低地低处向高处移动过程中，盐分也随之移动，并通过蒸发而聚积，蒸发量越大，水分的补给越充足，盐分积累也越严重。

（三）地下水埋深小于临界深度使盐碱化加重

微地貌控制土壤盐碱化必须具备适当的地下水埋藏条件。当区域地下水埋深变得很深时，盐碱化发生的基本条件消失，微地貌不再起控制作用。当区域地下水埋深变得很浅时，微地貌对土壤盐碱化的控制作用减弱，各种地貌单元盐碱化程度的差异变小，1987～1996年10年间各种地貌单元土壤盐碱化都有较大的发展，就是因为研究区大部分地区地下水埋深都小于地下水临界深度，即使地势较低的现代黄河三角洲上的河成高地也未能幸免。

六、影响土壤盐碱化的自然因素与人文因素分析

（一）自然因素分析

1. 气象

降水在时间分配上很不均匀，6～9月份降水量为430.9 mm，占全年降水量的76.7%；10月份至次年5月份降水量为131.12 mm，占全年降水量的23.3%。各月降水量详细情况见表3—8和图3—11。这种年内分配差异悬殊的降水特征造成了黄河三角洲春旱、夏涝，而涝后又旱，旱涝交替。不仅不能满足作物的正常生长，而且造成了土壤返盐。

表3—8　　　　　　　　　　黄河三角洲月平均降水量（1991～1999年）

月份	1	2	3	4	5	6	7	8	9	10	11	12	全年
降水量（mm）	2.4	8.0	8.6	17.9	34.4	84.9	168.6	142.8	34.6	34.3	20.3	5.2	561.98
所占百分比（%）	0.4	1.4	1.5	3.2	6.1	15.1	30.0	25.4	6.1	6.1	3.6	0.9	100

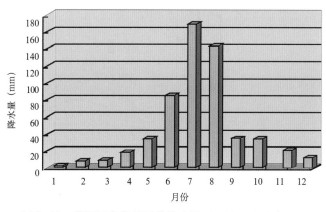

图3—11　黄河三角洲月平均降水量（1991～1999年）

降水量不仅年内分配不均，而且年际变化也很大，年降水量最多年（1 142 mm）是最少年（322.7 m）的3.5倍（刘淑瑶，1995）。黄河三角洲多年平均降水量530～630 mm，20世纪60、70年代（1959～1980年资料）年平均降水量601 mm，年平均蒸发量1 944.2 mm；90年代（1991～1999年）年平均降水量562 mm，年平均蒸发量1 826.2 mm。据郭洪海（1994）统计，黄河三角洲气候变化呈干旱趋势，其蒸降比越来越大，1959～1965年、1966～1975年、1976～1985年、1986～1990年蒸降比依次为2.22、2.25、3.26、3.41。这种蒸降比不断增大的干旱气候条件决定了土壤盐碱化发展的总趋势是难以改变的。

从1991～1999年气象资料看,黄河三角洲旱涝交替出现,1992年干旱,1995年涝,1999年又旱(图3-12)。气候旱涝交替造成了地下水位年际间上下波动,涝年地下水位抬高,为土壤盐碱化创造了物质条件,紧接着的旱年又为土壤盐碱化提供了动力条件。总之,气候的年内、年际变化为土地盐碱化提供了物质基础和动力条件,它是土地盐碱化动态变化的主要原因之一。

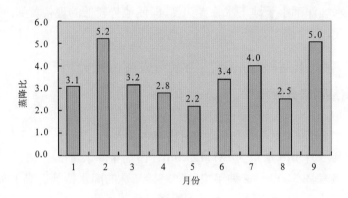

图3-12 黄河三角洲蒸降比(1991～1999年)

2.水文

研究区地表水包括河流、水库、坑塘蓄水和引黄水几部分(图3-13)。

图3-13 黄河三角洲水文图

研究区河流除黄河外，其余均为排水河道。黄河是本区工农业生产最重要的淡水资源，自1972年黄河利津站开始出现断流以来，随着流域内经济社会的高速发展，需水量增大，近几年来黄河断流日趋严重，并表现出断流时间逐年延长（表3-9）和断流时间提前的特点，90年代以前断流主要发生在5、6月份，90年代断流时间提前到冬春季的2、3月份。黄河断流对研究区生态环境造成了恶劣的影响（田家怡，1997；叶青超，1998；焦玉木，1998；李宗森，1999）。由于黄河断流，引黄灌溉受到影响。灌区末端的一些耕地由于无水灌溉而弃耕返盐；一些稻改地由于缺水，变水田为旱作，土壤迅速返盐，前功尽弃。近几年来，随着国家对黄河水资源实施全流域宏观调控，黄河断流状况有所改善。

表3-9　　　　　　　　　　　20世纪90年代利津站断流情况

年份（年）	1991	1992	1993	1994	1995	1996	1997	1998	1999
天数（天）	16	83	60	74	122	136	226	142	40

注：表中数据由黄委会山东河务局提供。

研究区大部分排水河道断面小，宣泄坡水能力弱，又常因河道淤积严重，排水能力差，使得进入研究区的多余水量不能尽快排出，引起地下水位抬高。黄河断流和排水河道淤积严重的状况，使研究区农业生产陷入了"地表缺淡水，地下多咸水"的尴尬局面。

研究区自1978年开始修建平原水库，到1996年，共建设库容10万m^3以上的水库129座，库容共计4.76亿m^3；坑塘555个，总蓄水能力1 126.39万m^3（东营市志，1997年）。统计了黄河三角洲水文图中面积较大的水库108座（图3-13），其中1986年以前修建的水库27座，占地面积约7 327 hm^2，到2000年15年间占地面积增加了11 917 hm^2。这些蓄水工程标准低，调蓄能力差，大多为土坝，由于筑坝土质差，围坝坍塌严重，主要靠淤泥防渗，很少经过专业防渗处理，渗漏、蒸发损失严重，不但造成水库周围局部面积的土地盐碱化，而且对区域地下水位的变化和土地盐碱化有重要的影响。

滨海平原区，海潮的侵扰对土地次生盐碱化有深刻的影响。一次大潮沿潮水沟倒灌几十公里，一般日潮也可影响几公里。海潮所经之处一片盐荒滩地，土壤盐分加重，潜水矿化度增大，生态环境恶化，草场退化，树木难以生长。我国清代诗人郑板桥在《禹王台北勘灾》中对海潮影响土壤盐碱化这一现象作了生动的描述：

沧海茫茫不接天，

草中时见一畦田；

波涛过后皆盐卤，

自古何曾说有年。

1949～1990年，莱州湾超过黄海海平面高程3 m以上的风暴潮灾害3次，黄海海平面2 m以上、3 m以下风暴潮灾害50余次。1992年16号台风引起的严重风暴潮灾，最高潮位达到3.59 m（中国水利水电科学研究院水力研究所，1997）。发生于1997年8月20日的特大型风暴潮，对研究区土地盐碱化的影响从遥感监测结果看非常严重（图3-14）。1996年黄河故道北部一千二林场刺槐林和耕地分别为157 hm^2和2 760 hm^2，到1998年分别剩下46 hm^2和157 hm^2。

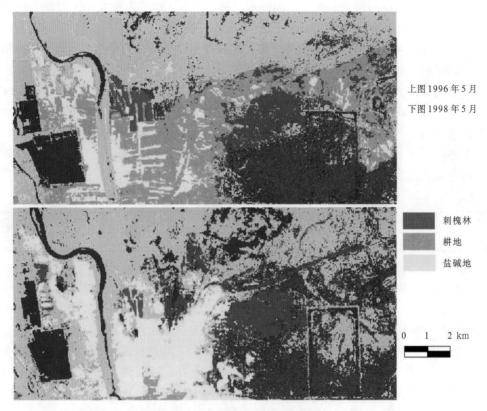

上图 1996 年 5 月

下图 1998 年 5 月

刺槐林

耕地

盐碱地

0　1　2 km

图 3-14　风暴潮引起的土地盐碱化

（二）人文因素分析

1.土地资源利用方式改变

东营市 1983 年建市以来，大力兴修水利工程，引水、蓄水能力的增强带动了土地利用方式的重大改变。研究区 1986 年灌溉面积 10.77 万 hm²，到 1991 年增加到 13.97 万 hm²，1999 年为 15.60 万 hm²（东营市统计局，1983~1999），见图 3-15。1986~1991 年灌溉面积增加了 3.20 万 hm²，年均增加 0.64 万 hm²，主要分布在垦利县（1.23 万 hm²）、利津县（0.74 万 hm²）和河口区（0.43 万 hm²）；1991~1999 年灌溉面积增加了 1.63 万 hm²，年均增加 0.204 万 hm²，主要分布在利津县（0.68 万 hm²）和河口区（0.51 万 hm²）。按研究区平均的毛灌溉定额 7 500 m³/hm² 算，1991 年比 1986 年要多用 2.4 亿 m³ 黄河水，1999 年比 1991 年要多用 1.2 亿 m³ 水。而作物需水量（净灌溉定额）仅为 3 120 m³/hm²，除去大约 3.3 万 hm² 的井灌面积，也就是说 1986 年、1991 年和 1999 年分别有 3.2 亿 m³、4.6 亿 m³ 和 5.3 亿 m³ 的引黄水进入研究区。从前面研究区 1991~1997 年的地下水位动态观测资料分析结果看，90 年代水量处于动态平衡，略有盈余。结合土地利用变化可知，研究区水量大的不平衡发生在 80 年代末期。从地理位置看，80 年代末期灌溉面积的增加主要发生在垦利县、利津县和河口区，这与遥感监测到的次生盐碱化发生的地理位置相吻合。这足以说明 1987~1996 年土地次生盐碱化发展是土地利用方式的改变引起的区域水量不平衡造成的。

60

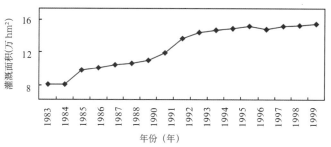

图 3-15　灌溉面积变化

从山东省"近代黄河三角洲农业资源综合考察及开发利用研究"课题组1984年8月至1985年4月对黄河三角洲的考察所做的潜水位埋深分布图可以看出（图3-16），只有沿海低平地区地下水埋深小于 2 m，大部分地区地下水埋深超过了 2 m，河成高地地下水位埋深为 3～5 m，小清河以南的井灌区地下水埋深超过了 5 m。

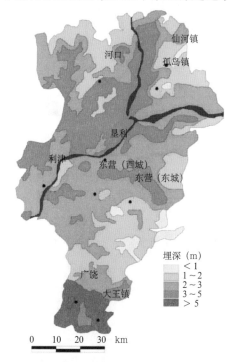

图 3-16　80 年代中期地下水埋深

根据前面的地下水位年际变化分析可知，1991～1997年研究区地下水位变化不大，大部分地区地下水位变化与气候一致，湿润年份地下水位升高，干旱年份地下水位则下降。1991年蒸降比为3.1，可以代表90年代的平均水平，用1991年地下水位观测数据，用克力格插值法将点数据变成网格数据，并用等值线将地下水埋深进行分区，为了便于比较，分区标准与80年代刘淑瑶所做潜水埋深图保持一致（图3-17）。从图3-17中可以看出，现代黄河三角洲大部分地区地下水埋深不足1 m，分布在近代黄河三角洲上的河成高地地下水埋深也由 80 年代中期的3～5 m变成了2～3 m，甚至1～2 m。与此相反，研究区东南部的卤水分布区和小清河以南的井灌区地下水位则大幅度下降，出现了大小不一的地下水降落漏斗,引起了海水倒灌。

从地下水位变化(图 3-18)可以看出,研究区 274 032 hm² 的面积地下水埋深没有变化,103 824 hm² 的地区地下位下降,埋深增大,390 096 hm² 的地区地下水位上升,埋深减小。

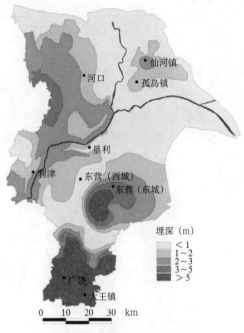

图 3-17 90 年代地下水埋深

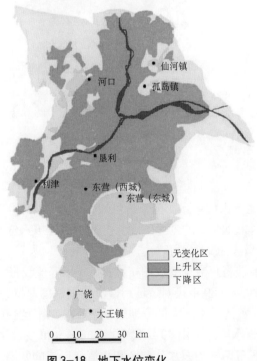

图 3-18 地下水位变化

从以上的分析可知，研究区从1985年到1991年的5年间土地利用方式发生了很大变化。由于灌溉管理和技术落后，大量的灌溉用水进入地下水系统，粗略估算，大约有10亿 m³。

2.水资源利用浪费严重

如果严格按照农作物的需水规律进行合理灌溉，单纯的土地利用方式的改变（由旱地变为水浇地）并不能导致区域水量的重大失衡。研究区农业用水是水资源利用的大户，由于粗放的农业用水方式和落后的灌溉技术，使得水资源利用方面存在严重的浪费现象，主要表现在以下几个方面：

(1)灌区工程标准低、不配套，老化、退化严重。多数建筑物不能正常运营。虽然进行了部分改造，但因资金短缺，工程至今尚未配套。

(2)管理机构不健全，管理设施建设落后。除总干渠有量水设施外，其他干、支渠无量水设备。由于支级及支以下渠道归乡镇主管，造成灌区管理上下脱节，多数支渠无进水闸，更无测、量水设施，导致上游大水漫灌，下游无水可浇，跑、漏水现象随处可见。水费仍按亩征收，而不是按用水量。灌区管理所只管到干一级渠道，形不成完善的灌排资料，严重制约了灌区的正常管理。

(3)渠道比降缓，挟沙能力低，淤积严重，支级渠道灌排不分，灌排相通，支及支以下排水系统标准低且淤积严重。灌区内的主要排水干沟基本上得到治理，但支及支以下排水沟经过多年运行，坍塌淤积严重，已起不到排碱、除涝的作用。灌区引黄干、支级渠道总长度 1 474.75 km，采取防渗措施的仅有75.36 km，占5.11%，大多数是没有衬砌的土质渠道，渠道渗漏严重，加之灌区土质松散，管护力度不够，渠坝坍塌、决口、跑水、漏水现象时有发生，造成水资源的严重浪费。渠系水利用系数较低，一般在0.4~0.5之间，也就是说仅输水一项就损失水量约50%。灌溉水从农渠水口流入田间后，由于灌水技术粗放，大水漫灌，田间水利用系数0.9左右，灌区灌溉水利用系数只有0.45左右。水利先进的以色列、美国等国家，灌溉水利用率高达0.8以上，相比之下，差距很大（东营市水利勘测设计院，1999）。

（三）治理盐碱地重在降低地下水位

区域地下水动态与水量平衡分析表明，进入90年代以来，黄河三角洲地下水动态变化不大，垦利县和利津县的河成高地上地下水位有所上升，黄河三角洲东南部的卤水分布区和南部广饶县的井灌区地下水位大幅度下降，其他地区则地下水位的变化与年降水量密切相关。说明黄河三角洲区域水量在较高水位的条件下又达到了一种新的动态平衡状态。

20世纪90年代以来，气候的季节变化和年际间的干湿交替对盐碱地的季节变化和年际变化有重要的影响。再加上黄河三角洲水文条件，特别是黄河断流、排水不畅、蓄水工程渗漏、风暴潮侵袭等影响，黄河三角洲盐碱地处于不断发展趋势。

对1983年东营市建市以来土地利用情况的分析发现，黄河三角洲旱地变水浇地主要发生在80年代末期。由于水资源利用浪费严重，重灌轻排，造成了区域整体的地下水位抬高，这一时期也正是黄河三角洲盐碱地急剧发展的时期。可见，黄河三角洲土地盐碱化加重主要是人类不合理地利用水土资源造成的。

第三节　土地盐碱化预测预报

黄河三角洲作为河口三角洲,从土壤发生学和地球化学方面来看,盐碱土的形成受到海水的浸渍、高矿化度地下水和地表水的复杂影响。从土地盐碱化驱动力分析的结果来看,在地面蒸发强烈、排水不畅的情况下,发展灌溉事业,使得多余的灌溉水进入地下水系统,引起浅层地下水位抬高,超过了地下水临界深度,导致土体和地下水中的盐分向地表富集。再加上微地貌条件的差异,引起水盐在空间上的运移和分异,从而造成土壤盐碱化的因与果之间存在空间上的不一致性和时间上的滞后性。由于上述原因,黄河三角洲土地盐碱化预测预报问题非常复杂。

一、地下水与土壤盐碱化

研究区土壤的形成过程和土壤盐碱化的发生与演变,均受地下水位的重要影响和控制,地下水位是一个在气候、地形,特别是灌溉和排水活动影响下,反应非常灵敏的因素。

当地下水的条件使地下水盐能够不断补充土壤水盐时,土壤就往积盐方向发展;反之,如果土壤和地下水条件发生了变化,切断或大量减少了地下水盐对土壤水盐的补给,土壤就从积盐向脱盐的方向转化。地下水埋深是支配盐分上行积盐和下行淋出的重要杠杆(B·A·科夫达,1957;石元春等,1976;田济马等,1995;杨建锋,2000)。

(一)土壤盐分运移的水动力弥散方程

盐分在多孔介质中的运移由两部分组成:一是分子扩散,二是机械弥散(杨诗秀等,1988)。分子扩散是由盐分浓度不均匀而引起的,机械弥散是由水分流动而引起的。在不考虑盐分的化学反应时,盐分在多孔介质中运移的水动力弥散方程为:

$$\frac{\partial(\theta C)}{\partial t}=\frac{\partial}{\partial x}\left(D_{xx}\theta\frac{\partial C}{\partial x}\right)+\frac{\partial}{\partial y}\left(D_{yy}\theta\frac{\partial C}{\partial y}\right)+\frac{\partial}{\partial z}\left(D_{zz}\theta\frac{\partial C}{\partial z}\right)-\frac{\partial}{\partial x}(\theta v_x c)-\frac{\partial}{\partial x}(\theta v_y c)-\frac{\partial}{\partial x}(\theta v_z c)+I \quad (3-3)$$

式中:θ 为体积含水量;C 为溶液中溶质的浓度;D_{xx},D_{yy},D_{zz} 分别为弥散系数;v_x,v_y,v_z 分别为质量平均速度;t 为时间;I 为源汇项;x,y,z 为笛卡尔坐标。

在非饱和土壤中,水流以垂直方向的上行和下行为主,盐分运移的水动力弥散方程可简化为:

$$\frac{\partial C_1}{\partial t}=\frac{\partial}{\partial z}\left(D_z\frac{dC_1}{dz}\right)-\frac{\partial}{\partial z}(v_z C_1)+I \quad (3-4)$$

式中:C_1 为单位体积土壤的溶质数量;v_z 为在 z 方向上的水流流速。

地下水以平面二维流为主,水动力弥散方程可简化为:

$$\frac{\partial C}{\partial t}=\frac{\partial}{\partial x}\left(D_{xx}\frac{\partial C}{\partial x}\right)+\frac{\partial}{\partial y}\left(D_{yy}\frac{\partial C}{\partial y}\right)-\frac{\partial}{\partial x}(v_x C)-\frac{\partial}{\partial y}(v_y C)+I \quad (3-5)$$

(二)地下水埋深与土壤积盐

地下水在毛管力作用下沿毛管向上运动,当毛管力与毛管水柱静压力平衡时,毛管水达到一个稳定位置,此时为毛管水连续上升的最高点,它距潜水面的高度为毛管水上升高度。在不同地下水埋深条件下,潜水蒸发的形式与蒸发量是不同的。

当地下水埋深小于或等于毛管水上升高度,即地下水由毛管作用上升到地面时,土面蒸发强度由大气蒸发力所控制。大气蒸发力强,蒸发耗散的水量就多,地下水蒸发量也就越大。当地下水埋深大于毛管水上升高度时,地下水由毛管作用上升到最大高度而达不到地表,毛管水便发生断裂,成为毛管断裂水,地面形成干土层。干土层下的湿润土层产生水汽,然后通过干土层的孔隙扩散到大气中去,此时属扩散控制阶段,这个阶段水分蒸发损失较少,地下水蒸发强度较小。

在无开采和侧向补排的情况下,潜水蒸发量的确定可采用阿维扬诺夫公式:

$$\varepsilon = \varepsilon_0 (1 - \frac{h}{L})^n \tag{3-6}$$

式中:ε 为浅层地下水蒸发强度;ε_0 为水面蒸发强度;L 为浅层地下水蒸发极限深度;h 为浅层地下水位埋藏深度;n 为经验幂指数,因水文地质、气象条件而异,其值为1、2、3。

当地下水矿化度基本相同的情况下,地下水埋深越小,蒸发量越大,土壤积盐越严重。即使在地下水矿化度较低的情况下,如果地下水埋藏较浅,由于地下水因蒸发进入土壤中的水分较多,也会挟带较多的盐分,使土壤积盐。只有将地下水控制在不致因蒸发而使土壤积盐的深度,土壤才不会发生盐碱化。因此,地下水埋深是土壤发生盐碱化的一个决定性条件。

（三）地下水位变化对土壤积盐的影响

地下水位的变化主要受降水量和蒸发量(包括蒸腾作用)、灌水量和排水量的影响,地下水位的升降和水的平衡状况是一致的。在一个地区,如果来水量(灌溉引水和降水)大于去水量(排水和蒸散)时,地下水位抬高;反之,来水量小于去水量则地下水位下降。在来水量与去水量处于相对平衡的条件下,地下水位也处在一种动态平衡之中,地下水位的这种动态变化与土壤盐分的变化密切相关,并非同步升降。当降水或灌溉时,地下水位抬高,但土壤盐分被淋溶,此后随着排水和蒸发,地下水位开始回降,土壤因蒸发开始积盐,即土壤因蒸发而积盐的过程发生在地下水位从高到低的回降过程中,直到水位降至临界深度以下。水位回降越慢,土壤积盐越多。

（四）地下水矿化度与土壤积盐

地下水中的可溶性盐是土壤盐分的重要来源,地下水矿化度的高低,直接影响土壤的含盐量。在地下水位和土壤质地基本相同的条件下,地下水矿化度越高,地下水向土壤中补给的盐分就越多,土壤积盐就越重(谢承陶,1993)。即使地下水埋藏较深,蒸发量较少,但因其矿化度高,随毛管水进入土壤的盐量也大(见图3-19)。

二、地下水位（埋深）预报模型

黄河三角洲土地盐碱化驱动力分析发现,地下水的埋藏条件与水循环条件是控制研究区内土地次生盐碱化的主导因素。由于黄河三角洲发生土地盐碱化地区浅层地下水主要是咸水和卤水分布,目前还没有作为水资源进行开采利用的价值,至今还无人对其进

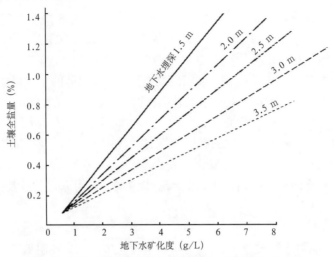

图3-19　地下水矿化度与土壤盐碱化（谢承陶，1993）

行定量研究。从盐碱地治理和农业可持续发展的角度看，黄河三角洲浅层地下水动态模拟预报，对有效调控地下水位、防止土地盐碱化有非常重要的作用。

　　20世纪80年代山东省海岸带和海涂资源综合调查研究和90年代中国水文地质工程地质勘察院对黄河三角洲水文地质勘探为水文地质模型的建立奠定了基础；山东省鲁北地质工程勘察院和东营市地质矿产局在黄河三角洲进行的长期地下水监测研究工作，为地下水动力模拟提供了数据可能；80年代原地质矿产部在黄淮海平原开展的水文地质综合评价研究工作为地下水动力模型的参数确定提供了重要依据。

　　地下水水位预报方法有试验法、均衡法、数理统计方法、时间序列分析方法和水动力学方法等。随着电子计算机与计算技术的迅速发展，区域地下水动态研究多采用水动力学方法，利用数值方法（有限元、有限差、边界元等）对区域地下水运动偏微分方程进行求解（石元春，1991）。建立地下水动力学模型对区域地下水动态进行模拟和预报，可加深对区域地下水系统内部结构的认识，掌握区域地下水的埋藏条件和水循环条件，更重要的是为区域土地盐碱化预测预报提供必要的参数和基本条件。

（一）水文地质条件

　　黄河三角洲地表下数百米内到处分布有多层系统结构的粉沙、淤泥和黏土。除土壤水带外，地下水充填在多层系统沉积物的孔隙中，浅层地下水埋深小于60 m。由于小清河以南地下分布的全是淡水，地下水埋藏较深，不具备土壤盐碱化的条件，因此地下水位预报研究的主要目标是小清河以北地区。

　　研究区浅层地下水主要是微咸水、咸水、卤水及一些地下淡水透镜体，河积粉沙和潮汐沉积物是地下水赋存介质，浅层地下水补给来源主要为大气降水入渗，其次为灌溉水以及河流、坑塘、沟渠等地表水的下渗。包气带岩性以黏土质粉沙、粉沙质黏土为主，结构松散，渗透性能良好，为垂直向上的渗入补给和蒸发排泄创造了有利条件。地下水由南向北或由西南向东北方向缓慢流动。研究区北面和东面为大海，南面、东南面和西面为河流和沟渠。据此确定水文地质模型如下：地下含水层为非均质各向同性；水流为二维平面非稳定流，并服从达西定律；边界为一类边界。

（二）地下水动力模型

根据所概化的区域水文地质模型，可得出地下水运动方程：

$$\frac{\partial}{\partial x}\left[K(h-B)\frac{\partial h}{\partial x}\right]+\frac{\partial}{\partial y}\left[K(h-B)\frac{\partial h}{\partial y}\right]+\varepsilon=\mu\frac{\partial h}{\partial t} \tag{3-7}$$

$$h(x,y,0)=h_0(x,y) \tag{3-8}$$

$$h(x,y,t)\big|_{\Gamma_1}=h(x,y,t) \tag{3-9}$$

式中：h 为地下水位，m；x、y 为笛卡尔坐标，m；B 为含水层底板标高，m；K 为含水层渗透系数，m/d；μ 为含水层给水度；t 为时间；Γ_1 为一类边界；ε 为地下水源汇项，可用下式计算：

$$\varepsilon=\alpha P+\beta_i Q_i-cE \tag{3-10}$$

式中：α、P 分别为降水入渗补给系数和降水量；B_1、Q_1 分别为河流、渠道补给系数和补给量，B_2、Q_2 分别为田间灌溉入渗补给系数和补给量；c、E 分别为潜水蒸发系数和蒸发量。

把式（3-7）转化为：

$$L(H)=\iint_D\left[\frac{\partial}{\partial x}\left(KM\frac{\partial H}{\partial x}\right)+\frac{\partial}{\partial y}\left(KM\frac{\partial H}{\partial y}\right)\right]N_i\mathrm{d}x\mathrm{d}y+\iint_D W_g(x,y,t)N_i\mathrm{d}x\mathrm{d}y-\iint_D\mu\frac{\partial H}{\partial t}N_i\mathrm{d}x\mathrm{d}y=0$$

如区域采用三角形单元剖分，$L(\widetilde{H})$ 用近似 $L(H)$，其中对任一三角形：

$$\widetilde{H}=N_iH_i+N_jH_j+N_KH_K$$

据迦辽金法则：

$$\iint L(\widetilde{H})N_i\mathrm{d}x\mathrm{d}y=0$$

整理可得：

$$[A(t)][H]+[C]\left[\frac{\partial H}{\partial t}\right]=[F] \tag{3-11}$$

式中：$[A(t)]$ 为渗透矩阵或传导矩阵，它与有限元单元的剖分、含水层厚度及渗透性能有关；$[H]$ 为结点水位，为一列向量；$[C]$ 为贮水矩阵；$[F]$ 为常数矩阵。

式（3-11）即为有限元法离散后的数学模型。

对式（3-11）在时间上进行差分，形成线性方程组，可用 LDLT 等方法求解，即可得研究区（D）中任一点任一时刻的地下水位或地下水埋深。

（三）三角有限元剖分

传统的水文地质计算在离散研究区的过程中，结点的选择主要考虑观测井和水力坡度的变率，三角剖分还要注意各个三角形的形状和大小（林学钰，1988）。一般是在硫酸纸上进行手工剖分或通过一些专门的剖分软件完成。单元剖分的实质是把小单元看做均质体，用有限个均质体来替代非均质的研究区，简化计算程序。每个单元的属性与多种因素有关，基于 GIS 进行单元剖分，可以将多种影响因素综合考虑来实现，主要分以下步骤：

第一步，在地下水动态分析的基础上，选择典型时刻或时段平均的地下水位观测数据，进行克力格插值，形成地下水位 Grid，并进一步绘制地下水位等值线图，从而确定一些对地下水流起控制作用的非观测井结点。

第二步，将研究区的卫星遥感影像图、地下水位等值线图、地下水矿化度等值线图、地下水位观测井分布图等图件重叠显示在同一窗口，充分考虑地表状况（土地覆盖或土地利用方式）、地下状况对模型参数的影响，确定除观测井以外的其他结点和边界点，将这些结点与观测井合并，生成剖分所用结点数据层，用来存贮模型计算所用结点编号。

第三步，表面模型 TIN（不规则三角网）的生成需满足 Delaunary 三角测量法则，Delaunary 三角测量是一种最邻近方法，它要求通过三角形的三个结点画出的圆不包含其他的结点，这样使得所生成的三角形尽可能地等角，减少由细长三角形产生的潜在的数字精度问题。这一点与有限元剖分原则不谋而合，在有限元剖分中，若出现过多的细长三角形，将影响解的收敛性。据此，我们可以让 TIN 模块来帮助我们进行有限元剖分。剖分结点确定后，用 TIN 的 CREATETIN 命令生成有限元剖分样板，若发现三角形的形状或大小不能满足剖分要求，返回第一步，对结点进行编辑，直到形成满意的样板为止。

最后，用 TINARC 命令将表面模型转换成有限元剖分数据层，用来存贮单元编号和其他的参数，供模型计算用。

全区剖分为 306 个三角形单元，共计 177 个结点（见图 3-20）。

图 3-20　研究区有限单元三角剖分图

（四）参数确定

由数学模型式（3-7）和式（3-10）可知，需要确定的参数有 K、μ、α、c、β_1、β_2。而与参数有关的水文地质条件在整个区域上各不相同，因此需要对参数在研究区上进行分区。水文地质参数可通过野外抽水试验或地下水动态观测资料计算求得，水文地质参数的经验取值一般随岩性而异，这主要强调了含水层物理性质的决定作用。在地下水开采很少的情况下，水文地质参数变化不大，因此根据岩性取值大体上是可行的。在黄河三角洲水文地质参数范围的确定参考了原地质矿产部在黄淮海平原地下水综合评价中的研究成果（水文地质工程地质研究报告，1992）。

1. 水文地质参数分区

渗透系数 K 不仅与地下水含水层特性有关，而且与地下水的物理性质（容重、黏滞性等）有关。根据研究区的水文地质图、综合水文地质剖面图、土体类型图以及相关图件，将水文地质图与土体类型图进行叠加分析，将参数 K 划分为 9 个类型区。

给水度 μ 主要受含水层岩性影响，根据综合水文地质剖面图、土体构型图以及观测到的地下水水位变幅资料，划分为 4 个类型区（表 3-10）。

表 3-10　　　　　　　　　　渗透系数和给水度分区

分　区	类　　型	渗透系数(m/d)	给水度
1	含淡水沙层	4	0.2
2	含淡水黏层	0.5	0.1
3	含淡水沙黏互层	1.2	0.15
4	含卤水沙层	1	0.2
5	含卤水黏层	0.001	0.1
6	含咸水沙层	2	0.15
7	含咸水黏层	0.002	0.2
8	含咸水沙黏互层	0.2	0.1
9	其他	0.05	0.7

在地势平坦的冲积平原区，年内地下水水位动态主要受源汇项的影响，渗透系数和含水层厚度对其影响并不十分显著（薛禹群等，1979）。因此，与源汇项有关的参数的确定非常重要。潜水蒸发系数、降雨入渗补给系数与地下水埋深密切相关，根据山东省水利科学研究所在鲁西北和鲁北平原地区的试验研究结果，将研究区根据地下水埋深分为2个区。渠道和渠灌补给系数与各灌区灌溉管理水平密切相关，按不同的灌区分别确定。

2. 水文地质参数的确定

渗透系数和给水度主要与含水层的岩性有关，除此之外，渗透系数还与地下水的性质有关，根据渗透系数和给水度分区情况，结合已有研究成果赋予初值范围，然后选用一年完整的地下水位观测数据，与其他参数一起反复调试所建立的模型，进行参数识别，最后确定参数。

降水入渗补给系数（a）和潜水蒸发系数（c）主要与非饱和带岩性和地下水埋深有关，根据研究区土壤质地和地下水埋深分别确定（见表 3-11）。

河流、渠道侧渗补给系数（β_1）和田间灌溉水补给系数（β_2）主要与各灌区的灌溉管理水平有关。

表 3-11 降水入渗补给系数和潜水蒸发系数

参 数	地下水埋深(m)	黏 土	亚沙土	粉沙土
降水入渗补给系数	<2	0.15	0.23	0.33
	>2	0.20	0.33	0.37
潜水蒸发系数	<2	0.16	0.2	0.25
	>2	0.04	0.07	0.1

（五）边界条件处理与模型运行

研究区北面和东面为海，南界为小清河，西南和西界为河流和沟渠，可作为一类边界处理。边界条件确定后，便可上机运行模型。

数学模型是实际含水系统的复制品。根据水文地质模型所建立的数学模型必须反映实际流场的特点，在进行模拟预报之前，必须对数学模型进行校正，即校正其方程、参数以及边界条件等是否能确切地反映计算区的实际水文地质条件（林学钰，1988）。以1996年1月的地下水位作为识别的初始流场，以1997年1月的地下水位对模型进行校正。

但以上模型距准确的地下水动态预报还有一段距离，主要原因是：①地下水长期观测资料的数量和质量有限，全部观测井76个，主要集中在黄河以南，黄河以北近1/2的地区，地下水长期观测井不到20个，分布上也极不合理，主要集中在近河区。②地表水水文监测数据缺乏。黄河三角洲大部分河流至今还没有设置水文监测站，使得已知水头边界变成了估计水头边界。③黄河三角洲地下水系统有待进一步的勘探认识和测量，一些重要的水文地质参数需要试验核实。

三、土地盐碱化预报

基于土壤水盐运动机理的盐碱化预测预报动力模型，要涉及到地下水量预报模型、地下水溶质运移模型、土壤水量预报模型和土壤溶质运移模型，这些模型的实现需要大量的参数，由于土壤性质和水盐运动参数的空间变异性，这些参数的获取相当困难，需要大量的人力、物力和财力的投入。模型实现的每一步，都离不开专业人员的参与，对于区域可持续发展农业规划来说，实用性不强。对于黄河三角洲这样一个生态环境脆弱、农业基础较差的地区而言，也没有大量的土壤水分和盐分方面的实测资料，用基本水盐运动机理的土壤盐碱化预测预报模型来进行黄河三角洲土地盐碱化预报是不现实的。

基于水盐平衡方程的盐碱化预报模型，简单易行，并可对区域总体土壤盐分的变化和趋势作出预报。地下水位高低与盐碱化发生的密切关系，早已在长期的研究实践中得到了证明，根据地下水埋深和水质来预测盐碱化发生的可能性的方法，已为人们所接受（石元春，1991）。匈牙利土壤学家Szabolcs、Darab和Varallyay（1969）建立了为土壤盐碱化服务的专门性土壤调查和以地下水临界深度图为中心的制图系统，以预测在不同条件下灌溉后盐碱化的发展。魏由庆等（1985）根据土体构型、有机质含量和地下水水位及水质对土壤盐碱化的影响，得到盐碱化预报系数，进一步预报了土壤盐碱化等级。中国水利水电科学院（1990）总结了引黄人民胜利渠30多年的地下水埋深、盐碱地变化过程线和引黄水量过程线的关系，从而得出了控制引黄灌溉、改善排水条件、加强灌溉管理,特别是发展井渠结合、控制地下水水位和盐碱化发展的方法。Eklund 等 (1998) 运用地质、地形、土壤、地下水渗透系数、地下水埋深、灌排水渠系以及Landsat 卫星影像等数据,建立了基于知识的决策支持系统,对土地利用引起的土地次生盐碱化 进行预测和度量,主要决策依据是地下水的补排条件。李风全等(2000)在地下水盐均 衡计算的基础上,把地下水埋深、矿化度、渗透速度和潜水蒸发强度作为影响土壤盐碱 化的因子,以各因子对土壤盐碱化综合影响率为分区参数,运用土壤盐碱化预报公式, 对吉林省西部洮儿河流域不同地貌单元土壤盐碱化进行了预报。

　　从黄河三角洲近10年来水量均衡分析结果看,黄河三角洲区域水量已在高地下水 位基础上达到了新的动态平衡。在这样一种新的水文和水文地质条件下,受气候季节和 年际变化的影响,地下水埋深小于地下水临界深度的地区,土壤将发生季节性和年际间 的脱盐和返盐变化,从而导致轻盐碱地与耕地之间互相蚕食和相互转化,但土地盐碱化 的总体程度和数量将不会有大的变化。要改变目前的土地盐碱化状态,必须通过施加外 力,打破区域水量平衡状态,使区域水量处于负平衡状态。对于黄河三角洲土地盐碱化 预测预报这样一个复杂的问题,我们将在区域水量平衡和区域地下水位动态模拟预报的 基础上,采取不同的方案,对未来的土地盐碱化趋势分区进行预报,为区域盐碱地治理 与农业可持续发展提供科学依据。

(一)预报模型

　　虽然我们无法明确指出每一点土地盐碱化的盐分来源,但地下水、海水、土壤和植 被等对土地盐碱化的不同贡献可以通过GIS分析估计出来。在区域土地盐碱化驱动力分 析的基础上,我们可以建立土地盐碱化成因预报模型如下:

$$Ls(t)=Ls(t-1)+F(El,GW_d,GW_m,St,Lt,Lu)$$
$$GW_d(t)=GW_d(t-1)+f(Cl,Pe)$$
$$GW_m(t)=GW_m(t-1)+f(Cl,Pe) \tag{3-12}$$
$$Lu(t)=Lu(t-1)+f(Pe)$$

式中:Ls 为土地盐碱化;$t-1$ 和 t 分别为预报时刻与初始时刻;El 为地面高程;GW_d、 GW_m 为地下水埋深和矿化度;St 为土壤质地;Lt 为微地貌类型;Lu 为土地利用;Pe 为 人类活动;Cl 为气候。

　　目前的土地盐碱化状况是未来土地盐碱化的基础或初始条件,地下水和海水是土壤 盐分的主要来源。海水对土地盐碱化的影响主要受地形条件的控制,而地下水对土地盐 碱化的影响则受地下水埋深、地下水矿化度、土壤质地和土地利用方式4个因子的制约。 微地貌条件通过影响区域水盐分异和运移而使土地盐碱化的因与果之间产生空间上的不 一致性。在土地盐碱化的发生与演变过程中,人是最主要的因子,通过有目的的活动作 用于微地貌条件、地下水埋深、地下水矿化度,修建海堤影响海水作用程度和改变土地 利用方式影响土地盐碱化发展方向。另外,地下水埋深和矿化度除受人为作用影响外, 还受到气候变化的影响。

　　地形高低决定着土地盐碱化的盐分来源条件,海拔小于 2 m 的滨海低地,海水是 土壤盐分的主要来源。受海水定期影响,海水、地下水、土壤盐分处于相对平衡状态,土壤通体高盐。当然，人类通过修筑海堤可以减轻海水对土地盐碱化的影响。在地形条件和人类活动综合作用下，滨海低地土地盐碱化发生演变的规律是：

海水影响　　　强度 ⟶ 重度 ⟶ 轻度

土地盐碱化　　滩涂 ⟶ 光板地 ⟶ 耐盐林草地

海拔 2～4 m 的滨海缓冲区，受到特大潮和风暴潮的间歇性影响，地下水和海水是土壤盐分的共同来源，土地盐碱化演化规律非常复杂。除了受气候季节和年际变化影响的变化周期外，还有随海潮影响的时间变化周期，在两次海潮影响期间，土地呈积盐→脱盐→再积盐周期变化。土地盐碱化在空间上的变化则主要受微地貌条件、地下水埋深、地下水矿化度、土壤质地和土地利用方式的综合影响。盐碱地主要分布在平地和低洼地上，地下卤水区主要分布重盐碱地，咸水区主要分布轻盐碱地。河成高地和河滩地在地下水埋深大于临界深度时不会发生盐碱化，当地下水位抬升或利用不当时，也会变成轻盐碱地，与此同时，较低的低洼地区则积水变成湿草地。

海拔高于 4 m 的内陆地区，脱离了海水的影响，地下水是土壤盐分的主要来源。微地貌条件的差异是土地盐碱化空间分异的主要控制因子，高地区是土壤水和地下水的补给区，土地一般不会发生盐碱化，平地和低洼地区则是排泄区，只要地下水埋深小于临界深度就一定会发生盐碱化。地下水埋深则是土地盐碱化的决定条件，地下水矿化度、土壤质地和土地利用方式通过影响地下水临界深度对土地盐碱化产生影响。

（二）预报方案

土地盐碱化在多种自然因子和人为活动的影响下不断地发生变化，各种因子对它的影响大小很难确定。因此，我们只能提出一定的预报方案，在不同的假设条件下，对土地盐碱化进行分区预报。

海拔小于 2 m 的滨海低地区，土地盐碱化程度的差异主要是海水影响大小造成的，而人为修筑海堤是惟一可改变海水对土壤影响大小的手段。预报方案分为：①防潮堤坝维持现状；②新建和加固防潮堤坝。

海拔介于 2～4 m 的滨海缓冲区，土地盐碱化受海水和地下水的双重影响，修筑防潮堤可以减小甚至消除海水影响，排除地下水和地表积水可以降低地下水位，减缓高矿化地下水的影响。预报方案分为：①海潮继续进行周期影响，地下水埋深和土地利用方式维持现状；②河成高地退耕还林，地下水埋深降到临界深度以下，低地退耕还草，严格调控地表水和地下水。

海拔大于 4 m 的内陆地区，地下水埋深是控制土地盐碱化的首要条件。预报方案分为：①地下水埋深维持在目前的水平；②高地地下水埋深保持在临界深度以下，平地地下水埋深降到 2～3 m。

（三）预报结果

海拔小于 2 m 的滨海低地区，根据预报方案①，未来的 5～10 年内，孤东油田将由现在的光板地变成耐盐草地，其他地区将不会有太大变化，海拔小于 1.3 m 的地区主要是滩涂，1.3～2 m 的地区则随着季节降水量和海潮大小的变化交替出现滩涂和光板地。根据预报方案②，则在方案①的基础上新修防潮堤的地区，随着自然淋盐脱盐，土地变化为：滩涂→光板地→耐盐草林地。

海拔介于2~4 m的滨海缓冲区，根据方案①，河成高地和河口河滩地将会继续盐碱化，最后弃荒，大约占黄河三角洲1/4的地区变成盐碱地和湿草地。根据方案②，高地有望脱盐，低地土地盐碱化程度也会得到一定的控制，经过10~15年的改造，将滨海缓冲区变成黄河三角洲内陆农业可持续发展的生态屏障。

海拔大于4 m的内陆地区，合理调控水循环系统的进入量和流出量是解决问题的关键。根据方案①，河成高地土地发生盐碱化的威胁不大，农业稳定发展有一定保证，低平地和低洼地区，盐碱地与耕地则会在互相蚕食过程中发生频繁转化，但土地盐碱化的程度和数量不会有大的改变。根据方案②，黄河三角洲地下水埋深恢复到20世纪80年代中期大规模引黄灌溉以前的水平，需要竖井强排大约3亿 m³的地下水，这是完全有可能的，河成高地区将不存在土地盐碱化威胁，可发展集约化高效生态农业，平地区也将得到有效控制，形成农牧业生产区。

第四章　实施暗管改碱工程的背景[*]

第一节　土地排水技术的发展历史

　　暗管排水是土地排水的一种,对于暗管改碱技术来说,要了解其发展历史,就要先了解土地排水的发展历史。

一、土地排水的发展历史

　　据粗略估计,目前全世界人口为50亿,其中半数生活在发展中国家。世界人口的平均年增长率约为2.6%。如果要满足日益增长的人口对于衣食的需要,就必须提高现有耕地的生产力以及开垦更多的耕地。

　　土地排水,或者是土地灌溉与排水相结合,是控制地下水位的有效手段,是保持或提高单位耕地产量的最重要的投入因素之一。

　　由于地下水位的上升和盐分向土壤底部的沉积,可耕地的生产力能得以有效的保持而不会下降。

　　目前很大一部分非耕地所面临的问题是水涝和盐度过高,而排水是开垦这类土地的惟一方法。

　　正如国际灌溉与排水委员会的章程中(ICID,1979)所表明的,土地排水可以定义为:"土地排水是指把土地表面以及表面下多余的水排掉以保证作物的生长,包括清除土壤中的溶解盐。"

　　农用土地的排水是保持可持续农业体系的有效方法。

　　对古印度文明研究发现,大约公元前2500年,印度河流域就出现了农业生产。当地的农民利用雨水和洪水种植小麦、芝麻、枣和棉花。作为一种自然的过程,灌溉与排水之间有一种平衡:当印度河水位高的时候,沿河的狭长土地被河水淹没;当水位低的时候,土地上多余的水被排掉。

　　上面描述的有关印度河流域的情况也同样出现在其他有人居住的河流流域,但是日益增长的人口需要更多的粮食和衣物。因此,从古至今各个国家通过修建灌溉系统来扩大耕地面积,例如:从公元前3000年西南亚地区的美索不达米亚、公元前3000年的埃及,到公元前2627年的中国,以及从我们这个时代开始的北美、日本以及秘鲁等国家。

---

　　*本章的写作主要参考了英文版《Pipe Drainage Principle and Application(排水工程原理与应用)》,H.Ritzma主编,荷兰ILRI(国际土地改良与改造研究院)出版物第16号;《Subsurface Drainage Installation(地下排水系统施工指南)》,H.Ritzma,Frank W Croom,Njland 主编,荷兰ILRI 出版物第60号;《The Effect of Drainage(排水效益)》爱凯迪欧洲咨询公司编写。

虽然盐碱化问题可能促成了古文明的衰败（Maierhofer，1962），但有证据表明，在灌溉农业中，人们很早就明白了土地排水以及盐分控制的重要性。在美索不达米亚，对于地下水位的控制主要是为了避免浪费灌溉水源以及在休耕的年份剪除杂草。扎根很深的农作物通过毛细作用形成一个很深的干燥区域，阻止盐分上升。在中国，从公元前1122年到公元220年，利用合理的灌溉和排水系统，通过过滤、水稻种植以及定期的洪水淤积，华北平原和渭河平原的盐碱土壤得以改良。

对于已知最早的开拓土地和相关工程的描述可参阅荷马的《伊利亚特》。这些工程出现在希腊 Pausanias 的 Periegesis。荷马对此做了如下描述（Knauss，1991）：

"在我对于 Orchomenos 的描述中，我解释了笔直的道路是如何开始时沿着沟渠，而后又在洪水的左边延伸。在 Kaphyai 的平原地带，沟渠纵横，这能防止 Orchomenian 地区的水对 Kaphyai 的耕地造成破坏。在沟渠中延伸着另一条小溪，就大小规模而言足可以称做河，蜿蜒起伏……"

在公元前2世纪，罗马政治家加图就提到了从湿地排水的重要性（Weaver，1964），而且有充分的证据表明，在罗马文明期间人们就懂得了地下排水。生活在1世纪的罗马的 Lucius Inunius Moderatus Columella 写了12本名为《De Re Rustica》的书，在书中他描述了如何使土地更适合农业生产（Vucic，1979），具体描述如下：

"首先，必须通过排水系统以确保湿地的土壤中没有多余的水，而排水系统可以是露天的，也可以是封闭的。在密度较高的土壤中通常采用沟渠排水，而在较松软的土壤中，采用沟渠或者是向沟渠泄水的排水道。修建的沟渠必须有斜面，否则墙壁会坍塌。封闭的排水道由沟渠组成，深入地下3英尺（1英尺 = 0.304 8 m）处，石块和沙砾的部分最多占到该深度的一半，而且不要有土壤。而沟渠的上面用土壤回填至地表。如果没有这些材料则可以用灌木，上面覆以柏树或松树的叶子。封闭的排水道进入沟渠的出口由两块石头支撑一块大石构成。"

中世纪时期，在北海周围国家，人们开始藉沟渠系统排水以开垦沼泽以及湖边或海边的低地。藉地心引力排水来开垦土地也应用在远东地区，如日本（Kaneko，1975）。利用风车抽水使人们有可能将较深的湖泊变成开拓地，比如1612年在荷兰 Beemster 开垦的 7 000 hm² 圩地。圩地一词源于荷兰语，意思是指"一片被一座堤防包围的低地，在这一区域水位可以不受外部水的影响而独立地控制"。

在16~18世纪，排水技术传遍欧洲，包括俄国（Nosenko，Zonn，1976）和美国（Wooten，Jones，1955）。19世纪早期蒸汽机的发明大大提升了人们抽水的能力，使人们能够把更大的湖泊开垦成耕地，比如1852年在阿姆斯特丹西南开垦的15 000 hm²的哈勒梅尔米尔地区。

17世纪，Columella 描述的利用封闭的排水道排去多余水的技术传到英国。在1810年，泥土砖瓦出现；在1830年之后，用波特兰水泥制造的混凝土管道开始应用（Donnan，1976）。用机器制造排水管道最早出现在英国，并且在19世纪中叶从英国传遍欧洲和美国（Nosenko、Zonn）。在美国，依靠蒸汽动力的挖掘机出现在1890年，随后在1906年还出现了索斗铲（Ogrosky，Mockus，1964）。

20世纪内燃机的发明使人们开发出了利用铰链式开沟埋管机或非铰链式开沟埋管机

来高速安装地下排水系统的技术。与这种技术相伴而来的是，20世纪40年代壁厚、光滑而且坚固的塑料管道代替了黏土瓦管，到了60年代又发明了聚氯乙烯波纹管和聚乙烯波纹管材（图4-1）。现代机器设备利用激光仪来控制排水管道的深度。

手工开挖沟渠　　　手工铺设管道　　　在美国开始进行试验

荷兰首次进行机械施工　　　刀链式挖沟机（拖拉机＋水平刀链）

轮式开沟机　　　刀链式开沟机

垂直犁式开沟机　　　V形犁式开沟机

图4-1　暗管系统铺设方式的演变

　　利用现代化的专业机器设备来进行地下排水管道的高速安装,对于可工作时间有限的水涝地域以及需要全年耕种精心浇灌的地域来说都非常重要。在这样的情况下,机械安装的地下排水系统并不一定好于传统的、靠人力安装的系统,比如属于白俄罗斯农业研究所有 100 年历史的一个人力安装的排水系统仍然承担着 100 hm^2 土地的排水任务（Nosenko，Zonn，1976）。

从大约1960年起，新的排水机械总是伴随着新的排水管道包裹层材料的发展而发展的。在欧洲西北部，人们传统上都采用有机过滤层。如在荷兰，人们广泛采用预先包装好的椰子纤维，这在后来被人工合成的滤料所代替。在美国西部，沙砾的使用更为普遍，而且被用做排水管道外包滤料。与美国西部气候相似的干旱和半干旱气候国家（例如埃及和伊拉克）最初都沿用美国开垦局（1978）关于沙砾滤料的设计规格，然而，沙砾昂贵的运输费用又引导各国设计者采用预先包好滤料的管道，例如埃及（Metzger 等，1992）、印度（Kumbhare 等，1992）和巴基斯坦（Honeyfield，Sial，1992）。

二、排水管材的发展历史

作为排水系统最重要的材料，排水管材经历了从黏土、混凝土到塑料的演变，其发展趋势是逐步提高管道质量和优选管道类型，增强其对机械、化学破坏的抵抗力，延长管道寿命，降低管道的生产成本，提高大规模机械化施工的效率。

（一）黏土瓦管

自从1850年前管道排水系统投入运用以来到1960~1970年的这段时间，黏土瓦管在欧洲的排水管市场中就一直占据统治地位。这类黏土瓦管直径通常在5~15 cm之间，长一般在30~33 cm，其端口处可以是平直的或有个凸出的台阶，这类端口的啮合程度并不紧密，为的是让水通过接头处流到管道中来。优质黏土瓦管的化学稳定性和使用寿命都是相当令人满意的。

用于测试黏土瓦管质量的标准为：管口必须切平而不可偏斜，没有裂隙、裂纹（可根据敲击管柱时发出的声音来判断）和机械强度适宜（可根据破裂强度判断）。

优质黏土瓦管的制备需有相当精湛的工艺技术和规模庞大、装备精良的生产设备。

（二）混凝土管

混凝土管在许多国家都被用做田间的排水管道，直到后来和黏土瓦管一样，随着塑料管的发明应用而基本被搁置起来，然而大口径的混凝土管现今仍被广泛用做水流汇集的通道。混凝土管可由相对简易的设备进行生产，该设备的机动性较好，它可以在施工现场轻易地架设起来。实际上混凝土管没有口径的限制，只是对于大口径（即大于 40 cm）的混凝土管必须要加固。混凝土管的端口可以是平直的，也可以是有凸起的平台或是螺栓式的。水基本上都是通过管道的接头部位进入混凝土管道的，对于口径很大的混凝土管，接头处的间隙会很大，所以一些管道生产厂商同时会提供塑料密封圈。

混凝土管的缺点就是其对酸度和硫酸盐类物质的敏感性，而土壤是可能含有酸性或硫酸盐物质的。为降低这一敏感性可以应用抗硫酸盐水泥并提高混凝土管的生产标准，这样可以增大混凝土的密度从而使混凝土免受土壤化学物质的侵害。

（三）塑料管

将塑料管用做排水管大约始于 1960 年，最初采用的都是直壁光滑塑料管，到大约 1970 年，管壁为波纹状的塑料管发明出来，此后它很快取代了光滑塑料管。

塑料管较黏土瓦管和混凝土管的优势在于：单位管长的重量大大降低，管长可大幅

印度农民人工铺设大口径田间排水管道

增加（至少可达到数米）。这将使管子的运输和装卸十分简便且费用大大降低，同时安装效率也会大幅度提高。塑料管的缺点在于生产它的原材料（树脂）会引起污染。尽管塑料管的价格可能高于黏土瓦管和混凝土管，但其总成本却可能低于后两者，因为塑料管的运输、装卸和安装费用都被大大降低。

生产塑料管的三种主要材料为：聚氯乙烯（PVC）、高密度聚乙烯（PE）和聚丙烯（PP，它相对于前两个应用较少）。对PVC和PE进行比较研究发现，深色PE较浅色PVC更易受温度的影响，因此PE管较PVC管更容易变形受损。但是PVC管较PE管而言对低温更加敏感，当温度低于0 ℃时PVC管变得很脆。此外，PVC管易受到紫外线（例如阳光中的紫外线）的辐射损伤，紫外辐射会降低PVC管的机械性能（如使其变脆），且这种损坏是不可逆转的，因此PVC管不能储存在阳光直射的地方。

塑料管，无论是PVC管、PE管还是PP管，均不会受到农业耕地中可能存在的化学物质的严重伤害。

通过对波纹状塑料管（即前面提到的管壁为波纹状的塑料管）和平滑塑料管（即管壁平滑的塑料管）进行比较不难发现，波纹管的性能更为优越。

(1)由相同量的塑料原料制作的波纹管要比平滑管承受更大的外界压力，换言之，要达到某一定的强度采用波纹管时需用的材料更少。由于塑料管的成本基本与其重量成正比，这就意味着可以节约成本。

(2)波纹管更具柔韧性，因而可以缠绕并易于安装。如果在没有挖沟的情况下进行管道铺设，则波纹管是惟一合适的管道。

但是，波纹管的一个小缺点同样与其柔韧性相关，即将原先缠绕放置在铺管机上的波纹管展开并放到沟中后，波纹管有自我盘旋的倾向（这是因为管子的弹性记忆造成的）。另外，柔韧性很大的管道，流体在其中高速流动时受到的阻力相对较大，排液能力降低。为解决这个问题，也有些特殊类型的波纹管采用双壁结构，外壁为波纹形以承载更大外力，内壁平滑、半径均一，从而保证很好的泄流能力。

波纹塑料管的外径在0.05～0.40 m之间，波纹的高度在管径的5%（对于小半径的管道）～8%（对于大半径的管道）之间。水通过波纹底部的射孔孔眼处进入管道，这些孔眼一般长为 0.6～2 mm、宽为 0.6～1 mm。

第二节　现代地下排水技术在荷兰的发展与成熟

一、地下排水技术发展的简要历史回顾

地下排水的历史非常悠久，最早的地下排水系统可以追溯到 9 000 年前的美索不达米亚地区。排水管道大约在 4 000 年前就已经在印度河下游地区开始使用，我国古代也很早就掌握了使用竹筒排水的技术。近代的暗管排水最早开始于 17 世纪的英国，采用的形式是开沟然后填充灌木或石头。最早的陶管是在 1810 年开始使用的，随后的几十年，出现了混凝土管。大约从 1940 年开始，原先仅仅依靠经验知识进行的排水和盐分控制有了深厚的理论基础，排水从工艺发展为一门科学。当时还有一个排水技术发展的突破，那就是直壁塑料管以及随后在 20 世纪 60 年代波纹 PVC 管或 PE 管的出现。在这一系列的发展中，欧美等国家起到了决定性作用。其中，荷兰更是在将地下排水从工艺发展为工程技术，并在适应大规模的开发和改良需要而发展的现代化机械施工技术中起到了主力作用。这与荷兰独特的地理位置对地下排水的强烈需求是分不开的。

二、荷兰地下排水技术发展的背景及现状

荷兰是世界有名的低地国家，整个国土面积的25%位于海平面以下（见图4-2）。如果没有大坝保护，荷兰65%的土地将被洪水淹没。荷兰的气候相对比较湿润，年降水量大约在 750 mm，蒸发量 475 mm。多余的降雨加上最低处位于海平面以下 6.5 m 的低海拔状况，需要十分有效的土地排水系统，才能保持一个比较干燥的耕作和作物生长条件。荷兰大规模的农业开发开始于 1 000 年前，农民渐渐从轮种转变为永久性开发和居住。土地的管理归属也逐渐经历了寺庙（公元1000～1200年）、封建主（公元1200～1500年）、地方组织（公元1300～1500年）和水委员会（1300年至今）的组织形式。同时，水管理还受到其他多种因素的影响，如私营或城市土地开发公司和泥炭开发公司（公元1500～1700年）、致力于湖泊抽水和开发的公司（公元1500～1900年），以及政府组织的湖泊、湿地和荒地开发（公元1900～2000年）。总的来说，田间的排水系统铺设一般是农民的责任，而总排系统则属于上述各个机构和组织的责任。例外的情况是20世纪下半叶开始的由政府组织的大规模的土地开垦和整理项目，在这些项目中，田间排水系统和总排系统都由项目实施机构负责建设的。

20世纪出于对改善农业耕种条件的需要，荷兰实施了一批由政府资助的大规模的长期土地开垦项目，在这些项目中，地下排水系统的铺设都是一个重要的组成部分。比较重要的项目有前须德海地区的土地开垦和对原有土地的农村开发项目，也就是土地整理项目。

就荷兰来说，目前几乎所有的农业土地上都铺设有地下排水系统（见图4-3）。这当然不包括泥炭地区，在这些地区，需要有一个较高的地下水位来保持土地不塌陷，因

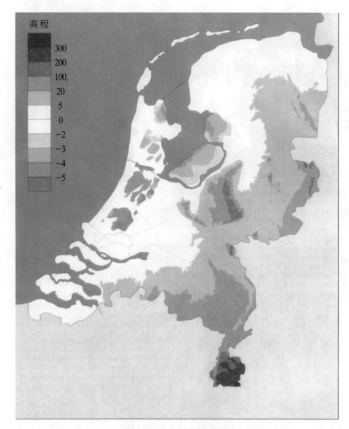

图 4-2 荷兰地形图

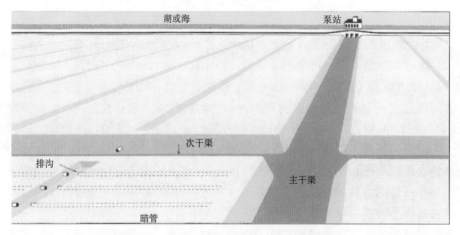

图 4-3 荷兰农业土地铺设的地下排水系统

此一般只有一个浅层的地面排水系统。在荷兰，使用最为广泛的地下排水系统是单一排水系统，即田间排水管直接将水排到集水明沟中。田间管的主要作用就是控制地下水位。一般来说，田间管都是直径 60 mm 的波纹管，铺设深度为地下 1~1.3 m。过去，在土壤质地较细或有赭石发生的土层中，往往使用大量的有机滤料（椰子纤维）包裹管道，现在则大量使用预先包裹在管道上的合成滤料。根据土壤质地和管道铺设的深度不同,分别采用铰链式开沟铺管机和无铰链式开沟铺管机来铺设管道。田间管和地表径流的排水大多通过重力作用自排到明沟中通过泵站排出。

目前来说,随着20世纪下半叶大规模土地开垦工程的实施,荷兰已经在750 000 hm²的旧有土地上和150 000 hm²的新土地上铺设了暗管系统。可以这样说,除了部分泥炭地区不需要降低水位外,所有的农业用地上都已经铺设了暗管系统。

上面提到的新土地的开垦实际就是世界上有名的"围海造田"的实践(见图4-4)。一般来说,围海造田主要由一个专门的政府机构(艾赛尔圩地开发处)负责,围海造田的目的也由以前的单纯为农业生产服务,转向现在的城市发展、林业、旅游休闲设施和自然保护等多种目的。正是由于这一特点,使得荷兰在新土地的开垦和改造上闻名于世。

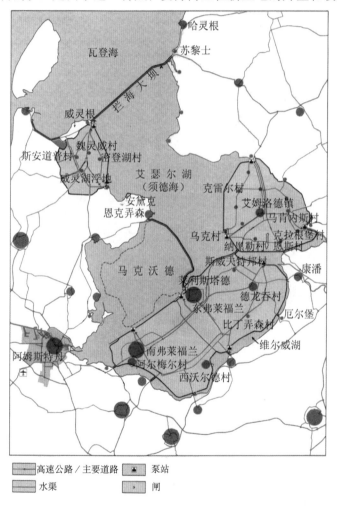

图4-4　荷兰须德海围海造田工程

围海造田的一般步骤是这样的:第一步是先在海边或湖边修建环形的大坝、一个或多个泵站以及通向泵站的排水渠道。第二步是将水从围起来的围圩中抽出。一旦围圩中的水排干了,土地开垦方就从土木工程师的手中接管土地,开始他们的土地开垦。土地开垦的主要任务就是准备新的农业用地(土地利用部门)、铺设进一步开发的道路(城市发展部门和社会经济发展部门）。就农业开发来说，土地利用部门的主要任务就是搞好地下排水系统、基础设施建设、农业用路和桥涵、机械化耕种和绿化等。然后就可以准备进行农业开发了，即在裸露的泥土上飞播芦苇种子。芦苇的生长可以加速土壤的熟化过程，从而使该地区能够进入，进而可以使农业机械进入。第三步，也是最终的一步，就是建设排水系统，它可以加速土壤的成熟，使土壤从刚刚开垦快速达到农业使用的目的。排水系统主要由间距一般在48 m的明排沟组成，这些排沟可以加速地面积水和表层土壤积水的排出。在随后的年份中，需要在这些明沟中间再开挖新的排沟，间距大约为12 m。再经过几年的开垦，这些明沟最终将被暗管所取代。最终这些土地的排水系统将包括暗管系统、明排集水沟、支排沟、主排沟、泵站。

荷兰的排水系统建设推进了农业现代化

三、地下排水技术在荷兰的进一步发展

正是基于以上对暗管系统的极大需求，促成了荷兰暗管技术的飞速发展。这主要得益于三个方面的原因。一是完善的、自上而下的土地排水的管理机构；二是超前发展的土地排水的研究机构；三是应时而生的土地排水工业的飞速发展。其中，第一个因素使得暗管系统在荷兰成为一种普遍的农业措施；第二个因素使得地下排水在荷兰实现了从工艺到工程技术的转变；第三个因素促成了当前在世界上得到广泛推广和应用的现代化机械铺管改碱工程技术。

（一）荷兰的水管理机构

由于上千年的与水斗争的历史，使得荷兰的水管理机构一直在农业发展中占据了重要的地位。这其中有三个机构发挥了重要的作用。第一个机构就是水管理委员会。水管理委员会出现于13世纪，当时人们为了生存，不得不联合起来共同进行土地开垦和抵抗洪水侵袭。作为一个自发组织机构，水管理委员会最早反映了人们对早期公共组织的堤坝和排水系统的修建、管理和维护。就全国范围来说，国家通过省政府实施相应的水管理权限。国家层面的管理机构主要是国家运输、公共工程和水管理部，其下设的公共工程和水管理司具体承担这一职责。就某个地区来说，具体的水管理是通过同样处于这一体系中的水管理委员会实行的，省政府则具体负责对水管理委员会的工作和资金支持。省政府有权成立或撤销某个委员会，确定委员会的职责、管辖范围、组织机构以及人员挑选等。通过这一自上而下的水管理体系，荷兰的水管理事业，包括地下排水，得到了很好的贯彻实施。第二个机构就是国家土地和水利用处，该机构是一个政府组织，主要负责土地整理项目的规划、设计和施工监督等。第三个机构就是艾赛尔围圩开发处，该机构的责任就是负责开垦新的土地，也就是前面所提到的围海造田。正是因为有了这一套成熟的政府机构，才使得荷兰的土地排水得到广泛应用。

（二）地下排水技术在荷兰实现了从工艺到工程技术的转变

正如从对历史的回顾中我们所看到的那样，几个世纪以来，土地排水基本上是从基于本地经验的一种普遍做法，而后逐渐发展成具有更多用途的工艺。直到1856年达西（Darcy）的实验以后，这些理论才发展起来，使土地排水成为工程科技（Russell，1934；Hooghoudt，1940；Ernst，1962；Kirkham，1972）。虽然这些理论成为现代排水工程的理论基础，但是在土地排水中仍然保留了工艺的成分。现在我们还无法对每一个排水问题都提前给出理论上的解决方案；正确的现场工程判断仍然有必要，而且这种情况也会持续下去。

从大约1955年到大约1975年间理论的飞速发展可以从Van Schilfgaarde的两段话中得到验证。在1957年他写到："虽然最近这些年排水理论得到了很大的发展，但是仍然非常有必要找到更多的分析方法来解决设计工程师们所面对的一些最常见的问题。"在1978年，他又为瓦赫宁根的国际土地开垦与改良研究院（Van Schilfgaarde,1979）对这一工艺做了如下总结："对于现有的排水理论的改进以及对于抽象问题新的解决方法的研究不会给我们带来太多的好处。我们面对的挑战是要创造性地利用现有的工艺来发展更为方便并且已经得到现场工程师们改进的设计过程。"

随着计算机越来越普遍的应用，荷兰的许多专家开发了计算机模型，将传统的工艺与模拟模型或设计模型结合起来，比如SWATER、SALTMOD（Osterbaan、Abu Senna，1990)、DRAINMOD(Skaggs,1980)、SGMP（Boonstra、de Ridder，1981）以及DrainCAD（Liu等，1990）。作为一种强有力的工具，这些模式能够衡量不同的排水设计方案的理论表现。然而现在，这种表现不仅要从农作物生产的角度来衡量，而且越来越多地涉及到环境方面。在排水地区，对于环境保护方面的考虑主要集中在盐分以及植物生长的多样性方面。在排水地区的下游地段，对于排出物的处理问题很快成了一个主要问题。

荷兰的排水研究机构在这一转变中起了非常重要的作用。由于实际需求，荷兰土地排水机构一直发展较快，仅就瓦赫宁根市来说，在这个人口仅仅十几万人的小镇，就聚集了7家相关的研究机构，这还不包括瓦赫宁根农业大学相关的系所。通过这些研究机构的努力和大量研究人员的辛勤工作，暗管排水技术得到了持续发展，并通过教育、出版和普及活动等得到了进一步的发展，形成了今天我们广泛使用的排水工程原理与应用体系。

（三）现代机械化地下排水工程施工技术在荷兰得到发展并逐渐成熟

荷兰所开展的大规模的土地整理项目和艾赛尔湖开垦项目,促进了现代机械化排水技术的形成.对大规模地区有效和精确铺设暗管的需要以及当前日益增长的人力成本和劳工紧缺,又从经济可行性的角度,促进了现代化的铰链式开沟埋管机以及随后的无链式开沟埋管机的出现.同时,随着现代塑料工业的发展以及对大量管材的需求增加,也使以前笨重的陶土管和混凝土管逐步转变为波纹塑料管.而随着沙石滤料价格的升高以及需要滤料地区的增加,也促进了预先包裹在管道上的滤料技术的形成和发展,先是使用椰子纤维,随后是合成纤维.

上述的这些发展变化,促使产生了全国范围内的大合作,这些合作者包括政府部门、大学研究机构、机械制造公司、塑料行业、土地开发公司和顾问咨询公司.这些非同寻常的合作产生的结果就是:形成了专业化的排水机械生产行业;形成了专业化的排水施工行业;形成了专业化的排水管道生产行业以及相应的配套设施如外包料的生产行业.

以上这些因素的结合,产生的最终结果就是:形成了一整套现代化排水工程技术,并经过适当调整后,在全世界得到推广应用.

第三节　暗管改碱技术在世界的推广

全世界大约有1亿hm^2的灌溉土地受到内涝和盐分的影响,其中2 000万~3 000万hm^2受到严重影响.另外,每年有二三百万公顷农田因为受盐碱影响而无法耕种.作为一项比较成熟的技术,以荷兰为主形成的现代暗管排水技术已经在世界上几十个国家得到了应用.但是,只有少数几个国家采取了系统性措施并从体制上来解决这一问题,以维持其灌溉土地的生产力.其中,不论是从技术上还是从体制上来看,埃及与巴基斯坦采取的措施比较到位,其他国家,包括印度与中国,也已经开始向这个方向发展.在此,我们主要对埃及进行分析研究,并对埃及实施的暗管排水改良土地的效果监测进行评价.

一、埃及农业水资源基本概况

埃及农业和经济发展主要集中在占国土面积4%的尼罗河谷和尼罗河三角洲地区(见图4-5),全国约有96%的人口聚居在此.

埃及是一个干旱国家.全境干燥少雨,年降水量在15亿 m^3,广大地区属热带沙漠气候.北部地中海沿岸地区雨水稍多,但年降水量也不足200 mm.由北往南年降水量急剧减少,开罗年降水量仅33 mm,开罗以南的地区年降水量几乎为零,即使这点稀少的降水也仅在冬季以零星分散的形式出现.埃及气温较高,北部沿海地区相对温和,而南部地区炎热干燥,地面蒸发量极大,如开罗地面蒸发量高达1 020 mm.因此,除北部地中海沿岸地区的极小部分可以从事雨养农业外,极大部分地区均属灌溉农业区,即无灌溉就无农业.埃及农业用水主要来自以下几个方面:

(1)尼罗河水.这是埃及整个国民经济用水的主要来源.按照历史上埃及与苏丹政府达成的协议,埃及每年分得尼罗河水555亿 m^3,其中约86%(大约477亿 m^3)用于

图4-5　尼罗河及其河口三角洲

农业灌溉。

(2)地下水。尼罗河谷及三角洲含水层中地下水每年约开采46亿 m³（浅水）；沙漠深部含水层的地下水（承压水）的取水，主要取决于抽水费用及贮水量的衰减可能引起的灾害等多方面因素的综合估价，每年约开采5亿 m³。

(3)降水。可利用量不到总降水量的50%。

(4)农业废水（主要指农田排水和灌溉中的回水）及城市废水的回收再利用。对农业废水采取与地表水、地下水综合利用的方法，每年利用量达到47亿 m³。城市废水通过净化用于农业灌溉，目前处于试验及小面积应用阶段，每年利用量约5亿 m³。

由于埃及人口增加较快，由20世纪50年代的2 000多万人增加到90年代末的6 600万人，导致埃及水需求量的大幅度增加，大概由六七十年代的600亿 m³ 增加到目前的700亿 m³。在这种形势下，如何加强水资源的管理、加强农业节水灌溉技术的研究与推广，日益受到埃及政府的重视。

正是由于埃及的天气特点和严重的水资源短缺问题，埃及人很早就意识到土地排水的重要性，而采用暗管改碱这一比较成熟和先进的技术，则是从20世纪70年代就开始了。

二、暗管改碱工程在埃及的大面积实施

埃及阿斯旺大坝的修建（1964~1970年），带来了农业灌溉的飞速发展，农民从以前的季节性种植发展到现在的全年性种植，农产品种植格局和农业产量都发生了巨大变化。但是，随着灌溉的发展，带来了地下水位上升和因为灌溉水而带来的盐分累积等问题，因此发展地下排水系统也就变得非常有必要了。

20世纪60年代早期，埃及就实施了一个农田排水试验项目，确立了设计标准，并

研究了机械铺管的可行性。随后，阿斯旺大坝一建成，埃及政府就借助世界银行的资助启动了大型土地排水工程项目。随后，国际上其他一些机构也加入了资助的行列，协助进行工程的研究（通过1975年成立的排水研究院DRI）和相关的规划、设计和安装（通过成立于1973年的埃及排水项目公共管理处EPADP）。同时，排水管道生产厂也建立起来，相应的合同承包商都在位于Tanta的排水训练中心进行了培训。1973年还成立了由荷兰和埃及本国专家组成的排水顾问团。

从1970年开始，埃及先后实施了一系列的大型排水工程，其投资既有来自国家的，也有国际上的资助。最近一个阶段（1994年以来）主要实施的项目是国际排水项目一期工程，主要由世界银行、德国KfW基金会和荷兰政府资助。这些项目的实施，使埃及全国大约200万hm²的土地安装了暗管以及相应的配套设施，如地面排水系统和泵站等。每年大约安装50 000 hm²的土地。这使得埃及的暗管改碱工程成为全世界最大的水管理干预项目之一和最大的排水项目。整个项目的总投资接近10亿美元。另外，从1985年开始，也有部分投资投向暗管系统的修复。图4-6是埃及暗管改碱工程管理机构分布图，图4-7是埃及1970～2000年新安装的暗管系统以及重修暗管系统面积的统计。

图4-6　埃及暗管改碱工程管理机构分布

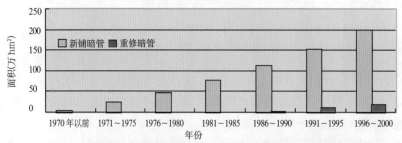

图4-7　埃及1970～2000年新安装以及重修暗管系统面积

86

目前正在进行的国家排水项目二期（2001～2006年）计划将在600 000 hm²的土地上安装地下排水系统。

三、埃及暗管排水工程的效果评价

暗管改碱工程的效果评价是相当复杂的，这主要是因为影响农业生产的因素很多，不同的地区、气候、土地甚至作物种子本身都会对作物产量产生重要影响。另外，暗管改碱工程的效果需要一个长时间的监测与科学的评价体系，需要大量的田间数据，以便将来做出对比。长期以来，埃及对暗管改碱工程的监测处于不系统的状态，最多是对两个地块进行有无暗管系统的对比分析，由于受其他因素影响太大，结果有很大的不确定性，无法得出可行性好的效益分析结果。但是，有一点是可以肯定的，那就是暗管改碱工程的确具有很好的效果，这从农民越来越自愿接受暗管系统甚至愿意支付一部分投资的具体情况就可以反映出来。

暗管改碱技术受到埃及农民的欢迎

为了对暗管改碱工程的效果进行科学的量化分析，1993年开始，世界银行与德国KfW基金会合作，开展了一项可行性研究，分析确定可行的暗管改碱工程效果监测与评价方法体系。根据这一可行性研究进行了系统的长期监测与评价，结果如下。

（一）暗管改碱工程对地下水位的影响

地下水位一般都是随时变动的，并且实际的测量结果还受灌溉安排的影响。为此，效果监测与评价采取的是根据灌溉月历来安排观测点。一般来说，灌溉后，地下水位将很快上升到地面以下20～40 cm处，在到下次灌溉之前，水位将下降到地面以下80～120 cm处。如果在灌溉后5天内地下水位可以很快降到地面以下80 cm处，则说明暗管系统的功能发挥比较正常。

从图4-8可以看出，根据15个典型观测点1996～2000年期间的观测结果看，可以说大多数观测点的地下水位能够很好地满足这个要求（在灌溉后5天内降到地面以下80 cm处）。除此之外，还发现了如下效果：

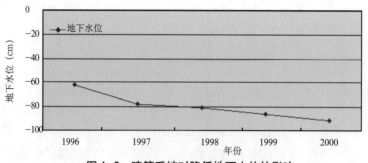

图4-8 暗管系统对降低地下水位的影响

一是没有一个观测点发生内涝现象,而在以前内涝现象是比较明显的。一般来说,安装了暗管系统后,大多数观测点地下水位可以在很短时间内降到地面以下80~100 cm处,这是对作物生长最佳的水位。

二是在大多数地区,一般来说地下水位下降最快的是在暗管系统安装后的第一年,但是比较有趣的是,在随后的年份内,虽然下降的速度有所减慢,但下降的深度却在持续增加。这也说明了随着暗管系统的安装,土壤变得越来越"熟",其渗透性也越来越得到改善。

三是在没安装暗管系统之前,大多数地区的地下水位都在地面以下60 cm处。

(二) 暗管系统对土壤含盐量的影响

暗管系统对降低土壤的含盐量的作用是相当明显的,这个含盐量是指在地面以下30~40 cm处测量得到的(图4-9)。

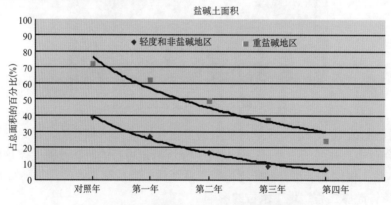

图4-9 暗管系统对土壤含盐量的影响

注:重盐碱地区指超过一半以上的土壤的含盐量大于4 ds/m;轻度和非盐碱地区土壤含盐量大于4ds/m的则不到50%。

如图4-9所示,在重盐碱地区安装改碱系统后,盐渍土占的比重在3~4年内很快下降,从70%多下降到20%多;在轻度和非盐碱地区安装改碱系统后,盐渍土所占比重也迅速下降,从原来的40%多下降到10%以下。这表明有大量的盐分被淋洗出去了。监测结果表明,在暗管系统安装后,盐碱地的面积从以前占总面积的50%多降低到5%~8%。就盐度降低的趋势来说,一般在安装暗管系统3年后,呈现线性下降趋势,随后下降趋缓。

将盐分从土壤中淋洗出去是一个过程,需要时间。它除了需要功能完善的暗管系统之外，还需要有足够的高质量的灌溉水。就埃及的尼罗河三角洲来说，处于底端的地区往往得不到较好的灌溉水。因此，从观测的情况来看，各个地区脱盐的速度不尽相同。

　　盐分对作物生长的影响是决定性的，但是不同的作物对盐分的反应和耐受程度是不相同的。影响作物产量的两个因素是：每个作物品种的耐盐极限值（作物所能承受的不影响其产量的最大盐度值）和由其斜率决定的描述产量随盐度增加而降低的线性方程（表4-1）。

表4-1   不同作物的耐盐性

作　物	盐度极限（ds/m）	坡度（每1ds/m的百分比）	耐盐性分类
大　豆	1.6	9.6	轻度盐分敏感
玉　米	1.7	12.0	轻度盐分敏感
水　稻	3.0	12.0	敏感（幼苗期）
小　麦	6.0	7.1	轻度耐盐
棉　花	7.7	5.2	耐盐

（三）安装暗管系统前后的产出结构

　　在大多数地区都收集了足够的数据，以便对作物在暗管系统安装前后的表现进行对比分析。其中需要一些历史数据，反映暗管系统安装前的作物产量水平。埃及的监测数据是10年之间的，包括暗管系统安装前5年和安装后5年。

　　安装暗管系统后几年，对作物产出结构所做的分析发现了很有趣的现象。图4-10是对在三个典型地区采集的数据分析的结果，其中均可以发现作物产出结构增长的趋势非常明显。

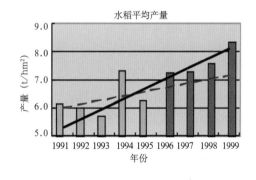
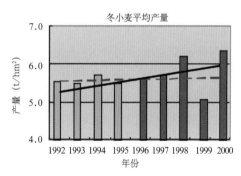
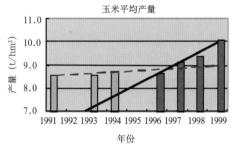
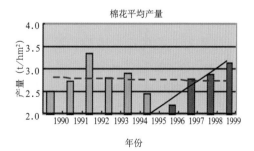

图4-10　暗管系统对作物产量布局的影响

对图4-10这些趋势线对比分析可以发现，就Ebshan地区来说，暗管系统带来的作物增产是相当明显的，尤其是对玉米和水稻这些作物来说，效果更为明显，这些作物分别是中度耐盐和敏感耐盐。盐分的淋洗是作物增产的主要原因。就水稻来说，地下水位的降低并不是十分有益的，但是因为盐分的淋洗，就可以产生相当大的作物增产量，这一效果在水稻生产初期最为明显。

就Trouga地区来说，作物的增产有可能是因为地下水位从以前的−55 cm降到−90 cm。棉花比较耐盐，但对地下水位相当敏感。

就Toukh Mazied地区来说，有数据表明该地区在暗管系统安装前没有得到有效的排水。因为该地区的地下水位相当高，从而导致了小麦和玉米的减产。安装暗管系统后，产量下降的趋势开始转变为上升趋势。这些趋势同时也在其他监测地区存在，从而可以帮助解释排水状况与作物产量之间的关系。

（四）暗管系统对单个作物产量的影响

正如所预料的一样，不同的作物对土地排水状况改善的反应也不尽相同。在此次监测与评价项目中，选择两种冬季作物——小麦和大豆以及三种夏季作物——玉米、棉花和水稻进行了监测评价。基准数据是根据这些作物前三年的产量取平均值后得到的，然后将这一数据与暗管系统安装后4~5年的收获数据进行了对比。

图4-11是不同作物在暗管系统安装前后的产量对比，这些数据是每年从种植相同作物的农场获得的。这样，不同农场的管理方式和土地状况就得到中和。因此，作物产量的增加就可以单纯归结为暗管系统的安装了。也有一小部分的作物产量增加（大约占整个作物产量增加的1/3）是源于在监测期间的总体技术水平的提高，这个结论是通过将典型地区的产量与其周围地区的作物产量进行对比后得出的。

其中棉花是一个例外，这主要是因为在这期间棉种和杀虫剂问题引起了棉花害虫泛滥。因为这个原因，整个国家在1995~2000年间普遍遭受了棉花减产。

暗管系统安装后，在非盐碱区和盐碱区，小麦产量分别增加了大约600 kg/hm²和950 kg/hm²。在暗管系统安装前，在盐碱地区的小麦产量低于非盐碱地区的产量，但在安装后，盐碱地区的小麦产量增长迅速，并在后来稍微超过了非盐碱地区的产量。

玉米产量增加也非常明显。在非盐碱地地区，暗管系统安装后产量增加了大约4 t/hm²，盐碱地区的产量增加为2 t/hm²。这一产量的增加，主要是因为土地排水状况的改善和含盐量的降低所带来的养分增加。

排水对棉花的产量影响也比较明显。就非盐碱地区来说，棉花产量大约增加250 kg/hm²，而在盐碱地区则为350 kg/hm²。

就大豆来说，产量增加相当惊人，即使在暗管系统修复区，增加量也达到1.8 t/hm²。当然，这不能全归结为暗管系统的功劳，因为该地区还引进了新的大豆品种。就新安装暗管系统的地区来说，因为新品种还没有种植，所以暗管系统安装后带来的产量增加值为650 kg/hm²，平均产量为3.5 t/hm²。就作物本身来说，大豆对于暗管系统效果的指示性不是很强，其产量的预计往往也很难做到。

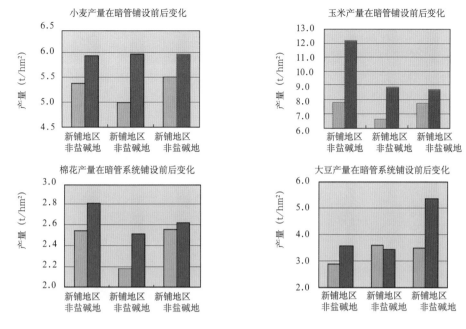

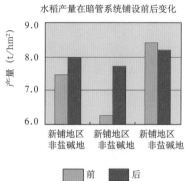

图 4-11　暗管系统对单一作物产量的影响

暗管系统对水稻产量的影响是最大的, 在盐碱地区其增加值达到了 1.4 t/hm², 在非盐碱地区, 产量增加值也达到了 500 kg/hm²。在盐碱地区的产量增加主要是因为土壤中盐分的淋洗以及随之带来的土壤养分的增加。

就整个监测结果来看, 暗管系统对作物产量的影响是相当大的, 甚至远远超过了我们所预期的产量增加。

（五）暗管系统对农民收入的影响

下面以一个 0.4 hm² 的农场为例, 对其每种作物的总产量和净产量以及农民的年收入进行了初步的测算。暗管系统对农民年收入和生产总值的影响如图 4-12 所示。该农场的作物种植结构如下:

冬季: 80% 小麦 +20% 大豆;

夏季: 30% 玉米 +30% 棉花 +20% 水稻 +20% 的休耕。

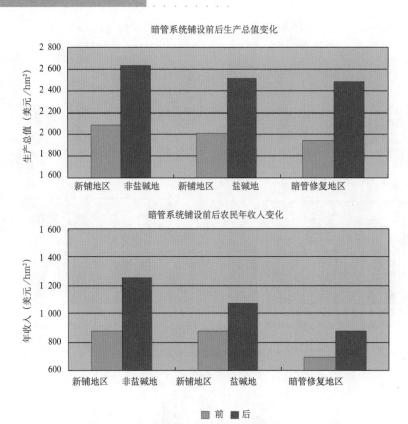

图 4-12 暗管系统对生产总值和农民年收入的影响

根据产量记录和初级及再加工产品的农场价格对总产值进行了计算。计算结果显示，在所有地区的总产值都增加了 500～550 美元/hm²。就非盐碱地区来说，农民年收入增加了 375 美元/hm²，在盐碱地区，农民年收入增加量为 200 美元/hm²。

就埃及来说，暗管系统的全部成本为 750 美元/hm²，这包括重修明沟、设计、规划和监控等。维护费用大约为 100 美元/（hm²·a）。假设增加值的 2/3 是暗管系统带来的（保守的估计，实际要大于这个比例），那么暗管系统的投资回收期不会超过 3～4 年。在埃及的一些地区，投资回收期甚至达到 2 年。

农民，也就是暗管系统的最终用户，一般是采取 20 年无息分期付款的办法支付所有的成本费用。对此，埃及的农民一般都非常合作，并且也没有迹象表明在分期付款中有什么困难。

（六）暗管系统的其他效果

就埃及来说，暗管系统还产生了一些其他影响，包括农业和环境的影响。这些影响一般都难以量化，可以总结如下。

对于农业方面的影响：在埃及的许多灌溉地区，农业种植模式在悄悄地发生变化。尤其是以靠近城市中心以前一般以传统作物种植为主的地区表现明显。现在，这些地区大都开始种植高附加值作物，包括果树、各种蔬菜、育种作物、药用作物和枫树等装饰作物，而这些高附加值作物只有在暗管系统安装后才能种植。

在三角洲地区，农业机械化耕种也变得越来越重要了。

第四节　暗管改碱工程技术在中国的发展

一、现代暗管排水技术的引进

正如上文所提到的，中国古代就掌握了地下排水技术，主要是用节状陶管或带孔的竹筒连接起来铺设在地下。现代化的暗管系统是在19世纪70年代开始传入中国的。

20世纪70年代，我国自行设计制造了由拖拉机牵引的开沟机，目前这种机械仍然在我国的南方地区广泛使用，主要是用于铺设浅层暗管系统以控制内涝发生。因为该机械重量轻、机动性好，非常适合我国南方小块土地的使用。

1979年，天津市引进了第一台带液压深度控制装置和水平铰链刀的自驱式开沟机。引进的主要目的是检测是否可以在我国的北方地区通过安装暗管系统控制内涝和土壤盐碱化。利用这台机械，在大面积的土地铺设了暗管系统。暗管系统使用瓦管排水。

20世纪70年代末，山东地区（打渔张灌区）尝试使用手工铺设地下管道，以测试是否可以在该地区通过这一系统对土地内涝和土壤盐碱化进行控制。

1985年，山东省禹城县进行了暗管铺设的试验。试验所用的机械是一台350马力（1马力=735.499W，下同）的开沟机，这是中荷合作引进的第一台现代化的开沟机械。直到现在，该种型号的机械仍在世界各地广泛使用。试验区对利用机械铺设暗管进行了充分的试验论证，同时，也对尽可能多的沙石滤料和外包合成材料以及当地产的波纹塑料管的使用进行了试验论证。

20世纪80年代早期，上海引进了我国第一条现代化波纹塑料管（PVC）生产线。该生产线为大规模暗管施工提供了充足的管材。同时，其他一些省份也投资兴建了PE塑料管生产线。

从20世纪80年代起，我国南方地区开始大面积地铺设暗管系统，其中有手工铺设，也有使用我国自行设计制造的开沟机铺设。暗管系统主要用于稻田，一般在生长季节将出水口堵上，在季末打开，以迅速排干土地中的水分，促进土壤熟化，以便及时播种旱地作物。

1987年新疆生产建设兵团农五师在农场实施了暗管改碱工程。这是我国第一个真正意义上的现代化暗管改碱工程。该工程由中荷专家共同合作完成，其主要目的是通过在不稳定土层安装地下排水管道以控制次生盐碱化发生，并取代维护成本高昂的明排系统。工程的另外一个目的是降低灌溉水的使用量。该系统是通过两台激光制导的350马力的开沟机铺设的，该开沟机既可以铺设田间管，也可以铺设深达地下3m的集水管系统。考虑到该地区地处偏僻，专门建设了一条波纹管生产线，为项目提供所需管材。

工程使用的滤料是在当地生产并筛分的沙石滤料。

20世纪80年代末90年代初,宁夏地区开始了大规模的暗管改碱工程施工。最初是通过手工铺设单一排水系统,以检测系统是否可行。试验还采用不同的预先包裹的外包料进行了测试。90年代末,在欧盟以及随后的荷兰政府资助下,大规模的暗管改碱工程开始启动。工程使用3台进口的开沟机。管材最初是采用进口的PVC波纹管,后来则采用本地生产的PE塑料管。项目同时对本地生产的一种土工布外包料进行了试验。目前该项目已经完成,在约2.34万hm²的土地上铺设了暗管系统。本书将在后文对宁夏的经验做专门介绍。

1992年,作为20世纪80年代山东试验的继续,荷兰专家与中国专家共同完成了一份详尽的可行性研究报告,论证在黄河三角洲地区大规模实施暗管改碱工程的可行性(见本章第五节)。

随后在2000年,专业的盐碱地改良公司——金川公司组建完成,并在荷兰专家协助下,开始了莱州湾暗管改碱试验项目。该项目拉开了黄河三角洲应用暗管改碱技术大规模开发盐碱地的序幕。

在这一系列的引进过程中,我们不得不提到荷兰专家在其中所发挥的关键性作用,尤其是原爱凯迪欧洲咨询公司高级排水顾问弗兰克·科隆先生。他从20世纪80年代初就来到中国,参与了上述项目中的大多数暗管改碱工程的论证与试验,为黄河三角洲暗管改碱技术的形成做出了重要的贡献。

科隆先生在工地讲解暗管改碱技术

二、暗管改碱工程在宁夏实施的成功经验

宁夏是国内较早的系统采用暗管排水改良盐碱地的地区,从20世纪80年代就开始探索使用明排、井排与暗管排水系统相结合的方法,对银北灌区进行灌排系统配套整理。90年代后,又在欧盟和荷兰等组织和国家的帮助下,引进现代化的暗管系统技术和

施工机械，开始了大规模的暗管改碱工程。

（一）银北灌区概况

宁夏河套平原银北灌区位于宁夏回族自治区北部，是黄河青铜峡河西灌区的主要组成部分（图4-13）。按水利及农业自然区划，银北灌区包括永宁县以北的4个乡、银川郊区、贺兰、平罗以及农垦局所属的平吉堡、暖泉、前进、简泉等国营农场；从地貌上讲，银北灌区西抵贺兰山，东临鄂尔多斯高原，为黄河冲、洪、湖积平原，受断陷盆地地质构造及内外应力的作用，形成了该区盆地地形、地貌特征。银北灌区的平面呈狭长状，总面积3 689 km²，总人口约130万。

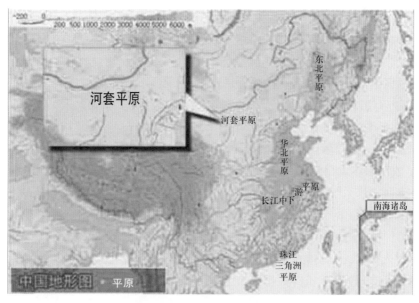

图4-13　河套平原位置图

银北灌区东西宽约50 km，南北长约130 km。农业在该区国民经济结构中占有重要地位。银北灌区地势平坦开阔，引黄灌溉历史悠久，排灌设施基本配套，灌溉条件比较优越。主要粮食作物有小麦、玉米、水稻等，经济作物有甜菜、胡麻、大麦、豆类、瓜果等。此外，银北灌区还有较丰富的水产资源，具有发展"两高一优"农业的巨大潜力。

（二）银北灌区水文气象特征

银北灌区属中温带干旱区，降水稀少，蒸发强烈，昼夜温差大，光热资源丰富，年平均气温8～9 ℃。灌区平均年降水量约190 mm，且集中在6～9月，多以阵雨、暴雨形式出现，降水时空分布不匀。年蒸发量可达1 100 mm左右(E601型蒸发器值)。年日照时数平均在3 000 h左右，无霜期174天，冻土层厚约1 m，其主要自然灾害为干旱、霜冻、冰雹、干热风等。

银北灌区河流主要为过境黄河，另外还有贺兰山山洪沟道。黄河在银北过境长度约120 km，黄河多年平均出境(石嘴山水文站)年径流量为301亿 m³，含沙量为3.26 kg/m³，黄河年径流量具有丰枯交替的特征，丰水期、枯水期交替出现的周期约为8年，年径流量较充沛，水量较稳定，最大最小年径流量相差为 2.6 倍。封冻期为 12 月下旬至次年 3 月上旬，封冻期 70 余天，冰厚 0.5 m 左右，冰坝、冰塞现象也时有发生。

（三）银北灌区灌排系统

宁夏河套平原银北灌区在 2 000 多年前的秦汉时期就有相当大的开渠屯垦规模。历史上先后兴建唐徕渠、昌滂渠等，至 1949 年已有灌溉面积近百万亩。新中国成立以来，水利事业有了空前的发展：扩整了旧有干、支、斗渠；改建、增建了渠上建筑物；新建了西干渠、二农场渠；特别是青铜峡枢纽工程建成后，结束了无坝引水的历史，使渠系引水输水有了保证；新开了第二、三、四、五排水沟和银新沟五大排水干沟及永清沟、永二干沟等小型排水沟；新建扬水站 131 座，电排站 140 座，排灌结合机井 5 900 多眼，已形成渠沟纵横、井站密布、灌排配套、灌溉面积达 20 万 hm² 的大型灌区。

银北灌区灌溉系统有自流、扬水、井灌、泉灌四种方式，其中以渠道引黄自流灌溉为主。灌区内有惠农渠、汉延渠、唐徕渠、第二农场渠和西干渠五大干渠，总长 425 km，1989~1994 年平均年引黄河水量 28.93 亿 m³；有支渠 47 条，长 529 km；斗渠 1 873 条，长 3 838 km。灌区内有正常运行的扬水站 131 座，各类机井 5 900 多眼。灌区内 20 万 hm² 农田基本上得到各种灌溉方式的灌溉，一个完整的灌溉体系已基本形成。

银北灌区排水系统有沟道排水、机井抽排、渠道退水、暗管排水等形式，以沟道排水为主。由干沟、支沟、斗沟、农沟组成一个排水系统。沟道排水有第二排水沟、第三排水沟、第四排水沟、第五排水沟、银新沟五大排水系统。此外，尚有中、小型排水沟道直接排水入黄河。暗管排水是近年来兴起的新技术，暗管排水区的出水口多是进入排水干支沟，再排入黄河。机井抽排遍布全灌区，有的排入沟道，有的排入渠道，属排灌结合的体系。

（四）暗管排水技术的探索与实践

在治理盐碱方面，宁夏人民进行了不懈的努力。过去其主要技术方向是以传统的明排为主，实行深沟滤碱、明沟排水，并配套打竖井、建强排泵站。但明沟排水的缺点一直难以克服。如沙质土壤明沟边坡滑塌严重，每年都要投入大量资金和劳力修复；地势平缓，地下水埋藏浅，难以长距离速排；明沟占地较多，使人均占有耕地越来越少。由于上述原因，大量井、泵处于瘫痪状态。

为了寻求新的排水治碱途径，银北灌区于 20 世纪 80 年代初开始试行暗管改碱并获得成功。由于暗管改碱有节省耕地、便于耕作、保证排水深度、养护方便、一次投资长期受益等优点，农民容易接受。到 90 年代，暗管排碱技术在灌区迅速发展，扩大到近 6 666.7 hm²。

（五）暗管排水的效果

下面以惠农县西永固乡郊龙口村的试验资料为例，说明暗管排水的效果。

1.排水排盐量

1992 年试区总排水量 65.65 万 m³，平均每公顷排水量 4 233 m³，其中春灌前平均每公顷排水量612 m³，作物灌溉期(5～9月)平均每公顷排水量2 868 m³，冬灌期平均每公顷排水量468 m³。

1992年试区总排盐量1 832.3 t，平均每公顷排盐量11 815.5 kg，其中夏灌前平均每公顷排盐量1639.5 kg，作物灌溉期平均每公顷排盐量8 133 kg，冬灌前平均每公顷排盐量798 kg，冬灌期平均每公顷排盐量1 245 kg。作物灌水期的排水量、排盐量分别占总排水量和总排盐量的67.7%和68.8%。

1993年总排水量42.82万m³，平均每公顷排水量2 760 m³；总排盐量1 206.7 t，平均每公顷排盐量7 777.5 kg。

1992年排水平均矿化度2.79 g/L，1993年排水平均矿化度2.82 g/L。

2.降低地下水位

通过暗管排水区与临近非暗管排水区对比观测可知，暗管排水区地下水位比区外平均低0.83 m，降低地下水位效果明显。

3.加速土壤脱盐

暗排区开发前，盐荒地表层土壤(0～20 cm)盐分在0.35%～1.0%，平均0.692%，经1991年冬灌及1992年作物生育期灌溉淋洗，表层盐分含量在0.304%～0.683%，平均0.477%，脱盐率31.1%。耕地表土(0～20 cm)盐分从0.196%下降到0.134%，脱盐率31.6%。

4.地下水淡化

集水井水质变化情况如下:1992年4月，矿化度7.53 g/L，1992年7月3.16 g/L，同年9月2.73 g/L，同年10月2.80 g/L。由此可知，实施暗管排水后地下水矿化度有减小趋势。

(六) 中外合作银北灌区暗管改碱工程的实施

大面积实施暗管改碱最大的制约因素是资金投入。1997年以前，限于资金约束，宁夏暗管改碱工程基本上是人工铺设，1998年以来，开始采取了人工、机械"两条腿走路"的铺设方式，利用美国进口机械铺管405.3 hm²。1997年以后，宁夏自治区农业综合开发办公室与荷兰合作，利用荷兰贷款，引进荷兰先进机械设备，实施了约2.3万hm²的暗管改碱项目。

宁夏中荷合作暗管改碱项目区位于宁夏银北灌区的贺兰、平罗、惠农三县境内，总面积约2.33万hm²，项目总投资1 310.6万美元，其中国内配套资金810.6万美元，利用外资总额500万美元，项目期为5年。利用荷兰贷款的要点是引进机械，其中55%的贷款和部分赠款用于购买荷兰设备，其余部分用于技术培训等，该项目于2004年实施完毕。总体来看，宁夏平原地区利用暗管技术改良盐碱荒地成效显著:经改良后的土地，土质较好，地下水矿化度降低，地下水位明显下降，一般由原来的1 m左右下降到1.5 m以下。由于经济效益非常可观，暗管排水技术很受农民群众欢迎。宁夏多年来实施的一系列暗管改碱工程为我们提供了完整的经验和启示。

第五节 暗管改碱工程技术在胜利油田
成功实施的背景基础

　　暗管改碱工程技术在胜利油田成功实施并在实践中总结、提高和完善，从而形成系统技术，不是偶然的，这是胜利油田国有特大型企业的性质、发展历史、所处地理位置决定的，是在国企改革大背景下的必然选择，也是落实党中央、国务院提出的科学发展观、建立和谐社会、工业反哺农业战略措施的重大举措。

一、胜利油田在创业和发展过程中与农业结有不解之缘

　　胜利油田是在 20 世纪 50 年代华北地质普查和石油勘探的基础上发现的。1961 年 4 月，位于东营构造上的华 8 井首获工业油流，标志着胜利油田的发现。1964 年 1 月，中共中央批准组织华北石油会战，同年 6 月，会战指挥部成立，简称九二三厂。1972 年 8 月，改称胜利油田会战指挥部。1989 年 8 月，更名为胜利石油管理局。

　　从 1964～2004 年的 40 年里，胜利油田工作人员共发现 72 个油气田，累计探明石油地质储量 43.7 亿 t，累计生产原油 8 亿 t，天然气 358 亿 m³，上缴国家税费 1 307 亿元，为国家做出了巨大贡献。

　　胜利油田诞生、成长于中国经济十分困难的年代。当时，几万石油大军响应党中央的号召拖儿带女来到胜利油田搞石油会战，于是解决吃饭问题便成为一件大事，因为这里没有城市依托，国家供给有限，黄河三角洲经济落后，农业基础和生态环境非常脆弱，大片的盐碱涝洼地尚未开垦。石油工人发扬没有条件创造条件的开拓精神，一边搞石油勘探，为国家找油；一边搞农副业生产，解决生存和吃饭问题。山东省和当地政府划拨了大批国荒地和农场归胜利油田种植管理，油田职工通过开荒种地，引水种稻，在盐碱滩上建设了 70 多个农业居民点，使一个"工农结合，城乡结合，有利生产，方便生活"的社会主义新型矿区诞生了。1966 年 1 月，朱德视察胜利油田后赋诗："学大庆赶大庆，胜利必然归你们，学大寨赶大寨，工农联盟更相亲。胜利油田赶两大，亦工亦农结合新。半工半读五千众，都是年轻力壮人。五年勤学期读满，留作当地做主人。家属来自四方地，百工居肆件件能。去年利用黄河水，发展农业自更生。新开水稻五百亩，亩产超过五百斤，此处低凹荒碱地，过去草木曾不生。石油大军大会战，方向正确计划真。油业旺盛农亦好，四年创造告功成。会战勋绩开天地，社会主义见雏形。"

　　在我国计划经济时期，胜利油田的农业为保障石油工人队伍的稳定起到了重要作用。随着油田的发展，职工家属增加，对生活资料的需求越来越多，油田农业系统也逐步壮大。为协调全油田的农业生产，会战指挥部成立了农副业处，各二级单位成立农副业科（大队），从科研单位调入和从大学分配来油田的农业技术人员和毕业生 800 多人，建立了农科所（站），农业在油田成为一个重要部门。到 20 世纪 80 年代末，油田已拥有农业土地 20 多万 hm²，其中粮田面积 1.2 万 hm²，农业单位安置家属 5.3 万户，国有

朱德赋诗:《参观胜利油田》手迹

职工 6 300人,资产价值2亿多元,年产粮食9 200万kg,肉类300万kg,禽蛋1 200
万kg,水产品300万kg,水果蔬菜2 000万kg,农业年总产值3亿多元,实现了农、
林、牧、副、渔全面发展。油田农业为石油主业稳定了队伍,解除了后顾之忧,基本
解决了计划经济条件下国家不可能解决的困难。胜利油田的农业为石油会战的贡献功
不可没,油田对生活资料的巨大需求和对农业生产的积极支持成就了这个时期油田农
业的辉煌,胜利油田的开发为黄河三角洲的发展带来机遇,油田农业的发展为黄河三
角洲的农业开发探索了路子、积累了经验。从这个意义上来说,胜利油田与农业结下
了不解之缘。

在黄河三角洲上建设油洲加绿洲

　　胜利油田在发展农业的同时,多种经营也有了很大的发展,到1997年,油田多种
经营从业人员已达7.1万人,其中吸纳国有职工20 008人,集体工7 300人,子女工
18 000人,家属工14 000人;实现销售收入55亿元,利税5.97亿元,年销售收入超
亿元的企业已有19家,为区域经济的发展做出了贡献,成为油田重要的经济板块。

二、我国经济体制的改革促使胜利油田实施改制，自然条件和市场条件的变化对胜利油田农业的生存与发展形成了挑战

20世纪80年代以来，我国经济体制改革不断深化，步伐不断加快，改革对计划经济为主导的国有特大型企业的管制体制、经营机制形成冲击，使计划经济为主导的管理模式逐步向以市场经济为主导的管理模式转轨。

一是胜利油田与东营市实施政企分开，胜利油田承担的部分政府职能移交给东营市，成为实质上的法人企业。二是国家实行拨改贷、利改税政策，加强了对国有企业的核算监督，国有企业内部主业与其所办的集体企业实行产权明晰、核算清晰、交易公开公平的核算办法，不允许国有企业无偿支持集体企业。三是我国加入WTO之后，企业面对与国际大公司的残酷竞争，必须甩掉包袱，轻装上阵。胜利油田的主营业务与非主营业务分离，油气勘探开发重组成为一个独立的法人企业，隶属于中石化股份公司，成为国际、国内资本市场的上市公司；胜利石油管理局则为存续企业，隶属于中石化集团公司。四是国家要求企业深化改革、实施减员增效、改制分流、主辅分离，将企业办社会的内容移交给地方相关部门。这些政策的实施使胜利油田富余人员显形化，矛盾集中暴露，强烈冲击了国有企业原有的管理体制和人员的思想观念，促使胜利油田必须加快改革改制，以适应市场竞争的要求。1998年，胜利油田用工总量24.8万人，其中国有职工19.6万人。重组改制之后，2004年油田上市部分有职工6.1万人，管理局存续部分有职工10.2万人；4年时间油田协解职工2.2万人，内退职工1.6万人，离退休职工3.9万人，公安、教育交社会部分0.95万人，改制分流职工1.8万人，合计10.45万人。另外，全油田5.3万名家属工全部一次性办理退养手续。按照中石化集团公司要求，油田3年内上市和非上市部分再减员、改制、分流职工3万人，另外每年新增就业子女5 000人。胜利油田如此庞大的社会负担和富余人员靠东营市这个资源型矿区城市是消化不了的，必须创造条件自我消化，因此油田就业和再就业的压力很大。重组改制以后，上市部分连续5年利润超过100亿元，近两年超过200亿元；而存续部分由于背着几十年的企业包袱，人员多，资产质量差，盈利能力低，办社会部分支出多，中石化集团公司要求限期扭亏。胜利油田是对党、对国家、对社会负责任的企业，面对改革带来的稳定压力和经济负担，企业别无选择，迫切需要寻找出路，寻求新的经济增长点，尽快使企业走出困境。

改革对胜利油田农业造成了巨大的冲击。胜利油田农业就产业范围来说属于多种经营系统，资产归属于集体经济序列，改革对其冲击特别大。油田农业原属安置福利型，生产由主业扶持，产品按油田内部价格分配式销售，亏损由油田补贴，造成产品成本高，产业依附性强。我国农村实行改革以来，农民生产积极性大大提高，农产品极大丰富，市场放开，物价便宜，各类证票供应一律取消，群众购物方便，油田农业赖以生存的市场发生了很大的变化，同时企业财务制度也不再允许主业补贴集体企业，油田农业必须独立核算，自负盈亏。但是，由于农业单位历史形成的冗员多、工资高、效益低、成本高、产品没有竞争力等特点，必须调整结构，降低成本，提高效益，才能获得生存的权利。这就迫使油田农业企业寻求新技术，增大资源占有量，提高资源质量，扩大市场销

售空间。从这一点来说，改良土壤，提高土地承载能力、产出能力、抵御自然灾害的能力，在此基础上延长农业产业链，发展农业产业化，创造更多就业机会和经济效益，已成为油田农业的必然选择。

自然环境变化迫使油田农业必须寻求生存与发展的新路子。过去油田农业1.2万hm²粮田种植的粮食作物主要是水稻、小麦和玉米，其中水稻面积0.8万hm²，占67%。种植水稻的土地基本是盐碱地，采用大水压碱、活水种稻的耕作方式，每公顷水稻年用水量22 500~27 000 m³。黄河三角洲年降水量平均仅有550 mm，不能满足种稻需水要求，地下水不能用于灌溉，农用水源靠黄河引水。黄河在20世纪90年代进入枯水期，出现了年年断流的局面，1997年断流时间长达226天。水资源的短缺迫使油田的水稻种植面积锐减，现在年种植面积只有333 hm²左右。另外，油田也尝试种过旱稻、耐盐小麦、高粱、棉花、蓖麻等旱作物，但都因土壤次生盐渍化而失败了，且盐碱化程度越来越严重，土地被迫大面积撂荒。油田农业由于自然条件的变化面临生死存亡的考验。

胜利油田农业区的水稻田

三、暗管改碱系统工程的实施为黄河三角洲的开发带来希望

黄河三角洲与全国其他地区相比具有两大比较优势，一是地下丰富的油气资源，二是地上广阔的土地资源。由于土地盐碱化的制约，使当地经济、环境和社会的发展远远落后于长江、珠江两大三角洲，成为中国东部的"西部"。

1983年，在中国最年轻的土地上诞生了东营市。东营市和油田的领导班子以开发黄河三角洲为己任，不断努力寻求快速、科学发展的路子，引起了国家和山东省的关注和重视。20世纪90年代，山东省委、省政府把开发黄河三角洲列入跨世纪工程，国家对黄河三角洲的开发给予了积极支持。土地是财富之母。黄河三角洲上千万亩土地是一笔巨大的财富，围绕如何借鉴历史经验教训，以科学为指导，改良盐碱，盘活土地，增加社会财富，改变黄河三角洲自然面貌，实现经济、环境、社会三种效益的和谐统一这一目标，各方有志之士在锲而不舍地探索。我国的改革开放扩大了人们的视野，大家开始学习和借鉴国外发达国家的技术和经验，有选择地引进高新技术，同时，国外的专家学者也到中国考察,寻求合作的机会。荷兰这个低地之国治水治碱改良土地的经验引起了东营市有关领导和人员的注意。东营市多次组团去荷兰考察,寻求技术合作。从1986年开始,荷兰排水专家弗兰克·科隆先生先后16次来东营考察,积极推广暗管排碱技术,做过多个改碱试验方案,但都因种种原因没有启动。

胜利油田改革改制的形势、油田农业生存与发展的需要、改造和盘活大面积国有土地使包袱变为财富的强烈吸引力、改变黄河三角洲自然面貌造福子孙后代的责任感促使胜利油田多种经营处向油田领导建议:改变以往在农业圈子里单算改碱投入产出账的思路,用发展工业的方式组建施工型企业,引进技术和设备,抽调精兵强将,以暗管排碱技术为依托,专业从事盐碱地改良工程,建设开发黄河三角洲的专业工程队伍。这种方式有利于技术的引进、消化、提高和完善,也有利于减轻农业负担,便于总结推广。这一建议得到东营市和油田领导的肯定和支持。1999年8月胜利油田与荷兰荷丰公司签订合作协议,同年12月,东营金川环境工程有限公司成立。2000年3月开始培训人员,同年7月设备到位,9月14日,莱州湾改碱项目试验区正式施工,标志着实施新技术机械化改良盐碱地工作开始启动。该项目的实施为黄河三角洲农业发展和环境改变带来了新的希望。

油田多种经营处组织召开中荷专家研讨、洽谈会

四、各级政府和油田决策层对暗管改碱工程的实施推广给予了大力支持

胜利石油管理局领导对引进荷兰暗管改碱技术并成立盐碱地改良专业化公司十分重视。局领导多次召开专题会议和现场会议,听取多种经营处(2003年改为集体资产管理处)关于抽调和配备精干人员建立新型专业化公司和引进国外技术改良荒碱地的汇报,及时对莱州湾、仙河农场和孤东十万亩土地开发项目进行了决策支持。由于暗管改碱的整套技术以及多台重型机械铺管设备和精密仪器等都要从荷兰引进;工程需用的原材料,如PVC孔隙波纹管、沙石滤料等在本地区亦无货可供,必须远距离采购、运输和

胜利石油管理局宋万超（中）局长到暗管改碱工地视察

挑选；而且这一引自国外的新技术是否适应黄河三角洲的土地环境条件，并发挥出应有的效益，还需经过反复实验才能做出结论，因此必须预筹和支付大量的启动经费和实验成本。对于在农业基础薄弱的地区启动如此重大的科学试验性开发项目，如果没有胜利油田这一实力强大的企业作为后盾是不可能实现的。

　　由于暗管改碱技术对黄河三角洲土地改良可能发挥重大的作用，东营市从开始引进这项技术起就给予了极大的关注和支持。为从根本上改变全市近千万亩土地的土壤盐碱化问题，市领导寄希望于油田专业公司在改良盐碱地方面获得新突破，为此不仅决定对该公司的成立给予资金、政策方面的支持，还责成相关部门和地方企业积极参与项目工作，力促建立一种"由政府（油田）补贴、专业公司施工、集体统一管理、农户分散经营"的新的运营机制，以充分调动投资方、施工方、管理方和经营方的积极性。在改良项目的实施过程中，市领导多次到现场视察指导工作，同时专门安排黄河三角洲保护与

杨志良副市长（中）到莱州湾项目区指导工作

发展研究中心对暗管改碱技术进行考察研究。2000年,该中心与荷兰欧洲咨询公司、爱凯迪公司、油田集体资产管理处积极联系、配合,完成了在整个黄河三角洲地区实施和推广暗管排碱工程改良荒碱地的可行性研究报告。该中心还利用本单位的外语人才优势,派员赴荷兰瓦格宁根大学专门参加盐碱地改良的技术培训,这些人员学成后与荷兰专家一起参与了莱州湾土地改良的技术工作。

胜利油田、东营市积极推进暗管改碱工程的经验和做法,引起了山东省及有关部门的重视和支持。2000年山东省国土资源厅以鲁国土资发(2000)281号文将胜利油田莱州湾575 hm² 盐碱地开发列为省级重点开发项目;山东省环境保护局对应用暗管改碱技术改善生态环境的作用十分重视,2004年1月将"黄河三角洲暗管排碱改良盐碱地工程研究"列入了山东省环境保护重点项目——"黄河三角洲生态系统优化及生态系统修复技术的研究"之中;同年,山东省科技厅将"土地盐渍化动态监测及暗管排碱改良方法研究"列为山东省可持续发展十大科技示范工程项目——"黄河三角洲生态治理技术与资源利用研究与示范"中的一个课题。该年4月,山东省委政策研究室对胜利油田实施的暗管排碱改良盐碱地工程进行了专题调查,写出了题为《一条盐碱地开发改造的新路》的调研报告,认为利用暗管技术改良盐碱地在黄河三角洲的成功实施,为山东省大面积进行盐碱地改良探索出了一条新路子。山东省副省长陈延明对该报告作了重要批示:"这项技术已在不少地区推广,并收到明显效果,建议不断总结经验,进一步搞好示范推广工作。"

黄河三角洲暗管改碱工程还引起国家及有关部门领导的重视。2004年11月,农业部原副部长、东营市政府顾问洪绂曾到项目区现场调研时,对该项技术给予了充分肯定,提出了在国家级层面上给予论证评估和推广的建议。2005年5月18日,全国人大副委员长韩启德偕同洪绂曾同志在山东省人大副主任墨文川、东营市市委书记石军、胜利油田党委书记王立新等陪同下,视察了孤东暗管项目区,对项目改碱成果给予了很高的评价,认为这一技术在全国范围内具有重要的推广价值。韩启德副委员长还为该项目

农业部原副部长洪绂曾同志(左三)到项目区视察调研

题词："暗管排碱，利国利民。"

应当特别提出的是荷兰专家弗兰克·科隆先生在中国介绍和推广暗管排碱技术的积极贡献。他几十年如一日，努力推动黄河三角洲暗管排碱技术的应用和工程的实施，风尘仆仆，先后20多次莅临东营考察和参与项目区的工程勘探与设计，这一锲而不舍的精神感人至深。另外，还有其他荷兰专家如邦拿列斯（Hans H.N. Bonarius）、考勃特（Harry Koppert）、奥夫瑞卡（Oepke Offringa）、比克马（Jelle Beekma）、诺浩德（Schalte Norahaet）、卫秀峰等，山东省和东营市的专家如戴同霞、朱九鹤、韩明修等，都为项目的实验、论证和实施做了不少有益的工作。总的看来，暗管改碱工程之所以能够在胜利油田成功实施，除了与油田有关处室和金川公司等项目主体队伍做出的创新性贡献有关之外，各级政府、社会团体和企业以及国内外专家的参与、支持也发挥了重要作用。

第六节　荷兰专家在黄河三角洲推广改碱技术的考察与规划

黄河三角洲地区从20世纪80年代就开始了暗管改碱工程的探索。1992年，在荷兰政府支持下，爱凯迪公司、欧洲咨询公司的专家对黄河三角洲进行了大规模的调查与勘测，并完成了详尽的可行性研究报告，提出了系统的排水标准、设计标准和暗管系统布局方案，论证了组建专业盐碱地改良公司和建立塑料波纹管生产厂的可行性。这些成果对我们今天进行的黄河三角洲暗管改碱工程具有十分重要的借鉴意义。

一、荷兰专家的考察与研究

黄河三角洲第一次尝试用暗管改碱技术控制盐分开始于20世纪70年代末。项目取得初步成功后，东营市水利局积极寻求外国技术和资金援助，以进一步改善和扩大盐分控制并在1985年的一次研究会上与荷兰第一次接触（欧洲咨询公司，1986）。其后，1989年，3名来自荷兰的专家（Lambregts 等，1989）对现在这个项目的试验区进行了广泛深入的考察与研究。紧接着在1992年的中荷土地与水利研讨会上，这个项目又被重新提起。同年，根据市水利局的请求，山东省水利勘探设计院完成项目建议书，其中包括129 000 hm²的主排水系统基础设施的规划与经费预算（包括试验项目）（山东省水利勘探设计研究院，1992）。此后，1993年中荷专家共同完成了《山东省沿海地区土地改良可行性研究报告》（欧洲咨询公司，1993）。

1997年，UNDP支持黄河三角洲可持续发展国际研讨会在北京召开，欧洲咨询公司代表弗兰克·科隆先生提出"应用暗管排水系统，控制土壤盐碱化"的建议。同年10月，科隆先生与黄河三角洲保护与发展研究中心杨玉珍主任分别代表荷兰和东营市签署《谅解备忘录》，暗管改碱项目作为首选中荷合作项目列入大会决议，并提出由黄河三角洲保护与发展研究中心负责编制一个暗管排水改良荒碱地工程可行性研究报告。1998年，东营市与胜利油田确定将莱州湾0.4万hm²土地作为实施暗管改碱项目实验区。1999

UNDP 项目国际研讨会在北京召开

年6月,黄河三角洲保护与发展研究中心完成了《关于在我市实施荷兰暗管排碱技术改良盐碱地项目的调研报告》,其附件《关于组建黄河三角洲盐碱地改良工程专业公司的建议书》得到东营市与胜利油田的支持;同年10月,在该调研报告的基础上,东营市、胜利油田与荷兰三方共同出资组建了金川水土环境工程有限公司作为专业的盐碱地改良公司,并开始实施实验区项目前期准备工作。

在实地考察和勘测的基础上,荷兰专家在黄河三角洲推广暗管改碱技术的十几年中,完成了一件重要成果,即在黄河三角洲全面实施暗管改碱工程的研究报告。该报告于1992年由爱凯迪欧洲咨询公司弗兰克·科隆先生组织专家共同完成,这一成果基础资料翔实,对黄河三角洲水盐问题分析透彻,提出了符合三角洲实际的排水标准和设计标准以及根据不同地区的排水布局。

中、荷专家在暗管改碱实验工地

二、黄河三角洲项目区的考察与勘测结果

（一）项目区总体情况

项目区总体情况见表4-2。

表4-2　　　　　　　　　　　　项目区的总体情况

名称	县区	乡镇数目	人口（万人）	农业人口（万人）	面积（万 hm²）	农业面积（万 hm²）	国营农场数目
三号渠北	东营区	15	2.46	1.97	9.37	5.11	2
小岛河	垦利	9	6.29	5.40	6.39	5.12	2
沾利河	河口	8	6.93	5.40	3.82	2.29	1
津港河	利津	10	7.80	7.50	8.02	4.58	0
总　数		42	23.48	20.27	27.6	17.10	5

通过表4-2可以看出，该地区70%～80%的人口从事农业生产，而该地区62%的面积为农业生产保留着。

（二）自然地理条件

1.气候

表4-3列出了基于四个气象站观测数据（小岛、沾利、津港、三号渠北）的该地区的主要气候数据。

表4-3　　　　　　　　　　　　主要气候数据

项目		1月	2月	3月	4月	5月	6月	7月	8月	9月	10月	11月	12月	合计/平均
光照(h)		182	180	220	232	274	257	218	224	224	213	182	169	2 576
相对湿度(%)		63.1	62.1	58.5	57.5	60.1	66.0	80.2	80.9	73.5	70.5	68.0	65.8	67.2
风速(m/s)		5.9	6.4	6.8	7.4	7.3	6.3	5.7	5.1	5.1	5.1	5.7	5.8	6.1
降水量(mm)		5	8	10	28	36	72	182	120	50	34	14	7	566
平均温度（℃）		-3.8	-1.5	5.1	12.5	19.4	23.9	26.1	25.3	20.7	14.1	5.9	-1.2	12.2
蒸腾量	(mm/d)	1.5	2.25	3.2	6.1	6.7	7.1	5.5	5.1	4.3	3.2	2.1	1.4	4
	(mm)	47	63	100	183	208	214	172	157	130	100	64	45	1 483

由表4-3可以看出，该地区夏天多雨，冬天温和，适合于多种形式的农业生产。冬小麦、玉米和棉花是该地区的主要作物。土壤水分蒸发蒸腾量约是降水量的3倍，这意味着大多数作物需要充足的灌溉以保证产量。该地区无霜期为211天。

降雨集中在6~9月这一段时间，多为暴雨。历史上日降雨量最高为90 mm。为防止涝灾，需要精心设计地面排水系统。

2.地形条件

该地区地势相对低平，对渤海的坡度仅为0.11%～0.14%。地面海拔在2~10 m之间。地势的微起伏受到限制。

（三）土壤与地下水

1.土壤及其分布

1997年，UNDP支持黄河三角洲可持续发展项目实施，对东营市的土壤分布进行了分析，根据分析结果，东营市及项目区的土壤主要分为以下几类：

湿土：主要是沿河边的冲积堤的土壤；

盐性湿土：主要是冲积盆地内的土壤；

滨海盐性土质：海底沉积物（称为海岸土）。

除了湿土以外，其他土壤都含有较高的盐分和地下水位。各种土壤的特性可以总结如下。

(1)湿土（冲积堤土壤）。

面积：219 000 hm²，占总面积的28%；

结构：粉沙壤土（50%细壤土，10%沙土）。

根据地图及卫星图片，该种类的土壤大部分已经得到耕种。由于这种土壤结构相对较为松散，经过雨水多次淋洗后基本上不含盐分。它们的地面高程和地下水位都低于临界高度，很少有次生盐碱化发生。

(2)盐性湿土（冲积盆地土壤）。

面积：281 700 hm²，占总面积的36%；

结构：粉沙土（10%~15%细沙，85%粉土，5%的黏土）。

这种土壤结构的土地大部分没有被耕种。地下水位在2 m以下，易形成二次盐碱化。土壤的盐度不相同，但大体上在0.2%~2%之间（EC_e=8~80 ds/m）。在种植作物之前必须对土壤进行淋洗。可排水的空隙度在10%左右。

(3)滨海盐性土质（海底沉积物）。

面积：281 700 hm²，占总面积的36%；

结构：该土质具有相当一致的颗粒分布，也可归类为粉壤沙土（60%~80%的颗粒在0.05~0.01 mm之间）。

土壤的盐度极高，一般高于2%（EC_s=80 ds/m）。可排水的空隙度在5%左右。

这几种土壤在东营市及项目地区的分布情况见表4-4。

表4-4 东营市及项目区土壤结构分布

东营市			项目地区不同土壤结构比例（%）				
土壤结构量	占总面积(%)	面积(hm²)	地区1	地区2	地区3	地区4	总面积
湿土	28	219 000	19.5	11.3	7.5	36.1	22.2
盐性湿土	36	281 700	29.6	41.8	43.9	44.4	38.9
滨海盐性土质	36	281 700	51.0	46.9	48.6	19.5	38.9

从表4-4可以看出，在当前条件下，东营地区有28%的面积(湿土地区)适合于农业生产。而在所有的项目区中，湿土只占很小的比例。

2.土壤含盐量

土壤含盐量是以百分比表示的（盐g/干燥土壤100 g）。对于土壤结构而言，假设土壤百分比转化为以ds/m为单位的浸润提取物的导电性的比率为40（欧洲咨询公司，1985）。

1997年根据卫星扫描得出东营市的土壤含盐量分布图，在此基础上对东营市及项目地区的土壤盐分进行划分，见表4-5。

表4-5中数据只对上层20 cm的土壤有效，下层的土壤含盐量在总体上要更高一些。实践表明，等级为0、1的土壤可以种植作物，并能实现全部的生产潜力。等级为2的土壤只适合于种植棉花。其他各类土壤则不可能生产任何东西。就东营地区来讲，

这意味着50%的地区因盐分过高而不适宜种植。

表4-5 土壤盐碱度分布

等级	土壤盐分		东营市		项目地区不同等级土壤比例（%）				
	(%)	(ds/m)	(hm²)	(%)	地区1	地区2	地区3	地区4	总项目面积
0	<0.1	4.0	216 750	27.7	19.9	8.2	8.2	31.5	20.3
1	0.1~0.2	4~8	151 021	19.3	17.7	23.5	30.7	19.7	21.2
2	0.2~0.4	8~16	111 113	14.2	25.1	20.4	10.3	3.1	14.3
3	0.4~0.8	16~32	21 127	2.7	8.8	9.5	4.8	1.2	5.6
4	0.8~2.0	32~80	176 843	22.6	14.4	26.6	27.7	20.1	20.4
5	>2	>80	105 636	13.5	14.7	11.8	18.3	24.4	18.2
总计			782 490	100	100	100	100	100	100

3.项目区土壤结构和渗透系数

为获得初步的参考数值，在项目区的48个地点进行了土壤结构和渗透系数的检测（钻孔法）。实验点在项目区的分布见表4-6。

表4-6 项目区调查点的分布

地区	实验	1	2	3	4	总数
数量	22	10	5	3	8	48

具体结果总结如下。

1)土壤结构

所有的土壤都具有壤土结构。

一般来说顶层1.5 m的土壤层为粉壤土、黏壤土和黏土的混合。而下面的1.5 m则为粉壤土或沙壤土。

在大部分的纵断面中，粉壤土和／或沙壤土是1.5 m以下的主要土壤结构。这些层面一般来说不稳定，在此高度以下所钻的孔一般都发生塌陷。这也证实了在田地所看到的现象，即深于1.5 m的排水沟的边坡一般都塌陷了，同时也说明明沟（1.5~2.5 m深）挖起来将很困难，维护费用将很昂贵。

2)渗透系数

渗透系数不尽相同，差别很大，但总的来说，排水沟深度1.8 m以上的层面为1.5~2.0 m/d，此深度以下的为0.5~1.0 m/d。应该指出的是，这些估计只是在有限的数据的基础上做出的，将来还需要进一步的验证。

4.地下水深和地下水矿化度

基于1986年的土壤地图的地下水水深和矿化结果总结见表4-7和表4-8。

如表4-7和表4-8所示，50%左右的项目区和55%左右的东营地区的地下水水位在临界高度以上，这就意味着毛细上升作用可导致再次盐碱化。至少65%的东营地区和75%的项目区的地下水矿化程度很高，高度的矿化再加上毛细上升作用将导致严重的二次盐碱化。

表4—7   地下水深等级分布

等级 (m)	东营市		项目地区各等级比例（%）				
	(hm²)	(%)	地区1	地区2	地区3	地区4	全项目区总数
<1	50 079	6.6	10.6	0	0	8.9	6.7
1~2	244 137	32	37.2	21.5	11.6	31.5	28.7
2~3	264 482	34.7	46.6	57.1	43.7	15.1	36.7
3~5	190 145	25	5.6	21.4	44.7	42.0	27.0
5~7	12 520	1.7	0	0	0	2.5	0.9
总计	761 363	100	100	100	100	100	100

表4—8   地下水矿化度分布

矿化度 (g／L)	东营市		项目地区各矿化度比例（%）				
	(hm²)	(%)	地区1	地区2	地区3	地区4	全项目区总数
<0.5	19 562	2.5	0	0	1.3	0	0.2
0.5~2	94 681	12.0	12.0	1.9	17.1	7.7	9.7
2~5	146 326	18.5	59.3	13.6	16.5	9.6	28.2
5~10	110 331	14.0	9.6	19.7	10.1	13.9	12.7
10~30	211 272	26.7	8.5	58.4	51.0	46.7	36.3
>30	208 142	26.3	10.6	6.4	4.0	22.1	12.9
总计	790 314	100	100	100	100	100	100

三、项目区排水问题分析与解决方案的设定

（一）简介

1.问题分析

制约东营市和整个黄河三角洲地区农业可持续和集约化发展的主要问题有土壤含盐量高、地下潜水位高、灌溉水和／或淋洗水缺乏、由暴雨引起的洪涝灾害等。

这些现象是由以下的因素引起的：地下水盐分含量高、地下水与海洋相连（近海地区）、自然排水不足、地表排水不足、黄河水流的影响。

2.解决方法

与盐分和洪涝有关的问题可以通过以下的途径解决：改良和／或改善主排渠和田间排水沟，初步淋洗以及合理的水管理。

主排渠在原则上也可把项目区之外的暴雨积水排到海里。

田间排水沟将发挥以下的功能：①降低地下水位到临界高度以下，这样可以防止地下盐水通过毛细作用而上升；②加速初步淋洗的进行。

与水资源缺乏有关的问题只有通过以下途径解决：①规划管理黄河水的抽取，使水资源平均分布；②修复整顿抽水站和水渠，增加水库蓄水量，寻找能在大水期从黄河分水的方法（如果技术上可行的话）。

3.项目目标

项目要解决129 700 hm²土地因含盐量高和洪涝引起的问题。由水资源缺乏引起的问题的解决依赖于整个水资源的分配计划，不在本项目的范围之内。

（二）主排系统

1.排水能力

根据降雨量可以决定是否需要排水系统以及在可行的地方进行应用。总的来讲,其设计原则如下：

(1)暴雨积水的抽排是按5年一遇洪水标准设计的（抽水站）；

(2)防洪是按20年一遇洪水标准设计的（排水沟的横断面）。

2.水位

按5年一遇洪水标准,主排渠的自由板为0.5 m左右,这样一来,主排渠的底部高程大约为0.5 m。排水口处的地面大约为2 m+s.m.l,当水充满水沟时的水面高程为1.5 m（底部高程则在2 m或2 m以下）。再考虑到渤海的潮流,只有一小部分的积水可以通过重力作用而被排出,要想全部排出的话就要用到抽水机。以渤海最高潮位为标准,抽水机的设计抽水高度应为4 m+s.m.l。

（三）建议的田间排水沟的设计标准

1.简介

在设计田间排水沟的尺寸时,必须计算出需要排出的水流及排水沟的深度。它们是设计标准的基本组成部分。

2.排水系统的不同标准

排水的设计标准应为：没有高地下水位和次生盐碱化发生,土壤经初步淋洗后,以上变化不会再造成减产。

对于项目区来讲,要达到以下的标准：

(1)在灌溉和降雨期,水位要低于地面至少1 m。

(2)在灌溉和降雨期之外,水位要在临界高度左右（2~2.4 m）。

(3)暴雨过后应在4~5天之内使地下水位降到地面以下0.4~0.5 m。

设计排水系统的一个重要参数是排水沟的深度。作为一个理论与实际技术成本所允许的可能性相妥协的结果,本项目选择了了2 m。

3.排水系统的标准

根据黄河三角洲的条件和排灌要求制定了以下的排水标准。

排水沟的深度为2 m,则排水系统的排水能力应为：沿海地区2.6 mm/d,内陆地区4 mm/d。排水沟的深度略微高于临界高度是否可行,还有待于验证。

（四）设计标准

1.排水管间距计算参数

设计标准主要是由排水标准和土地条件决定的。土地条件主要指土壤断面的堆积与渗透系数（K）,这些都要在实地测定。具体的技术方案见第五章。

2.要求的排水管道间距

利用Kirkham—Toksoz静态排水公式,以排水沟的深度2 m为基础可以算出所需的排水沟间距。

计算结果总结如下：沿海地区的排水沟间距为70 m；内陆的湿土地区间距可选择100~125 m。

3.结论

通过比较排水沟间距的计算结果及四个项目区的横断面和土壤调查的结果,可以推算出需要不同的排水沟间距的土地面积。必须注意的是,这只是在有限的数据基础上所能得到的最好推算。预算的面积见表4—9。

表4—9   不同排水沟间距的预计面积

排水沟间距	不同排水沟间距的面积（hm²)			
	内陆	内陆	沿海	总计
	125 m	100 m	70 m	
1	0	41 500	10 000	51 500
2	12 300	0	12 000	24 300
3	5 000	5 000	9 100	19 100
4	25 300	0	9 500	34 800
总计	42 600	46 500	40 600	129 700
百分比(%)	33	36	31	100

(五) 管理水资源以控制盐碱度

1.简介

项目区的灌溉应用跟其灌溉要求本身就很相符,因此不需要对项目区内的灌溉实践做大的变动。

但是为了能使农业生产获得持续稳定的高产,现有的灌溉实践应与盐碱控制的要求相适应。

为了判断是否需要改变水的管理方法以与盐碱控制相适应,在淋洗出土壤中的盐分、开始正常的农业耕种后,我们模拟了该地区的土壤盐碱平衡(排水管道深为2 m,作物布局为小麦／玉米和棉花)。

在同一个模拟中还检验了三种不同的土壤群:

(1)是否真的需要排水系统;

(2)传统的排水系统是否够用 (间距为500 m);

(3)密集地下排水系统在标准灌溉程序下是否能满足盐碱控制的需要。

需要注意的是,计算结果只是对现实的模拟,在没有对实际地块精确的校正的情况下,结果并没有绝对的价值。所以,计算结果只能被认为在总体上有一定的意义。

2.结果

从该模拟的结果可以得到以下的初步认识:

(1)沿海地区如果没有地下排水系统就不可能种植农作物。

(2)在内陆盐碱地区如果采用间距为500 m的明渠排水系统,则小麦和玉米的产量都将很低,棉花的产量将受到更大的限制。

(3)如果在内陆盐碱地区建设地下排水系统,则作物的全部产量将得到保证。

(4)在内陆非盐碱化的地区 (湿土质)不需要地下排水系统来改良土壤。

3.预计产量结果的量化

不同的排水条件下预计的作物产量见表4—10。

表4-10　　　　不同排水条件下预计的作物产量（占最高产量的百分比）

土壤条件	沿海地区		内陆盐碱地		内陆非盐碱地	
面积(hm²)	45 080		84 620			
作物	棉花	小麦、玉米轮种	棉花	小麦、玉米轮种	棉花	小麦、玉米轮种
现在没有排水系统的情况（%）	0	0	0	50/30	100	100/90
将来没有排水系统的情况（%）	0	0	30	90/60	100	100/90
将来建有排水系统的情况（%）	100	100	100	100	100	100

4.结论

对于沿海地区来讲地下排水系统是必需的，没有该系统则作物不可能生长。

对于内陆盐碱地来讲，如果想维持现有的灌溉范围，地下排水系统也是基本上必需的。

对内陆非盐碱地来讲，则不需要排水系统来降低含盐量。

（六）初步淋洗

1.简介

含盐量高于临界值的土壤，首先必须使其盐分降低到一个可以接受的程度，然后才能种植作物和实现盐分的平衡。这就要通过初步淋洗。对于含盐量为2级或更高的土壤来讲，初步淋洗是必需的。用于淋洗的灌溉水位可以自地面下然后逐步地降低到排水沟底部，当水位下降到2 m以下时，距地表1 m深土层的土壤含盐量可降低到EC_e的6 ds/m(-0.15%)。

初步淋洗首先把水引入田地，并让它淹没土地，然后再让其渗透到排水沟排出。这样一来，盐分就被洗去并随水通过排水沟排出。

顶层20 cm的土壤一旦被淋洗掉盐分，就可以首先种植水稻，在水稻生长过程中通过稻田里的水还可以再进行渗透淋洗。

在淋洗过程中如果地下水位低于临界高度，水无法流出去的话，就会因毛细作用而发生再次盐碱化。排水系统的建立可以限制这种情况的发生，但也不可完全不加以考虑。

2.模拟结果

为了得到淋洗所需要的水量和时间，我们模拟了初步淋洗的进程，从模拟的结果可以得到以下结论：

(1)初步淋洗必须有排水系统。

(2)沿海地区在有排水系统的情况下，大约需要2年的初步淋洗才能种植作物。

(3)在内陆盐碱地区初步淋洗也需要2年时间。

(4)在第一年的初步淋洗中，可以种植水稻，其产量大约为50%（预计产量）。在淋洗的第二年水稻的产量可以达到100%（预计产量）。

3.长期种植水稻的结果

在当前没有排水系统的情况下，部分沿海地区也在种植水稻。水稻灌溉水的渗透在一定程度上起到初步淋洗的作用。如果这一作用持续多年，就可以达到完全淋洗。这一作用可以采用计算机模型进行模拟。模拟结果显示，2 m以上的土壤平均含盐量在第一年中逐步减少，一般保持在EC_e=10~15 ds/m；1.6~2 m这一层面的含盐量的减少与平均减少量相一致，但其含盐量要更高一些，一般保持在 EC_e =20 ds/m 左右。

然而淋洗的结果并不是永久的，比如说，如果停止灌溉（水稻种植）10 年后，则将很快发生次生盐碱化，其结果是在其后 1~2 年内所有的淋洗结果将不复存在。

也就是说，没有排水系统就不会有稳定的无盐条件。

（七）排水方法的选择

有很多的排水方法可实现盐分的控制和初步淋洗。其中三种主要的排水方法为明沟排水、暗管排水和井排水。

原则上讲，这些方法都是行之有效的。项目区的田间排水系统选择了暗管排水，这主要是因为：

(1)深于 1~1.5 m 的明渠边坡易塌陷，且其修建和维护的费用都比较高。

(2)采用明渠排水方法，土地流失较多，进而产生减产和单位面积的高投入。

(3)井排的排出水含盐量很高，不适宜于再灌溉，并且井排系统建设和操作的费用都比较高。

因此，对于东营市来讲，在成本上暗管排碱是最适宜的排水方法。

（八）暗管排水系统布局的选择

1.现有基本布局

现有的基础设施的布局凌乱而不标准。图 4-14 是规划或现有的基本布局。沿支排沟有一条路可以通到地里。这种布局的田地基本上长为 500 m。

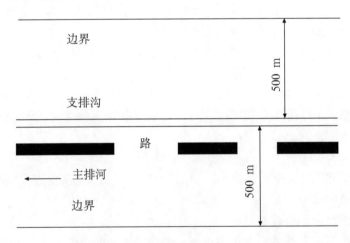

图 4-14　明沟系统基本布局

2.暗管排水系统的备选布局

根据现有的明沟排水系统的布局，考虑了暗管排水系统的几种布局方案。一开始排水系统是选择 500 m × 500 m 或 25 hm² 为基本单位。为了进行比较，同样研究了一明沟排水系统。图 4-14 是明沟系统基本布局(数字指的是图 4-14 中的设计)。

1)通向深二级排水沟的综合重力排水系统

该布局是 250 m 长的与二级排水沟相平行的暗管系统。暗管把水排入 500 m 长的集水管中再排入加深的二级明沟中。

2)排入浅三级排水沟中的带抽水泵的系统（两种选择）（PCOMT）

该布局是与二级排水沟相平行的 250 m 长的暗管系统。暗管把水排入 2 × 500 m 长的集水管中，再由抽水泵把水抽到浅层三级排水沟中。

3)带抽水泵的综合排水系统（PCOMP/25，PCOMP/50）

该布局是与二级排水沟相平行的 250 m 长的暗管系统。暗管把水排入 500 m 长的集水管中，再由此排入靠近二级排水沟的集水池中，然后再由抽水泵把水从集水池中抽到没有加深的二级排水沟中（25 hm²）。

集水管的顶端相互交叉，因而可以把它们接在一起，这样可以节省抽水泵与集水池（50 hm² 一个）。

4)带抽水泵的扩展的单一综合排水系统（PEXSIN/50）

该布局包括 500 m 长的暗管系统，暗管把水排入与二级排水沟相平行的集水管。集水管每隔 500 m 就有带有抽水泵的集水池。抽水泵把水抽到不加深的二级排水沟中。两边的抽水泵也可以合在一起。

3.选择排水系统布局的标准

选择最适宜的排水系统的布局应基于以下几点：可能的技术水平、成本分析(包括建设成本、运行成本如抽水泵的修复等、维护费用）和因土地流失而造成的减产。

4.技术选择

1)明沟排水系统

明沟排水系统并不是一个适宜的解决方法。它每隔100 m要挖一个顶部宽度为20 m深的明沟（土地流失>20%），这就需要建桥等。另外，维护不稳的土壤构成的深明沟费用太高，根本无法承受；而如果它得不到很好的维护，系统就无法正常工作。因此，该系统不被选择。

2)重力系统

该系统需要深的二级明沟和维护很好的深主排渠，其水位大体应在2.7 m左右。考虑到地下土壤不稳定，该系统从实际上来讲是不可行的。因此，所有的重力系统都是不可取的。

3)带抽水泵的系统

从技术角度来讲，带抽水泵的系统都是可行的。有一个例外是扩展单一系统，该系统排水管间距为125 m时，其排水沟直径不能承受足够的水流。因此该系统是不可取的。

沿海地区的综合系统中的暗管在其间距为200 m时可以处理更多的水。为了更经济地利用该地区的排水能力，计划在该地区的管道间距为320 m（可节省700万元左右，主要是抽水泵的费用）。

这样该地区的一个基本单位就是35 hm²而不是25 hm²。

5.最低费用分析

表4-11是建设费用（包括耕地补偿费）、运行及维护费用和总费用，并与明排系统进行了比较。其费用如下：

安装费用：实际费用将在第七章中进行精确的计算；

明沟的建设费用：3.5元/m；

表4-11　　　　　　　　　不同排水系统的费用比较　　　　　（单位：元/hm²）

代码	描绘	建设费用（耕地补偿费）			运行及维护费用			总费用		
		70 m	100 m	125 m	70 m	100 m	125 m	70 m	100 m	125 m
OP	深明沟 土地流失	9 660 (1 275)	6 975 (915)	5 625 (735)	3 750	2 775	2 265	13 410	9 750	7 890

暗管排水系统内陆地区（排水能力4 mm/d）
重力排水系统

代码	描绘	70 m	100 m	125 m	70 m	100 m	125 m	70 m	100 m	125 m
GRSIN4	排到三级深排水沟的单一系统 土地流失	3 915 (255)	3 315 (240)	3 195 (240)	1 260	1 155	1 095	5 175	4 470	4 290
GREXSIN4	排到二级深排水沟的扩展单一系统 土地流失	2 820 (69)	2 310 (69)		810	705		3 780	3 015	

带抽水泵的排水系统

代码	描绘	70 m	100 m	125 m	70 m	100 m	125 m	70 m	100 m	125 m
4/50	PCOMP 排到二级浅排水沟的综合系统（每50 hm²一台抽水泵）	3 315	2 730	2 565	765	675	600	4 080	3 405	3 165
PEXSIN 4/50	排到二级浅排水沟的扩展的单一综合系统（每50 hm²一台抽水泵）	3 375	2 715		735	630		4 110	3 345	
PCOMP 4/25	排到三级浅排水沟的综合系统（每25 hm²一台抽水泵）	3 810	3 210	3 075	1 035	945	885	4 845	4 155	3 960

暗管排水系统，沿海地区（排水能力2.6 mm/d）
重力排水系统

代码	描绘	70 m	100 m	125 m	70 m	100 m	125 m	70 m	100 m	125 m
GRSIN 26	排到三级深排水沟的单一系统	3 645	3 045	2 955	1 140	945	975	4 785	4 080	4 230
GREXSIN26	排到二级深排水沟的扩展单一系统	2 625	2 310	1 965	810	705	660	3 435	3 015	2 625

带抽水泵的系统

代码	描绘	70 m	100 m	125 m	70 m	100 m	125 m	70 m	100 m	125 m
PCOMP 26/5	排到二级浅排水沟的综合系统（每50 hm²一台抽水泵）	2 940	2 370	2 100	645	540	495	3 585	2 910	2 730
PEXSIN 26/50	排到二级浅排水沟的扩展单一综合系统（每50 hm²一台抽水泵）	2 865	2 445	2 190	630	525	510	3 495	2 970	2 700
PCOMP 26/2	排到三级浅排水沟的单一综合系统（每25 hm²一台抽水泵）	3 165	2 745	2 580	840	750	750	4 005	3 495	3 330

付给农民的补偿占地所造成农业损失：3 000 元/hm²；

土地流失作为额外建设费用：5 865元/hm²（由明沟的开挖而造成的土地流失）。在带有抽水泵的系统中占地为0。

下面对沿海地区和内陆地区的建设费用进行计算。每个系统都有不同的排水要求和管道直径。其结果如表4-12所示。

表4-12　　　　　　　　　　　　不同间距的田间排水管的直径

间距(m)	长度(mm)	灌溉面积(hm²)	沿海地区		内陆地区	
			水流流量(m³/d)	直径(外部直径)(mm)	水流流量(m³/d)	直径(外部直径)(mm)
70	320	2.45	63.7	91(100)		
110	210	2.5			100	91(100)
125	200	3.1			124	113(125)

注：排水沟的坡度为0.5‰。

从表4-11中可以看出，带有抽水泵的综合系统是最为经济的系统之一。该系统费用比扩展单一系统和综合扩展系统要稍微高一些；后者对于间距125 m的布局来讲是不实用的，因而在该项目中没有选择。

明沟系统除了技术上不可取外，修建和维护费用都比较高。另外，选择带有抽水泵的综合系统的原因还包括两点：

(1)该系统可独立于水沟的维护之外而发生作用；

(2)即使主干排水系统没完成，该系统也可发生作用。

6.结论

从以上分析可以看出，带抽水泵的综合系统不论在技术方面还是在经济方面都是比较理想的，并且可以得到很好的维护。沿海地区的系统做了一些改动，以便能更好地利用暗管的排水能力。

（九）排水管道直径

1.简介

从总体上来讲，黄河三角洲地势比较平坦。由于没有详细的资料，从最坏的方面来考虑，假设这里没有自然的斜坡以便计算所需要的排水管道的直径。为使水流出，暗管的坡度最小应为0.5‰。

2.田间排水管的直径

该布局所需要的田间排水管的直径见表4-13。

表4-13　　　　　　外部直径为125 mm和200 mm、坡度为0.5‰的集水管数量

间距(m)	125 mm集水管		200 mm集水管	
	沿海	内陆	沿海	内陆
70	2		7	
110		0.9		5
125		<1		4.5

3.集水管

假设集水管的直径分别为125 mm和200 mm（外部直径），那么特定直径的集水管就可以连接一定的田间排水沟。表4-13是这些集水管可连接的田间排水沟的数量。

该排水系统是基于高地作物能够生长的最基本要求的。一旦种植了水稻或进行了初步淋洗，由于水头压力得到提高，水力传输坡度增加，排水能力将得到进一步的提高。

4.排水管道平面

排水管道平面及排水沟的直径是决定安装要求和设备的主要参数。设定田间排水管的深度为2 m，坡度为0.5‰，那么就可以计算出与田地平面相关的排水管道平面。其

结果见表4-14。

表4-14　　　　　　　　　　内陆和沿海地区排水管的水平面　　　　　　　　（单位：m）

排水沟		长度	起始端水平面	末端水平面	排水中的最低点
田间排水沟	沿海	310	−1.89	−2.11	−2.31(底部集水管)
	内陆	210	−1.92	−2.08	−2.28(底部集水管)
集水管	沿海	500	−2.31	−2.66	−2.90(底部积水池)
	内陆	500	−2.28	−2.63	−2.83(底部积水池)

注：水平面和最低点数据是相对土地水平面的数值。

（十）排水材料及安装设备

排水材料和高效安装的设备对于选定的排水系统的实施是必需的。在这里只讨论个别的排水系统的设备。

1.排水管

建设排水系统需要聚氯乙烯（PVC）波纹管，这种波纹管在世界上已经得到广泛应用，并被证明是有效的。国内新疆、黑龙江、宁夏等地也尝试使用该管材，并得到良好的效果。它的成本与聚丙烯PE管材相比要便宜。

该项目中的管道的直径（外部）要求如下：田间管直径110 mm、田间管和集水管125 mm、集水管200 mm。根据当前的研究，80 mm的管道是不需要的，但在将来某些具体的设计中，该直径的管道也有可能是经济的、实用的。

管道生产应遵循NEN（KOMO）或DIN或ISO或ASTM标准。

管道的运输距离如果超过100 km就是不经济的，因而它们应在东营市或其周围地区生产，这就需要建设一条专门生产线。

2.管道铺设机械

铺设选定的带抽水泵的扩展单一排水系统和综合系统所需的设备如下：①能埋深度为2.7 m的田间管和集水管；②挖沟宽度为30 cm的并装备有可准确切割管道的激光的挖沟埋管机。

3.排水管道维护设备

为维护暗管需要管道冲洗设备，该设备能冲洗的长度为320 m（中等压力）。

4.管道滤料和应用

黄河三角洲的土壤大多为粉壤土，排水管道都需要过滤材料。现在最常使用的滤料是石子，但在当地来源较少，而通过300 km运输其成本太高无法承受。因此，需要寻找另一种能预先包在管道周围的过滤材料，实验区进行了这方面的实验。

考虑到项目区的土壤特性，一种合成聚丙烯材料是比较可行的。测验将主要集中在该材料上，但又不能只限制在它上面。该聚丙烯材料的具体属性为：17DETEX和100~200DETEX的线的混合物；纤维长度为60~90 mm。经过检测后，该过滤材料就可在管道生产工厂被包裹到管道上。当然，这就需要特殊的包裹设备以与所选择的过滤材料相适应。

在项目的开始几年中还要用石子或沙子做滤料，这之前要对使用的沙子进行分析，看其是否符合具体地区的土壤特性。在机械上，需要使用滤料拖车将沙子装到挖沟埋管机上，再填埋到管子的四周。当然这将只需要2~3年的时间。

(十一) 结论

从以上的分析中可以得到以下的结论,即项目区的高地下水位、高土壤含盐量和洪涝灾害可通过以下方法得到解决:

(1)改善与扩大主排渠系统;

(2)在主干排水沟的出口处建设有足够抽水能力的强排站;

(3)在沿海盐碱土壤和盐碱湿土地区安装暗管排水系统,在综合系统中暗管的间距为70~125 m;

(4)在1~2年中利用水稻的种植进行土壤的初步淋洗。

四、黄河三角洲项目区效益分析

(一) 经济效益

1.项目投入产出比及内部收益率

表4-15是项目的投入产出比分析。成本分为(最初的)投资和(重复)的操作及维护费用。下面计算的是三种不同的项目收益。

1)对现有的农田有好处

农田上已经有灌溉和地面排水系统,现在又加上地下排水系统,提高了土地质量。在这一范围内有两种不同的土地质量:一般产量地区 (盐分值为1和2) 和低产地 (盐分值为2)。原本预计在一年内建设成,但实际却拖延了两年,尽管一直在种植,但因为盐分没有被完全从土壤中淋洗出来,不能取得预期的增加产量。系统建成3年后,可以实现潜在的生产力。

2)把非农田改良成农田的收益

通过建设水控制结构,即主排河道、支排系统、暗管和田间排水系统等,可以把非农田改良成农田。据估计,在项目区需要一年的时间完成该项建设,接着可以种植两年的水稻以进行初步淋洗。两年后可以在该地区种植其他的作物。正如本书所提到的,水稻每公顷的收益对于农民来讲是很有吸引力的,如果有足够的水资源的话,即使是其他的非水稻作物在高复种指数的种植情况下有更高的收益,农民还是愿意种植水稻。这个项目的一个重要组成部分就是要把那些多年来一直在种植水稻的土地转换成种植其他的作物。由于水稻需水量特别大,这样一来就可以把节省下的大量水资源用于以下方面:从现在不用的土地中淋洗出盐分,以加快土地改良的步伐;通过减少水稻的种植数量把水资源用于灌溉旱地作物。因为上游的用水量在逐渐增加,三角洲可用的灌溉水量就在逐渐减少,这样就使这一问题变得相当重要。

3)防洪的收益

对于通过排水系统改良土地来讲,这是附加效益。虽然最近几年洪水的危害在逐渐减少,但正如上面所解释的,每年平均起来仍有6 423 hm²的土地因洪水而颗粒无收。表4-16是避免这种损失的价值。

必须注意的是,这里所计算的收益是增加的收益,即因为修建了排水系统而带来的农业生产产量的额外增加。在这里所看到的数值不是农业总产量,而是增加的产量。

但是,我们必须注意,项目区的大部分地区已经开始耕种。即使没有修建暗管排水

表4—15　暗管改碱项目成本／收益分析

时间		第1年	第2年	第3年	第4年	第5年	第6年	第7年	第8年	第9年	第10年
年份		2000	2001	2002	2003	2004	2005	2006	2007	2008	2009
成本(投资)											
主排系统	千元	48.000	0.000	77.082	125.000	76.00	40.000				
支管系统	千元	28.080	0.000	28.080	28.080	28.080	28.080				
暗管排碱系统	千元	1.847	9.777	12.963	22.693	35.656	48.618	51.852	51.852	51.852	51.852
维护设备	千元	0.000	0.000	10.000	11.000						
培训与监控	千元	0.000	0.000	5.000	0.000	2.500	2.500				
不可预视	千元	7.608	0.000	12.016	16.408	10.658	7.058				
小计	千元	85.535	9.777	145.141	203.181	152.894	126.256	51.852	51.852	51.852	51.852
田间工作	千元	0.000	12.664	12.664	12.664	12.664	12.664	12.664	12.664	12.664	12.664
投资小计	千元	85.535	22.441	157.805	215.845	165.558	138.920	64.516	64.516	64.516	64.516
成本(运行与维护)											
主排系统	千元	1.886	1.886	4.914	9.825	9.825	9.825	9.825	9.825	9.825	9.825
水泵	千元	1.515	1.515	3.947	7.892	7.892	7.892	7.892	7.892	7.892	7.892
支排系统	hm²	0.600	1.045	2.090	3.134	4.179	4.179	4.179	4.179	4.179	4.179
暗管排碱系统	千元	0.055	0.342	0.722	1.387	2.432	3.858	5.378	6.898	8.419	9.939
运行与维护小计	千元	3.456	4.788	11.673	22.238	24.328	25.754	27.274	28.794	30.315	31.835
总成本	千元	88.991	27.229	169.478	238.083	189.886	164.674	91.790	93.310	94.831	96.351

续表 4-15

收益

时间		第1年	第2年	第3年	第4年	第5年	第6年	第7年	第8年	第9年	第10年
年份		2000	2001	2002	2003	2004	2005	2006	2007	2008	2009
项目实施的产量增加											
1、2级	hm²	0	0	0	2.78	7.648	12.596	25.725	36.847	47.969	59.091
	千元	0	0	0	751	2.065	4.13	6.946	9.949	12.925	15.955
2级	hm²	0	0	0	1.035	2.846	5.693	9.574	13.713	17.853	21.992
	千元	0	0	0	2.029	5.583	11.166	18.779	26.898	35.017	43.136
水稻(淋洗2年)	hm²	0	601	3.73	3.91	10.757	21.515	36.184	51.828	67.471	83.115
	千元	0	0	0	1.499	3.767	6.164	8.903	10.644	10.956	10.956
旱地作物	hm²	0	1.826	11.335	13.672	11.448	18.732	27.056	32.256	33.295	33.295
	千元	0	0	0	601	3.73	5.1	7.497	1.264	16.4	21.878
小计	hm²	0	0	0	2.01	12.473	17.054	25.07	37.666	54.841	73.159
	千元	0	1.826	11.335	20.627	37.524	62.994	97.884	135.463	173.46	211.561
防洪收益	hm²	0	0	0	280	560	830	830	830	830	830
	千元	0	0	0	894	1.787	2.649	2.649	2.649	2.649	2.649

续表4—15

时间		第1年	第2年	第3年	第4年	第5年	第6年	第7年	第8年	第9年	第10年
年份		2000	2001	2002	2003	2004	2005	2006	2007	2008	2009
项目实施后的产量增加		0	1.826	11.335	21.521	39.311	65.643	100.533	138.112	176.109	214.21
项目不实施的产量增加											
自然淋洗											
平均产量土地	hm²	22.864	22.864	22.864	22.864	22.864	22.864	22.864	22.864	22.864	22.864
每公顷增加收入	元	39	79	120	162	205	248	292	337	383	430
整个地区增加收入	千元	0.899	1.816	2.751	3.704	4.677	5.67	6.682	7.714	8.767	9.481
每年低产田收入	hm²	61.816	61.816	61.816	61.816	61.816	61.816	61.816	61.816	61.816	61.816
增加收入每公顷	元	28	57	87	117	147	179	211	243	276	310
整个地区增加收入	千元	1.752	3.539	5.326	7.221	9.118	11.052	13.025	15.038	17.091	19.185
项目不实施的产量增加		2.651	5.355	8.113	10.926	13.795	16.722	19.707	22.752	25.858	29.026
项目实施增加的收益		-2.651	-3.529	3.22	10.595	25.516	48.921	80.526	115.36	150.251	185.184
增加的净收益		-91.668	-30.757	-166.256	-227.488	-164.371	-115.753	10.964	22.05	55.42	88.833
内部收益率	12%										
考虑通货膨胀在8%时的收益	14%	97.541	11.145	165.461	231.626	174.299	143.933	59.111	59.111	59.111	59.111

系统,只要有灌溉水,那么土壤的盐分就会逐渐降低(如果土地地势比较高的话;如果土地的地势低洼,那就很有可能发生再次盐碱化)。在该分析中,先假设项目中的所有"内陆盐碱地"在灌溉后的盐分会逐渐降低,尽管降低的速度比更好地利用暗管排水系统要慢一些(这只是一个大体的假设,因为并不是所有地区的地势都那么高)。在项目的收益预算中减去了那些不实施项目也可以进行盐碱化控制的地区。

投入产出是按25年的时间计算的。表4-16显示的是15年的数值,而15～25年这一段时间的变化较小。由于假设内陆盐碱地在有灌溉水的情况下即使没有实施项目也可以发生自然淋洗,这样项目活动带来的产量的增加就相对较小,所以项目的投入产出比并没有改变。

从"实施项目后的产量增加"减去"无项目时的产量增加"就是"项目带来的增加的收益",这代表着将来因项目的实施而促进的灌溉与将来(而不是现在)这些项目活动没有实施所造成的差别。

从项目收益("项目增加收益")中减去项目的成本("总成本")就是"项目的净增加收益",这代表项目的纯收益,包括全部的项目成本和全部的项目收益。根据净增加收益流,再加上这里的假设,可以得到整个项目的内部收益率为12%。这是可以接受的而并不太高的值。不是太高的原因是启动成本很高,而更重要的是收益的积累性。

2.对复种指数的敏感度

表4-16是按与表4-15相同的计算得到的不同的结果。其中第一个方案是"基本方案"。

第二个方案与它相同,只是排除了没有实施该项目也可自然发生土地改良的情况。一些土地即使在没有上实施项目的情况下也可明显地发生,但这里的量化比较粗糙。较高的内部收益率15%就表示,相对于基本方案这一不确定的数值已经留有余地了。

在第三个方案中,减去了主排河的成本,内部收益率增加到23%,这表示一旦主干排水结构建好后投资所带来的收益。

在第四个方案中没有计算田间工作,内部收益率为14%。之所以这样计算是因为考虑到有关水利部门并不为田间工作支付开支。因为这些只占总成本很小的一部分,所以它们所造成的差别很小。

第五种方案是当农民需要支付地下排水系统和田间工作(也就是说在他们的田地里的一切设施)以及额外的整个系统的维护费用(不仅是田地里的设施维护,还包括整个主干排水沟、抽水泵、二级排水系统和暗管排水系统等)时他们投资的收益,内部收益率为28%。这种方案对于农民很有吸引力,并且从理论上来讲,农民可以为整个系统的运行支付排水费用。就产量增加的形式来看,这样做还是很好的。

农民们能为排水系统支付多少钱这个问题,从理论上讲取决于农民可以从排水系统中取得多少产量的增加值;而在实际上这还要取决于其他的因素,比如每户家庭需要担负的成员人数(这将决定有多少的作物可以转化为经济作物在市场上出售)和其他的收入来源。因为在这里没有分析整个农业生产的情况,而只是分析了修建排水系统的收益,所以没法判断农民实际经济状况和究竟愿不愿意自己支付暗管的费用。但下面的情况确实存在:大多数的农民有其他的收入来源,至少有家畜养殖收入。对于盐碱度在二级或

表4—16　　不同方案的项目收益表

项目年份	1	2	3	4	5	6	7	8	9	10	11	12	13	14	15~25
	2000	2001	2002	2003	2004	2005	2006	2007	2008	2009	2010	2011	2012	2013	2014
(1)项目基本方案(方案一)															
净增加值	-91.438	-29.555	-164.663	-224.701	-159.991	-109.783	-4.587	28.417	61.788	95.201	127.699	185.993	228.996	227.237	224.200
IRR(内部收益率)	12%														
(2)不实施项目情况(方案二)															
净增加值	-88.787	-24.200	-156.550	-213.776	-146.196	-93.061	15.110	51.169	87.646	124.227	159.957	221.546	267.911	269.581	270.042
IRR(内部收益率)	15%														
(3)主要基础设施投资(方案三)															
净增加值	-40.787	-24.200	-79.468	-88.776	-70.169	-53.051	15.110	51.169	87.646	124.227	159.957	221.546	267.911	269.581	270.042
IRR(内部收益率)	23%														
(4)不考虑田间工作投资(方案四)															
净增加值	-91.438	-16.891	-151.999	-212.037	-147.327	-97.119	8.067	41.081	74.452	107.685	140.363	198.657	228.996	227.237	224.200
IRR(内部收益率)	14%														
(5)田间工作、管道及运行维护费用(方案五)															
净增加值	-7.750	-29.555	-32.458	-44.213	-42.753	-32.145	-4.957	28.471	61.788	95.201	127.699	185.993	228.996	227.237	224.200
IRR(内部收益率)	28%														
(6)管道、田间工作及只考虑管道的运行及维护费用(方案六)															
净增加值	-4.350	-25.110	-21.534	-23.362	-20.587	-10.249	17.299	50.313	83.684	117.097	149.596	207.889	250.892	249.133	246.096
IRR(内部收益率)	38%														
(7)全部成本、作物高复种指数(方案七)															
净增加值	-190.412	-231.466	-207.778	-117.326	-53.320	10.765	54.618	107.518	163.430	220.046	275.749	358.441	416.385	425.248	425.138
IRR(内部收益率)	18%														

二级以上的土地,其收益是相当可观的(一般在100～180元/hm²),如果能够保证他们每年可以从农业生产的增加上得到这样的收入的话,农民很有可能愿意自己支付暗管系统的费用。

第六种方案是农民实际面对的一种典型情况。世界上的大多地方,主要的水利基础设施都有大量的补贴,农民们只需支付少量的钱就可以使用,这笔钱有时甚至连维护费用都不够。在这种方案中农民们也只需支付投资的成本,另外再加上暗管系统的操作和维护费用。这样内部收益率为38%,从这一方面来看,这种投资对于农民是极其有吸引力的。

第七种方案也是基本方案,在这一方案中考虑到了没有实施项目时的成本和收益比,这种情况下的项目收益主要来自在改良或改造的土地上作物复种指数的增加。在这里采用更高的复种指数165%(对非水稻田来讲)而不是第一种基本方案中的112%。实际上,东营市种植复种指数较高的地区的值就是165%,而对项目区来讲,这个数值则是一个平均数。在任何一个方案中,使用低的作物复种指数可以得到更可靠的项目收益的核算。当作物复种指数为165%,项目的收益率为18%,这是一个相当可观的收益了。

(二) 环境效益

项目区可分为已经耕种的地区和盐碱化的没有耕种的地区。

对已经耕种的地区,项目的实施将持续不断地减少土壤的盐分并将防止土壤的碱化。这将最终减少使土壤恶化的因素。

没有耕种的地区大多生长着耐盐植物。植被的种类大多与某一地区的土壤盐分有直接的关系。因为土壤盐分高以及地下水的矿化度高,这一地区没有树木生长。

项目实施后,盐碱地将得到淋洗,耐盐植物将消失。但由于黄河口每年都有新的土地产生,因而耐盐植物又将转移到那些新形成的土地上。

东营市已经采取以下的措施保护黄河三角洲的整个生态环境:创建生态保护区、15个高效生态农业样板园、整个地区的森林覆盖率达到8%～9%(40 000 hm²)、封育27 000 hm²的草地、创建森林公园以保护现有的物种。

总的来说,项目的实施可以防止土壤恶化,并可通过以上与项目平行进行的5条措施保护生态环境和物种。

(三) 社会效益

1.农民收入的增加

1991年我国人均收入是1 328元,而农民人均收入仅是709元。山东省农民收入较高,大约为人均764元。但东营市农民的人均收入只有731元,而东营非农业人口的人均收入为4 826元,差别相当大。

项目主要是针对东营391 000农民,他们比起非农业人口和山东省的其他农民都要贫穷。本书的统计分析没有把东营农民家庭的所有的模式都包括在内,而只是集中在农作物生产活动上和通过开垦新的土地和提高原有的土地质量而增加的农业生产上。根据农田的平均面积和每公顷的平均保护增长预算可以算出农民收入的增加值。

如果每公顷的土地作物产量按作物复种指数112%计算,其价值为3 344元。改造1 hm²的现在已经耕种的土地的净增加值根据现在的土壤盐分的不同而有所不同。假设土壤的盐分为2级，盐碱度为0.125%，那么每年通过改造土地而得到的收益就是1 522元(如果土壤盐碱度是0.25%，收益则为2 331元)。

如果现在的土地平均面积为0.8 hm²，项目实施后可以达到1.2 hm²，那么每个农民家庭所得到的年收入的增加值就是1 522 × 0.8+3 344 × 0.4=2 555元，这是一个相当可观的数目。如果现在土地产量的净收入是3 344 × 0.8=2 675，那么每户农民通过增加和改造农田的收入就可以增加1倍。作物的收入仅占农民家庭中农业收入的一半，家畜的收入也是相当可观的。用来喂养家畜的玉米(以及作物的副产品)在项目实施后也可以得到相当大的增加。而原来在荒地上可以割到的用来作为饲料的草将减少，但由于在盐碱地上生长的可食用的草的产量很低，所以这可以通过饲料生产的增加而得到补偿。

如果每户家庭有更多的土地，那么就会有一些农民改变现有的作物混合模式以种植更高价值的作物。如果是这样的话，那么实际增加的收入就要比这里所预计的高很多。

2.粮食保障

利用计算机模型可以计算新开垦土地的作物产量和经过改造的土地增加的产量。这些数据(作物复种指数为112%)加上考虑现在实施项目后农田的平均产量就可以算出平均每户农民所得到的产量的增加值，即1 000 kg的小麦；1 600 kg的玉米；150 kg的棉花；400 kg的大豆；700 kg的蔬菜。

在新改良的土地上种植水稻，对每户家庭来讲，0.4 hm²的土地就意味着2 500 kg的水稻产量。

虽然这些数字都是平均数，但有一点是很清楚的，那就是就平均来讲，粮食、家畜的饲料和每户农民的收入都得到大幅度的提高。土地的盐碱化得到控制后，作物的种植还可以从棉花转到其他的作物上(如果农民需要更多的食物或者粮食的价格比棉花的价格更有吸引力)，这主要是因为棉花是所有的主要作物中最耐盐的。这样棉花可以在盐分更高的土地上种植，而如果土地的盐碱化得到控制，那么一些对盐碱比较敏感的作物就可以得到种植。棉花每公顷的收益率很高，因此如果不是需要更多的粮食而是需要额外的收入，这种转变就不会发生。对家庭来讲，食物保障既是家庭生产的保障也是有足够收入来购买所需要的别的食品的保障，所以项目实施后产量的增加就可以大大提高食物保障。

第五章　　暗管改碱工程的关键技术

农田暗管改碱技术是土地排水、防止灌溉土地盐碱化和改造中低产田的有效措施，与明沟排水相比，具有排水效果好、有效控制地下水位、节省土地、减少维护费用等特点。随着暗管铺设方法和排水材料的改进，该技术已经取得了显著进展。主要体现在以下三个方面。

一是由于挖沟铺管机械的发展，波纹塑料排水管已得到广泛应用。我国自20世纪80年代初研制应用波纹塑料排水管以来，应用面积逐渐扩大。波纹塑料管具有重量轻、运输和铺设中损耗小、耐腐蚀、整体性好、施工方便、易保证施工质量等特点，特别适合于采用挖沟铺管机等先进施工技术，铺设效率很高。

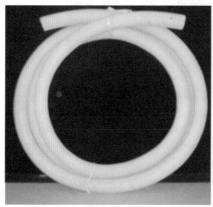

波纹塑料排水管

二是在外包滤料的研究上取得新的进展，从而使得机械化和自动化施工更为便捷。在机械和管材发展的基础上，目前许多国家对排水材料的研究集中在排水管外包过滤材料上。传统的砂砾滤料虽然具有较好的过滤性能，但许多地方不易获得或运输距离远，而且使用量大，不易运输和施工。而土工织物则具有产品系列多、性能稳定、质轻、运输施工方便、劳动强度低、工效高、施工质量易保证等优点。

三是大功率、激光制导暗管铺设机械的投入使用。暗管排水施工机械主要有无沟铺管机和开沟铺管机两种。随着技术的发展，开沟铺管设备也在不断地改进和完善。目前，我国大面积使用的是宁夏和金川公司引进的荷兰斯廷伯根公司生产的EGS3000刀链式开沟铺管机，该机最大开挖深度2.0 m，沟宽可调，一般为0.3 m，实测开沟铺管速度可达每小时500～600 m，可铺设直径在125 mm以下的各种聚氯乙烯管或聚乙烯管，主要用于铺设田间一级水管。由于该机配备了双坡面激光控制系统，可保证准确的暗管纵坡，不仅方便操作，也提高了施工效率和质量。另外，金川公司还引进了BSS4000型刀链式开沟铺管机，可铺设集水管。

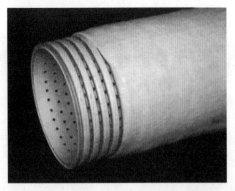
金川公司早期采用的土工布外包滤料

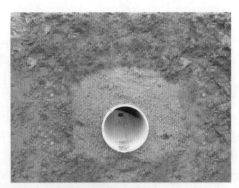
金川公司采用最多的沙滤料

金川公司后期采用的长丝黏纤非土工布外包滤料

自1999 年开始,金川水土环境工程有限公司与荷兰爱凯迪欧洲咨询公司合作,引进了具世界领先水平的荷兰排水技术和设备。经过消化吸收并通过自身的研究创新,研制集成了适合黄河三角洲地区乃至整个黄淮海平原地区的暗管改碱工程技术。经过长达7年的长期开发应用研究,取得了一系列显著成果,其创新点为:

(1)研究制定了符合黄河三角洲地区实际、与作物高产优质相适应的暗管改碱系统排水标准和设计标准;

(2)研究制订了田间土壤调查方法与符合三角洲实际情况的砂石滤料设计方案;

(3) 研究制定了一整套机械化暗管施工方案,实现了暗管施工的机械化和自动化;

(4)研究制定了暗管改碱的后期效果检测及相应的暗管淤塞测报与自动化清洗技术;

(5)研究并实施了以完善田间灌溉系统、地面排水系统、淋水洗盐、激光精平、深松土层、耐盐作物种植选育为辅助的综合配套改碱措施。

第一节　暗管改碱工程技术的基本原理

一、暗管改碱技术的基本原理

土壤盐碱化又叫土地盐渍化,是指土壤层中可溶盐含量向增高的方向发展成为盐渍土的过程。一般将土壤层0.2 m厚度内可溶盐含量大于0.1%的土壤称为盐渍土，由于人为影响产生的称为次生盐渍土。

土地盐渍化主要发生在干旱与半干旱地区。

土地盐渍化形成主要原因有以下两点。

(1)雨中盐分造成的土壤积盐。在我国干旱区的内陆盆地，雨水的含盐量一般为每升数十毫克，高者可达0.2 g/L，比湿润地区高出3～4倍。由于降水稀少，一般小于200 mm/a，盆地腹地一般只有50 mm/a左右，而蒸发量却高达2 000～3 000 mm/a，降水往往难以形成对潜水的有效补给，降水下渗量大多滞留于土壤和包气带中，在强烈蒸发作用下，水失盐留，日积月累，土壤表层形成天然的积盐（盐结皮）。在潜水埋深大于潜水临界埋藏深度的细土平原，原生的盐渍土往往属于这一类型。

(2)潜水埋深小于潜水临界埋深的细土平原，土壤及包气带蒸发失水，可通过毛细管源源不断地得到潜水水量和盐分补给，持续的蒸发可使土壤不断积盐。若降水或地表水下渗量较小，难以在土壤层中形成有效的脱盐过程，土壤中的盐分含量就会越来越高，最终发育成盐渍土。

由上述原生盐渍土形成机理可以看出，除气候条件外，决定土壤积盐大于脱盐的水盐运动条件是土地盐渍化得以发生的关键。在干旱、半干旱地区，若水资源开发利用创造了相同条件时，就会出现次生的土地盐渍化。例如水库蓄水，可使库区周边地下水位大幅度上升，使潜水埋深小于临界深度，就会造成土地盐渍化。过量灌溉是发生次生盐渍化最普遍的原因之一。如宁夏的河套地区，由于长期引黄河水灌溉，地下水位逐渐抬高，近于地表，致使次生盐渍化面积迅速扩大。内蒙古引黄灌区在20世纪50～70年代末浇灌面积扩大了3倍的同时，盐渍土的面积扩大了10倍。塔里木盆地绿洲耕地的灌溉用水是我国灌溉定额最高的地区之一，有的地方竟达3 375万 m³/hm²，超过北方地区平均用水量的2～3倍。长期过量灌溉使塔里木渭干河三角洲盐渍土的面积不断扩大，重盐渍土和盐土占土地总面积的10%以上，一般盐渍土则占土地总面积的56%，成为盐渍化的重灾区。除此之外，某些地区利用咸水进行灌溉，也是造成土壤盐渍化的重要原因。

就东营市来说，导致盐渍土产生的两种情况都存在：多年年均降水量为660 mm，而蒸发量则超过2 000 mm，水分蒸腾带动盐分上升，导致土壤盐碱积累。另外，由于地下水位高，地下水含盐量更高，水中盐分在毛细上升作用下，迅速上升到地面，从而造成盐渍化。

盐渍土的形成离不开水，"盐随水来，盐随水去"。预防盐碱灾害主要应从控制水着手。要使土壤不致盐碱化，一方面不让地下水位高于临界水位，另一方面是减少地下水通过毛细作用升到地面蒸发。暗管改碱工程技术的基本原理就是利用这一水盐运动规律，借助水的重力自运动，将土壤的盐分挟带到管道中而排出。根据溶质运移理论，土壤的盐分运移主要是通过对流和水力弥散作用。土壤中的盐分，有的形成固体结晶聚集在土壤表层；有的存在于土壤水形成盐溶液。在现实的工程中，关键是创造条件，通过水分运动把土壤中的各种状态的盐分转化为自由溶液中的盐分，并自土壤中排除。通过铺设暗管，土壤中水分遵循一定的水力学规律，向暗管运移，这一过程挟带的盐分也随之流到暗管排出（见图5-1）。在实际的操作过程中，尤其是对于盐渍化比较严重的地区来说，在暗管系统铺设完成后，往往首先采取初步淋洗的方法对盐碱地实施灌溉，淋洗的方式采用向下冲洗，由入渗的冲洗水将盐分带到深层，加速洗盐过程，从而可以在短时间内使一定深度土壤中的含盐量降低到作物耐盐限度以内，以便作物能够正常生长。除此之外，再辅以其他盐碱地治理措施，如配套灌溉系统和地面明排系统、深松土地、施有机肥料、种植耐盐作物等，增加土地生产力水平。

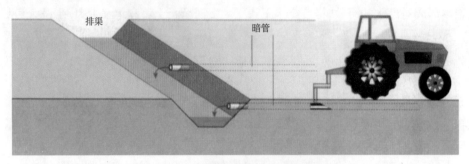

图5-1 铺设暗管排出盐分示意图

暗管改碱技术的基本作用是：①加速土壤中的水分运动，加快洗盐过程；②控制地下水位在临界深度以下；③加快田间积水的排放（图5-2）。

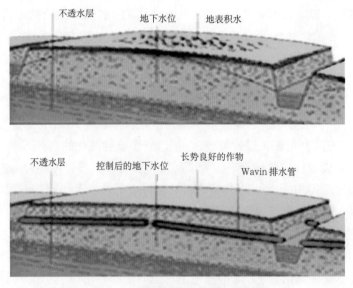

图5-2 暗管改碱技术的基本作用

二、暗管改碱系统的排水标准

暗管改碱的基本原理就是利用水盐运动规律，使地下水渗入暗管将盐分带走（见图5-3）。暗管改碱系统要解决的一个首要问题就是确定排水标准。也就是依据相关的水盐平衡理论，建立工程施工区的水盐平衡模型，合理确定工程区的排水量。

图5-3　铺设在地下的暗管将含盐水体排入明沟

在广泛深入调查的基础上,金川公司提出了适合黄河三角洲地区的暗管改碱工程的排水标准。

（一）地下水位深度

就所控制的地下水位来讲,要达到以下两个目的:

(1)防止内涝。在夏天非饱和根系区的理想水位应该是:在平常要保持在地面以下1 m,降雨后应在降雨停止后,使地下水位5天内降到0.45 m以下。

(2)种植季节中防止毛细上升作用的发生（冬天)。理想的地下水位应该大于2 m。具体情况如图5-4所示。

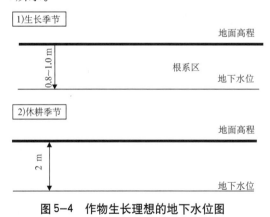

图5-4　作物生长理想的地下水位图

（二）流到管道中的水流

排水水流主要由以下部分构成。

1.侧渗

沿海20 km以内侧渗值为1 mm/d；实验区位于25 m处,估计为0.5 mm/d。实地调查后确认,在该地区的南部该情况属实,但在北部地区,由鱼塘、水库和其他地区的侧渗要多一些。对于这一地区,原先的侧渗值选取的是 1 mm/d。该情况对于 2000 年 3 月所测定的地下水位小于 1.5 m 的时候正确。

2.灌溉带来的侧渗

小麦、玉米:在 212 天的灌溉期中,总灌溉水量为 500 mm(5 000 m³/hm²),其中 40% 损失(1 mm/d)。

棉花:195 天灌溉期,总灌溉水量为 275 mm(2 750 m³/hm²),其中 40% 损失(0.6 mm/d)。

水稻:持续的灌溉水约等于排水系统的排水能力。

3.降雨时管道内水流

降雨量较大时,地下水位上升到地面以下;在 4～5 天之内,这一地下水位应该降到 0.4～0.5 m(0.45 m)。土壤的可排水度为 7%(需要进一步确定),那么侧渗值就是 2.5 mm/d。降雨后不用再灌溉,因此不用考虑上面所说的因素。

(三)确定本地区的盐平衡

就本地区来说,灌溉水的矿化度一般为 0.6 g/L 或者 $EC_e=1$ ds/m。所需要达到的盐分平衡应该为 $EC_e=5$ ds/m。因此,需要达到以下的淋洗系数以确保该盐分平衡:

$$LR(\%)=100 \times D_d/D_i=100 \times EC_i/(2 \times EC_e)=100 \times (1.0/2 \times 5)=10\% \qquad (5-1)$$

式中:LR 为淋洗系数;D_d 为排出水深度;D_i 为灌溉水深度;EC_i 为灌溉水的电导率;EC_e 为土壤含盐量,即提取液的含盐量,ds/m。

这就可以认为排水量应该大于 10% 的灌溉水量,实际损失为 40%,该条件可以很容易达到。

具体参数见表 5-1。

表 5-1   排水系统参数

项目	侧渗 (mm/d)	地表水渗透 (mm/d)	总计① (mm/d)	降雨渗漏 (mm/d)	总计② (mm/d)	D (m)	H (m)	$H/②$ (d/1 000)
小麦、玉米								
春	0.5	1	1.5		1.5	0.8	1.2	800
夏	0.5	1	1.5	2.5	2.5	0.8	1.2	480
秋	0.5	0.5	1		1	0.8	1.2	1 200
冬	0.5	0	0.5		0.5	2	0.2	400
棉花								
春 I	0.5	0	0.5		0.5	2	0.2	400
春 II	0.5	0.6	1.1	2.5	1.1	1	1	910
夏	0.5	0.6	1.1		2.5	1	1	400
秋	0.5	0	0.5		0.5	1	1	2 000
冬	0.5	0	0.5		0.5	2	0.2	400

三、暗管改碱系统的设计标准

就暗管改碱系统的设计来说,主要应该确定三个数据:田间管间距、田间管的长度和铺设深度。有了这三个数据,再加上其他相关数据,就可以完成一个地块的暗管系统布局。

（一）管道间距

管道间距是在土壤状况和排水标准（日排水量、根系区的深度等）的基础上确定的。在实际设计中需要考虑的因素如下：

有些地块已经有基础水利设施，这些地块一般分成小块，每块宽度在40～50 m之间。在地块之间，一边是明沟和土路，另外一边是农渠（保留区在8～10 m）。从该实际情况考虑，每个地块铺设一根排水管，这样，管道的间距为68～85 m之间；这在计算的间距范围之内。因此，基于实际考虑，建议每块地一根排水管。

（二）田间管的长度

田间管的长度取决于地块的长度。一般来讲，田间管不需要铺设到地头，可以在离地头间距的10～15 m处停止。其他地区的设计要根据具体的情况予以确定：

$$田间管的长度 = 地块的长度 - 离地头距离 + 暗管伸入排沟的距离$$

田间管需要维护（清洗等），而这只能在一定长度上进行（<320 m）。因为田间管长大多在300～1 000 m之间，所以需要在超过300 m长的田间管上每隔300 m左右设置检查井。实际上这就是说，每根管子被分成不同的段，而检查井就安置在段的接口处。一些地块1 000 m长，每段的长度就为320 m。本次项目购买的清洗器的清洗能力是能够达到这一长度的（见图5-5）。

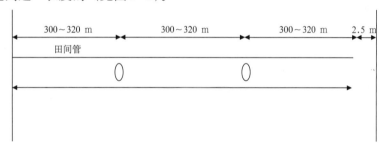

图5-5 田间管的设计标准

（三）田间管的铺设深度

理想的田间管的深度被确定为地面以下1.8～2 m。一个额外的限制是设备的最大挖掘深度（2 m）。铺设时从地下2 m处的田间管和集水管相接处开始。结果就是，如果按照0.5‰的比降铺设，管道在地头的高程就要高一些。此处的深度取决于地块的坡度，从实际考虑，1.5 m的深度是可以接受的，坡度应该是越大越好（减少所需的管道直径）。实际这就意味着：

(1)管道起始端的深度为地面以下2 m；

(2)坡度为0.7‰，检查地头地面以下的深度是否大于1.5 m；如果不是的话，将坡度减小到0.5‰。

如果地形无法达到实际的要求，可以使用集水管埋管机将田间管埋得再深一些（见表5-2）。

（四）设计排水能力

排水管中的水量大体为3 mm/d或者20 m^3/（$hm^2 \cdot d$）。每根管道的水量取决于其控制的面积，也就是取决于地块的长度和管道的间距。以金川公司莱州湾项目区为

表 5-2　　　　　　　　　　　管道起始端和末端高程差别

管道长度(m)	0.5‰	0.7‰	管道长度(m)	0.5‰	0.7‰
300	0.15	0.25	850	0.43	0.60
350	0.18	0.25	900	0.45	0.63
400	0.20	0.28	950	0.48	0.67
450	0.23	0.32	1 000	0.50	0.70
500	0.25	0.35	1 050	0.53	0.74
550	0.28	0.39	1 100	0.55	0.77
600	0.30	0.42	1 150	0.58	0.81
650	0.33	0.46	1 200	0.60	0.84
700	0.35	0.49	1 250	0.63	0.88
750	0.38	0.53	1 300	0.65	0.91
800	0.40	0.56			

注:管道的长度为 300~1 000 m,坡度为 0.5‰~0.7‰。

例,地块的长度在 350~1 200 m 之间,间距在 50~100 m 之间。管道的排水能力是由其直径决定的。

1.田间管

所需的田间管的直径是由以下的因素决定的,即水量、坡度和糙率。

因为要使用的波纹管都有标准的尺寸（60、80、100、125、200 mm）,实际的粗糙度都是经过多次的实验室实验测定的。最后在曼宁公式的基础上推导出计算田间管的排水能力的公式如下:

$$Q = 38 d 2.76 \times I 0.5 \tag{5-2}$$

式中:Q 为水量,m³/s;d 为直径,m;I 为坡度,m/m。

田间管的坡度取 0.7‰,因为该地区相当平,所以多数的管道将按这一坡度设计。

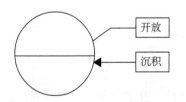

图 5-6　管道发生沉积情况

在有些情况下,也不可避免地要使用 0.5‰ 的坡度。

2.安全系数

因为在管道中不可避免要有沉积（图5-6）,所以对于管道的端面考虑了一定的安全系数。总的安全系数是75%,表示25%的地区有可能被泥沙所沉积。如果超过 25% 的端面被沉积,就需要进行清洗了。

1)田间管在直径变化时带来的排水能力损失

(1)如果田间管是由不同直径的管道组成的,那么在不同的管道相交的地方将有高压产生,从而对于下段就有排水能力的损失。为了对这一高压补偿,需要相应地增加管道的直径。

(2)如果管道有两种直径,那么就有15%的能力损失。

(3)如果一根管道有三种不同的直径,排水能力损失为25%。

对这些情况都需要在设计时予以考虑。

2)设计时需要考虑的因素

在设计的过程中,应该随时进行检查是否可以使用不同的管道直径。根据以往的经验可以看出，将管道分成不同的直径实际上是没有用的。第一段的直径可能变小，但是后面各段的直径需要加大。

作为参考，不同直径的管道的成本如下：

以100 mm管道作为参照，假设其成本为100%，那么，125 mm管道的成本为150%，200 mm 管道的成本为245%。

3.结论

因为管道的排水量为2 mm，间距50～100 m 不等，所以建议在就黄河三角洲地区，管道的直径应该为100 mm 和125 mm 两种。

四、集水管

集水管只输送水，所以不同部分的水量是相同的。因为集水管的水力学计算与田间管是不同的。可以使用下列的公式计算出集水管的排水能力：

$$Q=22\ d\ 2.76 \times I\ 0.5 \qquad (5-3)$$

式中，各符号代表的意义同田间管的排水能力计算公式。

在项目中，集水管的坡度不尽相同。对于1～30 hm² 不同面积，在2 mm/d 的排水量的基础上计算出所需的管道直径，其坡度为0.5‰～2‰。如果200 mm 的直径不能满足输水能力的话，就要考虑使用双集水管或者三集水管（见图5-7）。

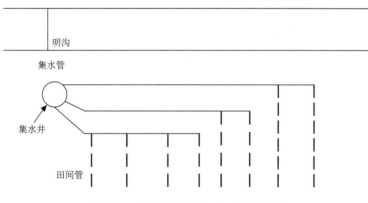

图5-7　双集水管或者三集水管的位置

第二节　暗管改碱工程系统的前期土壤调查与滤料设计

土壤是农作物生长环境的基本因素之一。暗管排水系统可以通过降低地下水位增强土壤通透性，通过减小毛细作用、加强淋洗来降低土壤中的含盐量。

暗管排碱系统的最优设计需要一系列土壤状况信息，主要包括土质、土层和不同层面土壤渗透性（设计管位以上及以下）。要想在暗管排碱系统安装完毕后恰当地控制水位，充分发挥该系统的有效作用，就必须提前搞好田间调查，弄清铺管前土壤含盐量、地下水的水位及其含盐量。

钻孔土壤调查法是一种最简单、最快捷的方法，很容易反映出土壤情况和渗透性。钻孔的田间位置是具有代表性的；钻孔时钻出的土样需分别加以描述，并取部分土样带回实验室测定土壤含盐量和土壤粒径级配，钻到预定的深度后还要进行土壤渗透性的测量。同时，还需记录地下水位和地下水的含盐量（测EC）。

以上资料主要用于田间调查人员的田间实际操作和田间数据分析。其主要内容包括：田间调查、田间土质判定、土壤渗透性的测定、土壤分析、调查数据处理应注意的问题以及外包滤料设计。

金川公司的工作人员在钻孔取样

一、田间调查钻孔法

（一）资料

田间调查所需资料为地形图。

（二）工具

田间调查所需工具包括：卷尺、方便袋、铅笔、秒表、标签、EC表、读数架、响坠、记录板、调查表、水桶、交通工具。

（三）钻孔法步骤

(1)布点。根据地形图的情况，采用规则布点、星形布点或之字形布点。设计钻孔点分布布局，使布点能最好地反映出土层断面变化趋势。每500~1 000 m取一点（取决于该地区实际特点和取点时间）。通过土层的变化和K值来确认这套布点设计是否能反映该地区的变异性。

依据以上分析，如果从原布点设计获得的数据不能完全反映该地区的变异性，则需进一步弥补原设计。变化性大，每5 hm² 取一点；变化性不是很大，每10~15 hm² 取一点；变化性很小，每25 hm² 取一点。

选点时应注意：①距最近的渠、沟、路至少 10 m；②在自然地平或接近自然地平处取点。

(2)钻孔取样。钻孔前，两人先要将点的位置测量好，并将表层土清理平整。要避免表层疏松的土壤、植物等杂物掉入孔中。还应在钻孔左前方另平整一块 2 m × 2 m 的平地，用来成列排放钻出的不同层面土壤，以便描述。

按顺时针方向转动钻柄，稍稍向下用力。如遇到硬且干的层面时，可加大向下钻的力度。

通常经完全的 2～3 转之后，钻头即可装满，注意每次尽量不要多钻，否则将会给孔深的测量带来不便，精确度难以保证。

(3)向上提钻时，可仍慢慢按顺时针方向转动提出，以免土壤从钻头中掉下。

(4)如遇湿的黏土层，注意要经常清理钻孔。往孔中下钻时，应轻轻钻入，不要向下用力，清理到底部再将钻提出。清理出的土壤扔掉即可。

(5)钻出的黏土需人工将其从钻头上取下，这样可以保证取出的黏土块内部结构不受破坏。

(6)每次钻出的土，一般顶层的 1/3 属混合土，因为每次钻时难免都会从地表或上层孔壁带下一点土。故顶层的 1/3 是不能用来取样的，通常把它扔掉。

(7)正常操作，每次钻出的深度平均为 10 cm。

(8)取样时，钻出的上 1/3 要扔掉，最下面的 1/3 取样，中间 1/3 供描述用。取的土样放入袋中后，贴上标签，并注上防水的标记，写明日期、田地号、孔编号、孔深。

(9)用来描述的土需按列在平整的地上排开，每列放 10 个，即每列 1 m。从距钻孔最远的那段开始放，以免钻头上掉下的土混入其他层面土。如图 5-8 所示。

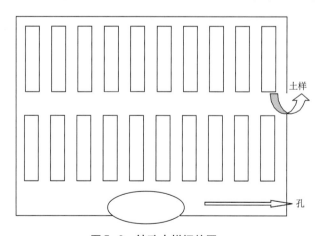

图 5-8　钻孔土样摆放图

(10)每 10 cm 需记录以下数据，填入土壤调查表（假如遇有几个连续的 10 cm 深度层面特征一样，可将它们合并在一起描述）。

土质:这个特征的描述对整个排碱系统的设计有着至关重要的作用。判定时力求精确（尤其要注意不透水层面）。

土壤颜色：灰色表示排水情况很差。褐色、红色或黄色表示排水情况很好。红色斑点、灰色斑点表示地下水位浅，并有大量水曾在此停滞。

土壤的湿度：通过观察，记下土壤的湿度（干、微湿、湿）。

备注（其他明显特征）：斑点（红锈斑点或灰斑点）、盐晶体、固结物、大的根系、贝壳等。

土样：记录取样编号和深度。

(11)每孔在埋管深度取一个土样，用标签记录好编号、深度、日期及PS字样，送到专业机构做土壤粒级分析，该数据用于沙滤料的设计，以确定土壤的粗边界和细边界，来选择适宜的沙滤料。

二、田间土质的判定

田间土质描述最通用的标准是美国农业部USDA标准。土质判定最简便的方法就是先将微湿的土壤制成一个直径为3 cm的小球，然后滴水混合，直至变黏稠。最后根据土壤形成的形状来判定它的质地。以下是土壤分类的标准。

(1)沙土：比较疏松，颗粒分明，只能堆成一个金字塔式的小丘。

(2)壤沙：含大量的粉沙和黏土颗粒，带有一点黏合度，可以很容易撮成球状，但是也很容易散开。

(3)沙壤：与壤沙相比，黏合度更大一些，不容易散开。

(4)壤土：可以滚成一个细而长的圆柱状，但一弯即裂。

(5)重壤：同样可以滚成一个细而长的圆柱状，并能弯成U形，但不能继续再弯。

(6)轻黏土：滚成圆柱状后，可弯成环状，但会出现裂缝。

(7)重黏土：滚成圆柱状后，可弯成环状，并不会出现裂缝。

田间调查者可将田间估测情况与实验室土壤粒径分布分析做比较，以提高估测水平。

根据田间土壤调查的土质判定结果，用计算机将每一个孔的土层情况剖面图反映出来，包括的信息有土壤的分类、每层土的厚度及具体位置等。将所有孔的土壤调查剖面图集中反映，就形成了一个由点到面的信息图表，这样就反映出了该地区的整个土层的状况。田间土壤调查结果对暗管的设计具有指导意义。

三、土壤渗透性的确定

土壤渗透性K值是一个非常重要的变量，暗管排碱系统中的一个主要公式就要用这个值。它分两种情况：①土壤地下水在3 m以内；②土壤地下水很深，无法用钻孔法获得地下水。

（一）土壤地下水在3 m以内时确定K值的测量方法

(1)首先要有一个钻好的孔。这个钻孔通常3 m深，至少要钻到地下水位以下60 cm。

(2)用钻清理孔2～3次。

(3)如出现不稳定的淤泥层面，可把防护筒放下去，放到这个层面，以防淤泥层流入孔中。

(4)下防护筒时，注意不要往下压。

(5)通过防护筒，用提桶将孔中淤泥和部分水提取上来，以便干净水继续渗入到孔中。

(6)将带响坠的卷尺下到孔中，一旦地下水位恢复到平衡状态，即可测出地下水位（W）（如果地下水位上升很慢，恢复到平衡状态需很长时间，为节省时间，也可第二天再来测量记录）。

(7)量孔深（D）。

(8)计算孔中水的深度（H，$H=D-W$）。

(9)装一个水平的支架，保证测量时尺子是垂直的。

(10)将带浮子的卷尺下入孔中，量出初始水位(包含支架高度)。

(11)将带浮子的卷尺提上来。

(12)用提桶从孔中提水，使得地下水位下降20~40 cm。通常提1~2次即可。特殊情况下也可多提。

(13)迅速将带浮子的卷尺下到孔里，开始测量水位的升高情况。这一步动作越快越好。

(14)有效取值范围的确定方法如下：

提水后水位下降的高度（Y_0）至少应当是孔中水深度（H）的1/5（假如提1次水不奏效，可视情况多提几次），提水后的位置为y_0。

有效值范围（dy/dt）取从y_0开始水位上升25%Y_0，在这个范围内水位上升的速度基本上是一个常量。

一般情况下每10 s读一次数。如果水位上升很快，可缩短读数时间间隔。相反如果水位上升慢，可延长时间间隔。尽量使时间间隔内保持水位变化差值在1 cm左右。为防止浮子粘在孔壁上，可时常抖动卷尺。

(15)将每次读数记在表中相应位置。

(16)每组测量大约需5次读数。假如每组测量的第一次读数很高、不合理，可将此数忽略，这有可能是提水后从孔壁流下的水造成的。

(17)完成第一组测量后，待地下水位恢复到平衡状态（约需15 min），再按以上步骤进行第二组测量。

(18)经比较，假如第二组测量结果（dy/dt）不到第一组测量结果的50%或超过它的200%，则有必要进行第三次测量。

以上步骤完成后，开始进行数据处理和计算土壤渗透性。

通过钻孔测量法可以得出土壤渗透性，由以下公式计算：

$$K=C \times dy/dt \tag{5-4}$$

式中：K为土壤渗透性，m/d；C取决于钻孔的几何形状、钻孔以下的不透水层（S），地下水位（W）和提水后的初始地下水位（Y_0）；dy为有效值范围内水位的上升值，cm；dt为与dy相应的时间间隔。

需要注意的是，提水后dy值在一定范围内，即$dy \leqslant 0.25Y_0$，这种测量方法才有效。

如果dy的第一次读数太高，则应将此数忽略不计，因为这有可能是提水后钻孔孔壁流下的水造成的。

如果一组测量中最后的读数很低,也不能采用。这可能是由于随时间变化,钻孔周围地下水位形成漏斗状。在这种情况下,K 值计算公式无效。

由于浮子很容易粘在孔壁上,加之其他原因,测量时出现误差是难免的。检查数据时,一定要注意那些很明显的有大偏差的数据不能作为分析数据。

另外,通过以下公式也可计算得出比较精确的 C 值。

$S > 0.5H$ 时:

$$C = [4\,000 \times (r/y)]/[(20+H/r)(2-y/H)] \tag{5-5}$$

式中:C 为 K 值判定的一个重要因素;H 为孔中水深,cm;r 为孔半径,cm;y 为 dy 上升过程中地下水位上升平均值。

$S = 0$ 时(即土壤的不透水层无穷大):

$$C = [3\,600 \times (r/y)]/[(10+H/r)(2-y/H)]$$

注意,应用 C 值计算公式时,需以下数据:①孔底与不透水层间距(S),钻孔中地下水深(H),以便选用恰当公式;②孔半径(r);③dy 上升时产生的地下水位平均值 y,$y = Y_0 - 0.5dy$。

用工数量及定额如下:用工 4 人,每天完成 4 孔。在钻孔过程中,1 名工人钻孔,1 名工人取土样,1 名技术人员判定土样,1 名技术人员记录。在测定 K 值过程中,1 名工人提水,1 名工人收拾、清洗工具,1 名技术人员读数,1 名技术人员记录。

(二)土壤地下水很深无法用钻孔法获得地下水时 K 值的测定方法

当有这种情况发生时,可以采用泊斯特法测定 K 值,也就是通常所说的反渗法,测定步骤如下:

(1)首先要有一个钻好的孔。这个钻孔通常 3 m 深。

(2)用钻清理孔 2~3 次。

(3)如出现不稳定的淤泥层面,可把防护筒放下去,放到这个层面,以防淤泥层流入孔中。

(4)下防护筒时,注意不要往下压。

(5)用桶往孔里灌水,水位到要测量土层以上 60 cm 是灌水的上限。等待水完全浸润土层时,再加水至原水位。

(6)将带响坠的卷尺下到孔中,即可测出地下水位,用 $h'(t_1)$ 表示,单位为 cm。

(7)量孔深(D')。

(8)计算孔中水的深度。用 $h(t_1)$ 表示,单位为 cm。

(9)将带浮子的卷尺下入孔中,测量单位时间内水位的下降幅度,并记录。

利用以下公式计算 K 值:

$$K = 1.15 \times r \times \tan \alpha \tag{5-6}$$

式中:$\tan\alpha$ 取决于 $\lg(h_t + 0.5r)$;其余符号含义同前。

下面举一个实例演示计算公式:

钻孔半径为 4 cm;

读数情况:

t (s)	0	140	300	500	650	900	1 300	1 520
h_t(cm)	19	18	17	16	15	14	12	11
$\lg(h_t+0.5r)$	1.32	1.3	1.28	1.26	1.23	1.2	1.15	1.1

$\tan \alpha$ 值为 1.37×10^{-4}；

将以上数值代入式（5-6），有：$K=6.3 \times 10^{-4}$ cm/s$=0.54$ m/d。

四、土壤分析

（一）概述

通常土壤含盐量是通过测土壤 EC 值（导电性）来确定的。确定土壤 EC 值的最好办法是测饱和提取液的 EC（EC_e）。饱和提取液是从土壤饱和液中提取出来的。但是对于大量的田间调查土壤实验，这种测 EC_e 的方法太复杂。所以可以采用另一种测量方法，即先测 $EC_{2.5}$，按照1:2.5质量比例，称出一份土壤、2.5份水，将其混合，待土壤沉淀后测出上部溶液的 EC 值。

从理论上来说，EC_e 和 $EC_{2.5}$ 是有直接联系的。我们可通过土壤饱和液百分比（SP）来把 $EC_{2.5}$ 转换成 EC_e，即

$$SP=(W_w / W_s) \times 100\% \tag{5-7}$$

式中：SP 为饱和百分比；W_w 为饱和溶液中水的质量，g；W_s 为饱和溶液中土的质量，g。

$EC_{2.5}$ 与 EC_e 转换公式如下：

$$EC_e=EC_{2.5} \times (250/SP) \tag{5-8}$$

（二）实验必备仪器器材

仪器器材主要包括：烘箱（温度要精确，如果采取自然风干，需准备带格子的板放土样）、筛子、研钵（足够大）、天平（精确度至少为1g）、EC表、烧杯、量筒、蒸馏水、搅拌棒、勺子、桶、脸盆、温度计、清洗刷、漏斗、取样用塑料袋、卫生纸等。

（三）$EC_{2.5}$ 的确定

(1)用烘箱烘干土样或自然风干；

(2)烘干前将土样摊开，大的土块要弄碎；

(3)用烘箱烘干时将温度定在 45 ℃，这样土样在袋子里就可烘干；

(4)用 0.9 mm 筛子筛烘干过的土样；

(5)用研钵研出约250 g 土；

(6)称出 40 g 土放到玻璃杯或其他容器中；

(7)往容器中加 100 mL 蒸馏水；

(8)将土壤和蒸馏水混合液搅拌均匀；

(9)20 min 后再搅拌30 s，40 min 后再次搅拌；

(10)最后一次搅拌后，大约 20 min 后土壤沉淀；

(11)待土壤沉淀后，测出容器中上部溶液的 EC 值。如果最后一次搅拌后 20 min 土壤还未完全沉淀，需适当延长时间；

(12)测溶液温度（EC 值随温度变化而变化，标准温度为 25 ℃，温度每升高 1 ℃，EC 值就会相应增加 2%）。

（四）饱和液百分比（SP）的确定步骤

(1)称出 100 g 烘干的土样，放入玻璃杯或其他容器中。

(2)把蒸馏水倒入有刻度的量筒中，然后适量加到玻璃杯中，用搅拌棒或勺子均匀搅拌。

(3)每次加水不要太多，注意随时记录。如：刚开始加了两次 10 mL，即（10+10）mL,然后再按 5 mL 加，加到接近饱和时，可按 1 mL 加，直至加到饱和状态。

(4)土质不同，SP 也不同。沙土：15～20，沙壤：20～30，（粉沙）壤土：30～50，黏壤：45～60，黏土：55～90。

(5)饱和液表面可泛光，轻击容器，可稍稍流动，并可从勺子或搅拌棒上自由滑下。但黏土成分很高的情况除外。

(6)算出加水总量，即可求出 SP。

通过以上分析的数据，分别套用公式计算出含盐量。

用工数量及定额如下：3 人每天完成 40 个，1 人研磨土样，1 人称量，1 人分析。

五、田间调查数据处理应注意的问题

进行田间调查需要投入大量人力物力，同时还需收集大量数据。如果田间数据出现问题，记录有误或不慎丢失，都将会给整个项目造成无法估量的损失。为了保证数据的质量，保管处理好它们，建议每天调查完后要检查当天数据情况。数据的日常记录与管理工作包括以下内容：

(1)准备好田间调查表格和办公室存档表格；

(2)每天进行完田间调查后，将调查表格数据抄在存档表格中，最好是输入到计算机中；

(3)标明每个观测点的测量日期；

(4)给每个点一个编码；

(5)用地理坐标或实地测量距离，配以方向，注明每个点具体位置；

(6)尽快给数据做初步的分析，及时发现潜在错误或缺点；

(7)如果暂不能给以完全分析，可先很快地通过做图表直观反映出当前存在的问题和需要进一步了解的变化趋势。

六、沙滤料设计

暗管外包料是包裹在暗管周围的材料，它是地下排水系统正常工作的关键。外包料主要有两种功能：一是起过滤作用，防止细土壤颗粒流进管中，二是减少土壤中水流向管里渗流的阻力，增加渗透性。这两种功能存在一定冲突，既需要用一种粗材料来提高渗透性，又需用一种比较细的材料防止细小颗粒流入管中。

目前应用的外包料主要有两种：人工合成外包料和沙砾或碎石外包料。

人工合成外包料优点是外包料已预先包在管子外面。从长远来看，它的成本要比砾石外包料低。但是目前人工合成外包料的应用研究还不是很成熟，用这种外包料也存在一定风险，一旦功效不好，管道很可能会堵塞。要选用最合适的人工合成外包料，首先必须进行全面的田间实验和室内研究。因此，建议进行暗管排碱项目的最初几年先用砾石外包料，而在这同时可以加大进行人工合成外包料的田间实验力度。

对滤料研究主要针对滤料与埋管土层之间的关系，从经验上来说，埋管土层粒径分布与外包料粒径分布之间是有一定关系的。现在用的标准是以埋管土层和滤料的颗粒粒径累积分布为基础的。D表示土壤百分比，d表示滤料的百分比。该标准分为两部分：一部分是过滤标准，确定外包料的粗边界；另一部分是渗透标准，确定外包料的细边界。

一般来说砾石外包料的功效是比较好的。但应注意适合某一地区的规格并不一定同样适合另一地区，应视实际情况而定。因此这里很难给出一个统一适用的标准。

最符合实际的外包料设计应首先确定出可接受的渐变曲线范围。如果某种外包料规格正好在此范围内，那么即可优先考虑。假如碎石是惟一的选择，那么它的渐变程度和圆滑程度(越圆滑越好)是很重要的。总之，不管用哪一种，都要严格控制它的质量。

(一) 土壤类别

首先要确定是否有用砾石外包料的必要。这主要取决于土质，即土的渐变性和黏合度。一般如果土壤黏合性、渐变性好，就没有必要用外包料。根据外包料的需用条件，我们把土壤分为三类：

(1)稳定的细土，不需要用外包料。一类土中黏土的比例一般在25%(荷兰)～40%(埃及)之间。渐变性好的土壤结构合理分配为黏土(5%～10%)、粉沙(30%～40%)、细沙(20%～30%)、粗沙(20%～45%)。

(2)不稳定、渐变性差的一般土质，需要滤料防止细土进管，同时也有用外包料的可能，以促进地下渗流进管。

(3)渐变性好且稍粗的土，没有必要减少地下渗流进管阻力，细土进管的风险也很小。

(二) 设计标准

适用于不稳定土的设计标准(过滤和渗透作用相结合)的巴基斯坦标准(Vlotman，1998)，并不适合这一地区的所有土壤。SCS标准(Soil Conservation Service)、USBR标准(United States Bureau of Reclamation)和其他欧洲国家标准也不能同时既符合过滤标准，又符合渗透性标准。

土壤粒径分布表明，过滤作用是外包料最重要的作用。因此在寻找符合两个标准结合点、设计允许范围时，至少要满足过滤标准。

首先要确定外包料的粗边界。它取决于最适合过滤标准的SCS标准。最细的土很容易进管造成堵管风险，故依此设计外包料粗边界。当然如果以最细的土作为标准，采用很细的滤料，也有可能使得管外部受堵。如果最细土中含有30%黏土，说明土壤可能是稳定的。这样最细土也就不需要外包料，在设计中不必考虑太多。

黏土含量小于20%的土壤是最不稳定的，这种情况下最细土要用以下过滤标准。

(1)SCS标准 $D_{15} < 7 \times D_{85}$，$D_{15} > 0.32$ mm。

(2)$D_{60} = 5 \times D_{15}$，$D_{60} = 1.6$ mm。

(3)最大的颗粒粒径建议为9.5 mm(Vlotman，1988)，因此$D_{100} = 9.5$ mm。

较细的边界既与渗透性有关，也与铺管后粉沙是否立即进管有关。

(4)$D_5 > 0.074$ mm(渗透性标准和过滤标准的结合)。

(5)$D_{30} > 0.25$ mm。

(6)$D_{85} > D_{opening}$，管孔大小一般为 1.3 mm，故 $D_{85} > 1.3$ mm。

(7)$D_{15} > 4d_{15}$，如应用于最粗埋管层土，则 $D_{15} > 0.032$ mm。还有另一种范围：由 $D_{15f} = D_{15c}/5$ 得出的边界太细，从而合适的外包料规格范围也就很窄。

根据实际情况，我们建议用标准(4)($D_5 > 0.074$ mm)作为过滤最小值，这正好与 USBR 标准一致。

应指明的是边界范围很小。假如砾石外包料都没有在此范围内，粗边界可做一些扩展。粗边界的 D_{15} 绝不能超过 0.6 mm。作为 D_{15} 起点的 D_0 不能大于 0.32 mm。如果超过这些限制，那么过滤作用将受严重影响，有可能使得细土进管。应当认识到如果边界范围越大，排水失败的风险也就越大。在预设计中推荐的粗边界右侧给出一条扩展的砾石粒径粗边界(可选，但并不是推荐)。细边界已经是很小的粒径，不能再做任何折中。

（三）设计程序

外包料设计步骤如下：

(1)在埋管层取覆盖全项目区特点的土样（取决于整个项目区的变异性）。

(2)在实验室确定土壤粒径分布，并做出粒级曲线图。

(3)根据黏土含量百分比和粒径渐变性，确定是否需用砾石外包料。如果黏土含量小于20%，则需用外包料。

(4)确定外包料的主要功用(过滤、渗透或两者兼之)。高的粉沙含量决定最主要功用是过滤。

(5)据当地实际，选择适当标准。同时设计过滤标准和渗透标准是不可能的。如果最细土中黏土小于20%，注意过滤标准的应用。

(6)粗边界的确定：沙滤料的粗边界曲线应根据土壤粒级曲线图的细边界与滤料粗边界设计标准进行设计。

粗边界设计控制点如下：① $D_{15c} < 7 \times D_{85f}$(过滤标准)；② $D_{60c} = 5 \times D_{15c}$；③ $D_{100c} < 9.5$ mm。

根据以上几个控制点，做出滤料的细边界曲线。

(7)细边界的确定：细边界曲线应根据土壤粒级曲线图粗边界与细边界设计标准进行设计。

细边界设计控制点如下：① $D_{15f} > 4D_{15c}$；② $D_{15f} = D_{15c}/5$；③ $D_5 > 0.074$ mm；④ $D_{60f} = D_{60c}/5$；⑤ $D_{85} > D_{opening}$。

根据以上几个控制点做出滤料粗边界曲线。至此沙滤料选择的粗细边界就确定下来。

(8)把供试的沙样通过88目、200目、300目、460目、600目、900目、2000目的筛子，计算出不同颗粒大小的百分比，由此做出沙滤料的曲线图，在多条沙滤料曲线中选择在粗细边界内最符合的沙滤料。

下面以莱州湾暗管排碱项目实验区为例进行具体分析。

取20个土样绘制出土壤粒级曲线，如图5-9所示。

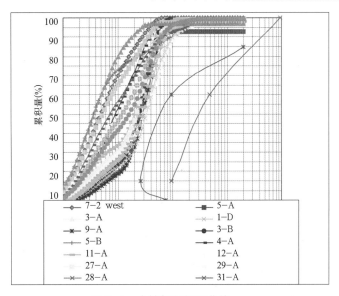

图 5-9　土壤粒径级配曲线

根据土壤级配曲线与设计标准确定的沙滤料级配范围，见图 5-10。

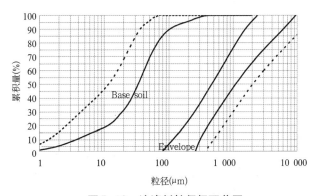

图 5-10　沙滤料粒径级配范围

2000 年 5 月 19 日自莱州取 3 个沙样；5 月 29 日自青州取 3 个沙样；自临朐取两个沙样。经化验分析做出沙滤料的级配曲线，发现莱州 3 个沙样的级配曲线比较相似，均在相近颗粒尺寸处出现拐点，与设计需要相比，莱州沙偏粗。青州两个沙样的级配曲线也极为相似，沙样的中间尺寸部分所占比例过大，曲线的斜率变化比较大。自临朐取的两个沙样的级配情况基本符合设计要求，级配曲线见图 5-11。

（四）质量控制

滤料可以从砾石场购买，如果在周围很难买到充足的砾石，也可用碎石，但要尽可能将碎石磨圆。

1.砾石规格初步设计

(1)最大为 10 mm（用 10 mm 筛子筛出）；

(2)最小为 0.074 mm；

(3)至少 85% 小于 1.3 mm（至少筛出 85%）；

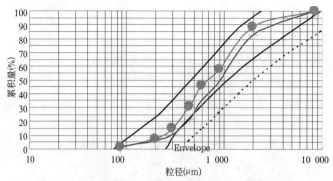

图 5-11 两个沙场沙样粒径级配曲线

注：上面的曲线为一新开沙场沙样，下面的曲线为石家河沙场沙样。

(4)至少 30% 小于 0.25 mm(至少筛出 30%)；

(5)至少 15% 小于 0.32 mm (至少筛出 15%)。

2.规格控制

(1)石场常规控制管理；

(2)进行详细的筛滤分析，画出 PS 曲线图，检查是否在要求规格范围内。

3.例行检查

石场的例行检查重点包括以下几方面。

(1)如果石料中仍有大于 10 mm 或小于 0.074 mm 的砾石，需再次筛选。

(2)至少 15% 通过 0.32 mm 的筛子，否则砾石太粗，滤料作用会受很大影响(即使决定用粗些的砾石，也要至少15%通过 0.6 mm 筛子)。

(3)经运输的砾石量应做好记录。

当砾石运往田间存放时,检查砾石是否干净(应保证没有其他细沙或灰尘掺入);砾石量是否与记录情况一致。

(4)直接用眼观察砾石是否呈等级变化。

(5)检查是否有灰尘掺进砾石中，假如有，注意保持运输车斗的清洁。

(6)根据运输车发送量检查砾石量。

4.详细检查

1)石场

(1)每 100 m³ 砾石中取 1 kg 石样，带回实验室做筛滤分析。

(2)将现有砾石渐变曲线图与规格要求做比较。

(3)假如渐变等级不精确，需采用新的筛选。

2)田间存放

约每 20 辆运输车取 1 个样，正常存放程序过后，在石堆顶端和底部各取 1 个样。

3)实验室分析

(1)比较两个石样等级变化。

(2)如果两个石样等级变化差异很大，则应注意将田间石料均匀混合。

4)记录

为确保有序、高质量的控制管理，整个控制程序应清楚记录下来。应派专人负责石场和田间存放的表格，回办公室后应及时将表格完善并保管好。

第三节　暗管改碱工程系统的设计方案

暗管改碱系统的设计是暗管改碱工程的重要步骤，是施工的基础。设计的基础是本章第一节中所讨论的排水标准和设计标准。在充分讨论和调查的基础上，我们就可以确定一个项目区的具体的排水标准和设计标准。在此，我们根据本章第一节的讨论，以已经完成的莱州湾地区为例，具体进行阐述。

排水标准概括如下：

最大的排水量：2 mm/d。

夏天的地下水位大于 1 m。

冬天的地下水位大于 1 m，最好大于 1.5 m。

设计标准概括如下。

(1)田间管。

间距：根据土壤状况，为 75 m。

比条田短 25 m。

管道铺设在地面以下 1.5~2 m。

坡度：0.7‰，特殊情况下最小 0.5‰；没有反坡度；在管道下游可以允许增加坡度，在上游方向不允许增加。

检查井：每 300~320 m 一处，地下。

田间管与集水管连接处，田间管在集水管上面。

(2)水管。

根据最佳设计确定其位置。

管道深度：最大为地面以下 2.8 m；最小为田间管的深度 +0.2 m。

坡度：最小 0.5‰，最好再大些。

位置：离障碍物最少 5 m 远。

检查井设置在集水管和田间管交接处。

设计的结果包括表格与地图，基于以下的要求：①在每块地需要订购和具体分布的排水材料；②可以在地里进行系统的布线；③可以进行施工。

一、设计需要的基本数据信息

（一）地形图

设计的基础是每块地的地形图，标明所有有关现存基本设施的信息，包括灌溉渠、排水沟、树、路等和它们的具体方向尺寸。比较理想的比例尺是 1∶2 000。

具体所需高程如下：

在地尾每隔 25 m 一个点的高程的直线，高程为绝对高程（cm）；

在地头每隔25 m一个点的高程的直线，高程为绝对高程（cm）；

从地头到地尾，中间两边共3条；

在排水处的明沟水位。

（二）其他资料

现场所需具体资料包括电线连接点的位置、田地中电线杆的位置、地下油气管线和电缆的位置、非稳定土层地区的位置。

需要了解的相关信息包括排水管道和直径、集水井用抽水泵和价格、浮动开关及其可靠性、能够提供的检查井和尺寸。

安装机械的性能如下：田间管道埋管机的最大深度为2 m、集水管埋管机的最大深度为2.8 m、安装机器的自宽（右手为5 m，如果有砾料，左手为12 m）。

二、设计程序

准备可以实际使用的设计方案，需要拿到准确的基本地形地图和有关数据。对于这一程序，将由最后负责整个设计的设计工程师负责。所以，该工程师应该严格按照设计程序进行检查，并根据实际在比较需要的地方进行修改。当然，考虑到实际情况的复杂性，设计工程师应该根据具体情况进行修改。

所有设计的结果都应该填在Excel电子表格的工作簿中，并用此进行计算。

（一）相关术语解释

田地：地图上作为一个单位的土地，以支、斗渠，土路或者支、斗排沟为分界线；

条田：地的分块，以农渠或者农田排沟为边界；

地头／条田头：地或者条田的最高端，一般为地的北边；

地尾／条田尾：地或者条田的最低端，一般为地的南边；

另外，该设计是在假设以下材料可能的基础上做出的：

(1)田间管／集水管直径：100 mm、125 mm、160 mm和200 mm；

(2)滤料根据设计手册确定；

(3)检查井为圆形非钢筋混凝土的水泥管。

（二）集水管系统设计

1.第一步（田地的总体布局）

在一份1∶2 000的地图上准备田地的总体布局，主要内容包括：可能的出口的位置；水流的方向；考虑障碍和间距后的田间管的位置。

需要注意的是田间管的间距和位置需要从实际的情况考虑。间距可以调动10%以与田地的实际情况相符合。应该避免田间管与排水沟或者灌渠相隔太近（最少相隔5 m，一般来讲每块条田可以安装1根田间管）。

2.第二步

(1)在1∶2 000的地图上画出集水管用的直线的地面高程的横断面，垂直比尺为1∶20。

(2)在横断面上标出田间管的末端位置（大约在地面以下2 m）。

(3)标出集水管的最小深度（田间管深度 −0.2 m）。

(4)在横断面下面画一条代表直线，代表集水管的纵剖面，并满足：该直线最少在田间管以下 0.2 m；坡度越大越好；深度越小越好。

(5)有可能因为一两根田间管深度很大，或者自然坡度不规则，从而使集水管埋的很深。如果是这种情况，可以将田间管埋得浅一些。10 cm 的变化是可以接受的。为了达到以上所提的条件，可以考虑增加下游方向的管道坡度，但是只有在两根管道相接的地方才能变更坡度，如集水管与田间管连接处。

(6)检查确保集水管不低于地面以下 2.8 m。

集水管设计示意图见图 5−12。

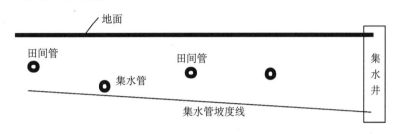

图 5−12　集水管设计示意图

3. 第三步

按以下方法计算出所得的集水管的坡度：最高点高程与最低点高程差除以管道长度。

检查一下，在现有的集水管坡度下最大的管道直径 200 mm 能否满足总的排水量。如果能的话，进行到第五步，如果不能的话，到第四步。

4. 第四步

如果 200 mm 的直径在"自然"坡度下不能满足排水要求，那么可以考虑以下的做法：

(1)是否能够增加坡度：可以增加坡度一直到集水管的底端在地面以下 2.8 m。

(2)确定最大直径管道 200 mm 输送所需排水量需要的坡度。

(3)检查一下增加坡度到所需的值是否可行（将集水管的底端加深），但底端不能低于地面以下 2.8 m，如果可行，则继续。

(4)可以考虑将集水管分段（见图 5−13），集水管的出水口（集水井）设置在最低点。

(5)设计双集水管或者三集水管系统。

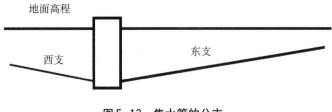

图 5−13　集水管的分支

需要注意的是,如果需要平行安装两根或者三根集水管,管道之间的间距应该为5 m(最小可以接受的间距是3 m)。如选择双集水管,那么平行重合的部分只承担输送排水到集水井中的任务。

5.第五步

将所有的信息填在设计工作表中,主要内容包括:

(1)根据控制面积计算出每根田间管的水量。

(2)在设计工作表中指出在每个田间管和集水管连接点所需排水能力。该排水能力就是田间管中流到下游的累积水量。

(3)借助相关工作表,根据坡度和流量计算每段(两根田间管之间的长度)所需要的集水管的直径。

(4)在设计工作表和草图上标明集水管的直径、每段的长度和坡度。

另外,需要注意,上游集水管第一段只控制第一根田间管,可以是与田间管相同的直径,不同的是这根管道不需要打孔。

总体上,一个集水管系统应该保持一个直径或者最多两个不同直径。

6.第六步

根据集水管的深度,确定所需集水管检查井的数量、类型、高度。将这些信息填在设计工作表中。

7.第七步

计算出每块地所需的集水管的总长度和直径。

8.第八步

确定集水井中最大流量和所需的抽水泵的能力。设计集水井。

9.第九步

在一个1:5 000的草图上标明集水管和田间管的布局。在表中填上高程、坡度、长度和直径。

(三)田间管设计

1.第一步

(1)确定田间管的开始点高程。

(2)计算田间管的长度(从集水管到地头距离减去25 m)。

(3)计算田间管控制面积(可以是总的田地面积除以总的管道数;最好是计算出田间管安装的条田的长度,乘以平均的管道间距)。

(4)确定田地的坡度(最高点的高程减去最低点高程再除以长度)。

(5)将数据填在设计工作表中。

2.第二步

(1)如果田地的坡度大于0.7‰,按地块的坡度设计管道的坡度。

(2)如果地块的坡度大约等于0.7‰,按0.7‰设计管道。

(3)如果地块的坡度在0.5‰~0.7‰之间,按0.7‰设计管道。检查一下管道尽头的高程是否在地面以下1.5 m,如果不是的话,将管道的坡度降低到0.6‰或者0.5‰。

(4)如果地块的坡度小于0.5‰，按0.5‰设计管道，并检查一下管道头的高程是否在地面以下1.5 m。

田间管设计完后，检查一下是否有管道在地面2 m以下，如果有的话，减小比降，使管道的最低点最多在地面以下2 m。

3.第三步

在管道长度、间距和坡度的基础上，确定所需要的管道的直径。将结果填在工作表中。

4.第四步

确定是否需要检查井和检查井安装的位置。田间管每段最长320 m。所有的检查井都在地面以下，并都为类型A。

5.第五步

检查一下，将田间管分成不同的段，并逐渐加大管道直径，看是否可以节省投资。可按下列方法进行：

(1)计算头段管道的排水量（间距×（该段的长度+25 m）× 20 m³/d）。计算出所需的直径。

(2)计算第二段中的排水量（间距×（该段长度+头一段长度+25 m）× 20 m³/d）。查出所需的管道直径。

(3)计算第一段管道的排水量（间距×（该段长度+头段长度+第二段长度+25 m)× 20 m³/d）。查出所需的管道直径。

(4)列出如表5-3所示的表格。

表5-3　　　　　　　　　　　　　　田间管设计表

分　段	第三步所得直径	表C中的直径	表D中的直径
头　段			
中间段			
开始段			

注：表C和表D为田间管设计中制作的表格，本书不再列出。

(5)考虑以下因素：

与根据第三步计算出的管道直径是否有差别；

所得的头段直径比第三步中计算的直径小，中间和第一段的直径相同时，考虑改变一下头段的直径；

所得的头段直径比第三步中计算的直径小，但中间和第一段的直径大，则不要做改动；

所得的头段直径和中间段直径比第三步中计算的直径小，而比开始段的要大，那么就要具体分析一下改动后经济上是否有利，如果有利，就改变，否则不要变。

(6)决定最终的管道直径并填在设计工作表中。

需要注意的是，根据经验，头段直径变小后减少的成本一般要被在底端的额外成本所抵消。另外，在同一条线上安装不同直径的管道将使施工复杂化。所以，最好是使用同一直径的管道。

另外，作为参考，各种不同直径的成本可以是以下比例：以100 mm为参照，假设其成本为100%，则125 mm的成本为150%，160 mm的成本为200%，200 mm的成本为245%。

（四）水位检查和潜水泵抽水能力

1.第一步

在集水井中的集水管中的水位应该与明沟（如果有的话）中的水位进行比较：如果明沟中的水位比集水井中的低0.2 m，可以利用重力自排；如果明沟中的水位高，就要用抽水泵抽水。这样的话，抽水泵的抽水能力就由集水井的最大流量决定。

2.第二步

决定抽水泵抽水的最大能力。选择在市场上能够买到的最接近要求的水泵。

（五）设计报告

1.第一步

在设计工作表上完成设计后，应该准备下列的报告：

(1)第一页：地形图，标明地块所在的位置、大体配置和基准线及基准点的位置。

(2)第二页：总结页，所有在施工前在地里应该完成的工作。

(3)第三页：所需的排水器材的清单。数量直接从设计表中复制，外加5%的损耗。所需砾料的计算基础是 4 m³/100 m 加上10%的损耗。

(4)第四页：标明所有施工所需的相关地形数据的草图。

(5)第五页：设计表。

2.第二步

准备当年要施工的所有地块所需的各种器材的总结表，以便在市场上订购。

三、检查井

检查井主要用来检查排水系统是否正常工作和清洗管道。另外也可充当沉沙井。检查井应该正确地安装在地下，避免在接头处有泥沙进入。

有两种基本检查井类型。

A型：田间管上的检查井（田间管中间检查井）。已经决定将这种检查井安装在地面以下。

B型和C型：将田间管和集水管连接起来的检查井。建议将这种型号的检查井安装在地面以上，以便检查。金川公司的领导从实际考虑，决定将它们安装在地面以下（见图5-14）。B型是用一个田间管与两个集水管相连；C型是用一个集水管与田间管相连。见图5-15。

（一）具体要求

具体要求的基础是检查井是用圆形水泥管子（一般不用加钢筋）做成的。其他像塑料、砖等也可以使用。

(1)为了能进入检查井清洗管子的内部，检查井的直径最少应该为0.8 m。

(2)检查井的底部应该闭合，以防止泥沙进入。

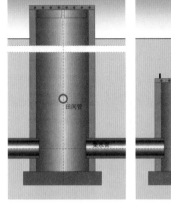
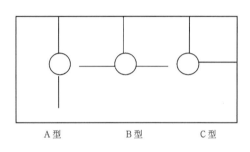

图5-14　井盖在地上（左）和井盖在
地下（右）的检查井

图5-15　三种不同类型的检查井

(3)检查井上面应该有盖，可以掀开（带把手）；盖子的直径应该大于检查井的直径。

(4)在不稳定土层正确安装检查井可能比较困难（正确的高度、高程等），可以在一个稳定的底座上安装。如果安装圆形检查井，那么一般来讲一个0.5 m×0.5 m带两个板层的圆形底座就足够了。

(5)田间管和集水管通过预制在检查井上的洞。因为检查井不能总按设计管道高程安装，所以预制的孔应该是垂直方形孔。另外一种方法就是在地里安装的时候，根据实际高度用凿子凿洞。

(6)检查井上洞的尺寸应该为：田间管，0.15 m；集水管，0.21 m。

需要注意的是，如果管道不是在相同的高度，检查井上的入口应该预制在最低点高程。

(7)检查井应该分开制造，容易运输和搬运。每截90 cm或者100 cm高比较合适。

(8)两截检查井相接处应该防水，并且能够防止滑落（歧口承插式）。

(9)集水井最低进水点下应该保持0.2 m的高度以存沙。

(10)为不妨碍耕种，检查井的最高点应该在地面以下0.6 m。

(11)为便于打开，检查井应该不深于地面以下1~1.5 m。

(12)最好在检查井的盖子上预制一块铁，便于探测发现。

(二) 尺寸

建议采取下列大体的标准高度。

(1)对于在田间管上地面以下1.7~2.2 m的检查井，建议检查井标准高度为1 m（取决于当地的标准）。

(2)对于安装在地面以下 2.5～3 m 的集水管上的检查井，建议检查井的高度为 1.5～2 m。

(3)对于在地面以上的集水管检查井，其高度根据暗管埋深确定：

检查井高度 ＝ 暗管埋深 ＋ 沉沙区深度（20 cm）＋ 高出地面高度（30～50 cm）

图 5－16 为一些典型检查井制图。

A 型检查井的制图

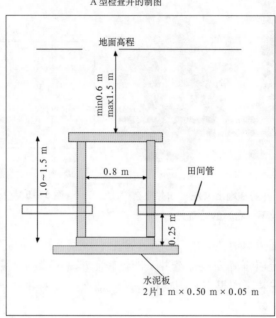

B/C 型检查井的制图

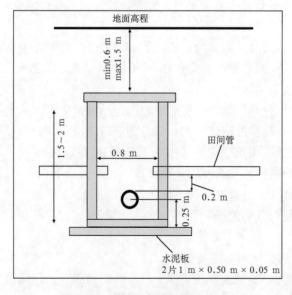

图 5－16　检查井的典型制图

类型A：

高度大体为1 m，内径大于0.8 m；

检查井上田间管进口的中心：地面以下最大2.1 m，最小1.6 m；

有两个相对的孔。

类型B：

高度1.58~2 m；内径大于0.8 m；

田间管进口的中心应该在集水管进口中心以下0.2 m；需要一个田间管进口；

集水管进口中心在检查井底部0.3 m以上；需要一个（B型）或者两个（C型）进口；

集水管进口中心与田间管进口中心成90°夹角；在田间管以下0.2 m。

另外，在有些情况下，集水井应该安置在地面以上以便检查，这样类型就分为BU型和CU型。

四、集水井尺寸和集水井用水泵的选择

集水井的泵站主要将水从集水管系统中抽到比较浅的明沟中排出(见图5-17和图5-18)。排水流量不持续，随灌溉时间而变化。在设计集水井泵站时这些因素都要考虑进去。

图5-17　集水井

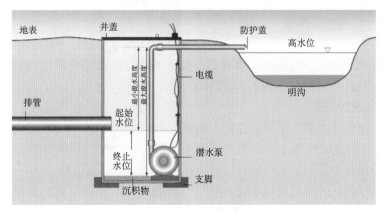

图5-18　集水井的泵站

综合考虑各种实际因素，最可行的方法是选择在中国市场上可以买到的潜水泵。潜水泵应该配置自动耦合电闸，以便根据预定水位自动开关电闸。

（一）抽水能力

应该根据地下排水系统的最大排水流量来设计水泵的抽水能力。就莱州湾的田地来讲，按 2 mm/d 设计，表 5-4 是每块土地所需的最大抽水能力。

表 5-4   莱州湾每块地所需的最大抽水能力

田地编号	面积 (hm²)	抽水能力		田地编号	面积 (hm²)	抽水能力	
		(m³/d)	(m³/min)			(m³/d)	(m³/min)
1	70.84	1 417	0.98	18	28.62	572	0.40
2	37.96	759	0.53	19	82.88	1 658	1.15
3	86.13	1 723	1.20	20	33.64	673	0.47
4	20.24	405	0.28	21	35.34	707	0.49
5	50.4	1 008	0.70	22	64.8	1 296	0.90
6	53.3	1 066	0.74	23	58.08	1 162	0.81
7	56	1 120	0.78	24	54.9	1 098	0.76
8	44.88	898	0.62	25	29.37	587	0.41
9	27.44	549	0.38	26	58.85	1 177	0.82
10	38.86	777	0.54	27	106.76	2 135	1.48
11	112.2	2 244	1.56	28	54.56	1 091	0.76
12	51.7	1 034	0.72	29	46.75	935	0.65
13	70.5	1 410	0.98	30	34.3	686	0.48
14	48.1	962	0.67	31	53.35	1 067	0.74
15	44.94	899	0.62	32	71.28	1 426	0.99
16	106.08	2 122	1.47	33	58.32	1 166	0.81
17	114.24	2 285	1.59	34	90.44	1 809	1.26
合计					1 996.05	39 921	27.72

大部分的地块所需的抽水能力在 0.5~1 m³/min。6 块地的排水能力小于 0.5 m³/min，7 块地的抽水能力在 1~1.6 m³/min 之间。可以根据这一目录和市场上的具体抽水能力选择所要的水泵。

（二）水泵的功能

水泵一年之中只持续工作一小段时间，其余时间只是在集水井中水位高于预定水位时候才工作。如果需要的抽水能力更大时，可以考虑使用双水泵。

（三）水位与水泵扬程

集水管系统在地面以下 2.5 m 排水，能达到的排水高程还不能准确确定，假设最大排水量是在地面，这就意味着需要 2.5 m 的扬程。考虑某些设计的不规则以及水泵的损失，设计总的扬程水头为 3~3.5 m。

（四）水泵的开关

排水系统中的水量并不是总在最大流量上。这就是说，水泵并不是总要工作，它们应该能够开关以防止干抽。开关最好是能够由水位自动控制的浮动或者电闸。

应该控制每小时的开关次数，以防止损坏水泵、电路超负荷。

比较实际的开关次数是每小时 10 次（5 次开，5 次关）。这就要在集水井中设立一个储水系统，这样可以保证一旦水泵开始工作就最少工作 3 min。所以，集水井需要一个由所选水泵的抽水能力定的储水系统，抽水要求是每分钟抽水能力的 3 倍。

（五）水泵特性

水泵应该用耐盐材料制成，这对于含盐量高的地下排水来讲尤其重要。实际上，水泵跟水基础部分最好用青铜或者不锈钢制成。

尽管总的来讲排水是干净的，但是当冲洗的时候要将泥沙等沉积物抽出，所以水泵应该能在颗粒粒径为 2 mm 的情况下不受损坏。

（六）水泵选择

从实际考虑，最合适的水泵是潜水泵。这些水泵包括一个统一的电动机和水泵，通过电缆可以放到集水井中。它们安装方便，很容易提出加以检验、修理或者进行防冻处理。

（七）集水井的特性

集水井的设计基础是选择的潜水泵及其要求。正如所指出的，集水井和集水管系统都有足够的储水能力，所以这里不再需要额外的要求。集水井一般要求如下：

(1)实际的集水井可以是跟检查井一样的圆形水泥管，其直径由水泵的具体性能决定。

(2)在水泵下面应该有一个沉沙湾，使集水管中流出的泥沙沉淀。

如上面所指出的，集水井和集水管系统中高水位（水泵打开）和低水位之间的存水量应该是水泵能在 3 min 内抽完的水量。

集水井中所允许的最高水位是集水管顶端的水位。最低水位应该在集水管下，并取决于设计所需要的水泵的最低需水量。

（八）建集水井

图 5-19 是建集水井用的有关具体细节和可能性。但是，大部分的技术细节，像电线连接、电闸等应该由专业人员根据所选的水泵的具体性能确定。

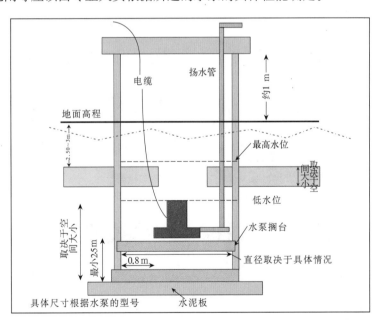

图 5-19　集水井和集水井用潜水泵图

集水井最好也用像检查井一样预制的水泥管。安装时候需要特别小心，因为集水井位置很深，且土壤不稳定，所以应该使用正确的底座使土壤固定。

如果集水井不是很深，就可以像检查井那样用挖掘机挖一个洞后直接安装上，否则，就要用到挖井的方法。

（九）集水井的类型

有3种类型的集水井：

SA 型：2个集水管的洞；

SB 型：2个集水管，1个出间管；

SC 型：3个集水管，1个田间管。

如果有4个集水管孔（双集水管），可以考虑在集水井旁安装一个检查井或者用稍大直径的集水井。

（十）重力自排的出口

如果重力自排可能的话，可以建一个重力集水井。图5-20是重力集水井的模型。出水管的顶端应在集水管的顶端，出水管的水位应在明沟中的水位以上至少0.1 m。这就意味着明沟中的水位应该至少在地面集水管以下0.4 m。

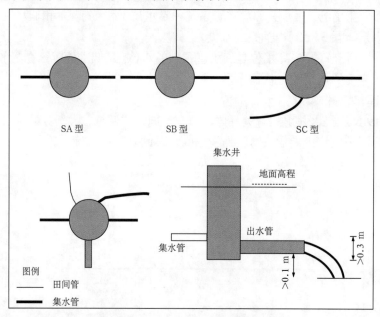

图5-20　重力集水井的模型

第四节　暗管改碱工程系统的施工方案

一、施工准备

（一）材料准备

(1)PVC管准备。根据设计得到 PVC 管的直径、埋深、间距和总长度，与 PVC 管生产厂家联系，签订 PVC 管订购运输合同。

(2)沙砾料准备。根据土壤调查分析出的沙砾料粒径级配和总用量，与沙砾料供应商联系，签订沙砾料订购运输合同。

(3)检查井准备。根据设计得出的检查井尺寸、数量，与预制厂联系，签订检查井订购运输合同。

（二）设备准备

(1)开沟埋管机。对开沟埋管机进行正常的维护保养和检修,准备必要的零配件和油料。

(2)砾料拖车。对砾料拖车进行正常的维护保养和检修。

(3)其他设备。联系必要的施工设备,如挖掘机、装载机、拖拉机等,签订租赁合同。

（三）其他准备工作

组织民工队伍,确定施工居住场所,选定施工临时料场等,保证"三通一平"。

二、施工

暗管排碱项目施工现场岗位结构如图5-21所示。

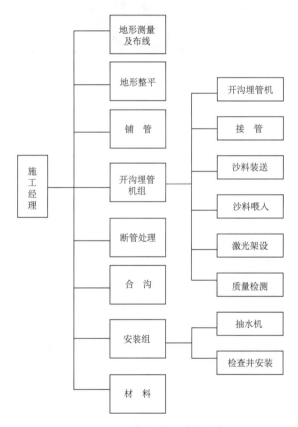

图5-21　组织施工岗位责任图

各个岗位在施工过程中所处的位置及各岗位工作步骤和要求如下。

（一）开沟埋管

1.需要的资料、工具及人员

(1)数据:起始点设计高程、末端点设计高程、坡度、长度、沙滤料厚度、参考点高程。

(2)人员:机械操作2人、沙滤料喂入1人、接管2~3人。

(3)工具:铁锹1把。

(4)材料:16号铁丝、PVC管、沙滤料。

2.施工步骤

(1)机械操作手对开沟埋管机进行日常保养维护与热车。

(2)开沟埋管机运动到暗管铺设的起始点。

用挖掘机挖出的铺管工程起始工作面

(3)如果刚刚干完一条线,那么在起始点处还要进行一些必要的保养,如给螺旋分土器打黄油,将管箱上的泥土刮净等。

(4)根据需要,对机器做必要的调整,如沙子厚度、管箱与挖掘链的相对位置等。

(5)1名机械操作手和1名民工将方向杆插好,在线路起始端和末端向右距离木桩1.05 m处各插一根杆,中间至少要插一根杆,所有的杆连成一条直线(见图5-22)。

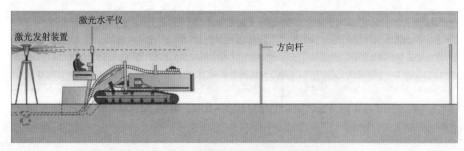

图5-22 铺管机位置与激光接收杆高度的调整

(6)接管人员将接好的30 mPVC管装到机器上。

(7)激光安装人员将激光发射装置在合适的距离和位置上架好,调整好高度、方向和坡度,打开开关,确定已找到平衡后开始正常工作。

(8)砾料拖车运动到起始点处等候。

(9)质检人员将埋管机起始工作面处理好,并测得参考高程。

从步骤(4)到步骤(8)的工作在开沟埋管机进行步骤(2)、(3)、(4)的过程当中就应该完成。

(10)将开沟埋管机向后倒到已挖好的坑边,并将方向调正,使机器上的方向瞄准杆与插好的方向杆在一条直线上(见图5-22)。

(11)调整浮动油缸和深度调整油缸,将管箱落到坑底,通过摆动油缸开关将管箱摆正,并将摆动浮动开关处于打开位置。管箱保持水平,管箱底位于处理过的起始工作面和设计的田间管管底高程之间，并尽量靠近管底高程。如图5-23所示。

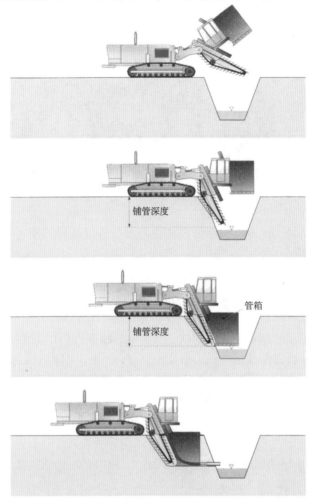

图5-23   管箱运移示意图

(12)将PVC管从管箱底拉出一段并固定住。

(13)调整激光接收杆的高度，使激光控制器绿灯亮，将数字显示器调零（图5-22）。

(14)接合上链条，推动操纵杆，瞄准前方方向杆，使机器慢慢向前行驶，到管箱底被土垫起后，依次打开提升浮动开关和激光自动控制开关。再向前行驶1~2 m后停止行驶，依次关闭激光自动控制开关与提升浮动开关。

(15)砾料拖车从埋管机左侧倒车，向埋管机沙料箱前箱加沙子，使沙子流到PVC管下方。

(16)依次打开提升浮动开关与激光自动控制开关，向前行驶2~3 m后停车，依次关闭激光自动控制开关与提升浮动开关。

(17)质检人员测量管箱后下方已有沙子的PVC管的管顶高程。如果高程在起始工作面高程和设计管顶高程之间，那么可以继续向下进行。如在两个高程之外，那么就必须将管箱提起，重复步骤(10)到步骤(17)的过程。

添加沙滤料

(18)根据测量的结果，计算出实际管顶高程与设计管顶高程的差，以此调整激光控制器的数字显示器数值。

(19)砾料拖车向埋管机沙料箱后箱加沙子，使沙子流到PVC管上方。

(20)依次打开提升浮动开关与激光自动控制开关，向前行驶，逐渐调整激光接收杆的高度，直至数字显示器值为零，这时候PVC管也达到设计高程。

(21)埋管机操作手操纵机器，保持视线、机器上的瞄准杆与前方的方向杆在一条直线上。如果偏离方向，要逐渐找回方向，不要转急弯，否则，可能造成管箱受挤压变形。

(22)注意观察PVC管是否断开，料箱中的沙子是否足够，激光控制器是否工作稳定，管箱是否保持水平等。一旦发现异常，马上停车采取措施或做相应的调整。

(23)在线路的末端，接管人员将PVC管末端堵好。在保证PVC管全部埋入地下，脱离管箱后，依次关闭激光自动控制开关和提升浮动开关，保持链条转动和行驶，将管箱提离地面，然后停止链条转动。

(24)埋管机操作手填写施工记录表。

刚刚完成铺管作业的工地

(25)将开沟埋管机开到下一条线的起始点处。同时，砾料拖车、激光安装人员、插杆人员、质检人员、接管人员开始做准备工作，重复步骤（3）到步骤（24）的工作。

(26)收工。将开沟埋管机停好，收拾好设备、仪器、工具，给机器做必要的保养，加满柴油，填写设备运转记录。

3.任务与要求

(1)砾料拖车、沙料喂入、接管、质检、激光操作和开沟埋管机为一个开沟埋管组，埋管机车长为机组组长。

(2)组长负责所在开沟埋管组的施工现场组织，开沟埋管现场的砾料拖车、激光安装、质量监测、接管、捣沙等工作和人员都要服从组长的指挥。

(3)如两个开沟埋管组在一起施工共用部分设备，由施工经理指定一人负责。

(4)如无特殊情况，每个开沟埋管机组平均每小时应开沟埋管至少150 m。

（二）接管与沙料喂入

1.工具

钢锯1把，钳子2~3把，捣沙用长杆子1根。

2.人员

喂沙1人，接管3人。

3.岗位职责及要求

(1)每天开工，接管和沙滤料喂入人员要帮助操作手保养车。

(2)在埋管机向线路起始点运动的过程中，一名接管人员要提前到埋管线路上协助操作手插杆。

(3)连接管子所用的铁丝要抽时间剪成段，提前准备好。ϕ200管为70 cm，ϕ110管为40 cm，ϕ80管为30 cm。

(4)埋管机到达埋管起始点后，接管人员应该尽快完成以下几项工作：①将粘在管箱上的泥刮干净；②帮助操作手保养机器、打黄油；③将PVC管前30 m连接好，注意无孔和有孔管的连接顺序。

PVC管的连接

(5)当准备工作完成，埋管机倒车至坑边准备下管箱时，将连接好的30 mPVC管安装到机器上。

(6)当埋管机开始向前工作后，一名接管人员用钢锯将PVC管的承插口锯开，开口不能太长，ϕ 200的管子20 cm，ϕ 110的管子10 cm，ϕ 80的管子8 cm。接头都锯好后要返回来一起接管子。

(7)管子不能接得太长，否则因为太重，机器在埋管时可能会拉断管子。先由1~2人在前面，每30~40 m接一段，再由一个人在机器前方接管，保证机器不因管子未接好而停车即可。

(8)管子接头的连接要达到以下要求：①所用铁丝长度要合适；②铁丝最少要绑两道；③铁丝弯头向机器前进方向弯倒；④要绑牢固，两个人拉不开；⑤不能有大的缝隙出现。

(9)在机器近处的接管人员，要负责将挡在机器前方的方向杆拔掉，放到埋管机上，保证机器不因此停车。

(10)接管过程重点注意检查PVC管自身的质量问题，如折弯、无孔、大孔等，一经发现立刻采取补、换等措施。

(11)到线路末端，截一段PVC管利用埋管机排气管加热变形将一端堵住，连接在线路末端做堵头。

(12)将每条线多余的PVC管回收，用于下一条线。

(13)喂沙人员在砾料拖车给埋管机供料时，跟在砾料拖车料斗上，用长杆子捣动料斗内的沙子，确保沙子能顺利地流到输送带上，进入埋管机料斗内。同时，将较大的土块和石头捡出。

(14)每天收工前，接管和捣沙人员要帮助操作手将机器停放保养好，将油箱加满。

(15)接管和捣沙人员要服从开沟埋管机组组长的指挥，完成组长临时安排的其他任务。

(三)砾料运送

1.设备

外雇拖拉机3台或6台（带液压输出）、装载机1台、砾料拖车3台或6台。

2.工作步骤

(1)每3台砾料拖车配合一个开沟埋管机组成一个组（见图5-24）。特殊情况下不固定。

(2)拖拉机司机负责砾料拖车的简单维修和保养，如上紧松动的螺丝、调整皮带、保养轴承、更换挡沙胶皮、更换缓冲胶垫等。

(3)砾料拖车必须在每条线开始之前有一台装满沙子到达开沟埋管机左侧，并准备好倒车。

(4)起始处埋管机管箱下需要加沙子的时候，砾料拖车向后倒车，向前料箱加少量沙子。倒车时，要一次成功、节省时间、注意安全。

(5)在质检人员确定安装的管子高程符合要求后，再将埋管机料箱全部加上沙子，然后埋管机开始向前工作，砾料拖车跟随在左侧，随时给埋管机上沙。

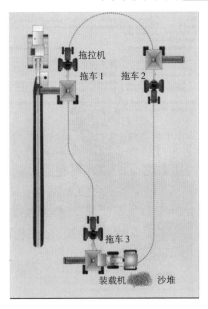

图5-24　砾料拖车组合图

(6)砾料拖车上沙的时候,要注意均匀上沙,保持埋管机管箱的重量均衡,避免因此造成的不稳定。

(7)开沟埋管的过程中,后一台车要跟紧前面正在工作的砾料拖车,当前台车沙子用尽离开时,后一台要马上跟上开始工作,这样可以避免埋管机因断沙而停车。

(8)沙料用完后,要尽快赶回沙场装满沙子,再赶回施工现场,要保证埋管机的沙子供应不间断。

砾料拖车在沙场装填砾料

(9)在每条线的末端,当埋管机料箱内的沙子够用了,就要停止上沙,减少不必要的浪费。

(10)砾料拖车在运输和上料等过程中,必须减少沙子的浪费,要避免漏沙、掉沙等情况发生。

(11)拖车司机要保证每条线最后一车沙到位，不能出现人为原因拖车不到位而造成埋管机的等待。

(12)拖车司机午间吃饭休息时，要与开沟埋管组一起，避免出现相互等待情况发生。

(13)除非机械故障，装载机要保证砾料拖车的正常运输，不能让砾料拖车在沙场等待，以致造成埋管机在地里的等待。

(14)除非特殊要求，装载机将砾料拖车一律装满。

(15)装载机要保证装到拖车里的沙子纯度，不能将太多的杂物装进去，如土、草、大块的石头等。

(16)装载机有责任减少沙场沙子的浪费，应及时地将散沙收集成堆。

(17)砾料拖车和装载机还要服从开沟埋管机组组长和施工现场经理的指挥，完成安排的临时任务。

（四）激光安装

1.需要的技术数据

田间管长度、坡度。

2.设备

195拖拉机1台（带斗）、激光发射机2台、激光发射架2套、梯子2套。

3.工作程序及要求

(1)每天开工对激光发射设备进行检查保养，并装好车。

(2)必须在每条线开始之前架设好激光。

(3)保证激光安装的方向和坡度正确，安装的高度、距离和位置合适。

(4)如因激光发射机太远造成埋管机工作不稳定，则需要重新安装发射机。

(5)移动发射机的时间要尽可能地短，应该在10 min之内完成，以减少埋管机的停车等待时间。如果是使用两台激光发射机，那么两台发射机交换的时间应该在3 min内。

(6)激光装置的运输要小心，避免碰撞和挤压。

(7)每天收工将激光发射装置存放好，按规定对激光发射机充电。

(8)按规定对激光发射机的工作性能进行校验。

(9)施工过程中，激光架设人员要服从开沟埋管机机组组长的指挥。

(10)有关激光装置的使用、保养、校验和架设中应该注意的事项，以及在不同天气和地形情况下的使用见激光使用手册。

（五）布放PVC管

1.需要的技术数据

田间管长度。

2.设备

拖拉机1台（带长托盘）。

3.人员

民工2～3人。

4.人员任务与要求

(1)根据田间管长度计算所需PVC管的数量。

(2)每天第一条线施工人员要比其他施工人员提前出工,并在开沟埋管机到达线路起始点之前布好PVC管。

(3)有承插口的管子,要将大头朝前,避免接头在进入管箱时,因边缘被刮而断开。

(4)PVC管布放的密度要均匀、间距要合适,以减少接管人员拖动管子的时间。

(5)做好每条线起始处对管子的特殊要求,例如准备一段无缝的PVC管。

(6)每条线布完管子后,要马上返回料场,将下一条线的管子装好车、布上管。

(7)除布管工作之外,还要负责料场PVC管的卸车工作。

(8)检查PVC管的质量,发现有问题的管子,例如无缝、大缝、压扁等,处理好后再用。

(9)负责地里多余PVC管的回收。

(10)每天收工前,将第二天要布的管子装好车。

(11)完成临时安排的任务。

（六）断管处理

1.设备

挖掘机1台。

2.工作程序及要求

(1)开沟埋管机遇到PVC管断开的时候,就做好标记,继续干下去。如已失去高程不能继续,就提起管箱,等待挖掘机的到来。

(2)挖掘机到达断管处,跨在田间管两边,顺着管子向下挖,接近管子时要小心,挖到沙子就停止。为了回填土壤时方便,挖出来的土要将干土、湿土分开放。

(3)由人工下到坑里进行处理,将断管处前后1m左右的管子周围的土清理干净。

(4)如果埋管机失去高程需要重新下管箱,那么挖掘机还要挖出一段足够长的坑道,以供埋管机下管箱用。下管箱的程序与每条线开始的程序相同,高程根据起始端高程推算。

(5)由人工将断开的管子里面清理干净,用一段接头接好,在周围包上沙子,并保证管子应有的坡度。

(6)挖掘机将坑填平,注意先用散的较干的土顺坡流下将管子盖住,再慢慢填平。避免用大块的土突然砸在管子上,造成管子被压扁。

(7)挖掘机应该完成临时安排的其他工作,如地形整平、障碍清除等。

（七）地形整平

1.设备

推土机1台。

2.工作程序及要求

(1)将施工线路上的沟、坑、坝、坡等整平到要求的范围内。

(2)整平宽度:线路左边至少6 m,右边至少2 m。

(3)整平高度:最低处埋深不小于0.7 m,田间管线路最高处埋深不大于2 m,集水管线路最高处埋深不大于 3 m。

(4)整平坡度：最大坡度不能超过15°。

(5)必须在开沟埋管机施工的前一天完成整平工作。

(6)推土机随时服从安排的其他工作，如拖车等。

（八）合沟

1.设备

"东方红"链轨车1台，合沟犁1台。

前面

后面

合沟犁作业图

2.工作程序及要求

(1)合沟机在开沟埋管机开沟之后，将挖出的土回填到沟里。

(2)因为回填的土壤较松散，在下雨或车辆压过后会下陷，所以回填后PVC管上方的土壤要稍高于地表，以便下陷后刚好与地面相平。

(3)不要在土很湿的时候回填，这样土块就有可能在沟里搭成桥（见图5-25），灌溉的时候水就会直接流到管道上，对滤料造成不可挽回的损失。

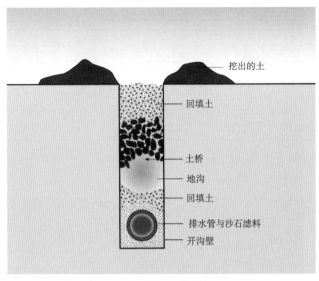

挖出的土

回填土

土桥

地沟

回填土

排水管与沙石滤料

开沟壁

图5-25　回填不正确的情况

(4)每条线都要合到头,不要有漏合的情况发生。

(5)遇到坍塌的情况,不能跨在沟上顺着沟进行合沟时,应该从沟的两边横着将土推到沟里。

(6)合沟机一天最少合沟1.5万m。

(7)合沟机随时服从安排的其他任务,如拖车等。

(九) 抽水机

1.设备

195抽水机一台 (带发电机和水泵)。

2.工作程序及要求

(1)每天提前半小时出工,将水泵放入集水井中,开始抽水。

在安装组开始装井之前将集水管中的水抽尽,这样可以减少安装时因为水多而带来的麻烦,以加快安装进度,保证安装质量。

(2)如果水多,还要进行间断的抽水,确保安装的整个过程中没有水的麻烦。

(3)服从其他的工作安排。

需要注意的是,在进行有集水井的暗管系统铺设时,会遇到集水井的水位高,影响施工情况,此时需要进行排水,然后施工。

(十) 单壁波纹管验收标准

单壁波纹管的质量好坏直接关系到暗管排碱的成功与否。它除了要符合DIN和ISO标准外,还必须符合下列现场验收标准。

1.单壁波纹管的材料

金川公司用于暗管排碱的排水管道是由硬质聚氯乙烯(U-PVC200 mm,直径110 mm)或聚丙烯(PP,直径80 mm)原料制成的管直径110 mm和80 mm的单壁波纹管,又因实际需要,分为打孔和不打孔两种;打孔的单壁波纹管又可分为包无纺布和不包无纺布两种。管材的技术标准见表5-5。

表 5-5 管材的技术标准 (单位:mm)

标称直径	DN200	ND110	ND80
外 径	200	110	79.4
外径偏差	0~0.20	±0.15	±0.30
参考内径	182	100	72
平均壁厚	1.1	0.72	0.42
材 料	U-PVC		PP
长 度	6 000±50		10 000±50

2.单壁波纹管的技术要求

1)管道现场验收的技术要求

颜色:管材色泽应均匀一致。一般情况,采用 U-PVC 材料为乳白色,采用 PP 材料为黄色。

外观:管材内外壁呈波纹状,表面应光洁平滑。管材两端应平整,并与轴线垂直,不允许有气泡、裂口、分解变色线及明显杂质。

打孔:吸水孔应打在管子波纹的谷底;吸水孔可以是洞,也可以是割缝等其他任何形状,但必须在管道的四周均匀分布,且每周不少于3行,每100 mm至少有2排;吸水孔宽度应在0.6~1.3 mm之间;对吸水孔的长度没有具体的规定,在实际应用中,它应该符合一定的强度要求;每米管道的有效吸水孔面积应该不小于800 mm²。

接头:厂家提供的管道应该带插头和承插口或机械接头,能使管道连接结实,但直径为110 mm管道接头处的重合覆盖长度不应超过300 mm,直径为200 mm管道接头处的重合覆盖长度不应超过400 mm。

2)厂家应提供的管道的技术要求

厂家应在每批产品(不超过3万m)中提供主要理化指标的测试参数,并保证达到以下标准:

测试项目	技术指标
环刚度(SR24,kN/m²)	≥2
扁平试验	压至外径1/2,无裂缝
落锤冲击试验	不破裂
坠落试验	不破裂

3)运输要求

管道在运输过程中,捆绑绳子与管道接触处应垫上纸板或其他材料,并不得剧烈撞击、抛摔、重压和暴晒。

3.单壁波纹管现场验收步骤

(1)检查产品的名称、规格、批号、数量、生产厂家、厂址、生产日期、等级和生产标准编号。

(2)在每次进货验收中,厂家应提供产品的合格证。对于每批(3万m)产品,厂家还应提供单壁波纹管主要理化指标的测试参数,并保证达到要求,达不到要求的拒绝入库。

(3)根据上述单壁波纹管的现场技术要求,逐项对产品进行抽检。抽检数量为每100

根(6 m或9 m规格)抽检10根，每10卷(100 m规格)抽检3卷。如抽检3根(或1卷)不符合要求，即判为该批产品不合格，可拒绝入库并退回厂家。

(4)对于不合格产品，应立即将不合格项目通知厂家整改，直到符合上述技术要求为止。在验收过程中，应随时做好各种纪录。

4.单壁波纹管现场存放及其他要求

(1)对于验收合格的单壁波纹管，应放置在较平坦的地面上，按其不同的规格分别堆放，并在四周打上木桩，用帆布或塑料布盖好，以防止风吹、雨淋和暴晒。

(2)在装卸管道的过程中，应避免抛摔。卸车时，1~2人在车上向下推管道，至管道头落地时，由车下人员将其拖下车，并放置在指定堆放地点。装车时，先将管道头放到拖盘车上，然后再将剩余部分推上拖盘。

(3)对于现场施工的剩余管头，应集中堆放，能够继续使用的应在下次施工中使用。

(4)管子距离热源的存放距离不应少于1 m，储存期限为从出厂日期起2年。

第五节　暗管改碱工程系统安装与施工质量

一、暗管改碱工程系统安装

施工方案包括集水井安装、集水管检查井安装和田间管检查井安装。

(一) 设备准备

挖掘机1台、工具（如锯、钳子、锨等）、水准仪、连接材料（铁丝、土工布若干）、起吊设备(钢丝绳等)、运沙滤料和石子的小拖拉机、小泵。

(二) 人员准备

挖掘机操作员、小拖拉机／泵操作手、施工员1人、民工4人。

(三) 安装的准备工作

准备好设计方案，放线，测量出集水井和检查井所在地点的地面高程（打桩），到实地勘察是否有障碍物（如果有的话将其清除），需要时还要将集水管和田间管所在的线整平，将有积水的地方晾干或将水排出，将沙子或石子铺放地里，将检查井和集水井水泥管摆放好。

(四) 集水井的安装步骤

(1)挖坑。按集水管与吸水管方向确定井的安装位置，采用挖掘机开挖基坑，基坑的开挖尺寸视集水井的设计和土壤的坍塌情况而定。由施工人员从底部开始垒砌至集水管的设计高程，并预留集水管的端口。

(2)回填土至集水管设计高程，并夯实。注意回填时应先填干土，后填湿土；集水管下面的土应予以特别注意。

(3)安装两边的集水管。

(4)继续按照设计进行集水管的施工，直至到达吸水管的设计高程，预留出吸水管的端口。

(5)安装吸水管，注意端口的处理，不能漏泥沙进入集水井。

(6)将坑回填上并压实。

(7)根据流量选择好自动液位控制水泵。

(8)将集水井的井盖盖好。

（五）集水管上检查井的安装步骤

(1)挖掘机的位置。为了挖起来方便，建议挖掘机放置在垂直集水管的地方。

(2)检查井安装组的距离。量出检查井上集水管的接孔内到检查井井底的距离。

(3)挖掘机在集水管上部土层挖坑。尽量保持最小的坡度，以防止坍塌（见图5-26）。

图5-26　挖掘机在集水管上挖坑

(4)挖掘过程中应该安排一个民工随时用探测杆探测集水管所在的位置和深度，由其将相关信息告知挖掘机操作员，这样挖掘机可以最大限度地向外挖土而不挖断管子。

(5)当快挖到集水管时，民工用铁锹将土铲出，使管子露出大约1.5 m长。

(6)一个民工用铁锯将管子锯下大约1.2 m长。

(7)当水从集水管中流出的时候，马上将集水管堵住（可以使用一个软球，直径大约比管子内径大2 cm）。

(8)挖掘机在管子锯断的地方挖出需要的深度，底部用碎石夯实至检查井设计高程。

(9)民工用水平尺将要装检查井的点整平。同时技术人员给出相对于集水管底的距离。

(10)坑底准备好了后（找平、深度正确、水平），挖掘机将检查井吊起来，由民工协助将其放在正确的位置上（水平尺）。

(11)在大多数情况下应确保已经有一边的集水管连接上。

(12)检查井放好后准备集水管与检查井的连接，主要用水泥抹上连接处防止水渗入（用水平尺检查集水管连接是否水平）。

(13)将土填到田间管接孔处；民工将土夯实，尤其是检查井周围和要铺田间管的地方（见图5-27）。

（六）集水井和检查井安装完毕后的检查工作

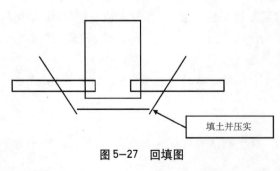

填土并压实

图5-27　回填图

(1)由人力将所有的集水井和检查井的泥沙清理干净；

(2)把泵放在井中，检查一下井中的水位是否合理，以及集水管中是否有水流动；

(3)检查集水井中的田间管是否有水流。

（七）吸水管上检查井的安装步骤

(1)在检查井指定位置采用挖掘机进行基坑开挖，放坡1：1，开挖至设计高程。

(2)遇地下水位较高时，采用水泵抽水，必要时为防止土壤过度坍塌，可采用板支撑。

(3)底部用碎石夯实至入孔设计高程。

(4)下管前将暗管入口整理好。

(5)用吊车将最底部混凝土管在基坑内放平。

(6)波纹管连接处采用土工布包紧，用钢丝包扎。

波纹管与检查井的连接

(7)波纹管与入孔接口处采用土工布塞实。

(8)破坏的滤料层重新填实。

(9)先填上大约0.3 m厚一层土，将这层土压实后填另外一层，夯实，继续填下去，直至填到两节管的接口处。

(10)吊装第二节管，用无纺布将两节管的接口处包好并用铁丝扎紧，然后回填土，约30 cm厚一层，夯实后再填另一层，直到露出地面30 cm（见图5-28），必须注意防止地表水流到检查井中，减少被农机作业破坏的可能性。

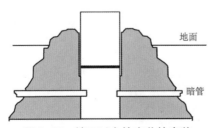

图5-28　地面以上检查井的安装

(11)安装井盖。

（八）工作定额

当前每日的工作量是：4~5个集水管上的检查井(包括每天1个集水井)；6~7个田

间管上的检查井。

二、暗管改碱工程系统施工质量监测方案

暗管排水改碱虽然技术先进、优点很多，但由于地下施工铺管质量受机械、天气、土质、地面状况影响较大，质量难以直接控制。质量是工程成败的关键，暗管铺设质量好坏直接关系到系统能否发挥作用，为了保证排水管的铺设达到设计要求，我们采用水准仪随机跟进测定暗管管顶高程的方法来控制质量。

（一）资料

设计图、地形图。

（二）工具

水准仪、三脚架、塔尺1根、铁锹1把、记录板、记录纸、铅笔。

（三）人员

测量员1人、测量工1人。

（四）步骤

(1)在工程开工之前，要事先从附近的高程点把高程引至埋管的始端。

(2)从设计表中查得设计高程，依据设计的沙滤料厚度，计算出管底的视线高。

(3)由测量人员在管的起始端整平一段长2 m、宽0.3 m的平面，并竖尺。用水准仪读得视线高，看比计算得到的视线高是高还是低，然后决定是填土还是挖土，并告知测量人员填挖土的厚度。

(4)反复读始端视线高几次，经过若干次整平达到设计要求。

(5)由接管人员、测量人员、机械操作手配合把管子下到管箱，通知机械操作手倒车。

(6)由测量人员把管子引至井的插口里，并由安装工人把管的四周用土工布塞好。

(7)下降管箱时，密切注意管箱下降方位、管箱的水平性及距离管子始端地面的距离，并及时通知机械操作手做相应的调整。

(8)由安装工人在下面按住管子，防止机器开动时被拖走，通知机械操作手开动机器。

(9)机器向前开动2 m，示意机器停下，测量人员将塔尺放在管顶测量管顶高程，看与设计相差多少，然后通知机械操作手做相应的调整。如深1～2 cm，直接将激光杆下降相应的高度，如比设计浅或深2 cm以上，则需倒车重来，重复步骤 (6)、(7)、(8)、(9)。

(10)达到设计要求后，车辆前进，测量人员从始端开始用塔尺量10 m，把塔尺放在管顶轻轻一捻，塔尺底接触到管子就把尺子竖直，由测量人员读数，读完以后拔出尺子，把沙砾料重新盖好。以后每10 m测量一次，50～70 m转点一次。

(11)测量过程中，测量人员要密切注意数据的变化，变化幅度达到管径的1/4，要通知机械操作手找原因，及时做调整，变化幅度达到或超过管径的1/2，应及时做补救措施。

(12)每条线测量完毕后，要先于机器赶到下条线的起始点，做准备工作。

(13)每天测量的表格要注意保存，及时输入计算机中，并做出曲线图，检查分析存在的问题，与操作人员探讨改进方法。

第六节　暗管改碱工程系统的后期维护

暗管改碱系统是否需要维护和何时需要维护在很大程度上取决于土壤状况和安装的质量。尽管平时也需要有日常的检查，但是一般只在系统发生故障时才需要采取维修。暗管排碱系统的布局包括复合式和单一式两种。对于复合式来讲，主要有田间管、检查井和集水井；对于单一式来讲主要有田间管、检查井和出水管。

如果出现以下的情况，可以认为系统发生故障：

(1)系统没有按要求发挥功能，没有水流或者水流很小（功能）；

(2)地下水位没有按照要求降低（效果）；

(3)土壤的含盐量并没有得到控制和／或没有降低（影响）。

原则上说，系统的维护主要包括以下的活动：①检查系统不同部分功能；②进行日常的清洗／维护；③进行总的清洗；④需要的时候对系统不同部分进行维修；⑤水泵预防性的维护与修理。

一、由农民进行的日常系统功能检查

（一）检查和清理检查井

最少在每年季节开始（3月）和结束（10月／11月）时对所有的检查井进行检查。如果检查井的井底淤泥多于10 cm，就要进行清理（最好是在没有水或水很少的时候进行）。同时还要对检查井的管子周围和不同的水泥管之间的接口进行检查，看是否有泄漏。

如果淤泥和泄漏都很严重，就要通知金川公司，报告有关的损坏情况。

（二）排水管水流的检查

开始灌溉后，就要对排水管的功能进行检查。这可以通过打开检查井检查以下项目：

(1)管子是否有水流；

(2)管子内的水流是否每年逐渐减少；

(3)排水管排出的水是否干净；

(4)检查井中有没有高水位的积水。

如果上述情况存在，就应该通知金川公司检查维护。

（三）记录水泵抽水时间

农民具体负责水泵的查看。如果水泵发生故障等情况，他们应该向金川公司汇报。应该尽量记录下水泵抽水的时间，这可以通过对水泵的用电量做大体的概算推断出来。如果水泵抽水时间过长或过短，就说明系统有漏水情况或者系统有故障发生。

二、金川公司所要负责的维护

如果系统存在以下问题，金川公司应该进行诊断并负责修理。

(1)如果田间管中没有水流，则检查一下到底问题发生在哪个地方；

(2)如果田间管上的检查井中的水位很高，则说明问题发生在田间管下游的检查井；

(3)如果田间管检查井中没有水或水很少，则问题存在于田间管的上游检查井中；

(4)如果找到了发生堵塞的部分，则用清洗机冲洗堵塞的部分。如果冲洗机堵住了或者无法再前进了，找到管子停止的地方，挖开管子，手工进行修理。

当清洗管向管子内行进时，观察是否有"喷泉"或冒气泡现象。如果有的话，则发生这种情况的地方就是堵塞并破裂的地方。

（一）集水管的某个部分没有水流

如果集水管的某个部分没有水流，则需要采取以下的行动：

(1)将所有的集水管检查井和集水井打开；

(2)抽水（如果管子内还有水流的话，头一天就开始抽水）；

(3)一直等到水位平衡为止，继续保持抽水；

(4)用水准仪测出每个检查井中的集水管的底部高程（顶端高程减去 20 cm）；

(5)检查一下集水管的底部高程线，看其是否是有规律的线条，该线条的坡度应该与设计的坡度大体相当；

(6)测出每个检查井中的水位；

(7)将水位和检查井中的管子高程做图。在正常情况下水位图应该如图 5-29 所示。如果水位如图 5-30 所示，则在第 4 个检查井和第 5 个检查井之间有堵塞。

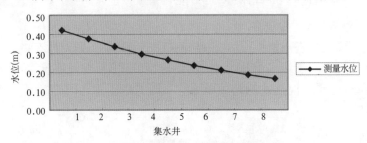

图 5-29　正常运行情况下的检查井水位图

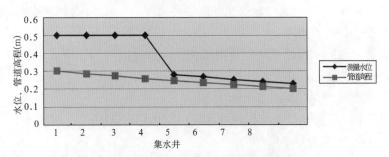

图 5-30　集水管发生堵塞时的水位及管道高程图

如果有堵塞可采取以下方法：用冲洗机从下游的检查井开始向上冲洗集水管。如果冲洗软管无法前进，则说明停住的地方有堵塞。如果无法用清洗机对其进行清理，标出堵塞的位置（可以量出集水管中进去的清洗管的长度），这时惟一的办法就是在标出的位置挖开集水管，看是否能用人工将堵塞处理好。

（二）系统的水流减少

如果系统的水流越来越小，则可能是系统淤积了，需要进行清理。在理论上讲，如果管子有25%被淤积则一定要进行清理。如果水流每天减少2 mm，而又没有别的明显的原因，就是应该进行清洗的时候了。

三、清洗

只有当田间管有问题或者不流水的时候才能清洗，在一次清洗中，不要分两次或多次将清洗软管插进管道中，这样可以保护管道周围的滤料。每次的清洗都会不同程度地损坏滤料，因此应该尽量减少清洗次数。

（一）所需的设备

1台管道清洗机。

1台拖拉机（75马力），带动力输出装置。

1台拖拉机带一个大约4 m³的水罐（当周围没有可用的清洗水时，因为清洗一根500 m长的管道大约需要3 m³的水）。

1个将清洗机软管导入检查井中的导向装置。

1台至少是100 L/min的泥沙泵（将水从检查井中抽出来，并将水罐加满）。

（二）管道清洗机的压力／工作压力

田间管的清洗在清洗喷头的压力至少是12～15 Pa。DSS100（清洗软管320 m长）的泵的压力应该不超过50 Pa（检查泵上的压力表）。太高的压力将损坏滤料。

（三）清洗用水

(1)如果旁边有明沟，并有20～50 cm深的清水，可以直接用来清洗。如果是这样，应在明沟中挖一个洞，将一个铁桶或其他金属容器放入洞中。铁桶的顶端应该至少高出明沟底部10 cm，水位应该高出铁桶的顶端10 cm。然后将吸水阀放入桶中。

(2)如果周围没有可用的沟渠，将吸水阀放入水罐中。

（四）从检查井中清洗田间管

从检查井开始清洗田间管只能从上游向下游清洗，即从高处开始清洗，逐渐地向下清洗。

清洗田间管的方向和顺序见图5-31。清洗田间管的顺序如下：

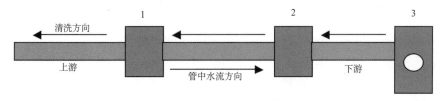

图5-31　清洗田间管的顺序

(1)打开检查井。

(2)如果检查井中有水，先用泥沙泵将水抽出来。

(3)准备好水罐。

(4)将下游在同一个检查井中管道堵住。

(5)将软管导向装置放在检查井中。

(6)开始清洗。

(7)在清洗的同时持续地将污水用泥沙泵抽出来。

(8)清洗后将检查井清洗干净。

(9)将检查井重新盖上。

（五）清洗步骤

(1)将清洗机放在管道的下游或者接近管道的末尾，这样可以直接将清洗软管放于检查井中。

(2)只能从下往上（从低到高）清洗管道，如果相反，从上流下来的污水将与还在管道中的泥沙一起将管道堵塞住。

(3)确认将软管正确地安放在导向轮上，确保其能顺利地进入管道中。

(4)先用手将软管插进管道 2～3 m。

(5)启动清洗机，将压力置于最高 50 Pa。

(6)喷头将自动地进入管道中。但是应该注意不要使软管前进的速度超过30 m/min。

(7)要确保清洗水供应。

(8)当清洗喷头到达管道末端的时候，将软管以 20～25 m/min 的速度抽回来，同时还要清洗（否则软管将被挡在管道中）。

（六）软管的导向装置

软管的导向是由角钢制造的，长度为 3.5～4 m，每 50 cm 有一个横格，可以安装可移动式导向轮。上端的导向轮装在靠顶端的地方，导向轮的直径最小为 40 cm，移动式导向轮的直径与此相似。

（七）集水管的清洗

集水管的清洗与田间管大体相同。主要的区别就是：①不对压力有特殊的限制；②清洗的顺序有些不同；③管道中没有水时也可以清洗。

清洗的顺序如下（见图5-32）：

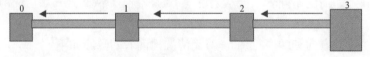

图 5-32　集水管清洗顺序

(1)将所有检查井中的泥沙清洗干净，需要的话可以使用泥沙泵。

(2)开始从集水管的上游清洗。

(3)清洗时要堵住下边的管道。

(4)堵住田间管。

(5)用最大的压力进行清洗。

第七节　盐碱地的开垦与改良配套技术

暗管改碱工程系统安装后，还需要合适的土地改良措施配套，才能取得令人满意的盐碱控制效果。盐碱地治理措施有水利改良措施（灌溉、排水、放淤、种稻、防渗等）、农业改良措施（平整土地、改良耕作、施客土、施肥、播种、轮作、间种套种等）、生物改良措施（种植耐盐植物和牧草、绿肥、植树造林等）和化学改良措施（施用改良物质，如石膏、磷石膏、亚硫酸钙等）四个方面。本节着重就土壤的初期淋洗进行阐述。

对黄河三角洲大面积的盐碱地改良来说，种植之前需要进行初步的淋洗。初步淋洗一般在安装完系统后就可以有效地进行，这也是日常工作之一。总的来讲，土壤根系区的含盐量 EC_e 超过 $8\sim10$ ds/m 时就需要改良。

特别需要注意的是，有些盐碱地地区的土壤还有碱化现象，或者说当前来讲是碱化的。一般这都是由土壤颗粒上有 Na 离子吸附造成的。这些土壤的可交换阳离子量 ESP 一般都大于15%，pH 值一般来讲也比较高。有时还有潜在的碱化现象发生，也就是说，一开始的时候 Na 离子并没有吸附到土壤颗粒上，但是一旦开始淋洗，这些 Na 离子将很快吸附上去。这样一来，原来比较正常的 pH 值就有可能在淋洗后很快上升，比如说达到 10 ds/m 或者更高。要想了解土壤是否碱化或者存在潜在碱化的危险，必须在实验室中测出土壤的阳离子交换能力（CEC 当量/100 g 干燥土壤）和可交换的阳离子。

另外，有以下情况的地区在安装完地下排水系统后应该进行特殊的改良措施：

盐碱地区：根系区土壤含盐量很高（$EC_e > 8\sim10$ ds/m）；

盐碱地区和/或碱化地区或有潜在碱化危险的地区：这些地区的土壤中的可交换阳离子量比较高（$ESP > 15\%$）。

一、淋洗过程

盐碱地的淋洗主要就是将土壤中的盐分从根系区淋洗出去，包括用灌溉水或雨水灌溉和泡地。地里的水将向下渗透到地里去，这样土壤中的盐分就会溶解在水中，并随着水一起从土壤中排出。如果有排水系统存在，土壤的含盐量就会慢慢降低。

这样淋洗的结果就是，土壤将从顶层开始慢慢脱盐。一旦土壤根系区的土壤脱盐（含盐量 EC_e 降低到 $4\sim6$），就可以开始在地里种植庄稼。当对根系区以下的土壤进行淋洗的时候，同样可以在地面以上种植庄稼。

如果地下水位较高（地下水位超过所谓的临界高度），一旦停止灌溉，就会有毛细管上升作用发生。随着毛细管上升，将会有盐分被带到地面，水分蒸发掉后，就会发生次生盐碱化，顶层土壤尤其严重。这样，很重要的一部分脱盐进程将被毛细管上升作用抵消。

在理论上来讲，将地下水位保持在临界水位以下可以阻止毛细管作用的发生。在黄河三角洲地区，临界深度是地面以下 $3\sim4$ m，这样保持这一深度的水位几乎不可能。地下排水系统安装在地下 1.5 m 深，从而在冬天使水位最高不超过地面以下 2 m，这样就可以减轻毛细管上升作用（估计可以减少 10%~15%）。

减少因毛细管造成的次生盐碱化，可以采取以下的措施：

(1)停止灌溉/淋洗后，将地下水位保持越低越好；

(2)淋洗过程中（地下水位较高时），应尽量使水持续地向下渗透，从而可以阻止在地下水位高时发生毛细管作用。

在实际工作中，这就意味着淋洗要持续进行，不能中断。

二、土壤准备工作

在开始淋洗之前，应该在地里做好以下准备：

(1)灌溉系统；

(2)持续的灌溉水供应；

(3)功能正常的地下排水系统和可以工作的水泵（如果系统是带水泵的话）；

(4)粗略地将地整平；

(5)新安装排水管的挖沟机挖的沟边应该有小沿，从而可以阻止灌溉水直接流到沟里，破坏滤料层；

(6)尽可能地深耕土地，以增加土壤的渗透系数，然后将地块整平；

(7)将地块用小沿分成小块（比如 30 m × 30 m）。

三、淋洗土地

从高程最低的地块开始灌溉，这样可以防止从高程高的地下水流到高程低的地里去，造成盐碱化。

淋洗的过程主要包括：

(1)开始向地里灌水，水越多越好，但是应该保证持续不断，一直到地下的水位上升到地面，并在地面有一层水；

(2)在一开始，使地面上的水保持住，一直到田间管都往外流水；

(3)一旦所有的田间管都流水，且地面上有一个水层，可以停止灌溉，直到地下水位降低到地面以下 30～50 cm；

(4)如果有以下情况的话，重新开始灌水：地下水位在地面以下 3～50 cm，或者顶层土壤开始出现裂缝，或者开始变白；

(5)如果下雨的话，应充分利用雨水，调整灌溉计划；

(6)将淋洗保持得越长越好，尤其在 9、10 月份要确保有淋洗进行；

(7)停止灌溉后，只要田间管向外流水就继续抽水；

(8)如果种植水稻的话，水稻收割后要继续开始灌溉，直到年末；

(9)第二年重复该过程，直到地里没有盐分。

需要注意的是，一旦开始淋洗，就不能停止。停止淋洗将使地下含盐量很高的水发生毛细管上升作用，从而使土地发生再次盐碱化前功尽弃。

四、农业措施

通过以下的措施可以使淋洗更有效。

(1)要提高淋洗效率，就要经常深耕土地，深耕土地越经常、越深越好。这将增加土壤的渗透系数，降低毛细管上升和次生盐碱化作用的发生。

(2)如果顶层土壤持续保持低含盐量的话，就可以开始种植水稻，作为淋洗作物。种植的水稻应该持续灌溉，并在地面以上保持有一个水层。因为有地下排水系统，种植水稻所用的水将比平日用得多。如果需要干地，从而进行移种的话，在移种结束后应马上重新灌溉。

(3)如果在种植季节末尾时土壤顶层 $0.6\sim1$ m 的含盐量 $EC_e<6\sim8$ ds/m，并且在第二年的春天也是这样的话，就可以试着种植棉花。建议在种植棉花之前，在 $3\sim4$ 月份先将地块灌溉一次。但是要保证在第一年种植棉花时一定要浇灌好，并且应比平日多浇灌一些。

(4)如果棉花种植后土壤的含盐量又升高的话 $EC_e>8$ ds/m，重新进行淋洗灌溉。

(5)地下排水系统一定要保持运行；一旦土壤的根系区有正常灌溉水供应流动，其含盐量应在以下范围之内：

对于小麦、玉米来讲：$EC_e=4\sim6$ ds/m；

对于棉花来讲：$EC_e=6\sim8$ ds/m。

五、淋洗所需水量

改良所需要的水量取决于以下几方面：

(1)灌溉水的质量；

(2)地下水的质量（含盐量）；

(3)淋洗的管理质量（尤其受毛细管上升时间的限制）；

(4)淋洗效率（取决于土壤的淋洗特性并可以通过深耕加以提高）。

淋洗所需要的水量可以通过初步淋洗公式计算出来：

$$D_W/D_S=-C \lg[(EC_a-2EC_i)/(EC_s-2EC_i)]$$

式中：D_W 为所需要的水位；D_S 为需要淋洗的土壤层的深度，m；C 为土壤的淋洗特性；EC_a 为所需要的土壤含盐量，ds/m；EC_s 为一开始时的土壤含盐量；EC_i 为灌溉水的含盐量。

因为还没有莱州湾地区的基本数据，所以没有办法计算出其所需要的水量，这样就只能对其大体的范围做个推算。图 5-33 就是对改良 1 m 土层时所需要的水量的推算。该推算是基于以下的假设的：

灌溉水的含盐量为 $EC=1$ ds/m(0.66 g/L)。

土壤开始的含盐量为 $EC_e=60\sim20$ ds/m。

土壤的淋洗特性为 1.5、1.0 和 0.7（与淋洗效率相反）。

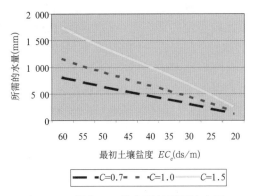

图 5-33 淋洗 1 m 的土层所需要的水量

淋洗 1 m 土层，不同土壤含盐量和 3 种淋洗特性时所需要的灌溉水量见图 5-33。

从图 5-33 可以得出，对于盐碱程度最高的地区，需要 800～1 100 mm 不等（ 8 000～11 000 m³/hm²）的灌溉水才能将顶层 1 m 的土壤脱盐。

从图 5-33 中得出的需水量是必须从土壤中渗透下去并从排水系统中排出的水量。

六、盐化和碱化土壤的淋洗

盐化和碱化都很严重的土壤的淋洗是一件比较复杂的事情，这种情况下的淋洗实际是：将盐分从土壤淋洗出去；将土壤颗粒上 Na 离子用 Ca 离子代替。

其淋洗过程在原理上与上文所描述的一样。当然水从碱化土中渗透的速度要慢一些。如果是有潜在碱化的土壤，则在淋洗过程中土壤结构将塌陷，水下渗的速度将慢慢降低。

Ca 离子与 Na 离子的替换取决于灌溉水的质量。如果灌溉水中含有 Ca 离子，则这些离子将慢慢地把 Na 离子替换出来，否则，就要使用添加剂如石灰等。这本身非常困难，因为可能需要大量的石灰。

因为现在还没有莱洲湾地区详细的土壤化学分析结果，所以无法给出具体的碱化土改良建议。一般的建议是：

(1)按本书所描述的淋洗盐土的方法淋洗；

(2)可能的话，向地里加石灰，然后在淋洗之前将地深耕；

(3)尽可能地深耕，使土壤结构松散；

(4)尽快开始种植庄稼，庄稼的根将有助于松土；

(5)绿肥非常有用。

七、改良进程的监控

应该尽可能地管理好淋洗过程，这样可以减少所需要的灌溉水，加快淋洗进程。好的管理的基础就是对淋洗进程有清晰的了解，这可以通过合适的监控取得。在以下的章节中对所要监控的项进行了描述。当然，好的监控的前提是有一个功能发挥正常的好的地下排水系统。关于地下排水系统的描述在监控和维护手册中做了描述。

（一）地下水位监控

要对地下水位和地下水的流动进行监控，必须经常对水位进行监测（开始的时候每周进行一次，如果水位比较稳定的话，可以适当地延长监测周期）。

这样最好在每两根排水管之间安装一个检查井，每块地最少要装3个检查井（见图5-34）。

一般情况下，地下水位将按图 5-35 所示的那样流动。

如果淋洗的过程中发现地下水位降低0.3～0.5 m，那就有可能是毛细管上升作用所致。要想避免这种情况，应该立即开始灌溉。正确的监控可以帮助指出重新开始灌溉的时间。

（二）土壤含盐量监控

土壤含盐量应该是对排水管以上和以下的整个土壤层面的监控。建议按以下的深度进行监控： 0～10、20～30、50～60 、80～90 、110～120 、150～160、190～200、250～

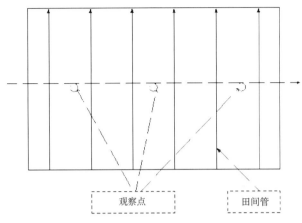

图5-34   安装了3个检查井的地块

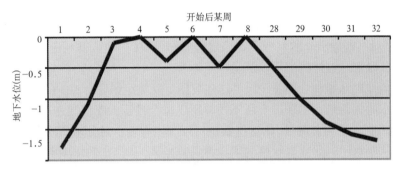

图5-35   地下水位的流动示意图

260 cm。

应该对观测井周围的土在淋洗之前(春天或在地下排水系统安装之后)和一个淋洗季节结束时(秋天或冬天)取土样。第二年淋洗开始之前应该再次重复这一过程。在实验室里可以对所取的土样进行 EC_e 分析化验。

每块地里最少要取3个土样,如果地块比较大的话,每3～5 hm² 就要取1个土样。

根系区、根系区下的表层土壤和排水管以下的土层的平均含盐量按图5-36所示的样式变化。

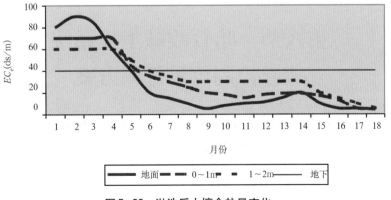

图5-36   淋洗后土壤含盐量变化

图 5-36 所示的土样曲线是基于假设的条件和开始时的土壤含盐量绘制的。实际的曲线将有所不同，但是只要是正常淋洗，一般会遵循这个样式。

（三）种植淋洗作物的监控（水稻）

如果在淋洗过程中顶层土壤（20~30 cm）含盐量被淋洗到 4~5 ds/m，在水稻移种之前可以先种植水稻作为淋洗作物。

要确定这是否可行，可以在 9~10 个地点取 0.3 m 土壤，化验其含盐量。如果顶层 20~30 cm 土层的含盐量为 4~5 ds/m，就可以种植水稻。但是一定要保证在种植水稻后地里保持水分，否则即使是几天的干旱也会使水稻死亡。

（四）地下水含盐量监控（EC）

在测土壤含盐量和／或地下水水位时测地下水的含盐量 EC。

（五）其他监控观测

1.监控地区排出的盐分

淋洗过程基本上就是将盐分从土壤层面中排出的过程。如果淋洗过程发挥作用的话，最好可以根据进出入的盐分确定该过程的作用如何，即可以从进入该地区的盐分和排出的盐分确定。这样我们可以测量以下内容。

(1)灌溉水的水量和含盐量 EC。由这些数据可以确定到底有多少的盐分进入该地区。因为灌溉水的含盐量一年之内有所不同，所以每个月至少应该测一次。

(2)排出的水量和含盐量。由这些数据可以确定有多少盐分被排水系统排出。排出的水量可以从抽水的时间或者水泵的用电量计算出来。从排出的水中测得含盐量，最好每周测一次。

通过以下方法可以计算出排出的盐分：

排出的盐分 =(排水量×排出水的含盐量) −(灌溉水量×灌溉水含盐量)

2.湿度记录

水或者湿度记录也非常有用，通过这个方法可以得到蒸腾有关数据。这可以帮助了解在将来需要供应多少水以及确定淋洗效率。也就是说，除了需要了解灌溉水和排出水量，还要了解降水量。

水平衡公式如下：

降水 + 灌溉水 = 排出水 + 蒸腾水

第八节　暗管改碱工程系统
盐分控制效果监测方案

对于已经安装了暗管改碱系统的土地来说，需要经常性地对其排碱效果进行监控，监控的结果将直接作为将来对系统排水效果评价的基础，并可在此基础上对其加以改进。

总的来说，就是对已经长庄稼并且其根系区的含盐量 $EC_e < 10$ ds/m 的土地进行监控。在这里，我们假设种植作物是旱地作物，如小麦、棉花、玉米和大豆，并不考虑水

稻的种植。

有两种基本的监控方法，一是效果监控，观察系统是否可以带来预期的效果，即直接监控黄河三角洲暗管改碱系统在技术上是否达到其最终目标，主要包括：①使根系区的土壤含盐量保持在 $EC_e<6$ ds/m；②在作物生长季节使地下水位保持在地面以下 $0.8\sim1$ m 之间；③通过效果监控，可以确定系统的目的是否达到。

二是功能监控，即确定系统功能是否发挥正常。暗管改碱系统的功能就是降低地下水位，促进盐分的淋洗。如果地下水位降低到需要的深度，则说明系统功能发挥正常。如果系统工作不正常的话，则有两种可能的原因：①因为系统管道中有堵塞，所以水流不出来；如果是这种情况的话，应对系统进行相应的维修或维护。②设计的假设不正确，如果是这种情况的话，就要对设计的假设进行修改。

一、效果监控

暗管排碱系统的效果监控主要监控以下参数：土壤含盐量、地下水位、地下水含盐量。

有一个假设就是在安装暗管排碱系统之前，这些参数已经通过前期调查测出。但是，这些参数都是不稳定的，因为它们要受降水、作物种植实践、灌溉等的影响，所以一年之中经常变化。效果监控主要是用来确定排碱系统的总体效果，所以要在整个系统大体达到平衡时才能进行测量。

效果监控计划主要包括：①定期测量观察井处的地下水位和地下水含盐量；②定期取土样，并在实验室测出土壤的含盐量。

下面是如何进行监控计划的指导原则。

（一）观察点的位置

系统安装完后，每块地里最好有 3 个观察点，一年后可以减少到 1 个。观察点应该选在田地中部，两根排水管的中间。

（二）观察的频率

观察的频率如下。

(1)地下水位和含盐量：每个月一次，灌溉后的第五天。

(2)土壤含盐量：一次在田地没有灌溉和种植之前；一次在田地作物收获后。

（三）观察方法

１．地下水位和含盐量

(1)用皮尺在观察井中量出地下水水面至井口的距离；量出观察井口在地面以上的高度；将两个数相减，所得的值就是地下水位。

(2)随后用提桶将井中水提干，取出大约 1 L 水。

(3)等到水再次升满，取出水样。

(4)测出水样的 EC 值，并将测试值填在田间观察本上(见表5-6)。

２.土壤含盐量

按以下方法取土样：

(1)在观察点附近取 3 个点。

表 5—6　　　　　　　　　　　　地下水水位和含盐量监测表

位置	点 1		点 2		点 3	
日期*	水位 (cm)	含盐量 (ds/m)	水位 (cm)	含盐量 (ds/m)	水位 (cm)	含盐量 (ds/m)

注：＊表示灌溉后第五天。

(2)先对一个点取土样。

(3)将打洞周围的松土清理干净。

(4)按下列方法在以下的深度钻取土样：0～10、20～30、50～60、80～90、150～160 cm；钻到第一层的底部，将土样带出；将带出的土样取下部 1/3 的土壤放在土样袋中，贴上标签，标明观察点的代号和土样的深度，将袋子敞开口；对下一个深度采取同样的操作，直到最后的 1.5 m 的深度，对下一个洞采取同样的操作，将相同深度的土样放在前一个相同深度的袋子中；第三个洞完成后，将袋子口扎住。

(5)将土样运到实验室，按土壤分析手册进行实验室操作。

(6)将数据填进 Excel 表格中。

（四）记录

将数据记录在笔记本上，然后到办公室后将数据填到电子表格的工作表中。要保证测量是定期进行的。

同样应记录以下的情况：土地的大体情况（干的、湿的或水淹过）、耕地的日期、种植的日期、最后一遍灌溉的时间、收获的时间和其他相关情况。

（五）继续效果监控

很明显，等到进行了大量的暗管铺设后，不可能逐个对每块地进行效果监控，因此建议按以下方法进行。

(1)安装的当年（0）和第一年（1）：观察计划应按上面所述（每块地 3 个点）进行监控。

(2)第二年和第三年：观察同上，但只取 1 个观察点。

(3)第四年：有问题时才进行监控。

二、监控结果的解释

（一）土壤含盐量

如果系统工作正常，地面以下 1 m 的土壤的含盐量在种植前后应该为：

对于小麦／玉米轮种来讲，地下 1 m 的土壤 EC_e=4～6 ds/m。

棉花：EC_e=6～8 ds/m。

如果所测的值大于这些数值，确定是否灌溉过。正常来讲，灌溉水量应该是：

小麦／玉米：510 mm（5 100m³/hm²）。

棉花：300 mm（3 000 m³/hm²）。

如果灌溉水不够，或者当年降水比较少的话，则有可能造成土壤含盐量过高。如果每次收获后，土壤含盐量持续上升，则说明系统有问题。如果系统工作正常，则要加大灌溉水的供应量。

（二）地下水位

地下水位的最后监测结果如图 5-37 所示。

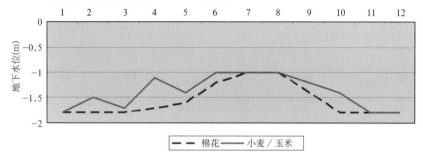

图 5-37　地下水位监测结果

如果夏天有降水，引起地下水位上升，这不用担心，一般地下水不会持续5天超过 0.6～0.8 m。

如果灌溉停止后，地下水位并没有降低到田间管高程，而这一时期又没有明显的降水（10月～次年1月），那么系统工作就不正常。

（三）地下水含盐量

因为地下水的含盐量在各个地方差别很大，无法给出一个统一的标准，但是应该能够观察到含盐量随着时间而下降的趋势。一般来说，位于排水管高程左右的地下水的含盐量以 ds/m 表示的话，应该相当于土壤含盐量的 50% 左右。

（四）排出水的含盐量

排出水的含盐量应该很高，且应该持续几年时间。其含盐量一年之中很可能不相同，但是 40～60 ds/m 值应该是很正常的。排出的水越咸，则意味着淋洗越彻底。

三、暗管改碱系统功能监控

（一）简述

暗管改碱系统的监控或检查属于系统管理和维护的一部分，应该持续进行。很明显，专业公司不能对所有铺设的暗管系统进行日常的检查，这个任务应该交给土地经营者安排。一旦认为什么事情需要专业公司去做，则可以通知公司，由公司负责进行清洗或维修。

暗管铺设后第一年，作为质量控制的一部分，应对系统进行检查维修。

系统的功能监控可用以下两种方式进行。

直接：检查系统是否根据需要向外流水。

间接：检查系统是否按照要求降低了地下水位。

（二）地下排水系统功能直接监控

按下列方法进行地下排水系统功能监控。

(1)随时检查系统是否正常排水（看集水管检查井、集水井以及田间管检查井中是否有水流），并做记录。

(2)检查检查井中是否有泥沙沉积。如果有的话，进行清理，并做记录。

(3)如果某个集水管检查井中的水位比较高，而在它下游的检查井水位不高，则说明在集水管的这一段有阻隔。应对其进行清洗或修理。

(4)如果田间管上的检查井水位很高，水从田间管末端流出，那么说明在集水管和田间管之间有阻隔，应清洗田间管。

(5)如果没有水从田间管中流到集水管检查井中或者田间管检查井中，而地下水位又相当高，则先对田间管上端进行清洗，然后对下端进行清洗。

(6)根据抽水的记录确定排水量是否逐年逐渐减少，如果是的话，则说明系统可能需要清洗。

（三）功能间接控制

在灌溉季节结束后，可以监测到两根田间管之间和靠近田间管的水位的下降（见图5-38），因此需要随时对地下水位进行测量。如果水位迅速下降（10~20 mm/d），则说明系统功能发挥正常。

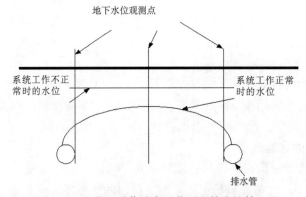

图5-38　在灌溉季节结束后监测到的水位的下降

如果水位没有下降，或者水位在图5-38所指的位置，则说明系统功能没有正常发挥，需要找出系统中的问题。

如果田间管上的检查井水位很高，水从田间管末端流出，那么说明在集水管和田间管之间有阻隔，应清洗田间管。

如果没有水从田间管中流到集水管检查井中或者田间管检查井中，而地下水位又相当高，则应先对田间管上端进行清洗，然后对下端进行清洗。

如果系统功能发挥不正常，则用上述方法找出问题所在。

（四）排水系统中阻隔的定位

对排水系统进行修理，有必要知道发生阻隔的具体位置。有两种方法可以使用：直接方法和间接方法。

1.直接方法

直接方法应该遵循以下步骤：

(1)清洗管道，先清洗排水系统的上游部分。

(2)观察流出的水中泥沙含量是否持续，如果是的话，则有可能需要进行清洗。

(3)如果突然有大量的泥沙流出系统，记住发生问题的具体地点(距起始处的距离)，这可能是管道破损、泥沙进入管道中造成的。同时观察是否有"泉涌"现象，如果有的话，则说明发生泉涌的地方就是管道破裂的地方。

(4)如果清洗管被挡住，无法继续前进，则说明有问题存在，需要将管道挖出，进行修补；清洗（修理后），观察水流与地下水位，确定系统是否已经得到改善。

(5)将所有做过和见到的进行记录。

2.间接方法

确定问题所在的间接方法不是很准确，且比较麻烦。

间接方法主要是测量管道中间的水位，确定系统在哪里开始发生问题。按以下步骤进行：

(1)在有问题的两根管道中间，沿着与管道平行的方向每隔50 m钻一个孔，见图5-39。

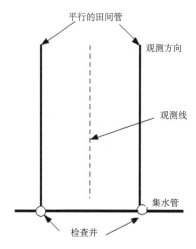

图5-39　观测点的选取

(2)如果地下水位突然下降（见图5-40），则可以判断在该点与上一个点之间有问题存在。

(3)从下降的点开始向后每隔10 m钻一个孔，从而确定具体位置。

(4)如果发现问题出在什么地方，则沿垂直两根管道的方向钻孔，如果看到水位朝其中一根管道下降，则说明问题出在另外一根管道上，对此管道进行处理即可。

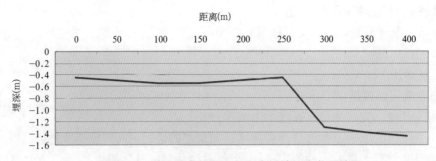

图 5-40　排水管有阻隔现象发生时地下水监测结果

第六章　黄河三角洲机械铺管改良荒碱地工程

自1999年盐碱地专业改良公司——东营金川水土环境工程有限公司组建以来，先后实施了莱州湾暗管改碱工程实验项目、仙河农场改碱项目、孤东十万亩土地开发项目、垦利县森林公园改碱项目、六干排绿化带改碱项目、河口义和万亩盐碱地开发项目等几项较大型工程。本章主要对重点工程的建设规模、布置形式、效益和指标体系进行阐述。同时，金川公司还在工程实践中逐步探索出一套以暗管改碱技术为核心的盐碱地改良系统技术，为进行大面积盐碱地改良提供了切实高效、可行性强的工程方案，为有效提高土地生产能力、保护和改善区域生态环境、实现黄河三角洲高效生态经济的发展做出了实际的贡献。

第一节　金川盐碱地改良专业公司的组建和近期业绩

1999年10月，在胜利石油管理局和东营市领导的关心支持下，成立了国内首家专门从事盐碱地改良的股份制企业——东营金川水土环境工程有限公司。经过近几年在油田改制激流中的不断成长，金川公司实施暗管改碱工程的技术水平不断提高，已成为具有勘探、设计、施工、维护资质并形成一定规模的专业化企业。

2004年是金川公司全面加强企业管理、夯实企业基础、提高工作质量、向质量要效益的"质量效益年"。在公司董事会的领导下，紧紧围绕暗管改碱工程、水利工程和土建工程的中心任务，从推行目标管理入手，建立健全管理的各项规章制度，认真执行工作标准、管理标准和技术标准，超额完成了董事会制定的生产经营目标，取得了显著的成绩。

一、生产经营目标完成情况

2004年完成施工企业产值1 599.34万元。其中，完成暗管改碱工程产值753.94万元，水利及土建工程产值779.78万元，勘察设计费65.62万元。施工企业产值与2003年的1 023.3万元相比增加576.04万元，提高56.29%。

2004年共发生工程直接费，包括人工费、材料费、机械费、外包工程费等1 205.6万元，税金20.82万元，发生管理费用、财务费用237.06万元，完成全年目标130万

金川公司在莱州湾铺下黄河三角洲地区的第一根 PVC 排碱暗管

元的 104.52%，比 2003 年利润总额 118.7 万元增加 17.16 万元，提高 14.46%。

二、圆满完成施工任务

为了按照合同的约定完成施工任务，该公司抽调了技术骨干，组成了暗管改碱工程、水利工程和土建工程三个项目部，明确目标，落实责任，确保各项施工项目优质高效完成。

（一）孤东Ⅱ区暗管改碱二期、三期工程

孤东Ⅱ区暗管改碱二期工程自 2004 年 3 月 1 日开工，至 3 月 20 日按期竣工，共铺设 50 条条田，埋设 φ110 田间吸水管 5.85 万 m。10 月、11 月又先后完成孤东Ⅲ区和Ⅱ区暗管改碱三期工程，共铺设排碱暗管 10.95 万 m，安装检查井 332 个、出水口防护 220个。值得一提的是，Ⅱ区二期暗管改碱工程施工正值初春，气候变化无常，时有冰冻，时有风沙；地下水位高，塌方严重；芦竹收割后，断茬遍地，给机械和人员行走带来困难。暗管改碱工程项目部的职工早出晚归，加班加点，每天工作 11～12 个小时，克服了家庭、生活、气候和施工等方面的困难，发扬了不怕疲劳、连续作战的精神，如期完成了工程施工任务。

（二）河口义和万亩盐碱地开发暗管改碱工程

这是该公司走向市场的第一个大型盐碱地改良项目，必须按照合同的约定认真组织，精心施工，树公司形象，创优良工程。具体采取的措施是：认真做好前期的测量和土壤调查工作，在此基础上，重新修订了设计方案和施工图设计；加强了预算编制，认真组织了合同的谈判和签订；进入施工准备后，认真做好施工组织设计，落实技术措施，保证设备完好；精心操作施工机械，提高埋管精度，出现影响埋管精度的恶劣气候时停止施工；加强施工质量的自检自查，发现问题及时纠正；认真执行质量评定标准，及时录取施工资料，工程竣工时，提交完整的工程竣工资料。经过项目部全体人员的共同努力，河口义和万亩盐碱地开发暗管改碱工程自 2004 年 4 月 12 日开工，5 月 8 日完成，历

时26天，共铺设暗管81 699 m，处理管头223个，安装检查井140个，控制改碱面积466.67多公顷。已经完工的502个单元工程在质量评定中全部合格，有472个单元工程达到优良，优良率达94%。

（三）孤东十万亩土地开发排水系统改造工程

自2004年2月25日至5月29日，历时95天，完成排涝闸、排涵、排沟开挖等12个单位工程，完成土方8万 m^3，砌石工程2 029 m^3，混凝土工程347 m^3，安装混凝土管168 m，安装闸门2座。孤东Ⅲ区开发工程，包括四支渠、斗渠、五支排、一斗排、二斗排、32条农排、32座放水涵闸、32座农排涵、1座进水枢纽、2座涵洞、1座生产桥以及四支排866 m浆砌石护坡工程。投资概算近700万元，要求9月10日完成设计，10月底竣工，时间紧，任务重，参建人员加班加点，克服困难，千方百计完成施工任务。特别是构筑工程和四支排护砌工程，由于地质条件很差，给基础处理带来很大困难。技术人员和施工人员经过多方调查和咨询，制定了合理的施工方案，保证了工程施工质量，按时完成了施工任务。共完成土方85.46万 m^3，砌石工程9 386 m^3，混凝土工程507 m^3，安装混凝土管798 m，安装闸门3座。12月20日通过孤东农业开发项目组验收，工程质量符合设计和施工规范要求，同意交付使用。至此，孤东十万亩土地开发项目主体部分基本竣工。

金川公司技术人员在田间研究、设计施工方案

三、勘察设计能力不断提高

2004年上半年先后完成了河口义和万亩盐碱地土壤调查和地形测量、孤东路两侧及Ⅱ区土地整平测量、三支排断面测量、孤东Ⅳ区排沟测量、孤东Ⅲ区土壤调查及地形测量等19项测量任务，以及孤东Ⅰ、Ⅱ区17条排沟清淤的测量。土壤钻孔290个，取土样2 030个，含盐量实验617个，土壤粒度实验58个，导线测量57.685 km，断面测量127.837 km，地形测量6.67 km^2，GPS控制点6个，为工程设计提供了翔实的资料。在设计方面，编制可行性研究报告1项，工程设计方案4项，技术报告9份，方案图纸9张，施工图设计12项，27个单位工程，折合1号图350张。除暗管改碱工程设

计外，完成设计概算 934.76 万元，应收设计费 35.43 万元。

四、理清工作思路，强化质量管理

各项目经理部、基层单位和相关部门都制定了相应的工作思路和完成分解目标的对策措施，使目标管理落到了实处。经初步考核，暗管改碱项目部目标产值 500 万元，实际完成 753.9 万元，完成目标产值的 150.78%，比 2003 年完成的 403.7 万元增加 350.2 万元，提高 86.75%；水利土建工程项目部目标产值 700 万元，实际完成 779.78 万元，完成目标产值的 111.4%，比 2003 年完成的 564.8 万元增加 214.98 万元，提高 38.06%。应收勘察设计费全年目标 50 万元，实际完成 65.62 万元，完成全年目标的 131.24%，比 2003 年完成的 54.8 万元增加 10.82 万元，提高 19.74%。

围绕"质量效益年"活动，进一步完善了质量管理制度，健全了质量管理体系，实行了质量保证金制度，继续发挥了质量检查小组的作用，制定了质量检查的计划。上半年进行了 6 次全面的质量检查，出《质检简报》4 期，整改通知单 1 份，处罚通知单 1 份。对在 Ⅱ 区暗管改碱施工质量检查中发现的问题，与现场施工人员进行了认真的研究，提出了改进意见。同时，制定了暗管改碱工程的质量评定标准和有关的质量评定表，为工程质量的评定和施工资料的整理提供了依据。水利工程的 2 个项目、122 个单位工程施工质量全部合格。

暗管改碱工程施工是该公司的主导产业，也是公司主要的效益增长点。但这一技术还没有引起社会的广泛关注，市场开拓的难度很大。该公司在进一步完善暗管改碱工程的质量标准、规范质量评定资料、强化回访调查和服务的同时，加大了暗管改碱技术的宣传力度，编制了暗管改碱技术宣传画册，通过《大众日报》和山东省委政策研究室向全社会和有关领导推介暗管改碱技术的原理、施工机械和实施效果，引起了中央电视台和香港凤凰卫视的关注，并进行推介和报道。通过几年的实践，该公司已锻炼出一支懂技术、会管理、信誉高、作风实的职工队伍，为在更广阔的地域推广暗管改碱技术、有效提高农业综合生产能力、改变祖国的生态环境做出更大的贡献。

第二节　莱州湾暗管改碱工程实验项目

金川公司成立后实施的第一个项目就是莱州湾 366.67 hm² 重盐碱地暗管改碱工程实验项目。该公司于 2000 年第一季度完成技术引进的洽谈，并对公司员工进行了技术培训，第二季度完成了项目区的土壤调查工作，第三季度完成了田间机械埋管工程施工任务。工程实施获得了成功。尽管这片被改造的土地后来在东营市经济开发区东扩时被划为工业用地，但该项目的实施为该公司全面掌握一整套暗管改碱工程技术提供了实践探索条件，同时为以后在新的区域科学设计和规模化推广该项工程提供了大量宝贵数据。

莱州湾暗管改碱工程实验项目开工现场

一、项目区自然条件

（一）气候条件

项目区属于暖温带季风型大陆性气候，冬季受西伯利亚高寒气流的侵袭，夏季受温暖湿润的太平洋气候影响，四季变化明显，春季干旱多风，夏季炎热湿润，秋季天高气爽，冬季干冷地冻。年平均温度11.9 ℃，7月平均最高气温27.1 ℃，极端最高气温43.7 ℃，1月平均气温－4.8 ℃，极端最低温度－25 ℃。全年热量资源丰富，≥0 ℃积温4 500~4 700 ℃，≥10 ℃积温为4 200 ℃左右，年无霜期185~206天，冻土层深40 cm上下，年平均降水量592.2 mm，年平均蒸发量1 908.2 mm，蒸降比为3.22，属于山东滨海重旱区，全年降水多集中于七八月份，约占年降水量的70%，排水不畅，容易积水成灾，春季降水稀少，仅70~80 mm，且多干热风，故春旱严重，秋季降水不足80 mm，从而形成了春旱、夏涝、晚秋又旱的气候特点。主导风向为东南风，平均风速为4 m/s左右；冬季东北风最大，短历时可达10级，风速24 m/s。

（二）水文条件

莱州湾项目区位于环渤海湾地区，向东距离渤海12 km，项目区南端距离广利河2 km，项目区内3条主要排渠受潮汐影响明显，排沟内的水矿化度比较高，以侧渗的形式补给项目区的地下水，因此项目区地下水位比较高，据多点调查表明，地下水位在1.4~1.8 m之间。地下水的矿化度高，一般在60~100 g/L。

（三）地形条件

项目区地形比较复杂，地面平均高程3 m，局部高差在1 m左右，整个项目区地形北高南低，按种植要求，自南向北将示范区分为6方田，即15、16、17、18、19、20号地，进行项目施工时，进行了土地整平和精平，地面高差不超过2 cm，土地已达到

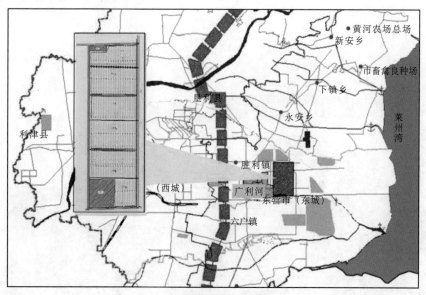

莱州湾项目区位置图

种植要求。

（四）沉积物与成土母质

项目区在地质构造上属于华北台块的一部分，在第三纪中后期,喜马拉雅运动使华北陆台东部拗褶下陷，经第三纪、第四纪沉积了深厚的海相盐渍沉积物，近代黄河从上游挟带大量泥沙，继续覆盖于此造陆成地，新老沉积物厚达数百米。由于河流流速和地形部位的差异而造成的分选作用，致使调查区土壤(母质)在水平分布上出现不同质地，在垂直分布上亦出现了不同质地的层次排列。

项目区的土壤母质均为黄河入海沉积物组成，土壤类型为滨海盐化潮土。土体结构以沙、黏相间，沙体型多见。土壤 pH 值为 7.5。具有双层沉积物结构，上部均为现代河流沙、壤质沉积物，为现代新成土的成土母质；下层为海相沉积的盐渍母质，系滨海河口海相沉积物，含盐量高，地下水矿化度大，此层亦为底土盐渍母质，是后期上层淡土层造成返盐的原因。该地的盐碱地，既不是原生的，也不是水、风等外力搬运而来的，而是地表强烈蒸发积盐所致，土壤盐分表聚性强。

（五）植被状况

项目区土质比较贫瘠，土壤含盐量很高，原生植被生长稀疏，在 17、18、19 号地的低洼地零星生长着一些耐盐植物，其余地块都是寸草不生的"白板地"，原生植被有茅草、芦草、卤蓬等。植物群落的分布与含盐量密切相关，盐生植物往往反映着土壤的盐分含量，根据植被状况看，该项目区的自然生态环境恶劣，盐分含量高。这部分土地不经改造是不能利用的。

（六）水利条件

项目区水利配套比较完善，有4横2纵6条排沟，所有纵横排沟已全部连通，示范区内所有条田的灌排系统配套，所有灌区控制条田的宽度在 80~120 m 之间，达到了项目区农田灌排水及地面排水的要求。

莱州湾的原生植被

二、项目区土壤调查

暗管排碱系统的最优设计需要一系列土壤状况信息，主要包括土质、土层和不同层面土壤渗透性（设计管位以上及以下）信息。要想在暗管排碱系统安装完毕后，能够恰当地控制水量，充分发挥该系统的有效作用，预先搞好田间调查，弄清铺管前土壤含水量、地下水的水位和含盐量是非常必要的。

钻孔土壤调查法是一种最简单、最快捷的方法，很容易反映出土壤情况和渗透性。钻孔的田间位置是具有代表性的。钻孔时钻出的土样需分别加以描述，并取部分土样，钻到预定的深度后还要进行土壤渗透性的测量。同时，还需记录下地下水位和地下水的含盐量。土样可带回，通过实验来判定土壤的含盐量。通常土壤含盐量是通过测土壤EC值（导电性）来确定的。

2000年3月份开始对莱州湾地区进行了土壤调查，历时2个月。共完成钻孔120个，其中在项目区完成钻孔21个。该地区的土壤相对较细，黏土占5%～30%，沙土和其他很细的土壤成分占40%～60%。该地区主要有三种土壤组分：轻黏土至粉黏土；壤土至粉壤土和非常细的沙壤土。土壤分层在很长的一段距离保持不变。在莱州湾地区共取了4条线，做土壤剖面图、土质图和渗透性图进行分析，从地区的角度对项目区进行土壤性质分析，从而找出项目区和所在地区的一些共性的特点。

在项目区田间及土壤剖面上观察到土壤颗粒堆积特别紧实，硬度很大，土壤结构体发育微弱，特征不明显，浸水后大多将碎散，在剖面的中下部可见到片状及鳞片状结构体，反映了冲积母质的特点。土壤容重普遍比较高。另据21个钻孔（20～30 cm）的调查表明，在土壤空隙中非毛管空隙度所占的比例非常小，主要为毛管空隙。土壤的这种空隙特征对水盐运动和盐化过程必然会产生影响。调查的结果如下。

（一）土壤含盐量

土壤含盐量见表6-1。

表6-1　　　　　　　　　　莱州湾项目区土壤含盐量调查表

深度(cm)	土壤含盐量(%)									
	15-A	15-B	15-C	15-D	15-E	16-A	16-B	16-C	16-D	17-A	17-B
5	4.46	2.40	2.66	2.30	4.25	3.71	4.38	2.90	3.03	3.33	0.90
25	3.02	2.39	2.28	2.10	3.69	1.66	2.28	1.55	2.41	2.68	0.87
55	2.18	1.38	1.65	1.92	2.77	1.02	2.18	1.12	2.14	2.35	0.52
85	1.74	2.50	1.46	1.63	2.29	1.14	2.27	1.03	2.13	2.52	0.60
均值	2.85	2.16	2.01	1.99	3.25	1.88	2.77	1.65	2.43	2.72	0.72

深度(cm)	土壤含盐量(%)									
	17-C	17-D	18-A	18-B	18-C	19-A	19-B	19-C	20-A	20-B
5	3.03	2.54	1.17	3.03	3.36	2.45	3.82	3.00	3.94	3.11
25	2.20	2.88	1.00	3.31	2.54	1.83	2.04	2.29	3.24	2.39
55	2.77	2.89	0.65	1.71	2.04	2.85	1.56	1.98	2.23	1.97
85	3.20	2.91	0.44	1.44	1.58	1.61	1.31	1.96	1.69	1.62
均值	2.80	2.80	0.82	2.37	2.38	2.19	2.18	2.31	2.78	2.27

从土壤分析结果看,莱州湾项目区属于重盐碱区,60%的测量点表层土的含盐量在3%～4%之间,从加权平均值看,80%观测点的含盐量超过2%,几乎所有观测点的含盐量都是"T"形的,即表土含盐量高,越往下越低,这与春天地面蒸发量大、降水量少有关,盐分随高矿化度的地下水上升至表层,水分蒸发以后,盐分留在表层。

（二）地下水位及地下水含盐量

地下水位及地下水含盐量见表6-2。

表6-2　　　　　　　　　　莱州湾项目区地下水位及地下水含盐量

孔号	15-A	15-B	15-C	15-D	15-E	16-A	16-B	16-C	16-D	17-A	17-B
地下水位(cm)	145	167	150	165	157	156	178	155	171	162	134
地下水含盐量(g/L)	73.5	67.1	62.8	78	103.6	68	82	65.1	58	84	76

孔号	17-C	17-D	18-A	18-B	18-C	19-A	19-B	19-C	20-A	20-B
地下水位(cm)	150	148	144	159	169	151	140	146	173	150
地下水含盐量(g/L)	110.6	95	43	64	95	101	96	89	97	89

从调查数据看,3月份项目区地下水位在1.4～1.8 m之间,而3月份是地下水位最低的季节,到其他季节水位还应该高,而且地下水含盐量最高达到110 g/L,是海水含盐量的3～4倍。就这种情况看,项目区土壤的高含盐量与地下水的高矿化度是分不开的。要想改造盐碱地必须降低地下水位至临界深度以下。

（三）土壤渗透系数的测定结果

土壤渗透系数测定结果见表6-3。

从表6-3看,15号地渗透系数最小,19、20号地渗透系数最大,这就决定了埋管以

孔号	15-A	15-B	15-C	15-D	15-E	16-A	16-B	16-C	16-D	17-A	17-B
渗透系数 (m/d)	0.55	0.87	0.25	0.67	0.58	1.22	1.1	0.67	0.25	0.68	0.30
孔号	17-C	17-D	18-A	18-B	18-C	19-A	19-B	19-C	20-A	20-B	
渗透系数 (m/d)	0.50	0.90	1.20	2.00	1.40	2.51	1.80	3.30	2.00	1.45	

表6-3　　　　　　　　　　　　　　　莱州湾土壤渗透系数

后土壤的渗水速度不同;这同时为设计提供了依据,对不同的地块应采取不同的埋管间距和深度。

三、项目区工程设计

(一)设计依据

以地下水动力学为理论基础。设计计算依据:冬天采用以地下排水模数为标准的稳定流公式——Hooghoudt公式,夏天采用非稳定流公式——GloverDumm公式。

针对本区水文地质条件,设计参数以土壤调查、土壤实验数据为依据。

(二)分区设计方案

项目按地块编号共分为6个实验区,针对各区具体情况分别进行了实验工程设计。同时提出检查井和集水井的设计方案。

油田领导在工地检查设计方案

1.15号地设计方案

15号地位于项目区最北部,北靠大寨路,南靠新开挖的排沟,总面积约48.87 hm²,该区平均高程2.90 m(黄海高程,下同),总地势北高南低。地下水埋深1.56 m,含盐量2.45%。通过土壤调查及本地区地质情况,经计算确定田间管间距50 m,共计28根直径80 mm PVC打孔单壁波纹管,外包8 cm厚沙滤料。田间管埋深根据控制地下

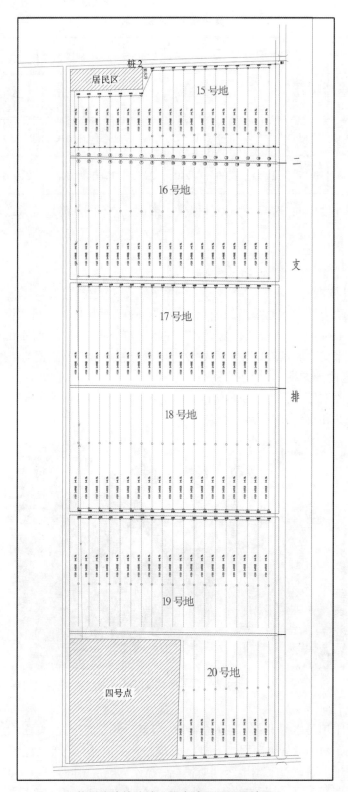

莱州湾暗管改碱工程实验项目区设计图

水位要求确定为地下1.8 m。为保证管中水靠重力流出，田间管坡降定为0.5‰。田间管始端位于地面以下2 m，末端1.5 m。考虑施工机械要求以及田间道路规划，田间管始端离地边12 m，末端25 m，田间管每根长度介于246~407 m之间。根据田间管冲洗要求，在离管始端300 m处设检查井，共需14个，"A"型检查井。

集水管设于15号地南端，直径200 mm单壁波纹管，集水井位于第14根田间管位置上。坡降为1‰，集水管与田间管相接处设检查井，"C"型1个，"B"型25个，"D"型1个。

2.16号地设计方案

16号地南靠新开挖的排沟，总面积68.43 hm²，该区平均高程2.60 m，总地势北高南低。西北部有废弃水库1座，铺设暗管时予以平整。地下水埋深1.65 m，含盐量2.18%。

田间管间距50 m，共计19根直径100 mmPVC打孔单壁波纹管，外包8 cm厚沙滤料。田间管埋深根据控制地下水位要求确定为地下1.8 m。田间管坡降定为0.7‰。田间管始端位于地面以下2 m。田间管始端离地边12 m，末端25 m，田间管每根长度介于498~515 m之间，由田间管冲洗要求，在离管始端300 m处设检查井，共需19个，"A"型检查井。

集水管设于16号地南端，直径200 mm单壁波纹管，集水井位于第8根田间管位置上。1~8段集水管坡降为0.99‰，8~19段为1.42‰，集水管与田间管相接处设检查井，"C"型2个，"B"型16个。

3.17号地设计方案

17号地北靠新开挖的排沟，面积约59.33 hm²，该区平均高程2.70 m，地势平坦。地下水埋深1.48 m，含盐量2.26%。田间管间距50 m，共计19根直径100 mmPVC打孔单壁波纹管，外包8 cm厚沙滤料。田间管埋深根据控制地下水位要求确定为地下1.6 m。田间管坡降定为0.7‰。田间管始端位于地面以下2 m。田间管始端离地边12 m，末端25 m，田间管每根长度432 m，由田间管冲洗要求，在离管始端300 m处设检查井，共需19个，"A"型检查井。

集水管设于17号地北端，直径200 mm单壁波纹管，集水井位于第8根田间管位置上。1~8段集水管坡降为0.94‰，8~19段为0.82‰，集水管与田间管相接处设检查井，"C"型2个，"B"型16个。

4.18号地设计方案

18号地南靠新开挖的排沟，面积约71.33 hm²，该区平均高程2.60 m，总地势北高南低。西北部有废弃水库1座，铺设暗管时予以平整。地下水埋深1.57 m，含盐量1.58%。

田间管间距50 m，共计19根直径100 mmPVC打孔单壁波纹管，外包8 cm厚沙滤料。田间管埋深根据控制地下水位要求确定为地下1.8 m。田间管坡降定为0.7‰。田间管始端位于地面以下2 m。田间管始端离地边12 m，末端25 m，田间管每根长度529 m，根据田间管冲洗要求，在离管始端300 m处设检查井，共需19个，"A"型检查井。

集水管设于18号地南端，直径200 mm单壁波纹管，集水井位于第10根田间管位置上。1～10段集水管坡降为1.24‰，10～19段为1.54‰，集水管与田间管相接处设检查井，"C"型2个，"B"型16个。

5.19号地设计方案

19号地北靠新开挖的排沟，面积约67.06 hm²，该区平均高程2.30 m，地势北高南低。地下水埋深1.45 m，含盐量2.22%。

田间管间距50 m，共计19根直径100 mm PVC打孔单壁波纹管，外包8 cm厚沙滤料。田间管埋深根据控制地下水位要求确定为地下2 m。田间管坡降定为0.7‰。田间管始端位于地面以下2 m。田间管始端离地边12 m，末端25 m，田间管每根长度494 m，根据田间管冲洗要求，在离管始端300 m处设检查井，共需19个，"A"型检查井。

集水管设于19号地北端，直径200 mm单壁波纹管，集水井位于第10根田间管位置上。1～10段集水管坡降为1.03‰，8～19段为1.44‰，集水管与田间管相接处设检查井，"C"型2个，"B"型16个。

6.20号地设计方案

20号地南靠大庆路北排沟，西临4号点，面积约33.3 hm²，该区平均高程2.10 m，地势北高南低。地下水埋深1.61 m，含盐量2.52%。

田间管间距50 m，共计9根直径110 mm PVC打孔单壁波纹管，外包8 cm厚沙滤料。田间管埋深根据控制地下水位要求确定为地下1.8 m。田间管坡降定为0.7‰。田间管始端位于地面以下2 m。田间管始端离地边12 m，末端25 m，田间管每根长度494 m，根据田间管冲洗要求，在离管始端300 m处设检查井，共需9个，"A"型检查井。

集水管设于20号地南端，直径200 mm单壁波纹管，集水井位于第1根田间管位置上。集水管为一段，坡降为1.0‰，集水管与田间管相接处设检查井，"C"型1个，"B"型7个。

7.检查井和集水井工程

检查井、集水井工程系地下暗管排水系统的重要组成部分，主要起到汇水、沉沙、便于检查、冲洗管道等作用。结构采用钢筋混凝土预制井筒，地上式，用井盖密封。其中检查井按照位置分为"A"型、"B"型、"C"型三种型号，井径900 mm。"A"型检查井位于田间管中间，"C"型检查井位于集水管两边，"B"型检查井位于集水管中部。集水井中安装潜污泵，抽取地下水。水泵采用液位自动控制，自动控制田间地下水位。

四、项目区改碱工程的实施

工程施工过程主要包括土地整平、施工准备、开沟埋管、砾料运送、沙料喂入、激光水平仪安装、PVC波纹管布放、暗管铺设、填土合沟、灌排洗盐、质量监测等。由于这一过程在第五章已有详细叙述，故不再展开。这里仅对施工过程中的土地整平和盐分淋洗技术予以介绍。

暗管排碱项目施工现场岗位结构如图6-1所示。

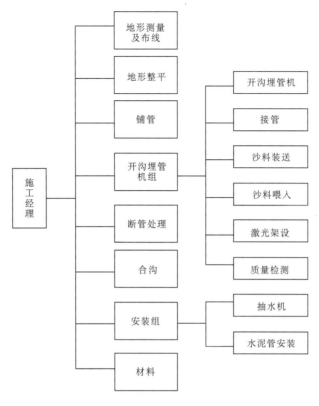

图6-1　暗管改碱项目施工现场岗位结构

（一）土地整平工程

项目区内灌排系统配套以后，自然地貌比较复杂，条田内高差20～30 cm，有的甚至在1 m以上，根本不能达到灌溉要求，为此对项目区进行了土地整平，由此项目探索出一条高效率、低成本的整地技术模式。

莱州湾土地整平

这一技术包括土地平整工程设计方法和平地作业实施方法两部分,其中平地作业实施又包括土地粗平和利用激光控制土地精平技术。近20年来,新的平地机械设备正不断得到开发和使用,以期提高土地平整作业的效率和精度,其中最有意义的进展就是激光控制技术在土地平整过程中的应用。激光控制技术能够大幅度地提高田间土地平整精度,激光感应系统的灵敏度至少比人工肉眼判断和拖拉机上的操作人员的手动液压系统精确10~50倍,是常规土地平整技术望尘莫及的。

1.平地工程设计方法

平地工程的设计方法有平面法、断面法、等高线调整法等,本项目采用以平面法为基础的修正平面法。将平整的田块划分为若干四方形网格,利用最小二乘法或线性回归拟合法对二维田块内所有网格点的高程进行计算,由建立的平面方程确定田块的设计纵、横向坡度,并依据网格面积加权计算法得到田间的平均高程,完成挖填方比的平衡计算。所有田块都近似为方形或长方形时,田块平均高程点的位置在中心点。

激光控制平地采用的工程设计思路类似于修正平面法,即根据田块各测点的高程来确定设计高程,原则是通过选择适当的设计高程,使平地作业的挖填方量基本相同。由于田块整体地形的改变和定形,尤其是田块纵向坡度的大小已为常规机械粗平所确定,故激光控制平整土地的搬运土方量和平整的难易程度应低于常规机械平地。

2.平地工程施工方法

平地工程施工方法分为常规机械平地和激光控制平地两种。

(1)常规机械平地技术,是相对于激光控制平地技术而言的传统平地技术。常规机械平地技术采用的设备有推土机、铲运机和刮平机,具有土方运移量大、平地费用相对较低的特点,适合于在地面起伏较大、原始平整度较差的田面内完成粗平,主要用于改变田块的宏观地形。在具体田间平地作业时往往首先采用推土机,推除平整地块内明显地面高包。此时在同一田块内可有多台推土机同时作业,以迅速消除地面的明显差异,使地面基本处在同一平面内;在推土机作业完成后,接着应用铲运机搬运土方,把推土机推出的土方撒到地面低洼处;最后应用刮平机对地面进行整平,起到一个"抹平"的作用。因此,在采用常规机械平地方法进行平地作业时,平地设备按一定顺序使用,以充分发挥不同设备的特点,获得较好的平整效果。平地设备也可单独使用,但此时平地作业的效率将受到影响,平整效果也会变差。

(2)激光控制平地技术,是目前世界上最先进的土地平整技术。该技术利用激光作为非视觉控制手段代替常规机械平地设备中操作人员的目测判断能力,用以控制液压平地机具的升降高度。激光控制平地作业时,一旦铲运机具刀口的初始位置根据平地设计高程确定后,无论田面地形如何起伏,受激光发射、接收系统的影响,控制器始终经液压升降系统将铲运刀口与平地控制参照面(水平激光面)间的距离保持在某一恒定值。平地中当铲运刀口处的地面高程高于设计高程时,接收器感应到此时刀口与控制参照面间的距离小于恒定值,控制器通过液压系统迫使铲运刀口下降直到水平激光面与刀口间距离恢复至上述恒定值,刀口下降后挖掘的土方将被铲运机具运载供填方之需;当刀口处地面高程低于设计高程时,铲运刀口与平地控制参照面间的距离会大于以上恒定值,这时控制器经液压系统令铲运刀口抬升,卸载土方填埋洼地。因此,只要根据初始位置点高程将激光接收器在铲运设备桅杆上的位置固定后,由拖拉机牵引的铲运机具即可在田块内按一定行进规律往复运动,逐步完成对整个地块的自动平整作业。

3.平地工程技术效果评价

2001年,在莱州湾项目区进行了大规模的常规机械平地技术和激光控制平地技术的田间应用。根据土地平整精度指标对采用两种不同平地技术得到的平地效果作出评价,并在平地作业效率及成本投入分析的基础上,摸索出常规机械平地与激光控制平地技术组合应用的适宜模式,完成土地平整试验,共平整土地186.67 hm²。整个项目区农田被划分为面积不同、初始平整状况不一的6个区域,其中每个区域又包含7~10个条田,每一个条田的东西向宽80~100 m,南北向长300~600 m不等,作物种植方向为南北向。平地过程中首先利用推土机、铲运机和刮平机等常规平地机具使田面达到一定平整度后,再采用激光控制技术完成土地精平,精平铲运设备的容积为2 m³。根据地面畦灌对行水坡度的要求以及土地平整工程的设计要求,田间南北纵向的设计坡度K应保持在2‰左右,并消除水流推进方向上的倒坡畦段和局部田面的凹凸点;在垂直水流方向的东西坡面则应保持水平状态,减少地面灌溉过程中横向畦面受水不均的现象。平地田间设计中,将每个田块沿纵坡方向划分为若干个平地作业单元,其中南北向的土地平整按设计纵坡施工,东西向实施地面零坡度平整。常规粗平作业前,先环绕待平地块四周设立间距为20 m的标桩,在桩上根据地面测量结果注明该点的平地作业设计高程,即给出标桩位置处地面的挖填深度。推土机手将依据每个桩柱上的标志,操作平地机具在其附近挖高填低,实施土地平整作业。在田面内,则采用水准仪随时定点监测各测点的地面高程,指挥推土机和铲运机施工运行,控制测点处的挖填方数量。粗平结束后,根据复测的地面平整状况,在每个平地作业单元内,按照平地设计高程确定激光平地铲运机具刀口的起始位置点,并固定激光接收器在铲运设备桅杆上的位置,使接收器的中心点与激光平面重合,随后由拖拉机牵引的铲运机具即可在田块内按一定行进规律往复运动,逐步完成对整个地块的自动精平作业。

经过土地整平工程,莱州湾项目区内的条田高差不超过2 cm,完全满足精准灌溉的要求,为灌水淋碱打下基础。

(二) 盐分淋洗

对土壤中的盐分淋洗包括对项目区水资源的总体管理调控、淋洗定额的确定以及淋洗过程等。

1.项目区水资源管理调控

本部分工作包括淋洗灌溉水量、灌水频度、灌水强度的确定及其较佳组合的选择。这部分工作考虑了水利改良土壤的成效,同时又充分考虑了灌溉对地下水的负面影响,强调加速盐碱地改造进程,本部分工作完成以后,可以实现莱州湾项目区土壤水、盐、肥的有效、合理调控,可以使项目区获得较佳的经济、生态效益及社会效益。

2.淋洗定额的确定

盐分淋洗主要依据的理论是溶质运移理论,土壤的盐分运移主要是通过对流和水力弥散作用。土壤中的盐分,有的形成固体结晶聚集在土壤表层,有的存在于土壤水中形成盐溶液。淋洗即是通过灌水把土壤中各种状态的盐分转化为自由溶液中的盐分,并自土壤中排出。淋洗的方式采用向下冲洗，由入渗的冲洗水将盐分带到深层，经由暗管排出。淋洗后应使一定深度的土壤中的含盐量降低到耐盐限度以内，使作物能够正常生长。脱盐标准是指淋洗后允许的最高含盐量和达到这一含盐量的深度。

淋洗方案包括总淋洗定额、淋洗方式及监测，淋洗定额的大小与淋洗前土壤含盐量、盐分组成、盐分在土壤中的分布状况、淋洗脱盐标准、土壤理化性质、淋洗淡水的水质以及水文地质条件和排水条件等有密切关系。总淋洗定额由以下公式计算：

$$M=m_1+m_2+E-P$$
$$m_2=h\,\rho\,(s_1-s_2)/k$$

式中：M为总淋洗定额，m^3/hm^2；m_1为在计划淋洗层内，淋洗以前含水量与田间持水量的差额，m^3/hm^2；m_2为淋洗计划层内过多盐分所需的水量，m^3/hm^2；E为淋洗期间的蒸发损失量，m^3/hm^2；P为淋洗期间的降雨量，m^3/hm^2；h为计划淋洗深度，m；ρ为土壤密度，t/m^3；s_1、s_2分别为淋洗前、后计划淋洗层内土壤的平均含盐量，以干土重的百分数计；k为脱盐系数，kg/m^3。

3.淋洗技术与过程

淋洗过程可分为连续淋洗和间歇淋洗两种，间歇淋洗是将总淋洗定额的水量分几次灌入淋洗畦田中。如土壤含盐量比较高和下层有比较黏重的土层存在，为了便于监测，采用两种方法相结合的办法，根据土壤含盐量的变化情况，将剩余的淋洗定额分几次进行淋洗，分次淋洗定额由大到小分配，这样可以提高盐分的溶解度和淋洗效果，灌水间隔时间可以越来越长，这期间应每月进行土壤含盐量的监测。

灌水前应对项目区做好以下几方面工作：

(1)做好整地、松土、打埂工作，为灌水压碱洗盐打下基础。利用大型农机具深松土壤40~60 cm。松土是增大土壤田间持水量的一项措施，有利于盐分溶于水中，同时还可以打破犁底层和黏土层，对黏土层实施"爆破"，加速咸水的排除。

灌水时为了能保持一定的水层，深松完以后在地中每隔40~50 m修横竖埂各一条，埂底宽80 cm，高40 cm，成为灌水的畦田。

(2)确保进水渠道顺畅。

(3)排水是盐碱地淋洗改良的重要条件，为了使淋洗改良达到预期的效果，必须修建良好的排水系统。保证强排站或泵站运行正常，咸水能及时排出系统。

(4)如果夏季不种作物，要做好对降雨的截留工作，充分利用自然降水，减少成本。

(5)淋洗时，按先难后易、先远后近的次序安排。盐分较重或难以淋洗的畦田先进行淋洗。

根据淋洗定额计算出淋洗用水量，在做好充分准备的情况下，于2001年9月15日开始对项目区进行灌水洗碱，项目区共有3条灌渠，每2块地共用1条，浇水按自南向北的顺序进行，即19号和20号、17号和18号、15号和16号，所有地块灌溉一次以后，又对19号和20号地进行了第二次灌溉（表6-4）。

表6-4   项目区灌溉淋盐用水量

地 号	第一次灌溉水量	第二次灌溉水量
15、16号		0
17、18号	3 420 m³/hm²	0
19、20号		1 845 m³/hm²

五、改碱工程实施后的土壤盐分动态监测

后期土壤水盐动态监测包括土壤含盐量的监测、地下水位的监测、地下水含盐量的监测。土壤含盐量2个月化验一次，地下水位及地下水含盐量每月观测一次。

（一）土壤含盐量的监测

工程实施后对每个区块进行了土壤含盐量动态监测。

(1)15号地土壤含盐量监测结果见表6-5。

表6-5   莱州湾15号地土壤含盐量监测数据

深度（cm）	土壤含盐量(%)				
	2月	4月	6月	8月	10月
5	1.46	2.10	1.50	1.111	1.017
25	1.62	1.83	1.46	1.092	0.729
55	1.58	1.52	1.07	0.936	0.846
85	1.87	1.90	0.92	0.816	0.665
均值	1.63	1.83	1.24	0.988	0.814

据表6-5分析，15号地机械埋管工程完工以后，土壤含盐量大体趋势是下降的，其中4月份的土壤含盐量是5个月中最高的，表层的含盐量达到2.1%，是因为春天降雨少，土壤蒸发量大，造成土壤返碱，故含盐量高。项目区于9月份进行了灌水洗盐，10月份土壤含盐量最低。5、25、55、85 cm土层的脱盐率分别为51.5%、60%、44.3%、65%。10月份的平均土壤含盐量降到0.814%。

(2)16号地土壤含盐量监测结果见表6-6。

表6-6   莱州湾16号地土壤含盐量监测数据

深度（cm）	土壤含盐量(%)				
	2月	4月	6月	8月	10月
5	1.11	2.68	1.082	1.008	0.635
25	1.21	2.21	0.706	0.765	0.268
55	0.96	1.65	0.851	0.833	0.130
85	0.98	1.85	0.836	0.846	0.433
均值	1.065	2.090	0.869	0.876	0.367

据表6-6分析，16号地的土壤含盐量大体趋势是下降的。5、25、55、85 cm土层的脱盐率分别为76.3%、87.8%、92.1%、76.5%。10月份的平均土壤含盐量降到0.367%。土壤脱盐效果十分显著。

(3)17号地土壤含盐量监测结果见表6-7。

表6-7   莱州湾17号地土壤含盐量监测数据

深度（cm）	土壤含盐量(%)				
	2月	4月	6月	8月	10月
5	1.31	1.60	0.912	0.707	0.606
25	0.87	1.85	0.781	0.735	0.613
55	0.86	2.06	0.837	0.750	0.592
85	1.17	1.73	0.716	0.691	0.592
均值	1.053	1.810	0.811	0.720	0.600

据表6-7分析，17号地的土壤含盐量大体趋势是下降的。5、25、55、85 cm土层的脱盐率分别为62.5%、66.8%、71.2%、65.7%。10月份的平均土壤含盐量降到0.6%。土壤脱盐效果十分显著。

(4)18号地土壤含盐量监测结果见表6-8。

表6-8   莱州湾18号地土壤含盐量监测数据

深度（cm）	土壤含盐量(%)				
	2月	4月	6月	8月	10月
5	1.56	1.85	0.719	0.670	0.635
25	0.87	1.10	0.492	0.346	0.303
55	1.03	0.90	0.319	0.283	0.281
85	0.92	0.93	0.364	0.328	0.325
均值	1.095	1.195	0.474	0.407	0.386

据表6-8分析，18号地的土壤含盐量大体趋势是下降的。5、25、55、85 cm土层的脱盐率分别为65.6%、72.4%、72.7%、65%。10月份的平均土壤含盐量降到0.386%。土壤脱盐效果十分显著。

(5)19号地土壤含盐量监测结果见表6-9。

表6-9   莱州湾19号地土壤含盐量监测数据

深度（cm）	土壤含盐量(%)				
	2月	4月	6月	8月	10月
5	2.24	3.48	1.169	1.154	1.151
25	2.11	3.06	1.697	0.905	0.807
55	1.75	2.35	1.236	0.823	0.765
85	1.62	2.26	0.880	0.722	0.714
均值	1.930	2.787	1.245	0.901	0.859

据表6-9分析，19号地的土壤含盐量大体趋势是下降的。5、25、55、85 cm土层的脱盐率分别为66.9%、73.6%、67.4%、68.4%。10月份的平均土壤含盐量降到0.859%。土壤脱盐效果十分显著。

(6)20号地土壤含盐量监测结果见表6-10。

据表6-10分析，20号地的土壤含盐量大体趋势是下降的。5、25、55、85 cm土层的脱盐率分别为71.7%、59%、49.6%、56%。10月份的平均土壤含盐量降到0.851。土壤脱盐效果显著。

由表6-5～表6-10可以得出以下结论：暗管排碱的作用是显著的，从各剖面的土壤含盐量变化情况看，都是在春天土壤蒸发量比较大的情况下土壤的含盐量最大，以后

表6-10　　　　　　　　　　　　莱州湾20号地土壤含盐量监测数据

深度(cm)	土壤含盐量(%)				
	2月	4月	6月	8月	10月
5	1.49	2.46	1.60	1.068	0.696
25	1.71	2.17	1.24	0.98	0.889
55	1.64	1.98	1.10	0.996	0.997
85	2.10	1.88	1.32	1.212	0.827
均值	1.735	2.122	1.315	1.064	0.851

各月土壤含盐量逐月减小，灌溉以后效果明显，土壤含盐量最小。土壤的脱盐率多数在60%以上，最大的达到92.1%。土壤含盐量由1%~2%甚至3%降到1%以下，进入一些耐盐先锋物种的耐盐范围。

（二）地下水位监测情况

莱州湾项目区地下水位监测数据见表6-11。

表6-11　　　　　　　　　　　莱州湾项目区地下水位监测　　　　　　　　(单位：m)

地块	15号地	16号地	17号地	18号地	19号地	20号地
埋管深度	1.8	1.8	1.6	1.8	2	1.8
1月	1.9	2.1	1.8	1.97	2.1	1.9
2月	1.8	2	1.78	2	2.11	1.75
3月	1.87	1.9	1.6	2.07	2.21	1.83
4月	1.93	2.1	1.71	2	1.98	1.94
5月	1.95	2.3	2	1.9	2	1.95
6月	2.1	2.3	2	2	1.95	2
7月	1.68	1.7	1.5	1.67	1.74	1.75
8月	1.67	1.68	1.52	1.7	1.85	1.63
9月	2.07	1.97	1.5	1.8	2.07	1.8
10月	1.34	1	1.55	0.77	0.86	0.85

注：9、10月份对项目区进行了灌溉洗盐，监测的时候灌溉水还没有消退，因此10月份各地块的地下水位最高。

(1)莱州湾地下水位监测分析。从表6-11中可以看出，机械埋管工程能有效降低地下水位，地下水位的变化范围在埋管深度附近，15号地埋管深度是1.8 m，其地下水位变化范围在1.67~2.07 m之间，而2000年3月份15号地的平均地下水位为1.87 m，16号地的埋深在1.8 m，其地下水位的变化范围在1.68~2.3 m之间。2000年3月份的平均地下水位是1.65 m；17号地的埋深为1.6 m，其地下水位的变化范围为1.5~2 m，2000年3月份的平均地下水位是1.48 m；18号地的埋深为1.8 m，其地下水位的变化范围为1.67~2.07 m，2000年3月份的平均地下水位是1.57 m；19号地的埋深为2 m，其地下水位的变化范围为1.74~2.21 m，2000年3月份的平均地下水位是1.45 m；20号地的埋深为1.8 m，其地下水位的变化范围为1.63~2 m，2000年3月份的平均地下水位是1.61 m；所有地块的最低地下水位出现在雨季降雨比较集中的7、8月份。各地块的地下水位的高低取决于埋管深度，埋管深，地下水位就低。

(2)莱州湾各条田地下水位变化柱形图见图6-2~图6-7。

（3）地下水含盐量监测情况见表6-12。

15号~20号地的地下水含盐量变化见图6-8~图6-13。

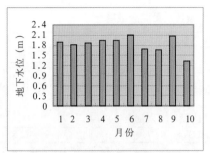

图 6-2　15号地地下水位变化
（埋深1.8 m）

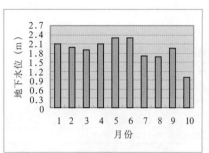

图 6-3　16号地地下水位变化
（埋深1.8 m）

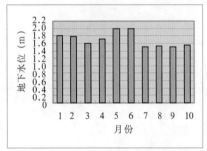

图 6-4　17号地地下水位变化
（埋深1.6 m）

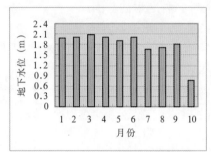

图 6-5　18号地地下水位变化
（埋深1.8 m）

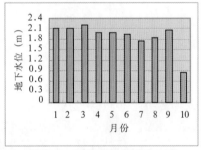

图 6-6　19号地地下水位变化
（埋深2 m）

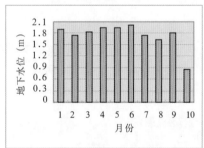

图 6-7　20号地地下水位变化
（埋深1.8 m）

表6-12　　　　　　　　　　　　莱州湾项目区地下水含盐量监测

月 份	地下水含盐量(g/L)					
	15号地	16号地	17号地	18号地	19号地	20号地
1	90	85	75	53	91	101
2	87.1	89	67	41	83	92
3	70.3	80	80	47	79.8	92
4	82.4	90	80	50	80	87
5	74	79.8	77	45	76	80
6	72.8	88.1	74	32	65	85
7	62	80	68	30	56	81
8	70	75.6	71.4	42.7	85	91
9	72.8	84	80.5	40.8	82.4	91.6
10	76	84	75.6	39	82.6	94.5

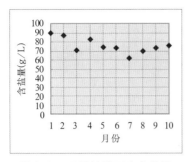

图 6-8　15 号地地下水含盐量

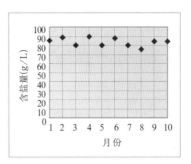

图 6-9　16 号地地下水含盐量

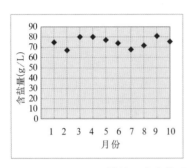

图 6-10　17 号地地下水含盐量

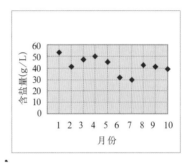

图 6-11　18 号地地下水含盐量

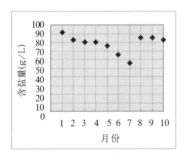

图 6-12　19 号地地下水含盐量

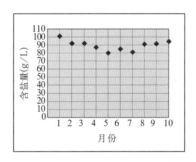

图 6-13　20 号地地下水含盐量

从表6-12和图6-8～图6-13中可以看出，项目区地下水含盐量的变化特点基本一样，最高含盐量出现在春季，以后逐月降低，最低点出现在雨季7、8月份，这与最高地下水位相对应，雨季过后，含盐量又逐月上升。地下水含盐量基本稳定，变化幅度比较小。

综上所述，从土壤含盐量、地下水位及地下水位含盐量的监测结果看，机械埋管改碱对降低地下水位和土壤含盐量的作用是显著的,而地下水的含盐量比较稳定。

六、莱州湾改碱项目实验效果分析

（一）项目区改碱前后含盐量的变化情况

根据2000年3月份土壤调查所提供的调查点的坐标方位，每块地取2个点，与2000年3月份的调查结果进行比较，见表6-13。

从表6-13可以看出，机械埋管改碱对降低土壤含盐量的作用是十分显著的，土壤

表6-13　　　　　　　　　　　　改碱前后土壤含盐量的变化

深度 (cm)	15号地-1			15号地-2			16号地-1		
	改碱前(%)	改碱后(%)	增减(%)	改碱前(%)	改碱后(%)	增减(%)	改碱前(%)	改碱后(%)	增减(%)
5	2.4	0.74	−69	2.66	0.717	−73	2.9	0.791	−73
25	2.39	0.346	−86	2.28	0.612	−73	1.55	0.661	−57
55	1.38	0.338	−76	1.65	0.519	−69	1.12	0.716	−36
85	2.5	0.342	−86	1.46	0.522	−64	1.03	0.762	−26
深度 (cm)	16号地-2			17号地-1			17号地-2		
	改碱前(%)	改碱后(%)	增减(%)	改碱前(%)	改碱后(%)	增减(%)	改碱前(%)	改碱后(%)	增减(%)
5	3.03	0.999	−67	3.03	1.231	−59	2.54	1.177	−54
25	2.41	0.949	−61	2.2	1.037	−53	2.88	0.947	−67
55	2.14	0.69	−68	2.77	0.897	−68	2.89	0.437	−85
85	2.13	0.704	−67	3.2	0.794	−75	2.91	0.466	−84
深度 (cm)	18号地-1			18号地-2			19号地-1		
	改碱前(%)	改碱后(%)	增减(%)	改碱前(%)	改碱后(%)	增减(%)	改碱前(%)	改碱后(%)	增减(%)
5	1.17	0.568	−51	3.03	0.889	−71	2.54	0.762	−69
25	1	0.794	−21	3.31	0.947	−71	1.83	0.891	−51
55	0.65	0.813	+25	1.71	0.94	−45	2.85	0.917	−68
85	0.44	0.699	+59	1.44	0.784	−46	1.61	1.021	−37
深度 (cm)	19号地-2			20号地-1			20号地-2		
	改碱前(%)	改碱后(%)	增减(%)	改碱前(%)	改碱后(%)	增减(%)	改碱前(%)	改碱后(%)	增减(%)
5	3	0.891	−70	3.94	0.912	−77	3.11	0.696	−78
25	2.29	0.891	−61	3.24	0.735	−77	2.39	0.889	−63
55	1.98	0.734	−63	2.27	0.75	−67	1.97	0.997	−49
85	1.96	1.222	−38	1.69	0.691	−59	1.62	0.827	−49

含盐量从2000年3月份的2%～3%降低到现在的1%以下，大部分土样的脱盐率在60%以上。调查点的最高脱盐率达到86%。

（二）土地深松对改碱效果的影响

深松时间为2001年8月，深松深度为40～50 cm，试验时间为9～10月，灌水定额为3 400 m³/hm²，灌溉后等灌溉水由暗管排出后再取样。试验前后的取样时间为8月10日和10月14日，试验设在17号未深松地和18号深松地，土壤采样方法为"棋盘式"多点取样。

深松可以使土体疏松、空隙增大，增加水与土粒的接触面积。促进盐分的溶解和淋溶，提高脱盐效果。试验结果见表6-14。

表6-14　　　　　　　　　　　　深松对土壤脱盐的影响

土壤含盐量	0～10 cm		20～30 cm		30～40 cm		50～60 cm	
	未深松	深松	未深松	深松	未深松	深松	未深松	深松
洗盐前(%)	1.23	1.62	1.11	1.4	0.486	1.12	0.35	0.9
洗盐后(%)	0.56	0.725	0.52	0.6	0.66	0.249	0.41	0.47
增减(%)	−54	−55	−53	−57	+35	−77	+17	−47

由表6-14看出，深松后洗盐较不深松的洗盐脱盐土层深，脱盐效果好。而未深松的在30 cm以内，土壤处于脱盐状态，到30 cm以下，土层的总盐量呈上升状态。

（三）连续灌溉洗盐对土壤脱盐的影响

试验设在19、20号地，第一次灌溉时间为9月15日，灌溉定额为3 400 m³/hm²，第一次灌溉水下去以后，开始第二次灌溉洗盐，时间为10月10日，灌溉定额为1 920 m³/hm²。两次取样时间为10月9日和10月22日。

效果分析：对各处理土壤，采集0～10、20～30、50～60、80～90 cm土样测定全盐含量（表6-15），比较第一遍水和第二遍水土壤含盐量在原有的基础上，绝大部分土样还能降低3.3%～49%，连续灌水对降低土壤含盐量可起到较好的改良效果。

表6-15　　　　　　　　　　　　连续灌溉对土壤脱盐的影响

深度 (cm)	19号地			20号地-1		
	第一遍水(%)	第二遍水(%)	增减(%)	第一遍水(%)	第二遍水(%)	增减(%)
0～10	1.078	1.042	3.3	0.845	0.67	20.7
20～30	0.991	0.819	17.4	0.65	0.56	13.8
50～60	0.918	0.669	27.1	0.83	0.8	3.6
80～90	0.77	0.719	6.6	1.34	0.98	26.9
深度 (cm)	20号地-2			20号地-3		
	第一遍水(%)	第二遍水(%)	增减(%)	第一遍水(%)	第二遍水(%)	增减(%)
0～10	0.696	0.478	31.3	0.612	0.312	49.0
20～30	0.889	0.568	36.1	0.7	0.52	25.7
50～60	0.997	0.874	12.3	0.499	0.37	17.6
80～90	0.827	0.871	-5.3	0.405	0.453	-11.9

从以上的对比试验可以看出，机械埋管排碱的盐碱地改良技术能迅速降低地下水位，降低土壤含盐量。在项目区，土壤含盐量由2000年3月份的2%～3%降低为现在的0.7%～0.8%，降幅很大，工程施工后一年多的时间里土壤一直处于脱盐状态，现在的土壤含盐量已经进入了一些耐盐植物的耐盐极限，第二年就可以种植芦竹，取得可观的经济效益。这项技术是最适应黄河三角洲实际的盐碱地改造的，它还有其他的优点，如：改地速度快；节约耕地；不存在排沟清淤问题，维修费用低；一次投入，长期受益，改碱彻底，解决了次生盐碱化问题；有较高的经济效益、社会效益和生态效益。这一技术的应用和推广，填补了国内机械埋暗管排碱技术的空白，改写了盐碱地改造的历史，为黄河三角洲的开发探索出了一条新路，对这一地区的发展具有深远的意义。

（四）莱州湾实验项目效益分析

莱州湾地区366.67 hm²土地以前含盐量在2%～3%，不经改良土地根本无法耕种，常规改良方法是大水漫灌洗盐，每公顷用水定额为18 000 m³，经过3年的改良才能种植水稻，投入水量折合人民币10 800元，而暗管排碱技术在项目区的试验证明，只用一年的时间，每公顷用水量4 500 m³，折合人民币900元，土壤的含盐量由2%～3%降低为1%以下，进入一些耐盐先锋物种的耐盐极限，第二年可种植经济效益较高的芦竹。每公顷节约水费8 100元，3年莱州湾地区366.67 hm²节约水费297万元，另外种植芦竹的经济效益比种植粮食作物高，前3年传统的改良方法是没有收益的，而种植芦竹每年每公顷的纯收益是7 500元，3年的种植总收益是825万元。暗管改碱技术能有效节约土地，大量的统计数字表明，暗管改碱工程较常规改碱工程（挖排碱沟）节约土地10%，莱州湾地区暗管改碱工程节约土地3年的收益是82.5万元。而且传统的改良方法改良效果不稳定，在灌溉水跟不上的情况下土地泛碱，改良后的土地仅限于种植水稻，目前水源紧缺，种植水稻成本很高，不符合当前发展节水农业的趋势。在莱州湾地区暗管排碱工程3年创造的经济效益是1 204.5万元。

另外，该工程生态效益和社会效益也是非常巨大的。莱州湾项目区位于东营中心城以东5 km处，是东营市的东大门，以前是寸草不生的撂荒地，是白花花的盐碱滩，不仅浪费了土地资源，而且损坏了东营市招商引资的形象，实施改造后，土地可以重新利用，种植芦竹，不仅可以获得经济效益，而且可以改变城区的周边环境，改善招商条件，形成新兴产业——观光农业。最为关键的一点是该技术的成功推广，对黄河三角洲的盐碱地改良来说是一座里程碑，黄河三角洲找到了适合本地的土地改良技术，为黄河三角洲的腾飞奠定了坚实的基础。

第三节　孤东仙河农场万亩中低产田暗管改碱项目

孤东仙河农场中低产田暗管改碱项目的实施，是金川公司成立之初在莱州湾基本上仿照荷兰技术进行工程实验后，根据黄河三角洲土壤情况的实际，对该工程的技术设计进行改进提高的重要阶段。该项目的实施为在黄河三角洲大面积布设暗管改碱系统确立了方案设计标准，简化了施工程序与方法，创造了降低成本、方便管理的典型经验。

一、项目区概况

（一）自然概况

1.仙河农场概况

仙河农场位于东营市仙河镇以东6 km。区域位置东起卫东河，西至孤北干渠，南起孤东水库，北至镇东路北3 km。自1987年开发至1989年完成，区域土地总面积1 277.8 hm²，耕地面积715.7 hm²，俗称"万亩农场"。农场分7块地，分别为2～8号地。农场建成后，采用开沟排碱、淡水压碱等各种手段，改良土壤，种植水稻，水稻获得了丰收，解决了孤东油田家属的吃粮和就业问题，促进了该地区社会经济的稳定发展。

自1992年后，由于黄河来水逐年减少，断流时间延长，淡水资源紧张，水价上涨，种植水稻已没有条件。在水田改旱田过程中，由于缺乏有效的改碱措施，土地盐碱化逐年加重，致使大部分土地无法种植作物而撂荒，造成了土地资源的闲置。

2.水文气象

项目区属于华北暖温带季风气候区，因受季风影响，四季分明。冬季干燥、寒冷而少雨雪；春季风大、风多，气候干燥回暖快；夏季受海洋气团影响，炎热多雨；秋季降雨较少，天气凉爽。该区具有春旱夏涝晚秋又旱的自然规律。

历年平均气温12.1 ℃，历年平均月最高气温26 ℃（7月），月最低气温−2.9 ℃

仙河农场位置图

（1月）。年平均无霜期210天，四季分明，光照充足，年总日照时数2 746小时，适宜于农作物生长。

年平均降水量为563 mm，年内降水量分布极不均匀，主要集中在汛期（6～9月份），占年降水量的73%左右。春季平均降水量69.4 mm，占年均降水量的12.33%，与春播作物的需水量相差很大；夏季平均降水量366.7 mm，占年均降水量的65.13%，尤其七八月降水集中，往往造成内涝；秋季平均降水量110.4 mm，占年均降水量的19.61%，降水少又多集中在早秋，晚秋多旱；冬季平均降水量16.5 mm，占年均降水量的2.93%，降雪偏少。

多年平均蒸发量1 890 mm，年均蒸发量为年均降水量的3.4倍，其中5～6月份蒸发最强烈，平均每月300 mm左右。降水量的不平均分配和春秋蒸发强烈，形成了当地春旱夏涝晚秋又旱、春秋出现两个泛盐季节的水盐动态特点。

3.地形地貌

仙河农场为已开发过的土地，地面平整，地面高程0.5～3 m，地势南高北低，西高东低。按种植需要，每块地以单灌单排形式划分条田，条田宽度55 m左右。由于土壤返碱，除零星土地种植水稻、大豆等，大部分土地撂荒，生长有黄须菜、野芦苇等。

4.土壤

整个项目区的土壤是在近代黄河冲积物上发育而成的滨海盐化潮土，土层变换快，沙质、黏质土交替排列。根据土壤调查结果，本区土壤类型主要为壤质夹黏型，由于位置不同，各块土地黏土层埋深不同。其中，3号地以壤质上中位夹黏型为主，黏土层比较浅，离地表深度一般为20～50 cm；4号地以壤质中下位夹黏型为主，黏土层深度一般为60～150 cm；5号地和6号地以壤质中位夹黏型为主，黏土层深度一般为80～110 cm。

地下水平均埋深1.5 m以下，矿化度高，土壤含盐量大，盐渍化是制约项目区农业发展的重要因子。根据实地土壤调查，含盐量在0.1%～0.6%之间的中轻度盐渍土约200 hm²，含盐量0.6%～1%之间的重盐渍土约133.3 hm²，含盐量在1%以上的盐荒地约266.7 hm²。

（二）灌排条件

1.水源条件

仙河农场灌溉主要依靠黄河来水，由于黄河来水时间不固定，为保证灌溉用水，农场建有蓄水能力为200万 m³ 的农用水库1座，系1985年由15个鱼池改建而成，库型为半地下水库，库内有隔坝6道，蓄水水位2.9 m，水深2.5 m左右，围坝全长4 km，上游坡面砌石护坡，边坡为1：3。

该水库距灌区远（约3 km），淡水出入库全部依靠简易泵站提取，运行费用高且水量损失大。另外，仙河农场土地全部改造为旱田，撂荒土地重新耕种，水库蓄水能力严重不足，灌水保证率低。

2.排涝设施

仙河农场排涝主要依靠卫东河，由于卫东河受海水顶托和末端排涝泵站影响，水位高，农场排涝采用强排和重力自排相结合的方式。现农场排涝泵站由于建设年代久，泵型陈旧，排涝设施毁坏严重，已基本上失去排涝能力。

3.田间水利设施

仙河农场田间水利设施基本配套，各级渠道完善，农排通畅，斗支排淤积较重，需进行清淤。渠系建筑物配套。在保证水源的条件下，能够达到自流灌溉和明沟排涝。

二、项目区农业发展的制约因素及解决方案

（一）仙河农场农业发展的制约因素

项目实施前制约仙河农场农业发展的主要因素如下。

1.土壤的盐渍化

由于缺少淡水压碱，土壤返碱严重，作物无法生长，土地撂荒。仙河农场近50%的土地为盐荒地，其他土地盐渍化程度也较重。土壤盐渍化是制约仙河农场农业发展的最主要因素，土地不经改良，就没有种植效益，农业就无法发展。

2.骨干水利设施不配套

在灌溉方面，由于目前农用水库蓄水能力不足，进出库构筑物不配套，达不到万亩农场灌溉需求，灌溉保证率低。同时，由于骨干排沟淤积，排涝泵站无法使用，汛期卫东河水位上涨，区域内涝水无法自流入河，农场内涝水滞留成灾，极易造成作物减产或绝产。

整个仙河农场虽然田间水利设施配套，但"旱无水、涝无排"却是其真实写照。"无水可灌，涝水难排"为仙河农场农业生产套上了一副沉重枷锁，加剧了农场经营的困境。

（二）解决方案

旱、涝、盐碱严重制约了农场的发展，农业生产走入困境，仙河农场面临着生存危机。为走出困境，摆脱危机，仙河农场采用各种措施治理盐碱，投入3 000多万元，改大水压碱为喷灌。过去曾引进种植过以色列棉花，又曾种植蓖麻，都先后失败了。至本项目实施前，仙河农场80%土地撂荒，土壤裸露、沙化，使本地区生态环境恶化。

2000年，金川公司引进暗管排水技术用以改良盐碱地，在莱州湾366.67 hm² 荒碱地试验取得明显效果，为仙河农场走出困境提供了一条出路。同年10月，金川公司经

过详细的实地调查，制定了以暗管改碱为主，以配套排灌水利设施为辅的改碱方案。

三、工程实施方案

（一）暗管改碱工程设计方案的改进

莱州湾改碱试验项目，基本上是应用国外暗管排水技术的原理设计和实施的。主要特点是投资大、工程设计和施工复杂、后期管理难度大。结合黄河三角洲实际，金川公司在引进的基础上消化、吸收、改进和提高这一技术，使之更加符合黄河三角洲实际。

仙河农场次生盐碱化程度较重，土地均为低产田、盐荒地。针对该区域土壤、土层、盐碱情况，在暗管改碱工程项目的设计上进行了以下三方面改进。

1.将宽深布设形式改为浅密布设形式

宽深布设形式的原理是以地下水临界深度为工程设计标准，暗管的埋深以地下水临界深度为主要依据，使暗管埋设后控制地下水水位低于临界水深，这样就会减弱地下水沿毛细管上升的作用，从而不使土壤表层积盐。

从实践来看，这种布设形式虽然能将地下水位控制在临界水深以下，有效降低土壤的毛细管上升作用，使耕层土壤不至于积盐，但由于黄河三角洲地区土壤主要为滨海粉沙壤土，以临界水深确定暗管埋深，暗管需铺设在 2 m 以下，致使工程实施成本高，而且排水时需要动力抽提，从而加大了后期运行成本。另外，由于暗管埋设深，影响了暗管上部土层通过淋洗脱盐的速度，致使改碱效果慢。

因此，此种方式只适合于地面海拔高程高、土壤质地为壤土和黏土、临界水深较浅的地区。

浅密布设形式以水盐平衡原理为工程排水标准。设计时按作物生长需要的防渍深度确定暗管的最小埋深，按潜水临界深度确定最大埋深，根据水盐运动、土壤冲洗脱盐深度与速度确定最适宜埋深。盐碱地的改良主要采用灌溉或降雨淋洗，使设计土层深度内的盐分更快冲洗出土体，使土层迅速脱盐，达到土壤改良的目的。设计土层深度内的冲洗脱盐量、盐分组成、土壤质地等因素按冲洗改良要求确定。以后在改良和利用结合的条件下，通过暗管排水排盐，使设计土层继续脱盐和防止盐分向表土积聚，并逐渐使脱盐深度增加和地下水淡化。

黄河三角洲滨海低洼易涝地区水系发达、排水不畅、降雨不均衡、水源缺乏、土壤分层夹黏、渗水难度大。实践证明，如以临界水深值作为埋管深度是不适宜的。采用暗管浅密布设方式，依据作物生长需要的耐渍深度，通常埋深在 1~1.5 m 之间即可，这就使暗管排水通过重力自流排入明沟成为可能，从而形成了暗排与明排相结合的设计方式（图 6-14）。

2.将复合式暗管系统改为单级暗管系统

复合式暗管系统设集水管和吸水管两级暗管，吸水管通过渗吸积聚在土壤中的含盐水经过集水管汇集至集水井，结构复杂。单级暗管系统不设集水管，田间吸水管吸聚土壤水后，直接排入明排沟。这样使暗管系统简化、成本降低。

3.将单块条田设泵提水改为以整个区域的强排设施控制水位

原来复合式暗管系统排水，每块地需设集水井，并安装水泵抽排井中的盐水，这样

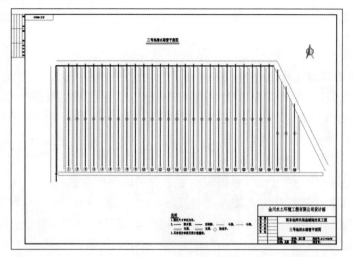

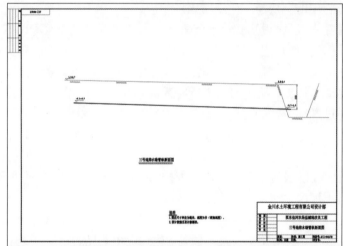

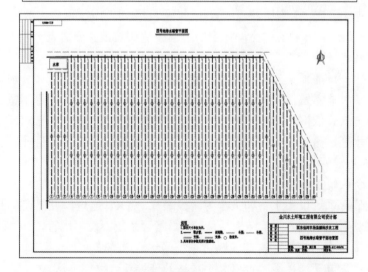

图6-14　仙河农场盐碱地改良工程平面与剖面设计图

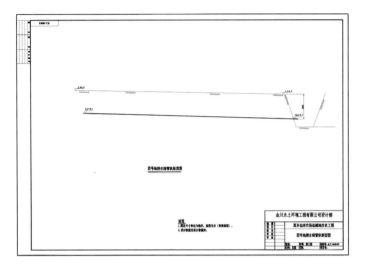

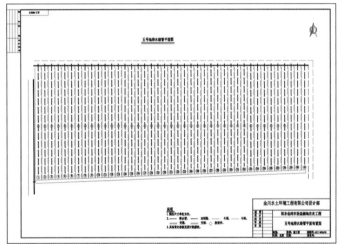

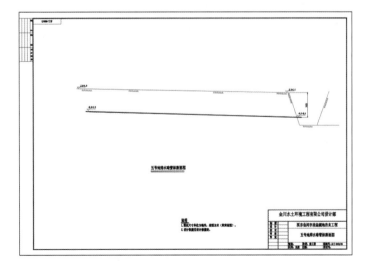

续图 6—14

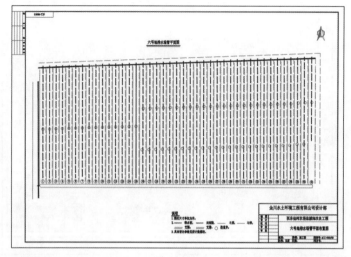

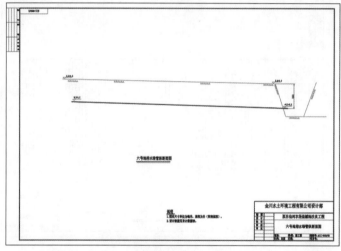

续图 6—14

需安装许多小型泵站。改为单级暗管系统排水后，通过斗排沟汇集至干排沟，再集中至区域强排泵站排入外河，一座泵站可控制整个万亩项目区，从而大大减少了泵站数量，缩减了工程投资，有利于农场管理，提高了工作效率。

新设计的优点，首先是简化了暗管布设层级，降低了工程造价；其次是方便管理，降低了后期运行费用；再次是暗管埋深浅，有利于淋洗盐碱，上部土层脱盐速度快，土壤改良效果好。这种技术模式不仅适合仙河农场，也非常适合整个黄河三角洲的实际，适应中国国情。

（二）暗管改碱工程设计依据标准

1.暗管埋深与间距的确定

暗管排水工程标准将作物生长需要的防渍深度指标作为主要设计依据。冲洗脱盐土层深度以 1 m 为标准。作为旱田，防渍深度可定为 0.8 m。允许排水历时内要求达到的地下水埋深定为 1 m，两暗管中间地段滞留的水头差 0.2 m，暗管中水深 0.1 m，则确定暗管埋深为 1.3 m 左右。

　　根据土壤调查，仙河农场有 50% 左右的土体 1 m 以内的含盐量在 0.3% 以上，欲在 2～3 年内将盐分脱除到 0.1%～0.2% 以下，1 m 土体最少脱除盐分 0.2%，根据项目区灌溉和降雨情况，每年灌溉和降雨淋洗次数可定为 10 次，则每次需净脱盐量至少在 0.02% 以上。根据水盐平衡原理可确定暗管排水模数为 0.004 m/d，根据胡浩特公式可确定暗管间距：

$$L^2 = \frac{8K_b dh + 4K_a h^2}{q}$$

式中：L 为排水管间距；K_b、K_a 分别为暗管埋深以上和以下土壤渗透系数，由现场钻孔试验测得的仙河农场土壤渗透系数 K 值见表 6-16；d 为排碱管管径；q 为排水模数；h 为水头。

表 6-16　　　　　　　　　　　仙河农场土壤渗透系数 K 值

钻孔编号	K	钻孔编号	K	钻孔编号	K	钻孔编号	K
3-A	2.14	4-A	0.24	5-A	1.75	6-A	1.51
3-B	2.43	4-B	1.8	5-B	2.06	6-B	0.56
3-C	3.03	4-C	2.08	5-E	0.5	6-C	0.21
3-D	2.64	4-D	1.5	5-F	1.09	6-D	0.27
3-E	0.53	4-E	0.58	5-H	0.78	6-E	4
		4-F	1.01	5-I	0.23		
		4-G	1.31				
		4-H	0.75				
		4-I	1.24				
平均值				1.32			

　　根据农场条田现状，经计算，确定暗管间距为 50 m。

　　2.管型与滤料设计

　　仙河农场暗管采用直径 110 mmPVC 打孔波纹管。外包滤料采用沙滤料。滤料功能主要有：

　　(1)过滤功能。防止和限制土壤颗粒进入排水管沉积堵塞管道。

　　(2)水力功能。在排水管周围提供渗透性较高的介质，减少水流进入管道的阻力，提高排水管的有效直径。

　　(3)机械功能。防止由于土壤荷载的变化造成管道过大的挠度弯曲和破坏。

　　(4)固定铺枕功能。提供支持管道的稳定基础，以防止管道安装中和安装后由于土壤荷载变化而引起管道垂直方向的位移。

　　在排水管道外包料设计中，不仅要满足滤料的过滤功能，而且也要同时达到提高渗透性的要求。根据土壤调查结果，做出土壤调查地区地下暗管埋深处土样的级配曲线，找出土样中最细与最粗的级配曲线边界（图 6-15），依据调查地区土壤的级配情况，确定沙滤料级配组成。项目区土壤中黏土成分在 20%～40% 之间，沙壤土含量在 60%～80% 之间，土质以沙粉质为主，因此项目区滤料设计的主要功能是满足滤料的过滤性能，防止土壤中的细沙进入排水管，沉积堵塞管道，影响排水效果。在设计中采用注重滤料过滤功能的美国土壤保持协会设计标准。滤料设计沙滤料的细边界曲线根据土壤的

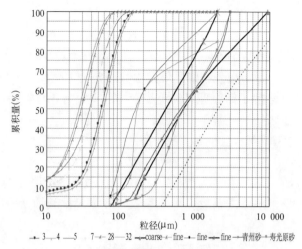

图6-15　仙河农场土壤级配曲线与滤料级配曲线

细边界与滤料细边界设计标准进行设计,粗边界曲线根据土壤的粗边界与粗边界设计标准进行设计。

沙滤料细边界设计控制点:① $D_{12}<7 \times d_{85f}$（过滤标准）; ② $D_{60c}=5 \times D_{15c}$; ③ $D_{100c}<9.5$ mm（防止滤料分离标准）。

沙滤料粗边界设计控制点:① $D_{15f}>4 \times d_{15c}$（水力标准）;② $D_{15f}=D_{15c}/5$;③ $D_5>0.074$ mm(水力标准);④ $D_{60f}=D_{60c}/5$;⑤ $D_{85}>$Dopining=1.3 mm（支持标准）。

根据滤料设计级配曲线,山东临朐的沙滤料基本满足要求。

（三）水利设施的配套

1.灌溉工程

为提高仙河农场用水保证率,对原农用水库进行增容。围坝加高1 m,至高程5.0 m。设计水位增至3.9 m,设计水深由2 m增至3.0 m,增容后库容为300万 m³。水库内坡采用重力式浆砌石直墙,顶部反压混凝土板。水库与农场之间以孤北干渠输水,从农场7号地提水泵站提水至农田进行灌溉。

水库进水设提升泵站,设计流量3 m³/s,安装700ZLB1.3－7.2轴流泵3台（套）,配套155 kW电机。水库出水设出库涵闸,2 m×2 m坝下方涵,设PGZ2×2铸铁闸门。

2.排涝工程

疏通主要排沟,汇水至排涝泵站强排入卫东河。由于原排涝泵站已无法使用,拆除后新建排涝泵站1座,排涝流量3 m³/s,安装700ZLB1.3-7.2、500ZLB0.6-3.6各2台,主要用于汛期排涝和灌水淋洗时排除咸水。

四、工程实施情况

孤东仙河农场暗管改碱工程分两期实施,2000年11～12月完成暗管铺设以及排沟清淤工程。2001年上半年完成水利设施配套工程。共计敷设暗管148 847 m,安装检查井291个,控制改碱面积905 hm²。水库增容1座,新建水库提升泵站1座,出库涵闸1座,排涝泵站1座,交通桥8座,排沟清淤11.61 km。共计完成土方199 869 m³,

砌石 6 271 m³，混凝土 1 630 m³，安装水泵 7 台(套)，闸门 1 座。

五、项目实施后效果

仙河农场暗管改碱项目实施后，次年（2002 年）即收到明显效果，中、轻度盐渍土含盐量迅速降至 0.2% 以下，原先已经撂荒的盐荒地又重新耕种，上部土壤迅速脱盐，作物已能够生长。至 2004 年，整个仙河农场土壤已全部得到改良，含盐量全部降至 0.2% 以下，土地全部种植作物。现种植速生杨、棉花等，均长势良好，整个农场一片生机盎然。

工程前为撂荒地

工程后种植的速生杨

仙河农场实施改碱工程前后土地情况对照图

实践证明，采用明暗结合的改碱技术模式是适合本区域实际的，它不但使农场走出困境，焕发生机，而且探索出了一种适合本地区的暗管改碱新模式。

六、投资与收益

本项目工程总投资 15 174 515 元，平均每公顷 16 770 元（合每亩投资 1 118 元）。

项目建成后，盐碱得到治理，土壤得到改良，作物逐步实现了稳产高产。2004 年，仙河农场种植棉花 533.33 hm²，每公顷增产 2 250 kg，单价 5 元/kg，每公顷增加产值 11 250 元，实现年新增产值 600 万元。节水效果明显，原种植水稻每公顷每年用水量 18 000 m³，水费 240 元；现改旱田，每公顷年用水量 1 800 m³，水费 36 元，每公顷节约 3060 元，全场年节约水费 163.2 万元，年节水 864 万 m³。

现仙河农场万亩土地盐碱得到治理，沟、渠、路旁都种植农田防护林，防护林面积达到 66.67 hm²，森林覆盖率达到 10%。同时，原撂荒沙化的土地都已覆盖上植被。通过项目实施，减少盐渍化土地面积 1 000 hm²，同时通过种植棉花、速生杨等，不断改变土壤的理化结构，从而形成良好的信息交换和物质转化的区域生态系统，成为仙河镇绿色"东大门"。

通过本项目实施解决了农场的生存危机，提高了土地的承载能力，给农场职工、家属创造了一个由温饱向小康迈进的基础，同时安置了孤东油田转岗职工，收到了较好的社会效益。

仙河农场万亩中低产田、盐荒地改造后，项目区旱能灌、涝能排，并通过暗管改碱、洗盐压碱，彻底改良了土壤，实现了田成方、路成网、树成行，水利灌排工程设施配套、旱涝保收的目标，使农场的面貌焕然一新，农场农业生产走上了可持续发展之路。

第四节　孤东十万亩土地开发项目

孤东十万亩土地开发项目是金川公司成立以来实施的规模最大的暗管改碱工程。该工程于2001年底完成设计方案,概算投资总额1.35亿元;2002年3月开始施工,2003年12月20日由胜利油田有关处室组成验收小组对已完成的一期工程进行了检查验收。验收小组一致认为,该项目组织管理规范,施工资料齐全,工程质量达到设计要求。2004年,又相继实施了二期、三期暗管工程,取得了显著的社会、经济效益和生态效益。

一、项目区基本情况

(一) 地理位置

项目区位于河口区仙河镇东部,中心位于东经118°57′、北纬37°53′,具体位置东邻孤东油田,南靠6号路(黄河北大堤),西面是新卫东河,北靠渤海,项目区内交通便利,东西向有镇东路、孤东路,南北向有桩三路。项目区总面积近6 666.67 hm² (10万亩),区内为黄河新淤土地,成陆时间为20世纪80年代。大面积地表平坦,微地貌较复杂,地势南高北低、西高东低,有海沟、海汊和人工取土形成的低洼地,沿公路的地方有少量建筑物,区内有部分油井,地面有少量红柳、芦苇及其他盐生植物。

(二) 水文条件

项目区属于华北暖温带大陆性气候,冬季干旱多风,夏季炎热多雨,秋季凉爽。年平均气温12.1℃,年平均无霜期210天;四季分明,光照充足,年总日照时数2 746小时,适宜于农作物生长;年降水量极不均匀,年平均降水量为550 mm,主要集中在汛期 (7~9月份),占年降水量的70%左右;年平均蒸发量1 890 mm,其中5~6月份蒸发最强烈,平均每月300 mm左右。降水量的分配不均和春秋蒸发强烈,形成了当地春旱夏涝晚秋又旱、春秋两个泛盐季节的水盐动态特点。

(三) 水源条件

项目区南临黄河,用于淋洗盐碱的水资源主要依靠黄河水,自然降水亦发挥辅助作用。引水主要靠6号路提水泵站提水,灌渠输水,辅之以水库调剂,水源基本有保证。

(四) 社会经济条件

胜利油田农业开发已有39年的发展历史,在土地开发方面积累了丰富的经验,农业从业人员7 300人,1999年生产粮食55 000 t,农业总产值3.2亿元,农业已成为油田多种经营重要的支柱产业。在技术人才、经济实力、农业设施建设和农业经营管理等方面具有承担大型农业开发项目的经验与能力。

二、项目建设的可行性

(一) 项目建设的有利条件

(1)自然条件好。气候温和,光热充足,四季分明,日照时数多,无霜期长,且雨热同期,适宜各种作物生长发育,种植芦竹项目有较好的效益,投资回报率高达12.6%。

(2)电讯交通方便,项目区紧靠油田区,供电和通讯都有保证。

(3)土地连片,具有综合利用开发的优势。

(4)暗管排碱技术在黄河三角洲已成功实践,其积累的经验和成果,为本项目的成功提供了技术上的保证。黄河三角洲传统的盐碱地改良,主要是利用黄河水资源,开渠引水、明沟排水、平整土地、种稻洗盐。但由于土壤质地轻,特别是土壤结构中粉粒的比例大,而且吸附大量的钠离子,使之分散性和吸附性更强,灌水后多呈糊状,排渠坍塌十分严重,改碱效果很不理想。即使连续种植多年的老稻田,改种其他旱作物,也会因盐碱、旱涝而严重减产或绝收;勉强能旱作的耕地,投入产出比也比较低。20世纪90年代以来,黄河来水逐年减少,依靠大量的淡水洗盐已不可能,即使黄河有水,也会因水价上调而用不起。只有从根本上解决盐碱危害,减少对淡水的依赖,走旱作节水农业之路,才能提高土地的产出率和承载能力。

(二)项目区建设的原则

(1)以经济效益为中心,保护和改善自然生态,有利于可持续发展。

(2)采用节水灌溉技术,合理安排种植结构,发展节水高效农业。

(3)依据自然地貌,合理安排灌排系统,把投资控制在合理水平,推行先进的暗管排水技术,彻底解决次生盐碱化问题。

(4)整体规划设计,分区实施,滚动开发,尽快实现投入与产出的良性循环。

三、勘探取样调查

整个区域由南向北以孤东路、镇东路分为Ⅰ区、Ⅱ区、Ⅲ区,桩三路以西、卫东河以东为Ⅳ区。项目区的土壤是在近代黄河冲积物上发育而成的滨海盐化潮土,地势平坦,土壤以沙土为主,渗透性强,各区情况如下:

(1)Ⅰ区。总面积1 600 hm²,采地表0~20 cm土样44个,通过化验,有19个土样含盐量在0.2%以下,25个土样含盐量在0.5%~1%之间,pH值在7~7.8之间。

(2)Ⅱ区。总面积2 153 hm²,采土样33个,其中13个土样含盐量在0.5%以下,20个土样含盐量在0.5%~0.98%之间,pH值在7~7.8之间。

(3)Ⅲ区。总面积为1 640 hm²,目前适宜开发的有700 hm²,采土样23个,其中9个土样含盐量在0.5%以下,14个土样含盐量在0.5%~0.83%之间,pH值在7~7.5之间。

(4)Ⅳ区面积760 hm²,大部分适宜开发。

四、工程设计与实施

孤东十万亩土地的开发方向是发展高效生态农业,依据农业开发的有关规范和技术要求,规划区建设引水工程、蓄水工程、灌溉工程、排水工程、改碱工程。工程总体布置见图6-16。

(一)引水、蓄水工程

引水工程包括提水站1座、沉沙池1座、输水干渠1条,投资695万元。

蓄水工程,利用现有的桩西水库(150万m³)扩容至400万m³,投资900万元。该

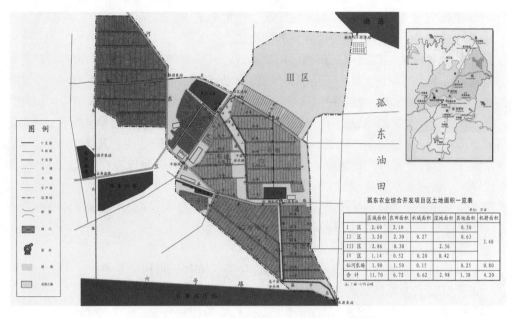

孤东农业综合开发项目区土地面积一览表

单位：万亩

	区域面积	农田面积	水域面积	湿地面积	其他面积	机耕面积
Ⅰ 区	2.60	2.10			0.50	
Ⅱ 区	3.20	2.30	0.27		0.63	
Ⅲ 区	2.86	0.30		2.56		3.40
Ⅳ 区	1.14	0.52	0.20	0.42		
仙河农场	1.90	1.50	0.15		0.25	0.80
合 计	11.70	6.72	0.62	2.98	1.38	4.20

注：1亩=1/15公顷

图6-16　孤东十万亩土地开发项目工程平面图

工程包括浆砌石围墙7.9 km，坝顶高程4.0 m，建泵站1座，用于蓄水、灌溉、强排雨水和盐碱水等多项用途。

（二）灌排系统

根据灌区地形，整个灌区采用单灌单排和双灌双排形式，考虑到采用暗管排水，农排采用较小断面，以满足筑渠和排除地表径流为标准，以提高土地利用率。干、支、斗、农四级灌排渠系配套，条田规格150 m × 600 m，便于机械化作业。整个区域利用6号路提水泵站引黄河水灌溉，在Ⅰ区、Ⅱ区、Ⅲ区、Ⅳ区修干渠，在水库东北角泄水由水泵提水进水库以做调节。规划区需修筑各类灌水渠道460 km，投资2 974万元。

整个区域排水南北分排，设干排2条，Ⅰ区、Ⅳ区和Ⅱ区的一部分合用1条，Ⅲ区和Ⅱ区的一部分合用1条，把水排入新卫东河中，支排末端设控制闸，防止卫东河水位高时倒灌。规划区需挖各类排水沟480 km，投资2 488万元 。

根据以上灌排方案，需要修建道路460 km，修建各类构筑物1 949座，投资4 147万元。

在Ⅲ区靠海低洼带设计了面积为1 333 hm² 的湿地，此地海拔在0.4~0.8 m之间。可将整个项目区用于洗盐的半咸水、雨水集中起来，形成较大面积的浅水水面，使之自然生长芦苇，这样既充分利用了水资源，又改善了生态环境。

（三）暗管敷设准备

规划区土地的土壤含盐量比较高，需要改造。暗管排碱是比较好的方法，它节省耕地，降低投资，见效快，排水系统后期维护费用低。为节约投资、维护管理方便，在该区的开发中使用暗管排碱技术的同时，采用了暗管、明排相结合的方式。铺设暗管要先平整土地，平整土地的目的，一是保证改碱彻底，二是节约灌溉用水。这一工程需要投资 4 415 万元。

（四）方案实施

工程实际投资 15 352 万元。分三期 4 年进行：2001、2002 年为一期，建设 6 号路提水泵站，I 区、II 区的引水干渠 15.4 km，筑灌溉渠 157.4 km，挖排水沟 175.3 km，建构筑物 773 座，修路 150.4 km，平整土地 1 040 hm²，铺设暗管 1 600 hm²，水库增容 400 万 m³，购（建）农机具、办公设施，投资 6 967 万元。一期投资完成后，建立了规划区的主干灌溉系统，完成了 1 600 hm² 土地的开发。

2003 年为二期，筑灌溉渠 203 km，挖排水沟 213.6 km，建构筑物 921 座，修路 203 km，平整土地 1 387 hm²，铺设暗管 2 233 hm²，投资 6 071 万元。这一投资完成后，完成了 2 133 hm² 地的开发及 IV 区土地的改造。

2004 年为三期，筑灌溉渠 84 km，挖排水沟 90 km，建构筑物 255 座，修路 84 km，平整土地 438 hm²，铺设暗管 673 hm²，完成了 673 hm² 的开发，投资 2 315 万元。经过 4 年的开发，这一区域开始了由盐碱荒地向良田的改变。

五、工程施工及管理

为搞好项目的建设，胜利油田成立了孤东十万亩开发项目组，管理项目的建设。项目组由施工、技术设计、财务和工程监理组成，明确分工，签订责任状，落实责任，各负其责，确保工程建设进度快、质量高。

项目建成后，移交金润专业公司负责经营和管理。专业公司内部成立子公司，实行专业化管理，层层签订责任状，以确保项目建筑设施的检修、维护和保养，沟、渠、路、林、桥、涵、闸发挥最大的效能，实现农业开发的目的，创造最大的效益。

六、芦竹种植的试验与探索

据试验，目前比较适宜于项目区的作物有芦竹、棉花、苜蓿等。苜蓿粗蛋白含量高，市场前景广阔，是东营市积极发展的产业。芦竹是多年生草本植物，耐盐碱、生长快，适宜粗放管理。它的纤维含量丰富、丝质韧性强，是生产纸浆的优质原料，用其生产的纸浆具有质量好、价格高、成本低等优点。下面对种植芦竹情况做进一步阐述。

（一）芦竹对土壤、水资源及养分等环境条件的要求

芦竹是一年生禾本科草本植物，完全成熟一般需要 240 多天。根据芦竹生长发育条件，土壤的质地、理化性状直接影响芦竹的生长发育及产量高低，而水资源则是保证芦竹生长发育及高产的必要条件。在土壤性能能够满足芦竹生长的条件下，开发关键是建立灌溉系统，确保水资源供给。

芦竹喜温喜湿，遍布我国南方各地，在水资源富集地区尤其常见。由于堤坝利用和湿地开垦等因素，成片的原生芦竹林已十分罕见。

芦竹对生存环境的适应性较强，但环境条件的好坏又决定其生长发育的好坏、能否达到经济产量。受环境条件差异的影响，芦竹的产量差异很大。在水分充足、土壤肥沃的地块，芦竹茎秆可高达 5~6 m，茎粗 2~2.5 cm，每公顷产量达 45 t 以上；而在干旱、土壤结构差的地方，芦竹株高仅 1~2 m，茎粗 1 cm 以下，每公顷产量仅有几千公斤。黄河三角洲种植芦竹在气候上有一定风险，首先是干旱，再就是冬季低温冻害，所以应对该作物进行长期试种观察和驯化，总结经验，方可大面积推广。

1.对土壤的要求

土壤是芦竹生长发育的基础条件。芦竹适合在沙壤土中生长，该种土壤疏松肥沃，呈湿润状，有机质含量较高。在这种土壤中，芦竹根系可以获得充足的营养和水分，芦竹的根状茎和须根吸收养分、水分面积大，可以良好地生长发育。对壤土或沙黏夹层土，其土壤结构不稳定，较紧密，通气性低于沙壤土，需在人工施用肥料和及时灌溉条件下，芦竹才可获得较高的产量。对黏土，土壤质地黏重板结，透水性、通气性差，芦竹难以吸收足够的营养，株矮秆细，产量较低。

2.对水分的要求

芦竹一般需要240多天才能完全成熟，其各个生育阶段都要求一定的水分。

(1)地下茎发芽期。芦竹地下茎萌发期需水量较小，此时要求浇水湿润土壤，但严禁大水漫灌。要及时排除积水，成活率低。

(2)茎秆生长期。随着芦竹幼芽生长放叶，光合作用加强，芦竹需水量逐渐增加。进入高温期时，如有充足的水分，芦竹的生长速度每天可达5~10 cm。但芦竹喜湿并不喜水，长时间积水将造成根系活力降低，严重者根系和地下茎腐烂。因此，要注意汛期排涝。

3.对养分的要求

土壤中N、P、K的含量直接影响芦竹的产量。高产芦竹田土壤中应含有N 6~7 kg，P 4~5 kg，K 5~6 kg。东营市土壤大多瘠薄，K较充足，N、P缺乏，难以满足芦竹高产需求，故要求人工追施N、P肥以补充土壤中的营养不足。

（二）芦竹对土壤含盐量的要求

在北方，对芦竹种植的研究很少。在黄河三角洲种植芦竹，经验更少。2001年3月，东营金川水土环境工程有限公司在莱州湾区域种植了约40 hm²芦竹，在本区域对芦竹的生长习性进行试验研究。金川公司在莱州湾的土地开发可分为两个区域，区域一是40 hm²芦竹种植区域；区域二是土壤开发改造区域，该区域含盐量很高，土壤性状较差。

根据上述区域试验结果，在表层0~10 cm含盐量低于0.89%的区域，芦竹能够出苗，但出苗稀落；在含盐量为0.633%~0.733%的区域，芦竹能够生长。

(1)区域一：40 hm²芦竹种植区域。根据2001年10月22日土壤采样盐分含量化验结果，该芦竹种植区域盐分含量在0.633 4%~0.733%之间。从芦竹生长情况看，种植情况较好。随着芦竹的生长，该区域土壤性质将逐渐得到改善，随后的几年芦竹生长情况更好。该区域种植芦竹时，没有采取暗管排碱措施。区域土壤盐分含量化验结果见表6-17。

(2)区域二：土壤开发改造区域。该区域属于重盐碱区，土壤主要有三种组分：轻黏土至粉黏土，壤土至粉壤土和非常细的沙壤土。根据2000年3月份土壤含盐量调查结果，60%的测量点表层土的含盐量在3%~4%之间；从加权平均值看，80%观测点的含盐量超过2%，几乎所有观测点的含盐量都是"T"形的，即表土含盐量高。2000~2001年，金川公司对该区域土地进行了平整改造，采用暗管排碱方法进行排碱，并在小部分区域进行了芦竹种植试验。根据试验结果，在表层0～10 cm含盐量低于0.89%的区域，芦竹能够出苗。

表6-17 　　　　　　　　莱州湾40 hm² 芦竹种植区域土壤盐分含量化验结果

编号	采样地点	采土层次（cm）	盐分含量（%）
116	西一条南	80～90	0.674
117	西二条南	0～10	0.733
118		20～30	0.633
119		50～60	0.690
120		80～90	0.633
121	西三条南	0～10	0.658
122		20～30	0.611
123		50～60	0.647
124		80～90	0.633
125	西三条南	0～10	0.633
126		20～30	0.676
127		50～60	0.719
128		80～90	0.733
129	西四条南	0～10	0.611
130		20～30	0.676
131		50～60	0.676
132		80～90	0.633

注：采样时间，2001年10月22日；化验单位，利津县土壤肥料工作站。

（三）孤东十万亩项目区种植芦竹的可行性分析及评估方案

1.孤东十万亩土地区域种植芦竹的可行性分析

（1）土壤。与芦竹生长条件相对比，孤东十万亩土地区域土壤性质不能完全满足芦竹的生长条件。根据金川公司在莱州湾种植芦竹试验分析，在孤东十万亩土地区域芦竹能够生长，但能否达到经济产量，尚存在一定的风险。

（2）水资源。芦竹需要在春季浇灌1～2次，进入汛期后，依靠降水即可。本区域水资源存在的风险是黄河缺水或断流的影响。

根据孤东十万亩土地区域土壤性能、水利条件及芦竹生长条件等因素综合分析，加之莱州湾种植芦竹经验，认为在该区域种植芦竹是可行的。

2.评估方案

鉴于该区域I区开发较早，莱州湾有种植芦竹的经验，紧邻水源源头，因此评估建议首先在I区进行芦竹种植，根据I区芦竹种植情况及未来市场状况再因地制宜选择整个区域的开发方向。

该方案可降低风险，而且在I区芦竹种植可行的条件下，还可为其他区域提供部分芦竹种苗，从而降低成本。

（四）芦竹高产栽培的效益分析

在2002年建立芦竹驯化试验基地取得成功的基础上，2003年在孤东十万亩项目区种植芦竹1 000 hm²。由于驯化培育的芦竹品种具有耐盐碱、节水和抗病虫的优势，故长势良好，过去的不毛之地变成了郁郁葱葱的绿洲。在淋洗盐碱和暗管排水作用下，土壤含盐量显著下降。根据暗管改碱工程实施前2003年4月的项目区土壤含盐量试验数据和工程实施后2005年同月份的土壤含盐量检验报告，种植芦竹区域的土壤含盐量普遍降低。但由于工程前后的两次取样采用的技术规范不一致和采样点位置不重合，本书在统计含盐量对比数据时仅获得芦竹种植区的5组可比数据（表6-18）。

表6-18　　　　　孤东十万亩土地开发项目区工程实施前后表层土壤含盐量变化

序号	取样位置	取样深度(cm)	工程实施前土壤含盐量		工程实施后土壤含盐量	
			采样时间(年·月)	含盐量（%）	采样时间(年·月)	含盐量（%）
1	1-1-2	0~10	2003.4	0.85	2005.4	0.123
2	1-2-1	0~10	2003.4	0.85	2005.4	0.08
3	1-2-2	0~10	2003.4	0.63	2005.4	0.15
4	2-2-5	0~10	2003.4	0.73	2005.4	0.46
5	2-2-6	0~10	2003.4	0.83	2005.4	0.27

从表6-18中看出，土壤含盐量已由工程实施前的0.63%~0.85%降低到工程实施后的0.08%~0.46%。由于暗管排水技术的改碱效果逐年显现，芦竹种植的单位面积产量逐年提高。

通过对盐碱荒滩的改造，种植芦竹还取得了非常显著的生态效益，从项目区实施改碱工程后的2004年10月美国TM卫星遥感影像（图6-17）与实施改碱工程前的1997年同月份同波段的TM影像（图6-18）对比分析，2004年项目Ⅰ区和Ⅱ区的芦竹种植地块色彩深厚凝重，表现为覆盖稠密的植被形态，植被覆盖率达到90%（其余10%为田间水利工程等占地）。如将黄河三角洲面上的同类区域均改造为种植芦竹的高产田，不仅可使农业大幅增收，还可向造纸业提供丰富的优质原料，同时又可以高密度植被的大面积覆盖促进区域生态环境优化，从而给广大民众带来更多的利益和福祉。

孤东十万亩土地上茂密生长的芦竹

七、项目区经济技术指标

经2005年5~9月对孤东十万亩土地开发项目的全部工程数据进行测算、测试，取得了该项目区各项主要经济技术指标数据。主要分以下三大类。

图6-17 2004年项目区754波段美国TM卫星影像图

图6-18 1997年项目区754波段美国TM卫星影像

注：该图为美国TM卫星754波段遥感影像，该波段对水色反应敏感，可对水色进行细致区分。
项目区整体盐碱化程度严重，其东部区域尤为荒凉，光板地占60%以上，区内水库干涸、冲沟纵横、植被稀疏。

（一）项目区土地面积与工程量指标

土地总面积7 800 hm²，其中农田面积4 480 hm²；水域面积413 hm²；湿地面积1 987 hm²；其他920 hm²。

工程总投资9 989.6万元。其中土方工程投资2 495.8万元；构筑工程投资3 453.3万元；机电设备费196.6万元；暗管改碱工程投资2 805.8万元；土地整平投资669.6万元；其他368.5万元。

工程内容包括各种灌渠、排沟共697条，长440.04 km，土方537.8万 m³；泵站、水闸、涵洞、桥等构筑物共774座，开挖土方81.6万 m³，砌石5.0万 m³，浇注混凝土1.4万 m³，钢筋445.3 t，铺设钢筋混凝土管7 298 m，安装箱式变电站2座，水泵17

台，启闭机44台；铺设排碱暗管62.5万m；整平土地2 333 hm²。

详见表6-19～表6-21。

表6-19　　　　　　　　　　孤东项目区土地面积统计　　　　　　　　(单位:hm²)

序号	名称	区域面积	农田面积	水域面积	湿地面积	其他面积	机耕面积
1	Ⅰ区	1 733	1 400			333	
2	Ⅱ区	2 133	1 533	180		420	2 267
3	Ⅲ区	1 907	200		1 707		
4	Ⅳ区	760	347	133	280		
5	仙河农场	1 267	1 000	100		167	533
合　计		7 800	4 480	413	1 987	920	2 800

表6-20　　　　　　　　　　孤东项目区土方工程汇总

序号	名称	数量（条）	长度（m）	土方（m³）	投资（万元）
1	干、支渠工程	7	18 073	805 678	793.4
2	干、支排工程	11	31 417	1 516 752	390.83
3	斗、农渠排工程	679	390 548	3 055 490	1 311.52
合　计		697	440 038	5 377 920	2 495.75

表6-21　　　　　　　　　　孤东项目区构筑物工程汇总

序号	名称	数量	土方（m³）	砌石（m³）	混凝土（m³）	钢筋（t）	混凝土管（m）	启闭机（台）	投资（万元）
1	泵站	4	136 556	4 091	4 032	226.19			807.06
2	水库增容	2	282 479	4 095	1 964	98.13			468.68
3	水闸	420	48 923	13 476	3 982	43.39	4 534	44	795.11
4	涵洞	300	83 211	17 117	1 375	1.04	2 604		650.22
5	桥	43	36 395	4 808	1 568	35.81			319.72
6	渡管	2	3 919	411	61	0.66			39.55
7	Ⅲ区进水枢纽	1	96 888	723	248	11.67	110		97.24
8	干渠穿孤东路倒虹吸	1	75 320	825	425	28.42	50		125.72
9	四支排护砌	1	52 649	4 483					150.02
合　计		774	816 340	50 029	13 655	445.31	7 298	44	3 453.32

（二）暗管改碱工程单位成本核算指标

单独计算的铺设暗管工程单位面积成本核算指标分为三类：一是在孤东项目区各区块铺设暗管的汇总与平均成本（表6-22）；二是在从未开发过的荒碱地综合实施暗管改碱系统工程技术的单位成本（表6-23）；三是在已有灌排系统的中低产田仅铺设一级暗管的单位成本（表6-24）。后两项单位面积成本的计算均为在目前的技术和市场条件下可以实现的最低成本。其指标数据可作为新上暗管改碱工程项目的论证过程中进行投资预算和成本分析时的重要依据。

（三）孤东项目Ⅱ区改碱工程实施前后土壤含盐量变化指标

孤东项目Ⅱ区地处孤东十万亩土地开发项目的中部，区域面积2 133.33 hm²，是盐渍化程度较周围区域更严重的荒碱地。为了获取项目区基础数据，以在工程实施后检验土壤脱盐效果，金川公司于改碱工程实施前的2003年4月对该区进行了钻孔取样化验(图6-19)，全区共钻孔90个位点，取样土层深度分别为0～10 cm、20～30 cm、50～

60 cm，采出的样本送东营市农产品质量监督检测中心进行化验并形成了检验报告。

表6-22　　　　　　　　　　　孤东项目区暗管改碱工程汇总

序号	名　　称	工程量 （m）	控制面积 （hm²）	投资 （万元）	单位面积投资 （元）
1	Ⅰ区暗管改碱	173 906	1 159	838.97	7 239
2	Ⅱ区暗管改碱	205 022	1 344	1 015.78	7 558
3	Ⅲ区暗管改碱	55 387	200	274.9	1 374
4	Ⅳ区暗管改碱	41 813	279	189.05	6 776
5	仙河农场暗管改碱	148 847	827	487.12	5 890
合　计（平均）		624 975	3 809	2 805.82	7 366

表6-23　　　　　重盐碱(开荒地)地暗管改碱工程单位面积成本分析
（按条田面积为500m×120m，每条田布设3根暗管计算）

序号	项目	单价	单项成本（元/hm²）
1	PVC滤水管（加运费）（直径110 mm）	11.5元/m	2 838.75
2	沙滤料	8 052元/m³	1 116
3	竖井等田间工程		522
4	排灌配套		6 150
5	深松破结	1 035元/hm²	750
6	土地精平	5 250元/hm²	4 200
7	耗油费	5.0元/kg	1 247.4
8	机械折旧费、修理费		11 530.8
9	人工费	45元/工日	489
10	勘探、设计费	4%	764.1
11	维护、管理费	3%	262.5
12	其他费用	19.52%	1 708.35
合计			31 578.9

注：单纯抽出铺设暗管工序的各项费用计算的单位成本为8 751.45元/hm²。

表6-24　　已有灌排系统的中低产田（仅设一级暗管）暗管改碱工程单位面积成本分析
（按条田面积为550 m×120 m，每条田布设2根暗管计算）

序号	项目	单价	单项成本（元/hm²）
1	PVC滤水管（直径110 mm）	11.5元/m	1 897.5
2	沙滤料	80.52元/t	744
3	勘探、设计费	4%	219.9
4	耗油费	5.0元/kg	831.6
5	机械折旧费		1 687.2
6	人工费	45元/工日	339
7	维护、管理费	3%	165
8	其他费用	19.52%	1 073.4
合计			6 957.6

注：表6-23、表6-24中的可调成本（指在今后实现下列条件的情况下可进一步降低的成本）：①若PVC管不外购，在当地加工购买，每公顷还可节约成本210.45元；②若用土工布替代沙滤料，每公顷还可节约成本1 331.55元。

图6-19　孤东项目Ⅱ区钻孔取样布点图

　　土壤化验监测完成后，分别于2003年5月、2004年3月、2004年10月实施了项目Ⅱ区一、二、三期暗管改碱系统工程，并随之实施了灌溉洗盐、作物种植与农田管理等工程。2005年4月曾统一对孤东十万亩项目区土地进行了土壤含盐量普测，但由于与上次取样监测所采取的技术规范不一致，故在项目区仅获得5组可比数据（表6-18）虽然从这些点位中测出土壤含盐量下降幅度较大，但由于这次样点布局与上次的采样点位置、土层不吻合，因此不能全面、准确地反映项目Ⅱ区改碱工程实施前后的土壤变化状况。2005年8月本课题通过专家鉴定之后，为测试暗管改碱工程的实际效果，专家鉴定委员会委托专家委员、山东省农业厅原副厅长齐可友于2005年9月重新组织了项目Ⅱ区的土壤取样化验工作。此次取样完全按照2003年4月取样时所采用的技术规范，对原来的90个测点和3个土层进行了对应钻孔取样，同时委托东营市农产品质量监督检测中心于9月29日完成检验报告。

　　根据改碱工程实施前后（相距2年零5个月）分别测出的土壤含盐量数据，90个测点中0~10 cm土层的平均含盐量分别为1.05%和0.31%，改碱工程实施后降低了0.74%；20~30 cm土层的平均含盐量分别为0.87%和0.21%，改碱工程实施后降低了0.66%；50~60 cm土层的平均含盐量分别为0.80%和0.19%，改碱工程实施后降低了0.61%。项目Ⅱ区暗管改碱系统工程取得了非常显著的改碱效果。90个测点在工程前后分别测出的全部含盐量数据见表6-25。

　　为对采样点土壤含盐量在工程实施前后的变化做可视化表达，根据表6-19做柱状图，如图6-20~图6-22所示。

表6-25　　　　　　　　　　　孤东项目Ⅱ区改碱工程前后土壤含盐量变化

序 号	孔 号	土壤含盐量(%)					
		2003年			2005年		
		0~10 cm	20~30 cm	50~60 cm	0~10 cm	20~30 cm	50~60 cm
1	1-1-2	0.85	0.78	0.73	0.29	0.11	0.28
2	1-2-1	0.85	0.78	0.67	0.1	0.06	0.2
3	1-2-2	0.63	0.47	0.41	0.16	0.17	0.26
4	1-2-3	0.85	0.3	0.56	0.16	0.26	0.13
5	1-2-4	1.2	1.21	0.74	0.21	0.19	0.25
6	1-2-5	0.72	0.62	0.66	0.52	0.39	0.17
7	1-2-6	0.65	0.39	0.5	0.16	0.21	0.21
8	2-1-1	0.89	0.87	0.71	0.09	0.09	0.07
9	2-1-2	1.51	1.44	1.13	0.33	0.21	0.22
10	2-2-1	0.89	0.72	0.73	0.15	0.27	0.09
11	2-2-2	0.82	0.91	0.59	0.2	0.14	0.14
12	2-2-3	0.72	0.73	0.75	0.12	0.17	0.16
13	2-2-4	0.82	0.84	0.86	0.13	0.12	0.13
14	2-2-5	0.73	0.78	0.76	0.13	0.03	0.1
15	2-2-6	0.83	0.84	0.8	0.24	0.05	0.1
16	2-2-7	1.35	1.43	1.05	0.32	0.28	0.17
17	2-2-8	0.89	0.73	0.54	0.06	0.54	0.13
18	2-2-9	1.59	1.37	0.56	0.22	0.22	0.08
19	2-2-10	1.34	0.63	0.64	0.15	0.14	0.15
20	2-2-11	0.89	0.78	0.82	0.19	0.15	0.11
21	2-2-12	1.04	1.03	1.01	0.22	0.18	0.1
22	2-2-13	1.9	1.92	0.81	0.19	0.14	0.17
23	2-2-14	1.2	0.9	0.91	0.12	0.15	0.11
24	2-2-15	1.68	1.08	0.65	0.66	0.44	0.32
25	2-2-16	1.09	1.03	0.91	0.11	0.12	0.11
26	2-2-17	1.79	1.3	1.3	0.25	0.26	0.16
27	2-2-18	1.76	0.94	0.64	1.23	0.4	0.3
28	2-3-6	1.1	1.1	0.91	0.25	0.2	0.11
29	2-3-7	1.37	0.91	0.72	0.26	0.17	0.15
30	2-3-8	1.57	1.15	0.71	0.6	0.25	0.2
31	2-3-9	1.23	1.2	1.04	0.12	0.32	0.29
32	2-3-13	1.04	0.9	0.78	0.84	0.45	0.29
33	2-3-14	1.37	0.95	0.74	0.61	0.18	0.14
34	2-3-15	2.34	0.92	0.65	1.32	0.43	0.32
35	2-3-16	1.38	1.2	1.25	0.17	0.13	0.17
36	2-3-17	0.96	0.9	0.88	0.36	0.2	0.13
37	2-3-18	1.1	0.91	1.11	0.4	0.27	0.23
38	2-4-1	1.01	1.05	0.91	0.55	0.21	0.24
39	2-4-2	0.99	0.9	0.78	0.14	0.1	0.21
40	2-4-3	0.79	0.66	0.64	0.08	0.1	0.07
41	2-4-4	0.88	0.63	0.69	0.1	0.16	0.15
42	2-4-5	1.37	1.08	0.67	0.45	0.28	0.22
43	2-4-6	0.78	0.73	1.19	0.52	0.22	0.32
44	2-4-7	1.58	1.28	0.87	0.42	0.19	0.15

续表 6-25

序 号	孔 号	土壤含盐量(%)					
		2003 年			2005 年		
		0~10 cm	20~30 cm	50~60 cm	0~10 cm	20~30 cm	50~60 cm
45	2-4-8	1.8	1.61	0.94	0.66	0.26	0.15
46	2-4-9	1.04	1.04	0.92	0.19	0.21	0.14
47	2-4-10	0.91	0.09	0.73	0.32	0.14	0.1
48	2-4-11	0.78	0.58	0.36	0.22	0.17	0.03
49	2-4-12	1.01	0.8	0.67	0.22	0.25	0.08
50	2-4-13	0.6	0.55	0.62	0.2	0.37	0.42
51	2-4-14	1.47	0.64	0.55	0.65	0.36	0.29
52	2-4-15	1.38	0.96	0.78	0.23	0.23	0.11
53	2-4-16	1.86	1.03	1.49	0.18	0.22	0.27
54	2-4-17	0.94	1.04	0.9	0.09	0.17	0.1
55	2-4-18	1.22	0.74	0.72	0.7	0.49	0.33
56	2-5-1	0.65	0.94	0.53	0.22	0.17	0.13
57	2-5-2	0.9	0.72	0.58	0.31	0.31	0.09
58	2-5-3	1.6	1.14	1.09	0.76	0.74	0.71
59	2-5-4	0.2	0.35	0.79	0.18	0.15	0.16
60	2-5-5	0.97	1.13	0.89	0.52	0.36	0.37
61	2-5-6	0.96	0.71	0.72	0.23	0.37	0.31
62	2-5-7	1.19	0.9	1.1	0.14	0.16	0.17
63	2-5-8	0.92	0.91	0.9	0.24	0.18	0.16
64	2-5-9	1.26	1.13	1.25	0.31	0.33	0.3
65	2-5-10	0.65	0.59	0.53	0.09	0.05	0.08
66	2-5-11	0.58	0.56	0.56	0.13	0.09	0.13
67	2-5-12	0.41	0.33	0.39	0.07	0.12	0.19
68	2-5-13	0.89	0.74	0.71	0.21	0.19	0.17
69	2-5-14	1.1	1.06	1.03	0.17	0.15	0.1
70	2-5-15	0.97	0.79	0.77	0.1	0.09	0.1
71	2-5-16	1.35	0.97	0.81	0.44	0.24	0.28
72	2-5-17	1.19	1.2	0.7	0.18	0.13	0.21
73	2-6-1	0.89	0.71	0.9	0.36	0.15	0.13
74	2-6-2	0.53	0.57	0.73	0.14	0.15	0.17
75	2-6-3	0.87	0.89	0.94	0.46	0.24	0.23
76	2-6-4	0.56	0.71	0.68	0.19	0.18	0.12
77	2-6-5	0.96	0.77	0.9	0.12	0.08	0.14
78	2-6-6	0.36	0.51	0.77	0.14	0.17	0.07
79	2-6-7	0.74	0.37	0.39	0.28	0.07	0.02
80	2-6-8	0.87	0.72	0.73	0.34	0.21	0.17
81	2-6-9	0.89	1.05	0.99	0.21	0.01	0.13
82	2-6-10	1.21	1.2	0.9	0.64	0.27	0.35
83	2-6-11	0.82	0.6	0.64	0.34	0.16	0.19
84	2-6-12	1	1.11	1.13	0.65	0.27	0.24
85	2-7-1	0.86	0.99	0.77	0.51	0.26	0.26
86	2-7-2	1.05	0.79	0.96	0.34	0.31	0.38
87	2-7-3	0.87	0.74	0.78	0.35	0.27	0.09
88	2-7-4	1.05	0.79	0.96	0.22	0.12	0.11
89	2-7-5	0.78	0.87	0.88	0.36	0.13	0.18
90	2-7-6	0.77	0.73	1.04	0.49	0.19	0.37

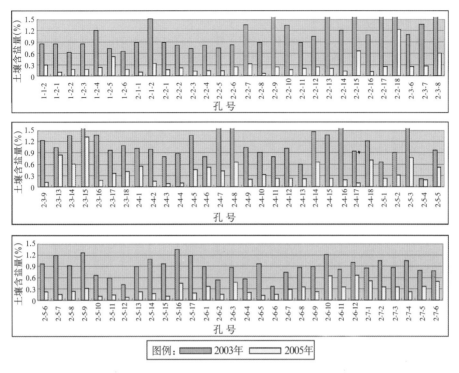

图6-20　孤东项目Ⅱ区改碱工程前后0~10 cm土层含盐量变化

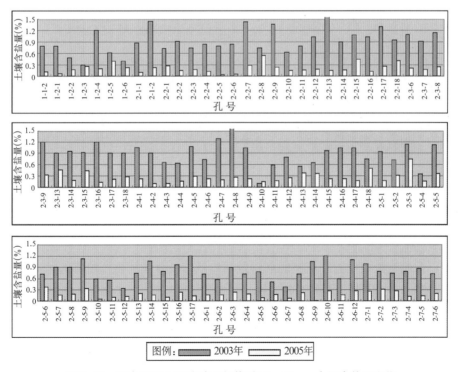

图6-21　孤东项目Ⅱ区改碱工程前后20~30 cm土层含盐量变化

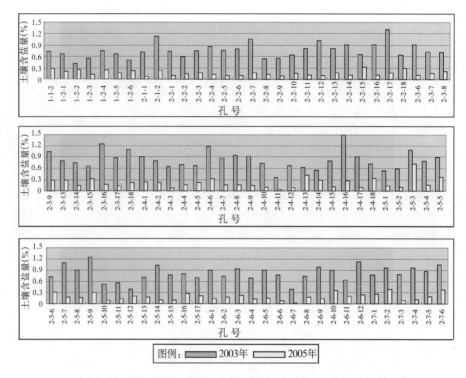

图6-22 孤东项目Ⅱ区改碱工程前后50～60 cm土层含盐量变化

第五节 河口区万亩盐碱地开发项目

河口区万亩盐碱地开发属国家土地开发重点项目，项目区总面积666.67 hm²，其中未利用土地面积413.19 hm²，包括土地平整、水利配套、田间道路等工程在内的预算总投资1 890.41万元，全部由国家投资。这也是金川公司成立以来实施的第一个走向市场的工程服务型项目。该公司于2004年2月完成项目区土壤调查与分析，编制了暗管改碱工程实施方案并进行了规划设计。4月8日正式施工，共铺设排碱暗管83 600 m，安装检查井187个。5月初工程刚竣工，当地农民便在项目区翻地灌水种植了棉花，实现了当年开发、当年种植、当年受益。

一、工程区调查

河口区位于近代黄河三角洲北部。但河口区并不是黄河现行流路的河口地区。其"河口"地名的来源是：1964～1976年，黄河经由刁口河北向入海，胜利油田于此期间在黄河口两岸发现多个大油田，为此在黄河口西岸成立了胜利油田河口指挥部。1976年6月，黄河由刁口河改道清水沟流路从垦利县入海。1983年东营市成立时，将胜利油田河口指挥部所在地划为河口区，自此河口区的地名沿用至今。

河口区陆地范围由1904～1929年亚三角洲堆积体、1934～1953年亚三角洲堆积体、

1953～1964年亚三角洲堆积体、1964～1976年亚三角洲堆积体叠置而成。陆地形成时间短，土质结构疏松，地下水位高，易形成土壤盐渍化，是非常适宜实施暗管改碱工程改良荒碱地的地区。

项目所在地义和镇位于河口区西部，由于距渤海湾较近，地下水埋藏浅、矿化度高，且海拔高程低，淤积土层薄，生态环境极为脆弱。原生植被不论是因为自然退化还是遭受人为破坏，均易使土地裸露，通过蒸发作用使地下盐分升于地表。因此，该地区土壤盐渍化严重，土地产出率低，甚至全部裸露泛碱，从而导致耕地大面积退化，对该地区人民生活、区域生态和气候环境造成不良影响。

河口区万亩荒碱地开发项目区是该区域中的典型区域，位于东营市河口区义和镇东北部，东经118°21′52.8″～118°23′10.9″、北纬37°54′43.2″～37°56′40.9″范围内。涉及义和镇东南村、西南村、东北村、西北村、一千二村和博兴村6个行政村。项目区内有盐碱地413.19 hm²，耕地230.87 hm²，土地总面积666.67 hm²。

项目区是典型的黄河三角洲地貌，地势平缓，境内多属缓岗和微斜平地，海拔高程4.1～4.9 m。地表浅层的土壤母质主要是黄河冲积物。表层土质以沙壤为主，土壤盐渍化严重。根据山东省农科院土壤肥料所于项目实施前的2002年9月所做的"项目区立项研究报告"，共在项目区设取样点88个，所测标准电导率高于0.091 S/m（折合土壤含盐量0.30%）的土壤样品共有79个，占样品总数的89.77%，其中标准电导率大于0.310 S/m（折合土壤含盐量1.0%）的盐土42个，占样品总数的47.73%；标准电导率处于0.217～0.310 S/m（折合土壤含盐量0.7%～1.0%）的重度盐渍土10个，占样品总数的11.36%；标准电导率处于0.091～0.217 S/m（折合土壤含盐量0.3%～0.7%）的中度盐渍土27个，为样品总数的30.68%；而标准电导率处于0.029～0.091 S/m（折合土壤含盐量0.1%～0.3%）的轻度盐渍土有8个，占样品总数的9.09%；非盐渍化土壤样品1个，占样品总数的1.14%，见表6-26。

表6-26　　　　　　　土壤盐渍化分级标准及万亩盐渍土盐渍化程度

土壤盐渍化分级	盐土	重度盐渍土	中度盐渍土	轻度盐渍土	非盐渍土
标准电导率（S/m）	>0.310	0.217～0.310	0.091～0.217	0.029～0.091	<0.029
土壤含盐量（%）	>1.0	0.7～1.0	0.3～0.7	0.1～0.3	<0.1
土壤样品个数	42	10	27	8	1
占样品总数（%）	47.73	11.36	30.68	9.09	1.14

由此可以看出，该万亩盐碱土盐渍化程度重，仅有10.23%的土壤标准电导率低于0.091 S/m，适宜于作物生长，89.77%的土壤不经工程改良措施无法种植作物，土壤盐渍化成为制约项目区农业生产的主要障碍因子。

项目区未开发之前，土地利用率低，未利用土地面积占项目区总面积的61.98%，另外还有230.87 hm²生产力低下的耕地。土地产出率较低，耕地中低产田较多，土壤肥力不高，生产力水平较低。农田水利设施落后、不配套，且仅有的水利设施老化、损坏严重，造成暴雨致涝灾、无雨成旱灾。据现场踏勘发现，项目区内现有少量农民自发开荒的土地因缺乏灌排水利设施而生产率极低。另外，由于雨季排水不畅，加之地下水盐分含量高,滋生土壤次生盐碱化,地表大面积泛碱,生态环境恶化。传统模式农业种植走向绝路,农民的生存失去土地依托,衍生出众多社会问题,当地经济状况迅速恶化。

二、工程实施

(一)工程建设规模

金川公司于2004年2月中旬确定了暗管改碱实施方案和规划设计。在完成前期田间灌排渠系配套的基础上,于同年4月8日铺设暗管,5月初竣工。铺设暗管的单项投资计385万元。

项目区南北长平均3 315 m,东西宽平均2 011 m,总面积666.67 hm²(不含住宅用地)。整个工程是对义和镇6个行政村项目区内的盐碱地进行土地平整、暗管铺设、配套水利灌排工程设施、建设道路系统和农田林网等工程,保证农业生产的可持续发展。

项目区内灌溉主要利用引黄干渠灌溉,灌溉渠道和排水沟布设支、斗、农三级,渠道总长90.49 km,排水沟总长90 km;田块中间铺设PVC暗管改碱,铺设PVC管道总长70 267 m,修建检查井176个。

水工建筑物包括水泵站3座,支渠节制闸1座,闸附桥1座,斗渠进水闸8座,农渠进水闸150座,斗沟排水穿涵8座,支、斗、农三级生产桥15座。全部建筑物共计186座。

(二)工程布置形式

项目区位于王庄灌区最下游,北临渤海,工程采用三个水源:一是王庄灌区二干一分干供水,接本区内一支渠,由西向东经泵站提水入南北向二支渠,送至各斗渠;二是由沾利河提水入二支渠,送至各斗渠,满足灌溉用水;三是由王集水库供水进二支渠送各斗渠,该水源因取水于水库,水价较高,故作为补充水源,提高项目区用水保证率。区内斗渠为东西向,由南向北依次分为Ⅰ斗～Ⅷ斗,农渠为南北向,每条斗渠上布设11～22条农渠,毛渠由农户采用沟灌或小畦灌溉,以达到节水增效的目的。支、斗、农三级均采用沟、林、渠、路相间布置,南北向农排汇入东西向斗排,斗排汇入项目区东侧向北排入六一干。开发整理后项目区内除了交通用地、林地和沟渠占地138.17 hm²外,其余均为耕地,面积528.50 hm²,方田由农沟和生产路划分而成。在方田内部根据排水沟的流向及方田内部土方平衡的原则,确定各方田的高程,方田按排水方向以1∶1 000的坡降进行平整。

项目区暗管采用DN80PVC打孔波纹管,0斗铺管36条、Ⅰ斗铺管36条、Ⅱ斗铺管33条、Ⅲ斗铺管33条、Ⅳ斗铺管33条、Ⅴ斗铺管33条、Ⅵ斗铺管21条,共计225条。间距300 m设检查井1个,共计141个。具体布设见图6-23。为防止管道淤积,同时提高管道的渗水性,外包8 cm厚中沙滤料一层。

(三)工程实施前后土壤结构变化

通过铺设暗管,大量的排沟被暗管代替,大大提高了土地利用率。项目区土地开发利用情况见表6-27。

根据统计,开发前项目区总面积666.67 hm²,未利用土地面积413.19 hm²,占

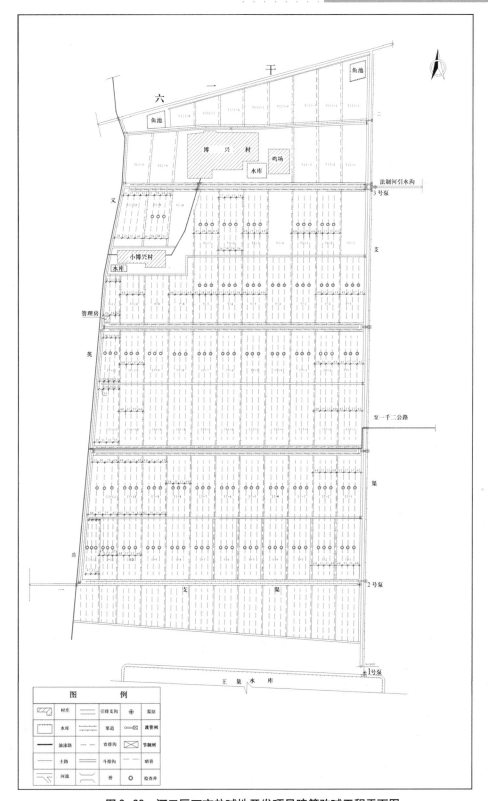

图6-23 河口区万亩盐碱地开发项目暗管改碱工程平面图

表6—27   项目区土地开发整理前后土地利用结构变化

地类名称		规模（hm²）			比例（%）		
		前	后	增加	前	后	增加
农用地	耕地	230.87	528.5	297.63	34.63	79.27	44.64
	林地	0	13.47	13.47	0	2.02	2.02
	其他农用地	19.61	121.7	102.09	2.94	18.26	15.32
建设用地	交通运输用地	3	3	0	0.45	0.45	0
未利用地	未利用地	413.19	0	−413.19	61.98	0	−61.98
合　计		666.67	666.67	0	100	100	0

项目区总面积的61.98%，其他为耕地230.87 hm²、交通用地3.00 hm²及其他农用地19.61 hm²。通过对项目区土地进行整理开发，新增耕地297.63 hm²，新增耕地占项目区总面积比例为44.64%。

工程铺设暗管后，当年灌溉并利用降雨对土壤进行淋洗，项目区的土壤含盐量迅速下降。根据暗管工程实施前所做的"项目区立项研究报告"，该万亩盐碱土盐渍化程度重，仅有10.23%的土壤标准电导率低于0.091 S/m（折合土壤含盐量0.3%），适宜作物生长，而有89.77%的土壤盐渍化程度重，有的土壤样品含盐量高达2.39%以上。而根据暗管改碱工程实施后所做的"项目区土壤检验报告"，经检索，取其采样点与工程前监测布点位置相同者各取12个样品数据作了对比，工程实施后土壤样品含盐量达到0.1%以上的只有1个，其余11个样品全部降至0.1%以下（表6—28）。整个工程土壤脱盐率达到80%以上，满足了大部分作物的生长需求，万亩荒碱地变良田。

表6—28   项目区工程实施前后耕层土壤含盐量变化

序号	采样位置	土壤含盐量(%)	
		工程实施前	工程实施后
1	Ⅰ—4	1.90	0.074 005
2	Ⅰ—9	1.05	0.031 165
3	Ⅱ—6	1.48	0.034 025
4	Ⅱ—11	1.55	0.067 765
5	Ⅲ—3	1.89	0.102 5
6	Ⅲ—8	0.88	0.018 47
7	Ⅳ—6	0.57	0.054 59
8	Ⅳ—9	0.217	0.044 94
9	Ⅴ—4	0.154 5	0.074 845
10	Ⅴ—10	0.144	0.085 47
11	Ⅵ—4	0.17	0.054 04
12	Ⅵ—9	1.23	0.056 255

三、工程效益与成果

（一）经济效益

通过实施暗管排碱工程，给当地百姓带来了巨大的效益。根据当年棉花种植情况调研，项目区通过改造项目区230.87 hm²低产田，每公顷增产棉花900 kg，单价5元/kg，每公顷棉花增加产值4 500元，低产田改造后每年可增产值103.89万元。另外，新增耕地面积297.63 hm²，每公顷棉花当年产量3 750 kg，单价5元/kg，每公

项目区农民以"口感"测试暗管洗盐效果

项目区工程实施当年种植棉花喜获丰收

顷棉花实现产值18 750元，新增耕地每年可增产值558.06万元。两项合计，通过实施暗管排碱改造，项目区每年新增产值661.95万元。工程给当地百姓带来了极大的收益。

（二）社会效益

工程对区内土地进行整治，实现田成方、路成网、树成行，水利工程灌排配套，旱涝保收的目标。工程使农村的面貌焕然一新，对促进农业和农村实现现代化具有重要意义。

(1)通过土地开发整理，项目区旱能灌、涝能排，并通过暗管排碱、洗盐压碱，彻底改良土壤，解决项目区农业灌溉和农村人、畜饮水水源，极大地改善了农民的生活条件。

(2)项目的建设，增强了农业土地资源的开发力度和广度，改善了本地生态环境，给农民提供了就业机会，有利于社会安定。项目区人均耕地0.224 hm^2，按当地目前的人均耕地标准计算，净增耕地面积297.63 hm^2，可供养1 330人。

（三）生态效益

通过土地开发整理，项目区林路兴建、沟渠配套、暗管埋设，使地下水位和土壤含盐量降低,这将大大改善项目区农田生态环境和农业生产条件。通过在干路两侧及田间路和生产路一侧建设防护林,形成有效的防护林网。由于项目林科技含量高,树木生长快,枝叶繁茂,将大大提高防风固沙能力,使项目林全部变为固定沙地或半固定沙地;雨季可防洪拦沙,有效保护项目区免遭风沙和洪水危害,起到防治荒漠化、调节气候条件、涵养水源、美化环境的作用。项目的实施使项目区的抗灾能力大大提高,同时也有利于周边地区生态环境的保护和改善。

第六节　以暗管改碱为核心的
盐碱地改良系统技术

2000年,金川公司从荷兰引进暗管排水技术,在黄河三角洲地区实现了国内外改碱技术的对接,搭建了一个技术应用平台。第一项工程为莱州湾暗管改碱工程实验项目,该项目设计施工基本上采用荷兰的技术,其特点是技术精度高,但投资大,维护与管理复杂,难度大,整个地块需铺设地下集水管、架设电线电缆、安装潜水泵,在我国推广难度大。第二项工程为仙河农场万亩中低产田暗管改碱项目,该项目采用完善的灌排系统和暗排明排相结合的方式,投资少,效果好,易于维护管理,适宜我国实际,该项目是暗管排碱技术在引进基础上的消化、吸收和提高。第三项工程为孤东十万亩土地开发项目,这是利用暗管改碱技术实施大面积规划改良土地的尝试,在项目施工中又实施了激光精平、深松破结技术,使暗管改碱技术进一步系统化、科学化和规范化。第四项工程为河口区万亩盐碱地开发项目,该项目的成功实施使暗管改碱技术真正服务于"三农",收到了实效,经受了社会的检验,受到了地方政府和农民的欢迎。金川公司经过几年来的实践,在学习该技术的基础上不断地消化、吸收和发展,创立了以暗管改碱技术为核心的改良盐碱地新模式,主要包括勘察设计、灌排配套、暗管铺设、激光精平、深松破结、维护管理等(图6-24),在黄河三角洲地区探索出了一条改良盐碱地的新路子。

一、暗管改碱技术的创新与发展

暗管排水有迅速排降地下水位、排水排盐、加速土壤脱盐以及改善地表盐斑状况的显著效果。因此,暗管排水是对农田除涝、防渍、防治土壤次生盐渍化和改良盐碱地的有效措施。

(一)宽深布设形式

该种布设形式以地下水临界深度为工程设计标准,暗管的埋深以地下水临界深度为主要依据,暗管埋设后控制地下水位低于临界水深,地下水通过毛管作用上升不到土壤表面,不致使土壤表层积盐。

根据实践来看,该种布设形式虽然能够有效控制地下水位处于临界水深以下,有效降低土壤的毛细上升作用,使耕层土壤不至于积盐,但由于黄河三角洲地区土壤主要为滨海粉沙壤土,以临界水深确定暗管埋深,暗管铺设深,均在 2 m 以下,致使工程实施工成本高,而且排水需要动力抽排,后期运行成本高,另外,由于暗管铺设深,暗管上部土层通过淋洗脱盐速度慢,致使改碱效果慢。

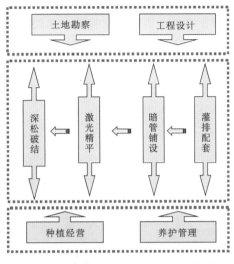

图6-24 暗管改碱系统工程技术示意图

因此,此种方式只适合于地面海拔高、土壤质地为壤土和黏土、临界水深浅的地区。

(二)浅密布设形式

黄河三角洲滨海低洼易涝地区水系发达,排水不畅,降雨不均衡,水源缺乏,故不适应暗管埋设过深的布设形式。这就要求确定排水暗管埋深的选择范围,要按作物防渍深度确定最小埋深,按潜水临界深度确定最大埋深。该布设形式以水盐平衡原理为工程排水标准。盐碱地改良必须经过灌溉或降雨冲洗阶段和改良后的利用阶段,通过灌溉或降雨排水作用,使设计土层继续脱盐和防止盐分向表土积聚,并逐渐使脱盐深度增加和地下水淡化。

采用该种布设方式,暗管埋深浅,依据作物耐渍深度,本地区通常埋深在1~1.5 m之间,这就使暗管排水通过重力自流进排沟成为可能,简化了暗管布设,大大降低了工程造价,后期管理运行费用也大大降低,暗管上部土层脱盐速度快,土壤改良效果好,非常适合黄河三角洲地区的实际。

通过大面积的试验,采用该种布设形式改良盐碱地,主要有以下功能:

(1)排水排盐,促使土体脱盐。通过灌水淋洗,暗管能迅速排除地下咸水,在排水的同时,可以达到排盐效果。

(2)调控地下水位。暗管埋设于土壤根系区以下,暗管能够快速有效地排除地面涝水和土壤中的地下水,使地下水位保持在作物需要的深度。

(3)在改良和利用相结合的条件下,通过灌溉或降雨排水作用,使设计土层继续脱盐和防止盐分向表土积聚,并逐渐使脱盐深度增加和浅层地下水矿化度淡化。

通过在实践中的不断探索,认真总结暗管排水各种不同的布局格式和排水改碱规律,分析水盐运动规律,金川公司掌握了各种暗管排水模式核心技术,可根据不同的水文土壤环境条件，采用最适宜的暗管排水形式，取得最佳的排水改碱效果。

二、激光精平

平整土地可以起到提高田间地面灌溉效率和灌水均匀度的作用，是改进地面灌溉方法的重要技术要素之一。激光平地技术能够大幅度地提高田间土地平整精度，提高平地效率。

激光精平作业图

（一）工作原理

激光控制平地技术是利用激光束产生的平面来控制平地机具刀口的升降高度。激光控制平地作业时，一旦铲运机具刀口的初始位置根据平地设计高程确定后，无论田面地形如何起伏，受激光发射和接收系统的影响，控制器始终经液压升降系统将铲运刀口与平地参照面间的距离保持在某一恒定值，土地平整的精度很高。

（二）土地精平效果

该设备把固定的激光平面作为平地控制面，根据地面起伏自动调节平地铲升降，平地精度可达到 $Sd \leqslant 2$ cm，而且操作简便。工作半径小于或等于 300 m，作业幅宽 4 m，工作效率 5~83 km/h，铲土深度 50~100 mm/次，平地精度 ±（1.0~1.5）cm（凹凸度）。

我国平原地区的大部分地块特点是"小平大不平"，同一地块上下一般相差 30~50 cm。地块上种植农作物后，经传统的大水漫灌，形成高地块处水土流失，低地块处存水的现象，严重影响作物的产量和质量，浪费水资源。利用激光平地技术可从根本上解决这种现象。

（三）土地平整的作用

（1）灌溉效果好。设计合理、精心管理的水平畦田灌溉系统可以使田间深层渗漏损失最小，获得较高的灌溉效率，灌溉均匀度有了极大的改善。灌溉的基本要求是：①灌水均匀；②减少深层渗漏；③灌溉适量；④灌溉效率高。只有平地才能达到上述要求，所以说平地是灌溉的基础。

(2)节水节肥。激光平地技术可使地面平整度达到误差±2 cm，一般可节水30%以上；每公顷可节约用水1 500 m³。由于土地平整度提高，化肥分布均匀，减少化肥流失和脱肥现象，提高化肥利用率20%。

(3)土地利用率高。由于田面经过高精度的土地平整，畦田规格相对其他地面灌溉系统显著增大，既简化了田间工程，提高土地利用率，又便于大型农业机械作业。用激光技术精密平地，配合相应措施，可减少田埂占地面积3%～5%。

(4)增产作用显著。地面平整度的提高使出苗条件、种植环境得到改善，灌溉均匀度的提高使作物生长更均匀，同时肥料的淋洗损失也得到控制，使作物明显增产。

(5)有利于防止土壤盐渍化。由于灌入的水量均匀覆盖在整个田面，而且地面上水深均匀，更容易淋洗土壤中的有害成分，减小土壤中的盐分。土地平整，才能发挥排、灌措施的作用，促进土壤脱盐，消除盐斑。

激光技术平整土地，可以达到节水、节地、节肥、增产的效果，达到节本增效的目的。利用该技术提高了工作效率，降低了劳动强度，节约了宝贵的水资源，解决了水土流失问题。实施该技术后，土地蓄水性能好，用水效率高，推动了精准型农业发展的步伐。

三、深松破结

黄河三角洲地区为黄河冲积平原，土层分层明显，土层中夹有黏土层和板结层（俗称铁板沙），该层土如果位于土壤上部，由于土层渗透性极低，大大影响土壤的淋洗脱盐。另外，土地长期耕种，形成坚硬的耕作层，也不利于土壤的种植。通过深松，打破板结层和不透水层，将提高土壤的渗透性，促进土壤的淋洗脱盐。

全方位深松技术是利用深松机械疏松土壤而不翻转土层的一种耕作方式。它可以破坏坚硬的犁底层，加深耕作层，增加土壤的透气性和透水性，改善作物根系生长环境。进行深松时，由于只松土而不翻土，不仅使坚硬的犁底层得到疏松，又使耕作层的肥力和水分得到了保持。

（一）工作原理

全方位深松机是一种新型的土壤深松犁，其工作原理是采用"V"形深松部件，利用左右侧刀与底部水平刀的切割作用，从土层中切离出"V"形截面的垄条，继而使垄条抬升后移，通过两侧刀面与水平刀面，从梯形框架中流出，而后下落铺放在田面。在此过程中使土壤受剪切、弯曲、拉伸作用而得到高效的松碎。深松深度可根据耕种改良土壤需要，最深可达0.7 m。

（二）深松的作用

(1)全方位深松可使不同类型土壤的渗水速度增大5～10倍，一般情况下，全方位深松后可以使黏土渗水率提高5倍左右。并使松后田地能在一小时内接纳30～60 mm降水而不出现地表积水或径流，显著改善土壤的透水能力。能够使淡水迅速溶解上部土层中的盐分，通过暗管排水等水平排水形式迅速排出土体，大大提高土层的冲洗脱盐速度，使盐碱地得到迅速的改良。

深松破结作业图

(2)全方位深松在打破犁底层、加深耕作层的同时，所造成的耕层土壤体积密度为 1.2～1.3 g/cm³，恰好在适宜作物发育的范围内。

(3)全方位深松后可形成"上实下虚"、左右松紧相间、底层深处有鼠道的土壤，从而兼有蓄水与排涝、透水与通气、养分释放与贮存、根系穿孔与固定等多方面的双向功能。在干旱季节，全方位深松的地段土壤蓄水量较未松对照增加 0.73～0.8 m³/hm²。

(4)深松即疏松深层土壤，不打乱土层上下结构，保持地表植被的覆盖，可提高天然降雨入渗率，增加土壤含水量。

(5)深松使土壤颗粒孔隙增大，能够大大降低地下水的毛管上升作用，有效降低土壤盐分向表层积聚，降低土壤的次生盐碱。

机械化土壤深松技术可有效改善土壤的理化性状，打破耕地犁底层，增强耕地土壤的蓄水、蓄热和保墒培肥能力，因而被称为"土壤水库工程"。应用机械化土壤深松技术，彻底打破了传统的耕作方式，达到了高产、低耕、环保的目的，促进了农业的可持续发展。

四、以暗管改碱为技术核心的盐碱地改良系统工程

为了针对黄河三角洲的具体情况创造性地应用荷兰暗管改碱技术，金川公司在充分运用引进的勘察设计、暗管铺设、检查维护等国外配套技术外，又辅之以激光精平、深松破结、种植管理等新技术，同时将暗管排碱与深松隔碱、生物治碱、化学改碱、蓄淡压碱等多种治碱方法结合起来，综合形成了一整套行之有效的盐碱地改良系统工程，为在更大范围推广暗管改碱技术积累了成熟的经验。

胜利油田暗管改碱工程的成功实践受到了社会的广泛关注。中央电视台在《星火科技》栏目中多次予以报道，《大众日报》等国内媒体也多次介绍其先进经验。

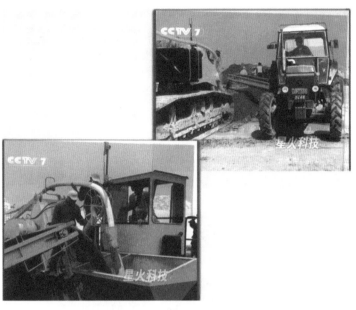

中央电视台《星火科技》栏目对暗管改碱技术的专题报道

《大众日报》刊载胜利油田暗管改碱的通讯报道

第七章 暗管改碱工程效益分析

　　在第六章已对孤东十万亩土地开发项目、河口区万亩盐碱地开发项目、莱州湾暗管改碱工程实验项目工程实施过程及实施后的效益成果做了初步分析。本章的工程效益分析是在项目的前期论证中根据投资方的预计投资和产出，利用清华同方投资项目经济评价系统以及联合国工业发展组织COMFAR经济评估软件对项目所作的预期经济效益估算，同时采用不确定性分析方法对项目可能存在的风险进行预测，综合评价项目在经济效益方面的可行性；采取对比方法，选取临近的参照物孤东油田作为对比，对孤东十万亩土地开发项目进行了生态效益分析。总的来看，本章所反映的经济效益和生态效益是非常直接和显著的，而社会效益显然是间接的，但也是十分巨大的。

　　目前财务评估的自动化处理模型种类较多，本章采用了《清华同方投资项目经济评价系统——新建项目增强版V3.0》和联合国工业发展组织（UNIDO）经济评估软件COMFAR III EXPERT对暗管改碱工程进行了效益分析。

　　《清华同方投资项目经济评价系统——新建项目增强版V3.0》（图7-1），是北京千秋数维科技有限公司最新开发的投资评价软件系统。该软件是根据国家计委发布的《建设项目经济评价方法与参数》(第2版) 及现行财税制度开发设计的，适用于新建（合资）项目的筛选、投资方案选择、项目建议书编制、可行性研究报告的论证、项目经济评估等。

图7-1　新建项目增强版V3.0的运用

　　联合国工业发展组织（UNIDO）经济评估软件COMFAR III EXPERT是联合国工业发展组织为了对投资项目进行投入产出分析以及财务经济评估所开发的新一代软件系统(图7-2)，其分析结果符合当前国际财务评价规范，具有十分良好的通用性，是目前世界上最具权威性的鉴定项目优劣和决定项目投、融资的评估系统。通过该系统做出的评估结论，在国际上可得到广泛认可。该模型可为项目提供全面、科学、准确、长远的评估结果，为项目的顺利进展打下坚实的基础。

图 7-2　COMFAR 评估软件的运用

第一节　经济效益分析

在进行经济效益核算时,应用投资评价系统的财务软件进行财务评价,其所计算的数据都是依据可行性分析中的预设数据进行核算的,与项目实施后所产生的实际数据有一定的差距。但与孤东十万亩土地开发项目和河口区万亩盐碱地开发项目工程实施后的实际效益数据相比,其上下波动的比率不超过5%,说明了数据的预算还是比较精确的。但莱州湾暗管改碱工程实验项目由于政策的原因,原预计的规划面积因东营市开发区的扩建而减少了,故反映经济效益时未采用投资评价系统的财务软件进行分析,仅对其效益情况进行了概括的介绍。

一、孤东十万亩土地开发项目经济效益分析

该项目是在治理分区中的"难改良区"实施的,土壤属于滨海潮盐土和潮土。根据各类土地实施暗管改碱工程的经验,越是盐碱程度重的地区,实施工程的效果就越显著。因此,孤东十万亩土地开发是在基础条件极差的荒碱地带实施暗管改碱大工程的典型项目。

(一)投资估算与资金筹措

1.投资估算

本项目总投资由建设投资、建设期利息、流动资金三部分构成,共计13 508.89万元(表7-1)。

建设投资估算:主要包括一期、二期、三期水利工程配套设施和日常办公场所、交通工具及农用设备。一期工程总投资4 631万元,二期工程总投资4 360万元,三期工程总投资3 200万元,办公场所投资200万元,交通工具100万元,农用设备260万元。

建设期利息:本项目银行借款本金1 960万元,贷款利率5.76%(三年期),建设期计半息,利息共计148.89万元,建设期内不还本付息。

流动资金:按照定额估算法进行估算,项目开始种植芦竹年流动资金投资额609万元。

表7-1 　　　　　　　　　　孤东十万亩土地开发项目投资估算表 　　　　　　　（单位：万元）

年份		1	1	1	2	2	3	3	总计
项目		建设工程	设备购买	其他	建设工程	其他	建设工程	其他	
1	固定资产投资	4 831	360		4 360		3 200		12 751
1.1	主要工程	4 631							
1.1.1	一期工程	4 631							
1.1.2	二期工程				4 360				
1.1.3	三期工程						3 200		
1.2	建筑	200							
1.2.1	办公房屋	200							
1.3	交通工具		100						
1.3.1	车		100						
1.4	设备		260						
1.4.1	农用设备		260						
2	建设期利息					44.93		103.96	148.89
3	流动资金			609					609
总　计		4 831	360	609	4 360	44.93	3 200	103.96	13 508.89

2.资金筹措

本项目总投资13 508.89万元，其中企业自筹3 000万元，胜利石油管理局政策支持8 400万元，银行贷款2 108.89万元（表7-2）。

表7-2 　　　　　　孤东十万亩土地开发项目投资使用计划和资金筹措表 　　　　　　（单位：万元）

年　份		1	2	3	合计
1	建设总投资	5 800	4 404.93	3 303.96	13 508.89
1.1	建设投资	5 191	4 360	3 200	12 751
1.2	流动资金	609			609
1.3	建设期利息		44.93	103.96	148.89
2	资金筹措	5 800	4 404.93	3 303.96	13 508.89
2.1	自有资金	5 800	2 800	2 800	11 400
2.1.1	甲方投资	3 000			3 000
2.1.2	乙方投资	2 800	2 800	2 800	8 400
	其中 固定资产投资	5 191	2 800	2 800	10 791
	流动资金	609			609
2.2	建设投资借款		1 604.93	503.96	2 108.89
2.2.1	建设投资借款本金		1 560	400	1 960
2.2.2	建设期利息借款		44.93	103.96	148.89
2.3	流动资金借款				

（二）经济评价

1.数据估算：

1)收入及税金估算

产量:按芦竹每公顷产量第一年15 t、第二年22.5 t、第三年27 t、第四年34.5 t、第五年37.5 t、稳产期37.5 t估算。

种植面积:第一年1 000 hm²、第二年2 000 hm²、第三年3 067 hm²、稳产期3 067 hm²。

售价：芦竹单价500元/t。

收入：第一年750万元、第二年2 250万元、第三年4 140万元、第四年5 290万元、第五年5 750万元、稳产期5 750万元。

农业税：根据规定，收入按6%缴纳农业税。根据相关税收优惠政策，前三年免农业税，但在进行效益分析计算时未按免税3年计算。

销售收入及销售税金估算见表7-3。

表7-3　　　　　孤东十万亩土地开发项目销售收入、销售税金估算表　　（单位：万元）

年份	1	2	3	4	5	6	7	8	9	10~15
营业收入	750	2 250	4 140	5 290	5 750	5 750	5 750	5 750	5 750	5 750
农业税	45	135	248.4	317.4	345	345	345	345	345	345
年总收入	750	2 250	4 140	5 290	5 750	5 750	5 750	5 750	5 750	5 750
销售税金及附加	45	135	248.4	317.4	345	345	345	345	345	345
其中										
农业税	45	135	248.4	317.4	345	345	345	345	345	345

2)成本估算

成本包括种苗费用、人工费、水费、肥料费、机械费、收割费、管理费、折旧费、财务费用及其他费用。

种苗费：每公顷按5 250元估算，只有第一年有种苗费，以后年度将不再发生此费用。

人工费：第一年每公顷按1 200元估算，以后年度按450元估算。

水费：每公顷按900元估算。

肥料费：每公顷按750元估算。

机械费：每公顷按300元估算。

收割费：第一年每公顷按1 500元估算，以后年度按2 250元估算。

管理费：每公顷按150元估算。

其他费用：每公顷按150元估算。

折旧费：固定资产折旧采用直线折旧法，参数的选取参照国家对企业的有关规定，工程及建筑物折旧年限为30年，交通工具折旧年限为5年，农用设备折旧年限为10年。

财务费用：按现行财务制度规定，将项目经营期发生的长期贷款利息以财务费用的形式计入总成本费用，借款利率为5.76%（三年期）。

总成本估算见表7-4、表7-5。

3)利润及分配

按利润的33%计算缴纳所得税，所得税可免2年，税后利润先用于还款，还清贷款后按10%计提法定盈余公积金，按5%计提任意盈余公积金。

2.财务评价

根据国家现行财税制度，使用现行价格、现行工资执行标准、基准收益率对该项目的获利能力、清偿能力等指标进行评价。

1)财务盈利能力分析

根据表7-6全部投资计算的财务评价指标如下。

表 7-4　　　　　　　　　　　孤东十万亩土地开发项目总成本估算表

（单位：万元）

	年份	1	2	3	4	5	6	7	8	9	10~15
1	折旧费	100.18	273.03	399.03	464.39	464.39	454.39	444.39	444.39	444.16	444.16
2	摊销费										
3	财务费用				121.47	80.98	40.49	0	0	0	0
3.1	长期借款利息				121.47	80.98	40.49	0	0	0	0
3.2	流动资金借款利息										
3.3	短期借款利息										
4	其他费用	1 020	990	1 518	1 518	1 518	1 518	1 518	1 518	1 518	1 518
4.1	制造费用										
4.2	管理费用	1 020	990	1 518	1 518	1 518	1 518	1 518	1 518	1 518	1 518
4.3	销售费用										
5	总成本费用	1 120.18	1 263.03	1 917.03	2 103.87	2 063.38	2 012.88	1 962.39	1 962.39	1 962.16	1 962.16
	其中 固定成本	1 120.18	1 263.03	1 917.03	2 103.87	2 063.38	2 012.88	1 962.39	1 962.39	1 962.16	1 962.16
	可变成本										
6	经营成本	1 020	990	1 518	1 518	1 518	1 518	1 518	1 518	1 518	1 518

表 7-5　　　　　　　　　　　孤东十万亩土地开发项目管理费用估算表

（单位：万元）

	年份	1	2	3	4	5	6	7	8	9	10~15
1	种苗费	525									
2	水费	120	90	138	138	138	138	138	138	138	138
3	水费	90	180	276	276	276	276	276	276	276	276
4	肥料	75	150	230	230	230	230	230	230	230	230
5	机械费	30	60	92	92	92	92	92	92	92	92
6	收割费	150	450	690	690	690	690	690	690	690	690
7	管理费	15	30	46	46	46	46	46	46	46	46
8	其他费用	15	30	46	46	46	46	46	46	46	46
	合 计	1 020	990	1 518	1 518	1 518	1 518	1 518	1 518	1 518	1 518

表7-6　　孤东十万亩土地开发项目财务现金流量表（全部投资）

（单位：万元）

	年份	1	2	3	4	5	6	7
1	现金流入	750	2 250	4 140	5 290	5 750	5 750	11 500
1.1	产品销售收入	750	2 250	4 140	5 290	5 750	5 750	11 500
1.2	回收固定资产余值							
1.3	回收无形资产余值							
1.4	回收流动资金							
2	现金流出	6 865	5 485	4 966.4	2 323.09	2 431.08	2 439.66	2 448.24
2.1	建设投资	5 191	4 360	3 200				
2.2	流动资金增加额	609						
2.3	经营成本	1 020	990	1 518	1 518	1 518	1 518	3 036
2.4	销售税金及附加	45	135	248.4	317.4	345	345	690
2.5	所得税				487.68	568.08	576.66	585.24
2.6	资本公积金							
3	净现金流量	-6 115	-3 235	-826.4	2 966.92	3 318.92	3 310.34	3 301.76
4	累计现金流量	-6 115	-9 350	-10 176.4	-7 209.49	-3 890.56	-580.22	2 721.54
5	累计现金流量净现值	-5 559.09	-8 232.65	-8 853.53	-6 827.09	-4 766.3	-2 897.7	-1 203.37
6	所得税前净流量	-6 115	-3 235	-826.4	3 454.6	3 887	3 887	3 887
7	累计现金流量	-6 115	-9 350	-10 176.4	-6 721.8	-2 834.8	1 052.2	4 939.2
8	累计现金流量净现值	-5 559.09	-8 232.65	-8 853.53	-6 493.99	-4 080.47	-1 886.36	108.28

续表7-6

年　份		8	9	10	11	12	13	14	15
1	现金流入	11 500	5 750	5 750	5 750	5 750	5 750	5 750	13 223.16
1.1	产品销售收入	11 500	5 750	5 750	5 750	5 750	5 750	5 750	5 750
1.2	回收固定资产产余值								6 864.16
1.3	回收无形资产产余值								
1.4	回收流动资金								2 452.75
2	现金流出	2 448.24	2 448.28	2 448.28	2 450.49	2 452.7	2 452.7	2 452.75	2 452.75
2.1	建设投资								
2.2	流动资金增加额								
2.3	经营成本	3 036	1 518	1 518	1 518	1 518	1 518	1 518	1 518
2.4	销售税金及附加	690	345	345	345	345	345	345	345
2.5	所得税	585.24	585.28	585.28	587.49	589.7	589.7	589.75	589.75
2.6	资本公积金								
3	净现金流量	3 301.76	3 301.72	3 301.72	3 299.51	3 297.3	3 297.3	3 297.25	3 297.25
4	累计现金流量	6 023.29	9 325.01	12 626.73	15 926.23	19 223.53	22 520.83	25 818.07	36 588.48
5	现金流量净现值	336.92	1 737.17	3 010.13	4 166.58	5 217.2	6 172.31	7 040.58	9 618.93
6	所得税前净流量	3 887	3 887	3 887	3 887	3 887	3 887	3 887	11 360.16
7	累计现金流量	8 826.2	12 713.2	16 600.2	20 487.2	24 374.2	28 261.2	32 148.2	43 508.36
8	累计现金流量净现值	1 921.6	3 570.07	5 068.67	6 431.04	7 669.56	8 795.49	9 819.06	12 538.59

计算指标:

	所得税后	所得税前
财务内部收益率 (%)	22.22	25.32
财务净现值 ($I_c=10\%$) (万元)	9 618.93	12 538.59
动态投资回收期 (年) ($I_c=10\%$)	7.17	6.25
静态投资回收期 (年)	6.18	5.73

所得税前：财务内部收益率25.32%；财务净现值12 538.59万元。动态投资回收期6.25年；静态投资回收期5.73年。

所得税后：财务内部收益率22.22%；财务净现值9 618.93万元。动态投资回收期7.17年；静态投资回收期6.18年。

根据损益表（表7-7）、销售收入及销售税金估算表（表7-3）及总投资额计算的指标：投资利润率21.72%；销售投资利税率23.99%。

利用COMFAR经济评估软件对该项目的财务收支、生产运营情况作了预见性分析，结果详见图7-3～图7-8。

表7-7　　　　　　　　孤东十万亩土地开发项目损益表　　　　　　　（单位：万元）

	年份	1	2	3	4	5
1	销售收入	750	2 250	4 140	5 290	5 750
2	销售税金及附加	45	135	248.4	317.4	345
3	总成本费用	1 120.18	1 263.03	1 917.03	2 103.87	2 063.38
4	利润总额	−415.18	851.97	1 974.57	2 868.73	3 341.63
5	弥补以前年度亏损		415.18			
6	应税利润		21.6	1 974.57	2 868.73	3 341.63
7	所得税				487.68	568.08
8	税后利润		436.78	1 974.57	2 381.05	2 773.55
9	法定盈余公积金		43.68	197.46	238.1	277.35
10	公益金		21.84	9 8.73	119.05	138.68
11	扣除基金后利润		371.27	1 678.38	2 023.89	2 357.52
12	可分配利润					
13	未分配利润		371.27	1 678.38	1 785.32	2 118.95

	年份	6	7	8	9	10～15
1	销售收入	5 750	5 750	5 750	5 750	5 750
2	销售税金及附加	345	345	345	345	345
3	总成本费用	2 012.88	1 962.39	1 962.539	1 962.16	1 962.16
4	利润总额	3 392.12	3 442.61	3 442.61	3 442.84	3 442.84
5	弥补以前年度亏损					
6	应税利润	3 392.12	3 442.61	3 442.61	3 442.84	3 442.84
7	所得税	576.66	585.24	585.24	585.28	585.28
8	税后利润	2 857.36	2 857.36	2 857.36	2 857.56	2 857.56
9	法定盈余公积金	281.55	285.74	285.74	285.76	285.76
10	公益金	21.84	9 8.73	119.05	138.68	121.7
11	扣除基金后利润	2 412.21	2 571.63	2 571.63	2 571.8	2 571.8
12	可分配利润					
13	未分配利润	2 163.64	2 571.63	2 571.63	2 571.8	2 571.8

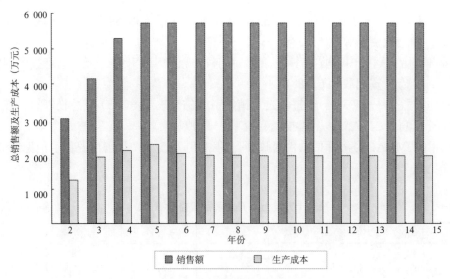

图 7-3　总销售额及生产成本

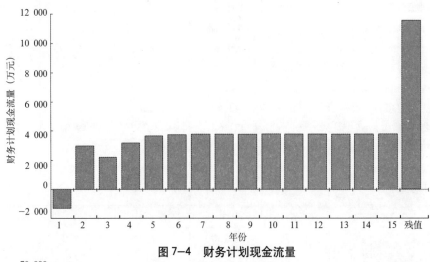

图 7-4　财务计划现金流量

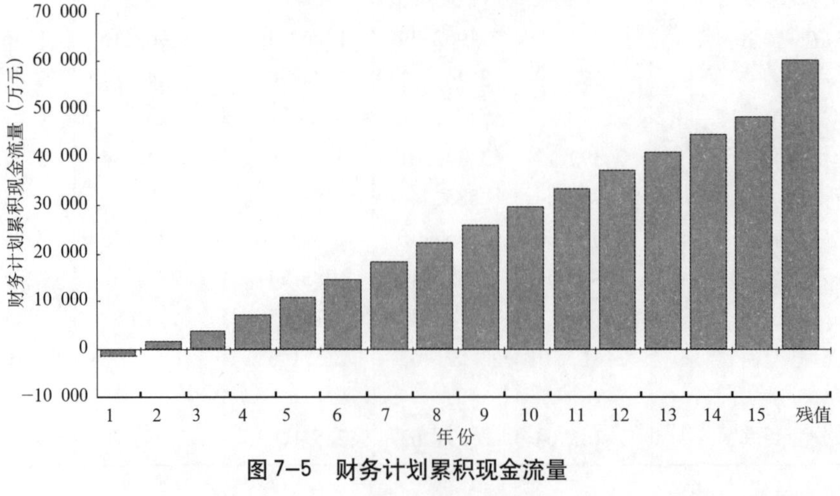

图 7-5　财务计划累积现金流量

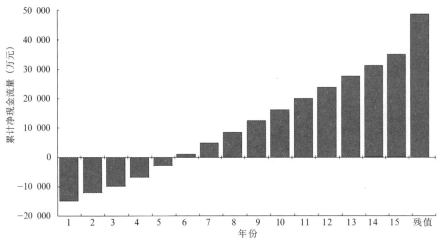

图7-6　静态回收期

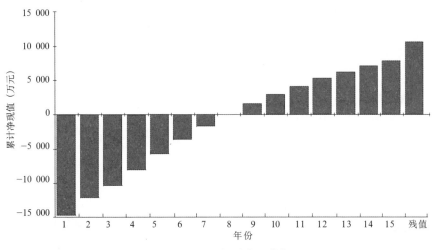

图7-7　动态回收期

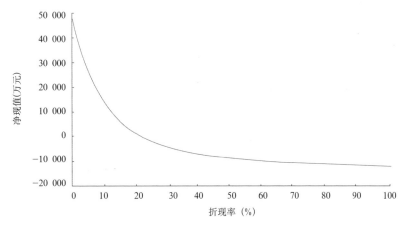

图7-8　折现率与净现值关系

2)清偿能力分析

本项目长期借款共计2 108.89万元，按最大还款能力计算借款偿还期为3年，还款资金首先来源于折旧和摊销，其次为税后利润（表7-8）。

表7-8　　　　孤东十万亩土地开发项目固定资产投资借款还本付息表　　　（单位：万元）

	年 份	1	2	3	4	5	6
1	年初借款累计			1 604.93	2 108.89	1 405.93	702.96
1.1	年初借款本金累计			1 560	1 960		
1.2	年初借款利息累计			44.93	148.89		
1.3	本年借款本金		1 560	400			
1.4	本年借款利息		44.93	103.96			
1.5	本年付息				121.47	80.98	40.49
1.6	本年还本				702.96	702.96	702.96
1.7	年末借款余额		1 604.93	2 108.89	1 405.93	702.96	
2	偿还借款本金资金来源	100.18	273.03	399.03	702.96	702.96	702.96
2.1	折旧费	100.18	273.03	399.03	464.39	464.39	454.39
2.2	摊销费						
2.3	未分配利润				238.57	238.57	248.57

3)敏感性分析

芦竹的产量和价格的变化对效益的影响具有一致性，故只选取产量这个变动因素，采用列表法，以税后全投资财务净现值、投资回收期为计算基础，产量出现±5%的变化时，对财务净现值、全部投资内部收益率造成的影响结果见表7-9。

表7-9　　　　　　　　　　敏感性分析

序号	项目	基本方案	芦竹产量	
			5%	−5%
1	财务净现值（万元）	9 618.93	10 876.10	8 361.76
2	全部投资内部收益率（%）	22.22	23.94	20.50

从表7-9分析可以看出，项目抗风险性较强，由于我国现每年进口约400万t纸浆，经济发展促使纸浆需用量上升，再加上环保要求大批小造纸厂关闭，给纸浆生产带来更大的市场空间，从而需要大量优质原料芦竹，油田已同华泰造纸股份有限公司签订了15年供货协议。从预期来看，价格下降的可能性不大，而产量的变化比较大，因此芦竹的产量对项目有一定的影响，但影响不是太大。

4)替代经济作物分析

除了种植芦竹外，还可以根据市场变化和土地开发进度调整种植结构，以棉花、苜蓿和大豆为替代物。棉花抗盐性好，市场需求稳定，价格和收入有保证，种植经验成熟。种植苜蓿收益高，但田间管理要求较高；大豆收益较低，但田间管理较粗放。三种作物每公顷收入、成本比较见表7-10。

表 7-10　　　　　　　　　　棉花、苜蓿和大豆每公顷收入、成本计算

项　目	棉　花	苜　蓿	大　豆
产量（t/hm²）	3.375	18	2.25
单价（元/t）	5 000	600	2 000
收入（元/hm²）	17 250	10 800	4 500
种子（元/hm²）	600	90	15
人工（元/hm²）	3 000	2 550	270
水费（元/hm²）	750	1 050	150
肥料（元/hm²）	1 200	600	75
药费（元/hm²）	750	210	300
收割费（元/hm²）	3 000	450	90
成本（元/hm²）	9 300	4 950	900
收益（元/hm²）	7 950	5 850	3 600

鉴于苜蓿和大豆对土地的适应性和较为稳定的经济效益,在芦竹因种苗或其他原因不能全部种植的时候,完全可以替代它。苜蓿作为首选经济作物主要在芦竹种苗出现短缺或市场出现较大变化时成为替代种植物,而大豆可在因开垦土地滞后芦竹种植季节时作为补充作物,二者也可间作套种,既有利于土地改造,避免土地的浪费,又可使土地利用达到最佳的效益。

5)对下游产业的促进作用

当芦竹产量达到稳产期后,可以利用芦竹作为原料,与华泰造纸股份有限公司合作建设纸浆厂,充分利用资源优势,建设年产纸浆15万t、年收入57 000万元、利润(税前)8 300万元的纸浆生产厂,实现上下游一体、种、加一条龙的大农业格局。

本项目实施后有良好的经济效益,其收益为年均收入5 052万元,实现税后利润2 299万元;所得税后全投资内部收益率为17.87%,高于行业基准收益率10%;全部投资财务净现值为7 552.90万元,动态投资回收期(包括建设期3年)9.05年,可按期收回投资。

二、河口区万亩盐碱地开发项目经济效益分析

该项目属于另一种典型。项目区位置在土地治理分区中的较难改良区,土壤类型为盐化潮土。区内已有基本的排灌设施,但由于明沟排水固有的缺陷,治碱效果较差,有大片荒地不能耕种,所耕种的土地则为低产田。在这一类型区域实施暗管改碱工程的效果也是十分明显的。它可以作为一种在基本条件差,虽已有排灌设施但改碱效果不佳的区域实施暗管改碱工程的典型。

（一）投资估算与资金筹措

1.投资估算

本项目区规模666.67 hm²,开发整理前耕地面积230.87 hm²,占总面积的34.63%,项目实施后,耕地面积为528.50 hm²,预计净增耕地面积297.63 hm²。总投资由建设投资、流动资金构成,共计1 890.41万元（表7-11）。

表 7-11   总投资构成

序号	投资内容	投资额(万元)	占项目总投资（%）
1	固定资产投资总额	1 790.41	97.28
2	流动资金	100	2.72
	项目总投资	1 890.41	

建设投资估算：

主要包括工程施工费、设备购置费、其他费用、不可预见费。共计 1 790.41 万元（见表 7-12）。

表 7-12   投资构成分析

序号	项目	投资额（万元）	比例（%）
	固定资产投资总额	1 790.41	
1	工程施工费	1 518.17	84.79
2	设备购置费	68.80	3.84
3	其他费用	154.25	8.62
(1)	前期工作费	75.91	
(2)	竣工验收费	45.55	
(3)	业主管理费	32.79	
4	不可预见费	49.19	2.75

流动资金：按照定额估算法进行估算，项目建成开始种植作物年流动资金投资额 100 万元。

2.资金筹措

本项目预计总投资 1 890.41 万元，其中国家投资 1 790.41 万元，企业自筹 100 万元（表 7-13）。

表 7-13   河口区万亩盐碱地开发项目投资使用计划和资金筹措表   （单位：万元）

序 号	项 目	合 计
1	建设总投资	1 890.41
1.1	建设投资	1 790.41
1.2	流动资金	100
1.3	建设期利息	
2	资金筹措	1 890.41
2.1	自有资金	1 890.41
2.1.1	甲方投资	1 890.41
2.1.2	乙方投资	
	其中：固定资产投资	1 790.41
	流动资金	100
2.2	建设投资借款	
2.2.1	建设投资借款本金	
2.2.2	建设期利息借款	
2.3	流动资金借款	

（二）经济评价

项目在种植作物时考虑两种方案，第一种即小麦及玉米轮作种植，第二种为种植棉花。

1.第一种方案

1)数据估算

(1)收入及税金估算。

产量：小麦 2 625 kg/hm²，玉米 6 750 kg/hm²。

种植面积：528.50 hm²。

售价：小麦 1.1 元/kg，玉米 1.0 元/kg。

收入：小麦年收入 327.01 万元，玉米年收入 356.74 万元，共计 683.75 万元。

(2)农业税。

根据规定，收入按 6% 缴纳农业税。

(3)成本估算。

成本包括种植成本及折旧费用。

小麦的种植成本为 3 390 元/hm²，玉米的种植成本为 2 220 元/hm²。

折旧：固定资产折旧采用直线折旧法，参数的选取参照国家的有关规定，工程及建筑物折旧年限为 25 年，设备折旧年限为 10 年。

(4)利润及分配。

按利润的 33% 计算缴纳所得税，按税后利润的 10% 计提法定盈余公积金，按 5% 计提任意盈余公积金。

2)财务评价

根据国家现行财税制度，使用现行价格、现行工资执行标准、基准收益率对该项目的获利能力、清偿能力等指标进行评价。

财务盈利能力分析如下：

所得税前：财务内部收益率 21.67%；财务净现值 1 103.48 万元。动态投资回收期 7.04 年；静态投资回收期 5.46 年。

所得税后：财务内部收益率 14.47%；财务净现值 429.11 万元。动态投资回收期 11.05 年；静态投资回收期 7.27 年。

根据利润及总投资额计算的指标：投资利润率 14.43%；投资利税率 16.60%。

运用 COMFAR 经济评估软件对项目这一方案的财务收支、生产运营情况作了预见性分析，结果详见图 7-9～图 7-14。

2.第二种方案

1)数据估算

(1)收入及税金估算。

产量：棉花 3 750 kg/hm²。

种植面积：528.50 hm²。

售价：棉花 5 元/kg。

收入：棉花年收入为 990.94 万元。

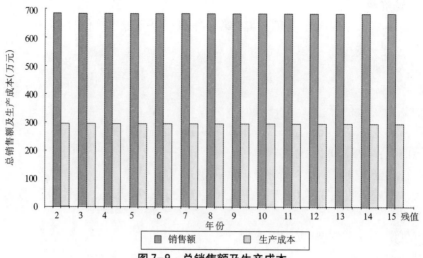

图7-9　总销售额及生产成本

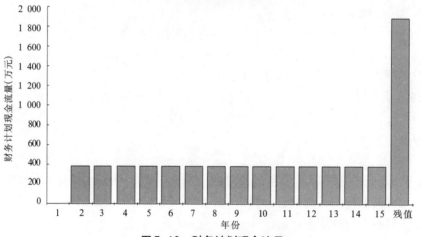

图7-10　财务计划现金流量

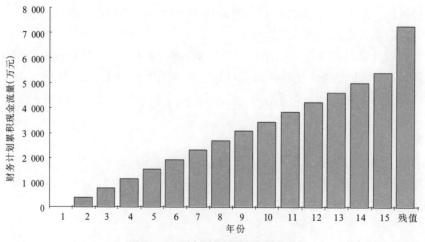

图7-11　财务计划累积现金流量

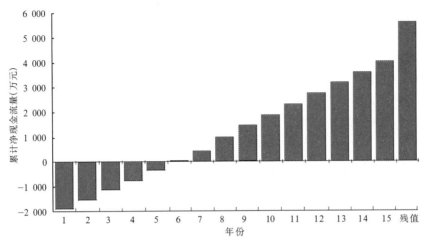

图 7-12 静态回收期

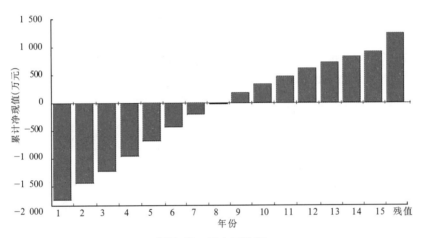

图 7-13 动态回收期

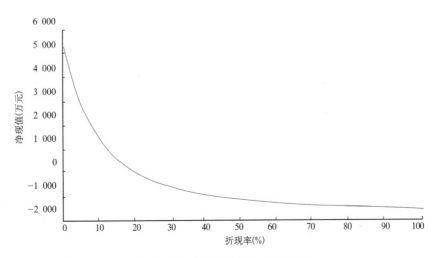

图 7-14 折现率与净现值关系图

(2)农业税。

根据规定，收入按6%缴纳农业税（表7-14）。

(3)成本估算。

成本包括种植成本及折旧费用。

棉花的种植成本：8 550元/hm²。

折旧：固定资产折旧采用直线折旧法，参数的选取参照国家的有关规定，工程及建筑物折旧年限为25年，设备折旧年限为10年（表7-15）。

(4)利润及分配。

按利润的33%计算缴纳所得税，按税后利润的10%计提法定盈余公积金，按5%计提任意盈余公积金。

2)财务评价

根据国家现行财税制度，使用现行价格、现行工资执行标准、基准收益率对该项目的获利能力、清偿能力等指标进行评价。

(1)财务盈利能力分析。

根据表7-16计算的财务评价指标如下。

所得税前：财务内部收益率33.62%；财务净现值2 067.90万元。动态投资回收期4.26年；静态投资回收期3.94年。

所得税后：财务内部收益率21.97%；财务净现值1 092.79万元。动态投资回收期6.26年；静态投资回收期5.32年。

根据损益表（表7-17）、收入及税金估算表（表7-14）及总投资额计算的指标：投资利润率14.43%；投资利税率16.60%。

运用COMFAR经济评估软件对这一方案的分析结果如图7-15～图7-20所示。

可以看出，第二种方案的各项指标均优于第一种方案，故在进行方案比选时，选取第二种方案，种植棉花。

(2)敏感性分析。

棉花的售价和经营成本的变动对项目的影响较为敏感,故选取这两个因素进行敏感性分析，即当售价和经营成本变动出现±5%的变化时对财务净现值、内部收益率、投资回收期的影响（表7-18）。

从表7-18的分析可见，销售价格的变化对财务净现值、内部收益率、投资回收期最敏感，故在进行项目投资时，应做好市场调查分析。

通过以上分析可看出，实施暗管改碱工程可带来非常好的经济效益。项目收益为年均收入990.94万元，实现税后利润263万元；所得税后全部投资内部收益率为21.97%，高于行业基准收益率10%；全部投资财务净现值为1 092.79万元，动态投资回收期(包括建设期)6.26年，可按期收回投资。

（三）实施暗管改碱工程后增加的效益

项目实施后，原来230.87 hm²的中低产田经过暗管改碱后每公顷可增产棉花900 kg，售价5元/kg，每公顷棉花增加收入4 500元，中低产田改造后每年可增加收入103.89万元；通过实施暗管改碱工程，新增耕地面积297.63 hm²，每公顷棉花当年产

表7-14　洞口区万亩盐碱地开发项目(棉花)收入、税金估算表

(单位：万元)

年份	1	2	3	4	5	6	7	8	9	10	11~15
销售数量(t)	1 981.875	1 981.875	1 981.875	1 981.875	1 981.875	1 981.875	1 981.875	1 981.875	1 981.875	1 981.875	1 981.875
销售价格(元/t)	4 000	4 000	4 000	4 000	4 000	4 000	4 000	4 000	4 000	4 000	4 000
收入	990.94	990.94	990.94	990.94	990.94	990.94	990.94	990.94	990.94	990.94	990.94
农业税	59.46	59.46	59.46	59.46	59.46	59.46	59.46	59.46	59.46	59.46	59.46

表7-15　洞口区万亩盐碱地开发项目总成本费用估算表

(单位：万元)

	年份	1	2	3	4	5	6	7	8	9	10~15
	生产负荷	100%	100%	100%	100%	100%	100%	100%	100%	100%	100%
1	折旧费	41.66	83.32	83.32	83.32	83.32	83.32	83.32	83.32	83.32	83.32
2	摊销费	15.43	30.85	30.85	30.85	30.85	15.43				
3	财务费用										
3.1	长期借款利息										
3.2	流动资金借款利息										
4	其他费用	451.87	451.87	451.87	451.87	451.87	451.87	451.87	451.87	451.87	451.87
4.1	其他制造费用										
4.2	其他管理费用	451.87	451.87	451.87	451.87	451.87	451.87	451.87	451.87	451.87	451.87
4.3	其他销售费用										
5	总成本费用	508.96	566.04	566.04	566.04	566.04	550.62	535.19	535.19	535.19	535.19
	其中：固定成本	508.96	566.04	566.04	566.04	566.04	550.62	535.19	535.19	535.19	535.19
	可变成本										
6	经营成本	451.87	451.87	451.87	451.87	451.87	451.87	451.87	451.87	451.87	451.87

表7-16   河口区万亩盐碱地开发项目财务现金流量表（全部投资）

（单位：万元）

	年份	1	2	3	4	5	6	7
1	现金流入	990.94	990.94	990.94	990.94	990.94	990.94	990.94
1.1	产品销售收入	990.94	990.94	990.94	990.94	990.94	990.94	990.94
1.2	回收固定资产余值							
1.3	回收无形资产余值							
1.4	回收流动资金							
2	现金流出	2 541.17	631.92	631.92	631.92	631.92	637.01	642.1
2.1	建设投资	1 790.41						
2.2	流动资金增加额	100						
2.3	经营成本	451.87	451.87	451.87	451.87	451.87	451.87	451.87
2.4	销售税金及附加	59.46	59.46	59.46	59.46	59.46	59.46	59.46
2.5	所得税	139.43	120.59	120.59	120.59	120.59	125.69	130.78
2.6	资本公积金	120.69						
3	净现金流量	−1 550.23	359.02	359.02	359.02	359.02	353.93	348.84
4	累计现金流量	−1 550.23	−1 191.21	−832.19	−473.17	−114.16	239.77	588.61
5	累计现金流量净现值	−1 409.3	−1 112.59	−842.85	−597.64	−374.72	−174.93	4.07
6	所得税前净流量	−1 410.8	479.61	479.61	479.61	479.61	479.61	479.61
7	累计现金流量	−1 410.8	−9 31.18	−451.57	28.04	507.66	987.27	1 466.89
8	累计现金流量净现值	−1 282.54	−886.17	−525.83	−198.24	99.56	370.29	616.41

续表 7-16

年份	8	9	10	11	12	13	14	15
1 现金流入	990.94	990.94	990.94	990.94	990.94	990.94	990.94	1 569.38
1.1 产品销售收入	990.94	990.94	990.94	990.94	990.94	990.94	990.94	990.94
1.2 回收固定资产产余值								478.44
1.3 回收无形资产产余值								
1.4 回收流动资金								100
2 现金流出	642.1	642.1	642.1	643.59	645.8	645.8	645.8	645.8
2.1 建设投资								
2.2 流动资金增加额								
2.3 经营成本	451.87	451.87	451.87	451.87	451.87	451.87	451.87	451.87
2.4 销售税金及附加	59.46	59.46	59.46	59.46	59.46	59.46	59.46	59.46
2.5 所得税	130.78	130.78	130.78	132.63	134.47	134.47	134.47	134.47
2.6 资本公积金								
3 净现金流量	348.84	348.84	348.84	346.99	345.14	345.14	345.14	923.58
4 累计现金流量	937.45	1 286.29	1 635.13	1 982.11	2 327.25	2 672.39	3 017.53	3 941.11
5 累计现金流量净现值	166.81	314.75	449.24	570.86	680.83	780.81	871.69	1 092.79
6 所得税前净现流量	479.61	479.61	479.61	479.61	479.61	479.61	479.61	1 058.05
7 累计现金流量	1 946.5	2 426.11	2 905.73	3 385.34	3 864.95	4 344.57	4 824.18	5 882.23
8 累计现金流量净现值	840.15	1 043.55	1 228.46	1 396.57	1 549.39	1 688.31	1 814.61	2 067.9

计算指标:

	所得税后	所得税前
财务内部收益率(%)	21.97	33.62
财务净现值($I_c=10\%$)(万元)	1 092.79	2 067.9
动态投资回收期($I_c=10\%$)(年)	6.257 3	4.256 7
静态投资回收期(年)	5.323	3.942

表7—17 河口区万亩盐碱地开发项目损益表 （单位：万元）

	年份	1	2	3	4	5
1	销售收入	990.94	990.94	990.94	990.94	990.94
2	税金及附加	59.46	59.46	59.46	59.46	59.46
3	总成本费用	508.96	566.04	566.04	566.04	566.04
3	利润总额	422.53	365.44	365.44	365.44	365.44
4	应税利润	422.53	365.44	365.44	365.44	365.44
5	所得税	139.43	120.59	120.59	120.59	120.59
6	税后利润	283.09	244.84	244.84	244.84	244.84
8	法定盈余公积金	28.31	24.48	24.48	24.48	24.48
9	公益金	14.15	12.24	12.24	12.24	12.24
7	扣除基金后利润	240.63	208.12	208.12	208.12	208.12
8	未分配利润转分配					
9	可分配利润	240.63	208.12	208.12	208.12	208.12
	年份	6	7	8	9	10~15
1	销售收入	990.94	990.94	990.94	990.94	990.94
2	税金及附加	59.46	59.46	59.46	59.46	59.46
3	总成本费用	550.62	535.19	535.19	535.19	535.19
3	利润总额	380.86	396.29	396.29	396.29	396.29
4	应税利润	396.29	396.29	396.29	396.29	396.29
5	所得税	125.69	130.78	130.78	130.78	130.78
6	税后利润	255.18	265.51	265.51	265.51	265.51
8	法定盈余公积金	25.52	26.55	26.55	26.55	26.55
9	公益金	12.76	13.28	13.28	13.28	13.28
7	扣除基金后利润	216.9	225.69	225.69	225.69	225.69
8	未分配利润转分配					
9	可分配利润	216.9	225.69	225.69	225.69	225.69

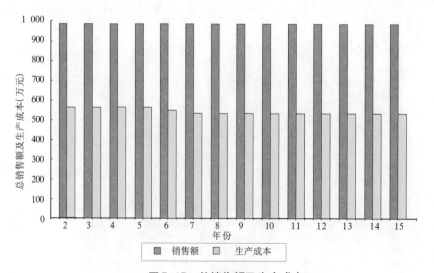

图7—15 总销售额及生产成本

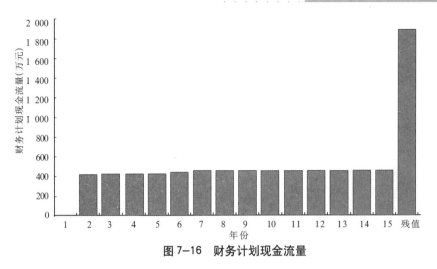

图7-16 财务计划现金流量

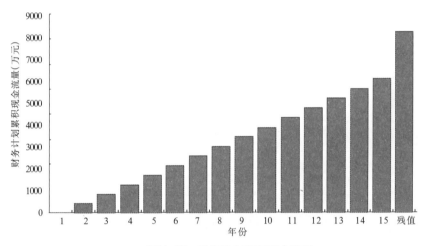

图7-17 财务计划累积现金流量

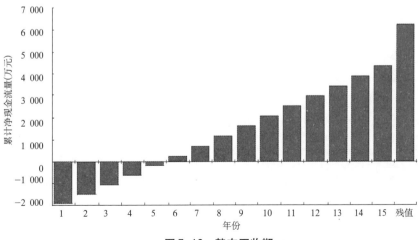

图7-18 静态回收期

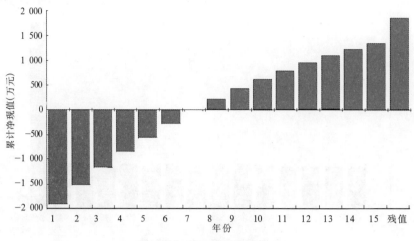

图 7-19　动态回收期

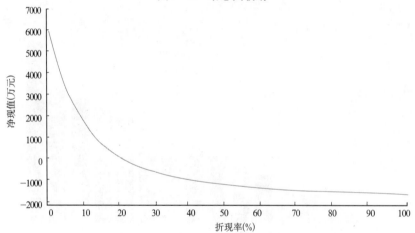

图 7-20　折现率与净现值关系图

表 7-18　　　　　　　　　　　敏感性分析

序号	项　目	基本方案	销售价格		经营成本	
			5%	-5%	5%	-5%
1	财务净现值（万元）	1 092.79	1 290.06	894.74	1 002.77	1 182.81
2	全部投资内部收益率（%）	21.97	24.56	19.47	20.81	23.13
3	动态投资回收期（年）	6.26	5.78	6.82	6.51	6.02

量 3 750 kg，售价 5 元/kg，每公顷棉花收入 18 750 元，新增耕地每年可增加收入
558.06 万元。两项合计，通过实施暗管改碱工程，项目区每年新增产值 661.95 万元。

三、莱州湾暗管改碱工程实验项目经济效益分析

该项目区靠近渤海莱州湾，属于重盐碱沙壤区，是油田在 20 世纪 70 年代开发的水
稻种植区。水稻因水资源短缺及其他原因停种后，土地迅速返盐荒芜。本项目属于在已
撂荒的土地上恢复其生产能力的典型项目。但由于暗管铺设后该区大部分被作为经济开
发区的扩张用地，因此改良效益没有充分显现出来。而作为油田最早实施的一项实验工

程，它为黄河三角洲暗管改碱技术的推广提供了基本的实践经验。

（一）实施暗管改碱工程前项目区概况

莱州湾暗管改碱工程实验项目区距离渤海十几公里，南距广利河仅 3 km。区内三条主要排渠受潮汐影响明显，排沟内的水矿化度比较高，以侧渗的形式补给项目区地下水，其地下水位在 1.4～1.8 m 之间，地下水的矿化度一般在 60～100 g/L，土壤的盐分含量在 2%～3%，地面平均海拔 3 m。

该地区的土地含盐量高，不经改良根本无法耕种，常规改良方法是大水漫灌洗盐，每公顷用水定额为 18 000 m³，每立方米水 0.2 元，经过 5 年 90 000 m³ 水灌溉压碱才能将土壤含盐量降低至 2%，投入水量折合人民币 18 000 元/hm²。

（二）实施暗管改碱工程后的经济效益分析

根据土壤的含盐量和水文状况，莱州湾实验项目区铺设复合式暗管改碱系统。自 2000 年 9 月 14 日开工至 10 月 11 日竣工，共铺设排水暗管 66 000 m。2001 年 10 月对暗管改碱的效果进行检验，结果表明，土壤含盐量从 2000 年 3 月份的 2%～3% 降低到 1% 以下，大部分土样的脱盐率在 60% 以上，调查点的最高脱盐率达到 86%，已满足大部分耐盐物种的生长要求。

该地区实施暗管排水改碱技术的实践证明，该项技术成熟，能有效地降低地下水位，改碱效果显著。莱州湾项目区地下水位由 2000 年 3 月份的 1.4～1.8 m，降低为实验后的 1.8～2.2 m，平均降幅为 40 cm；大大地降低了土壤含盐量，土壤含盐量进入一些耐盐先锋物种的耐盐极限。

胜利油田莱州湾农场有 366.67 hm² 重盐碱地，暗管改碱技术实施前土壤含盐量在 2%～3%，不经改良土地根本无法耕种。常规改良方法是大水漫灌洗盐，每公顷用水定额为 18 000 m³，经过 3 年的改良才能种植水稻，投入水量折合人民币 10 800 元/hm²；而暗管排碱技术在项目区的试验证明，只用 1 年的时间，每公顷用水量 4 500 m³，折合人民币 900 元/hm²，土壤的含盐量由 2%～3% 降低为 1% 以下，就进入一些耐盐的先锋物种的耐盐极限，第二年即可种植经济效益较高的芦竹。每公顷节约水费 8 100 元，每年莱州湾农场节约水费 99 万元。

土地经改造后种植芦竹，种植芦竹每年每公顷的纯收益是 7 500 元，每年的种植总收益是 275 万元。

暗管改碱技术实施后有效节约了土地，据统计数字表明，暗管改碱工程比常规改碱工程节约土地 10%，本项目区暗管改碱工程实施相当于增加土地 36.67 hm²，年增加土地的收益是 27.5 万元。

实践证明，在未种植过的荒碱地和虽已开垦种植但因盐碱危害成为低产田的土地上，实施暗管改碱系统工程的成本是不一样的。第一种情况的土地投入要高于第二种情况约 1 倍，投资回收期也长。因未开垦过的土地安装工程设施后还要有几年的耕种管理的软投入，而低产田安装工程设施后当年即可进入正常耕种管理并获得显著效益，一般增收部分 3～4 年即可收回投资，而荒地开发的回收期一般需 7～8 年，盐碱严重寸草不生的土地还因土壤贫瘠需培肥地力，回收期会更长一些。但土地将越种越好，且不像工业设施那样需提取折旧，因此一次投入可长期受益。

通过以上各工程区项目的成功实施,进一步说明暗管改碱技术是根治土壤盐碱危害的一项革命性的战略措施,为解决黄河三角洲地区土地盐碱危害搭建了一个技术平台,为该地区大面积改碱带来希望,具有显著的经济效益。利用黄河三角洲丰富的土地资源,推广先进的暗管排碱技术,改造荒碱地,改变土地面貌,提高土地质量,发展农业产业化,获得良好的效益,走可持续发展的路子,这也为本地区通过向土地要产出,解决"三农"问题探索出了一条新路子。通过项目的示范和推动作用,暗管排碱技术改良盐碱地模式必将在本地区遍地开花,进而推动黄河三角洲率先实现农业现代化。

第二节　生态效益分析

黄河三角洲是我国沿海地带的石油、天然气富集区,是我国第二大油田——胜利油田作业的主要范围。胜利油田的开发有力地支持了我国国民经济建设并带动了黄河三角洲地区的发展。但随着油田的开发,土地覆被/利用类型发生了相应的变化,也带来了一系列生态和环境问题,使趋于脆弱的生态环境更加脆弱。

当前国家非常重视环境保护,山东省正在举全省之力建设生态省,2004年山东省人大十届二次会议通过的政府工作报告确定将"大力推进生态省建设"列为全省九项重点工作之一。省环保局将"黄河三角洲暗管改碱工程研究"列为2004年山东省环境保护重点科技项目"黄河三角洲生态环境评价方法与生态修复技术研究"中的一项重要内容。东营市和胜利油田正在努力改变其原有脆弱的生态环境,增加植被覆盖率,特别是应用暗管改碱技术使原本荒凉的大片白板地变成郁郁葱葱的绿地,不但改善了生态环境,而且增加了耕地面积,有效提高了农业综合生产能力。

以下以孤东十万亩土地开发项目为例进行生态效益分析。

一、实施暗管改碱技术前后土壤含盐量与土地利用率的变化

土壤作为农业生产的物质基础,对黄河三角洲这个商品粮基地和生态区意义重大。土壤层是自然生态系统在上百年的生物和物理作用过程中产生和积累形成的,它由整个生态系统维持和更新。生态系统对土壤的保护和更新主要是指它通过内部各个成分来防止土壤受日照、降水和风力的灾害性影响,并不断改善土壤结构和质量的功能。

孤东十万亩荒碱地在实施暗管改碱工程后,土壤含盐量比工程前平均降低了82.36%,土地利用率增加了20%（表7-19、表7-20）。

从表7-19可见,利用暗管排碱技术对孤东十万亩盐碱地进行开发与治理,可有效降低土壤含盐量和控制地下水位,从根本上治理盐碱地,提高了土地的利用率,增加了耕地面积,同时通过在改良地区种植芦竹等作物,从根本上解决了由于盐碱使植被退化的问题,有利于改变土壤的理化性状和孤东油区的面貌,从而形成物质良性循环和转化的区域生态系统。

从表7-20可看出,暗管改碱改良盐碱地方法比传统改良盐碱地方法土地利用率可提高20%,即原先1 hm² 土地利用暗管改碱工程后可增至1.2 hm²,从而大大提高了

土地利用和农业综合生产能力。

表 7-19　　　　　　　　　　暗管改碱工程前后土壤含盐量对比

序号	项目名称	改碱时间	取样地段	改碱前土壤含盐量		改碱后土壤含盐量		含盐量减少(%)
				取样日期	含盐量(‰)	取样日期	含盐量(‰)	
1	孤东十万亩土地开发Ⅳ区暗管改碱项目	2002年3月	1号地15条田中段	2002年1月10日	15.3	2003年10月8日	2.5	83.66
2	孤东十万亩土地开发Ⅰ区暗管改碱项目	2002年10月	1号地3斗4农中段	2002年8月1日	18.9	2003年10月8日	3.6	81.06

表 7-20　　　　　　　　　　土地利用率对比

序号	条田(条)	长度(m)	宽度(m)	条田宽度(m)		条田长度(m)		总面积(hm²)	净面积(hm²)	土地利用率(%)
				总宽	净宽	总长	净长			
1	28	1 562	640	54	32	640	600	100	53.73	54
2	22	3 350	600	150	125	600	550	201	151.27	75

注：1为传统方法改良盐碱地，以仙河农场3号地为例；2为暗管排水改良盐碱地，以孤东Ⅱ区2号地2斗为例。

二、实施暗管改碱工程后与孤东油田植被变化的差异

植被在保护土壤和改善土壤方面有着突出的作用,而实施暗管改碱工程可以有效提高植被的覆盖率,水土资源也可得到有效保护和可持续利用,为工农业发展提供支撑和保障。实践证明,实施暗管改碱工程区和不采取工程措施任其自然演化区域的生态环境会产生巨大差异。

(一)孤东油田植被自然演化区

1.孤东油田各个时期植被的变化

孤东油田是黄河1976年改道后形成的新亚三角洲的一部分,是于20世纪80年代初在 0 m 线上下的低地和浅海区围坝而成的,属于现代黄河河口三角洲的范围。1984年开始钻探,至1986年2月底共钻各类探井146眼。1986年3月下旬开始组织规模空前的开发建设大会战,有55个钻井队、21个测井射孔队、21个作业采油队、29个基建施工队、6个汽车运输队等,共计31 000多人,历时3个月,共打井416眼。在钻井的同时修筑了道路、防洪和排涝工程,累计土方量1 206万 m³。几个月的会战,使孤东油田部分地区刚开始形成的生态环境遭到了毁灭性的破坏,大部分植被被铲除。油井建成后,被破坏的植被在自然演替中逐步得到恢复。

在收集的黄河三角洲的影像中,从1984~2001年基本上每年都有1~2景的影像,完全有可能对孤东油田从钻探、建设到建成投产、稳定生产等油田开发的不同阶段的植被进行监测,分析油田开发不同阶段对植被的影响。考虑到油田勘探开发初期植被变化

比较剧烈，而到稳定生产和植被逐步恢复以后变化不是很大，因此选择影像时，勘探开发初期采样时间间隔较短，以后逐渐增大时间间隔，1984年作为油田全面开发前的对比。具体选择如下：1984年10月5日TM、1985年3月4日TM、1986年6月5日TM、1987年5月7日TM、1989年2月13日TM、1992年4月2日TM、1996年9月20日TM和2001年9月10日的ASTER影像（图7-21）。

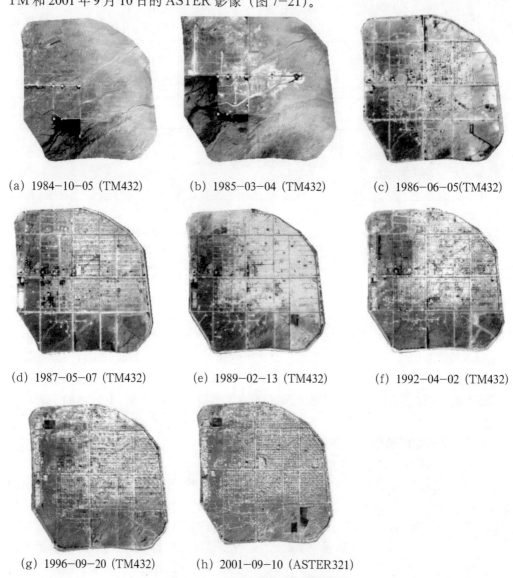

(a) 1984-10-05 (TM432)　　(b) 1985-03-04 (TM432)　　(c) 1986-06-05(TM432)

(d) 1987-05-07 (TM432)　　(e) 1989-02-13 (TM432)　　(f) 1992-04-02 (TM432)

(g) 1996-09-20 (TM432)　　(h) 2001-09-10 (ASTER321)

图 7-21 不同时期孤东油田遥感影像

从图7-21可看出孤东油田从开发到稳定生产期间植被的演化情况。

植被指数定量表明了植被的活力，常用于植被密度的覆盖评价。但是植被指数没有一个统一的值，由于大气、传感器定标、传感器观测条件、太阳高度角、土壤湿度、颜色和亮度等都影响和制约着植被指数，使研究结果经常不一致（田庆久等，1998）。我们选择的数据虽以TM数据为主，但由于受影像资料的限制，各影像的季相差别比较大，即使进行大气校正，从不同时相的影像提取出来的植被指数之间也没有可比性，因此我们主要采用非监督和监督分类相结合的方法，对孤东油田的植被进行提取分析。

2.孤东油田植被的提取

1)黄河三角洲植被演替规律

黄河三角洲天然植被由于经常受黄河改道、决口泛滥、海潮侵袭及农事耕作、油田开发和人类活动等的影响，是一个极不稳定的生态系统，植被不断发生演替。黄河三角洲植被的演替主要是从水域上开始，首先出现水生植物群落，依次为沼生植物群落、盐生草甸、落叶阔叶林。若受大海潮的影响，最初呈现裸露的光板地，继而可发展为盐化草甸（田家怡等，1999）。孤东油田和现代黄河三角洲地区均以草本盐生植被占优势。影响生态环境的各种自然因素以土壤含盐量对植被影响最明显，土壤含盐量的变化又受土壤成因和海水浸渍的影响。一般情况下，沿海土壤含盐量的变化以脱离海潮影响的时间越久、离海岸越远，其自然淋洗程度越强，土壤含盐量越小。在沿海地带，基本上与海岸线平行向平原方向递减（安凤桐等，1989），黄河三角洲各种生态环境的分布与地形的关系如图7-22所示。在海岸带地区，由海向陆依次为：滩涂 → 翅碱蓬为主的盐生植被→柽柳-翅碱蓬为主的盐生草甸植被→芦苇为主的盐生草甸植被。在黄河三角洲各生态环境的优势植被中，翅碱蓬和柽柳为强度耐盐植物，芦苇为中度耐盐植物，白茅、拂子茅为轻度耐盐植物。区域内植物群落在一定程度上反映着环境状况，尤其是黄河三角洲盐生草甸的生态系统，其分布规律与土壤含盐量呈显著相关性，不同群落类型指示着一定的生态环境质量，特别是对土壤的指示作用更为明显。由滨海滩涂裸地向顶级群落的演替为顺向演替，所标示的生态环境质量逐渐变好；但当干扰超过其自身的恢复能力时，向反方向的演替称为逆向演替，表示生态环境质量逐渐恶化。

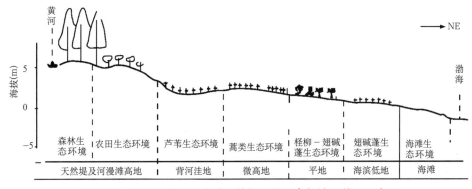

图7-22　黄河三角洲沿海地区植物群丛分布与地形关系示意图

2)孤东油田植被分类方案

1986年在对孤东油田进行生态环境影响评价时出现3种生态类型：海滩生态环境、翅碱蓬生态环境和柽柳-翅碱蓬生态环境（安凤桐等，1989）。1992年，在对孤东油田进行生态环境验证调查评价时，孤东油田的生态环境仍为3种类型，但已明显地向海岸推进，且植物群落组合也明显地发生了变化，自海岸向内陆，分别为海滩生态环境、柽柳-芦苇生态环境和芦苇生态环境（张乃兴等，1997）。根据这两次的调查分析结果，并结合2000~2001年我们的三次野外调查和遥感影像所反映的特征，确定孤东油田的植被类型分类方案如下：

水体（包括坑塘和积水洼地）、滩涂（代表无人为影响下的无植被覆盖区）、翅碱蓬群落（以翅碱蓬为主的盐生植被）、柽柳－翅碱蓬群落（以柽柳－翅碱蓬为主的盐生草甸植被）、芦苇群落（以芦苇为主的盐湿生草甸植被）、非植被区（代表由人为干扰而无法生长植被的区域）。

3)孤东油田植被的提取

在已校正好的影像上切割出孤东油田的范围。综合应用非监督和监督分类,按以上的分类方案对孤东油田的植被进行专题提取。由于覆盖的范围较小,同物异谱和异物同谱的现象较少,可以较好地按以上的分类方案提取其植被覆盖。并利用1986年孤东油田生态环境影响评价资料（安凤桐等,1989）、1992年孤东油田生态环境验证评价资料（张乃兴等,1998）、2000～2001年的三次野外实地调查以及黄河三角洲植被演替规律的先验知识,对分类结果进行适当的修正,形成1984～2001年不同时期孤东油田植被分布图(图7-23)。

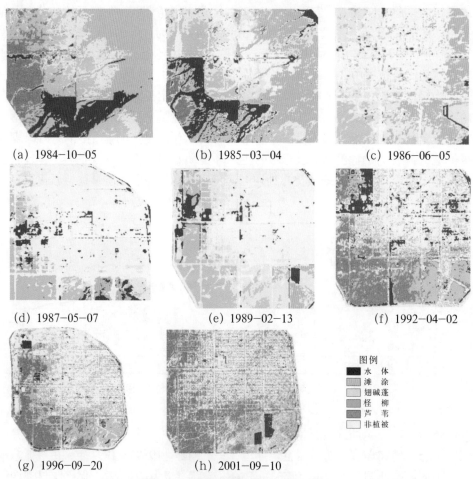

(a) 1984-10-05　　　　(b) 1985-03-04　　　　(c) 1986-06-05

(d) 1987-05-07　　　　(e) 1989-02-13　　　　(f) 1992-04-02

(g) 1996-09-20　　　　(h) 2001-09-10

图例
- 水　体
- 滩　涂
- 翅碱蓬
- 柽　柳
- 芦　苇
- 非植被

图7-23　不同时期孤东油田植被分布

注:图例中水体指水体和积水洼地,滩涂代表由于自然环境条件影响下的无植被覆盖区,翅碱蓬代表以翅碱蓬为主的盐生植被,柽柳代表以柽柳－翅碱蓬为主的盐生草甸植被,芦苇代表以芦苇为主的盐湿生草甸植被,非植被区表示因为人为干扰而形成的无植被覆盖区。

3.孤东油田植被演化分析

从图7-23的结果可以看出，1984、1985年间，由于孤东大堤还没有建成，区域内积水性洼地较多，随着孤东大堤的建成，积水性洼地逐渐减少。1984年，区域范围内基本没有受到人为的干扰，其植被的分布沿海岸线呈带状分布，由海向陆依次为滩涂→翅碱蓬等盐生植被→柽柳-翅碱蓬等盐生草甸植被→芦苇等盐湿生草甸植被，反映了黄河三角洲海岸带区域的植被演替规律。1985年，区域的中部已经开始建设一些油井，天然植被遭到破坏，但由于范围不大，在其他地方还保持着植被的演替规律，但是较高层次的植被覆盖面积已经有所减少（见表7-21）。

表7-21　　　　　　　　　　　　　孤东油田各种土地覆被面积　　　　　　　　　　（单位：hm²）

类型	1984年	1985年	1986年	1987年	1989年	1992年	1996年	2001年
水体	858.60	800.82	139.05	599.58	394.38	656.82	177.39	196.42
滩涂	2 624.04	2 026.08	1 214.46	162.63	199.89	0	0	0
翅碱蓬	1 308.69	1 601.01	1 752.12	785.97	1 705.50	0	0	0
柽柳	1 449.72	1 188.54	653.85	1 250.82	1 018.08	1 827.18	2 646.99	2 504.56
芦苇	705.69	223.29	0	0	0	1 166.13	1 297.08	1 895.43
非植被区	0	1 107.00	3 187.26	4 147.74	3 628.89	3 296.61	2 825.28	2 350.33
面积总计	6 946.74	6 946.74	6 946.74	6 946.74	6 946.74	6 946.74	6 946.74	6 946.74
植被覆盖率（%）	49.87	43.37	34.63	29.32	39.21	43.09	56.78	63.34

注：表中类型的意义同图7-23。

1986年3月开始了规模空前的开发建设大会战，使刚刚形成的生态环境遭到了毁灭性的破坏，由人为引起的无植被覆盖区迅速增加，而芦苇等盐湿生植被几乎全部被破坏，只有西南部、东部和东南部还未开发，保持着原始的状态。1987年，开发的范围进一步扩大，只有西南部未遭到破坏，无植被覆盖区的面积进一步增大。1989年，西南部也开始建设零星的油井，但由于油井密度不大，对植被的影响较小。1992年后，植被得到较好的恢复，西南部开始出现大面积的芦苇群落，非植被区的面积有所减少，即使在油井密布的区域，也出现了零星的柽柳-翅碱蓬植被。到1996年和2001年，植被分布已经比较稳定，芦苇群落的面积已经逐步扩大，油井密布区的植被覆盖也大为增加。1984年，植被覆盖的区域约50%，主要以翅碱蓬和柽柳等盐生植物为主；1985年，植被遭到一定程度的破坏，覆盖率下降为43%；1986年和1987年，植被遭到很严重的破坏，特别是芦苇等盐湿生植被完全遭到破坏；1989年，植被得到部分恢复，但还是以翅碱蓬和柽柳等盐生植被为主；1992年后，植被在较大的范围内得到恢复，裸露的面积越来越少，并且向着顺向演化的方向发展，芦苇等盐湿生植被逐渐增多，即使在油井密布的区域，除了油井、管网等工程永久性占地外，大部分区域都开始生长植被，1996年植被覆盖率为56.78%，到2001年，经过十几年的恢复，区域内植被覆盖率达到63.34%。

以上的分析说明，在油田开发初期，对植被的破坏最为严重，使区域生态环境严重恶化；石油开发进入生产期后对植被系统的影响主要发生在靠近油井附近的局部区域；随着油田进入生产稳定期，植被逐渐得到恢复，并向着顺向演化的方向发展，但演化的速度和程度明显放慢。由于地下水位高且矿化度高，植被顺向演化到一定程度后，则维持一种盐碱化地区的脆弱植被形态。

（二）孤东十万亩土地开发项目植被演化

1.孤东十万亩土地开发前植被覆盖情况

孤东十万亩土地开发项目区的东南部靠近孤东油田，其东北部连接渤海，与孤东油田均为黄河新淤土地和滨海低地区，因此具有可比性。孤东油田区代表一种自然环境受到大规模开发干扰后未经治理的任其演化形态，十万亩项目区则是通过荒碱地治理工程形成的人工生态。项目区内在靠近公路的地方有少量的建筑物，孤东公路以西有孤岛油田的一部分油井。整个区域的植被在实施暗管改碱工程前除西部区域曾有开发外，其他土地基本保持着原始的生态，但植被覆盖率非常低，约为10%，主要为红柳、芦苇及其他盐生植物。这里选取改碱工程前1997年10月的美国TM卫星影像与改碱工程竣工后当年2004年的同月份美国TM卫星影像予以比较分析（图7-24）。

项目区在实施暗管改碱工程前的土壤含盐量在0.63%～0.85%之间，土壤含盐量突破了一些耐盐先锋物种的耐盐极限。只有少量的红柳、芦苇和其他盐生植物可以生长。这里所选取的工程前后的两幅图片均为743波段的TM卫星影像，其中7波段对环境温度反映敏感；3、4波段是反映植被生长状况的最佳波段；三者合成的图像接近自然色彩。从1997年10月的影像看，项目区西部有早期开发的痕迹，由于距离海区相对较远，故其植被状况较好。而整个东部区域盐碱化严重，呈现植被稀少、盐渍斥卤的荒芜状态。整个项目区的优势植被为红柳、芦苇，红柳为强度耐盐植物，芦苇为中度耐盐植物。区域内植物群落在一定程度上反映着环境状况，尤其是盐生草甸的生态系统，其分布规律与土壤含盐量呈显著相关性，不同群落类型指示着一定的生态环境质量，特别是对土壤的指示作用更为明显。

2.孤东十万亩土地开发项目实施暗管改碱工程后的植被变化

通过暗管改碱工程后，该区域的土壤含盐量降到0.08%～0.46%以下。从2004年卫星影像看，项目区东南部与中部一些地块种植的芦竹葱绿一片，长势良好。由于是工程开发的当年影像，其他区域尚未种植作物或长势尚未形成。现该区域的十万亩项目区可耕种面积中已有3 066.7 hm²种植芦竹。工程实施后，由于地下水位和土壤含盐量都降到了较低水平，还可满足一般植物生长要求，种植芦竹的区块植被覆盖率均可达到80%以上，改变了该区域地表植被稀疏、环境恶劣的状况，从而改善了整个区域的生态环境。

通过以上改碱前后两个卫星图片的比较可清晰地看出，利用暗管改碱技术改良土地后，在人工种植芦竹的区域，植被自然演化过程被中止，代之以茂密的人工植被形态。现种植棉花的区域，长势也很喜人。由于项目区全部土地土壤含盐量均有明显降低，因此在尚未种植的地区，自然植被亦明显好转，植被覆盖率大为提高，与孤东油田植被自然演化区相比整个项目区生态环境得到了明显改善。

整个黄河三角洲地区有上百万公顷荒碱地，如果依照孤东十万亩土地开发项目全部实施暗管改碱工程后，其植被的覆盖率如均达到90%，那么在黄河三角洲地区将形成高效、密集的人工生态系统，由此将会带来不可估量的经济效益和生态效益。

三、改碱工程实施后形成人工湿地的生态效益分析

在暗管改碱工程的实施过程中，为了充分利用已排出的含盐水体，项目将Ⅰ区、

(a) 1997 年 TM 卫星 743 波段遥感影像

(b) 2004 年 TM 卫星 743 波段遥感影像

图 7-24　1997 年 10 月与 2004 年同月份项目区 TM 卫星影像对比图

Ⅱ区、Ⅲ区排出的地下水引入项目北部地区的洼地中，从而形成了面积达1 987 hm²的人工湿地，增强了项目的环境调节功能和生态效益。其发挥的作用表现在以下几个方面：

(1)保护了生物的多样性，这一人工湿地不但为水生动物、水生植物提供了优良的生存场所，也为多种珍稀濒危野生动物，特别是为水禽提供了必需的栖息、迁徙、越冬和繁殖的场所，据观测，这里各种鸟类日益增多。

(2)固定二氧化碳，调节区域气候。湿地由于其特殊的生态特性，在植物生长、促淤造陆等生态过程中积累了大量无机碳和有机碳，同时由于湿地土壤吸引和释放二氧化碳十分缓慢，形成了富含有机质的湿地土壤和泥炭层，起到了固定碳的作用。

(3)降解污染，净化水质。湿地具有很强的降解污染的功能，湿地生长的湿地植物、微生物通过物理过滤、生物吸收和化学合成与分解等把有害物质转化为无毒无害甚至有益的物质。

(4)防御自然灾害。通常海浪、湖浪和河水等对沿岸地区具有一定威胁，另外如气候干燥、沙尘暴以及由此引起的生物灾害等，均对农田及人居环境有不利影响。而湿地植被生长良好的地方，上述自然灾害的冲击力都会减弱，项目区所在地属于自然灾害频发区，这一片湿地可以发挥其应有的防灾功能。

第三节　社会效益分析

一、促进油田改革，发展多种经营

1998年，胜利石油管理局经历了中石油、中石化工业管理体制和运行机制的重大变革。胜利油田并入中石化后即进行了改制，将油田的核心主业部分组建上市公司，将辅助产业与主业剥离，胜利石油管理局成为存续部分。

2004年全油田属于存续部分的各业中已经挂牌及改制方案已经批复的共有21个单位，5 022名正式职工、2 636名集体工实现分流，其中包括14家集体企业。按照中石化集团公司有关政策和工作部署，2005年要基本完成对局属经济实体、控股公司以及从胜利有限公司分离出来的集体企业集团的改制。改制能否成功，在很大程度上取决于多种经营企业未来的发展能力，只有多种经营企业发展了，经济效益提高了，改制才能达到预期的目标。改制分流取得成功，利于油田主业抓住机遇，摆脱旧体制的桎梏，依靠良好机制不断发展。

胜利石油管理局坚持在调整中抓"整"放"零"，让多种经营在市场竞争中发展壮大。重点扶持发展油田化工、新型建材、机电、商业服务、农业和农副产品加工等接替产业。由于油田在过去年代曾经征用过大量土地，这些土地有一部分用于开荒种地搞农业，也有相当一部分因各种条件制约处于荒芜状态。在目前油田改制分流的条件下，如果能够利用这些荒芜土地发展农业、农产品加工业等劳动密集型产业，这里就有希望成为油田富余人员分流安置的重要渠道之一，而要利用这些土地就必须将荒碱地改造为良田。

胜利油田40多年来积累的土地资源和油气资源,是企业当前和未来发展的重要基础。油田虽拥有大量的土地资源,但是每年因打井、修路等工业生产还需要占用数千亩土地;20世纪六七十年代为安置"大庆户口"的家属开发了几十万亩水稻种植用地,但现有这些土地的土壤严重盐碱化,难以承担安置分流人员与发展农业产业的任务,因此必须对其进行大规模治理与改良,而实施暗管改碱工程正好可以解决土地盐碱化难题。

暗管改碱工程的实施,扩大了耕地面积,增强了土地的承载力,从而为更好地发展农业及其他产业、促进油田多种经营的发展、推进油田改革与改制及人员分流打下了物质基础。

二、提高农民收入,扩大就业人口

暗管改碱工程的实施可提高农民的收入。现东营市的农民收入与非农业人口平均收入相比,仍处在较低水平。因此,较大幅度地提高农民收入是东营市的一项重要任务,根据本章对暗管改碱所做的经济效益分析成果,以河口区万亩盐碱地开发项目区为例,在未实施改碱工程前,每公顷土地实际收益为4 845元,实施暗管改碱工程后的实际收益达到了7 459元,新增收益2 614元,比未改造前增长54%。

如果是在已有排灌设施的同类低产田实施明排改暗排的工程,还可新增耕地10%,那么这10%的土地的实际收益是:7 459 × 10%=745.90元。1 hm² 耕地实施明改暗后可净增加产值:2 614+745.90=3 359.90元。1 hm² 耕地可实现年实际收益:4 845+3 359.90=8 204.90元。1 hm² 改良耕地比改造前实际收益率将增加:(8 204.90−4 845)÷ 4 845 × 100%=69.35%。

暗管改碱工程的实施不仅增加了农民收入,同时还扩大了就业人口,促进了农业产业化发展,同时也带动了其他产业的发展。各项产业的发展可解决人口就业问题,特别是胜利油田多种经营产业中农业的发展更是解决了油田富余人员的就业问题,例如孤东十万亩荒碱地改良项目的实施,就可安置职工1 000多人。通过种植业带动畜牧业及农产品加工业的发展,还能进一步提高人员安置效率。

三、增加耕地面积,补偿工业发展与城市建设用地

随着我国城市化和工业化进程的加快,城市近郊的大量优质农田变为非耕地,由于国家对非农建设占用的耕地严格实行"占一补一"政策,因而建设占用的耕地必须得到相应的补充,保证占补平衡。而暗管改碱工程的实施可增加新的耕地,有效缓解工农业用地的矛盾,如果在已有灌排渠系的黄河三角洲地区大力推行以明排改暗排的工程,原排沟填平后可增加占灌区面积10%以上的新耕地。以孤东十万亩土地开发项目II区2号地2斗为例,其土地总面积201 hm²,埋设暗管后,共设置条田22块,净面积151.27hm²,土地利用率达到75%,与传统的明沟排碱治理相比,土地利用率大约提高了20个百分点(表7-20)。如以黄河三角洲已建设配套水利工程的耕地面积为60万hm²计算,实行明改暗工程后可新增优质土地6万hm²,暗管改碱技术的实施还可将原始荒地和撂荒地改造和恢复为耕地。如以这些土地为10万hm²计算,则可新增耕地10万hm²。两项合计,在黄河三角洲全面推行暗管改碱工程可新增耕地16万

hm² (合240万亩)。如此则不仅农业生产总量将有很大提高，而且可以补偿工业发展及城市建设用地。

四、推广应用前景广阔，宏观战略意义重大

根据中国农业大学的相关研究成果和中国科学院地理所的卫星影像监测资料，我国北方广大地区普遍存在着不同程度、面积极其广阔的盐碱地。如通过国家支持有计划地大力推广暗管改碱工程，则可大幅度提高我国农业的综合生产能力，从而对于实现党中央、国务院2005年1号文件关于提高农业综合生产能力的目标产生重大推进作用。同时从国家宏观战略层次来看，该工程的推广对于实现我国大面积产粮区的稳定增产和农民持续增收、增强农业发展后劲，对于改善和优化生态环境、实现全社会的生态安全都将具有重要的战略意义。

第八章　暗管改碱工程技术的
推广应用前景

通过卫星影像监测与社会统计资料，在我国的淮河、秦岭和青藏高原以北的广大地区，包括东北、华北、环渤海与西北地区，均存在程度不同、面积极其广阔的盐碱地，其总面积超过 1 100 万 hm²，占北方全部耕地的 23%。而从全国看，则有 1 300 万～1 400 万 hm² 耕地（约占全部耕地面积的 14%）受盐渍化之苦。因此，在全国推广以暗管改碱为主体的工程技术措施有着广阔的前景。由于篇幅所限，本章仅对暗管改碱工程技术在黄河三角洲和黄淮海地区的推广应用前景予以重点分析。

第一节　暗管改碱工程技术在
黄河三角洲的推广应用

本书的第三章和第四章综合分析了黄河三角洲发育演变中的盐碱化趋势，并应用卫星遥感监测技术对土地盐碱化问题进行了动态分析和模拟预测。本节在以上研究的基础上，进一步划出盐碱地改良的分区和亚区，从而为在整个近代黄河三角洲有计划、有步骤地推广暗管改碱工程提供了依据。

一、黄河三角洲盐碱地改良分区

由于不同地点受地形、地貌、水文地质条件、土壤条件、土地利用方式等影响，以及土地盐碱化的自然因素和社会因素的组合方式不同，从而造成土地盐碱化的程度和成因的差异。不同成因的盐碱地所需要的改良方法和措施也有较大的差别。按照我国盐碱地与可持续发展的战略规划，根据黄河三角洲土地盐碱化的程度、数量、分布、地域差异和发展方向，确定研究区盐碱地工程治理的基本原则是：全面规划、因地制宜、综合治理。采取量力而行、先易后难的战略步骤。盐碱地改良分区是因地制宜进行盐碱地治理的前提。

盐碱地改良分区的基本原则是：从自然条件出发，主导性、综合性、实用性和可操作性相结合。首先根据土地盐碱化的主导因子将研究区划分为 4 个区，在同一区内，再根据控制水盐分异和运移的微地貌变化、土壤特性、土壤盐碱化状况、土地利用情况、排灌条件等因素进行亚区的划分。

（一）基础数据

黄河三角洲盐碱地的发生和演变主要与水文过程有关。

海拔2 m以下呈带状分布的泥质滩涂,定期受海潮侵袭及海水顶托,多为光板地,仅其外围有翅碱蓬成片生长,草甸化过程微弱,常形成潮间盐土,是成陆后最早形成的土壤类型,很难为农业利用。

海拔介于2～4 m的地带,除受大潮间歇性的影响和风暴潮的侵袭外,还受到高矿化地下水的影响,盐生植被以翅碱蓬为主,土壤形成了滨海草甸盐土,利用困难,属于重盐碱地。

海拔4 m以上的地带,基本上完全脱离了海水的影响,土地盐碱化主要受地下水埋深、矿化度等的影响。由于地下水埋深和矿化度的不同,土壤发育为潮土和盐化潮土。

海拔高程决定着海水对土地盐碱化的影响,地下水埋深和矿化度决定着地下水对土地盐碱化的影响,因此将地形、地下水埋深和矿化度3个因子确定为土地盐碱化分区的主导因子。

1. 地形

黄河三角洲地势南高北低,西高东低,顺黄河方向为西南高,东北低;背河方向是近河高,远河低。西南部最高高程28 m,东北部最低高程1 m,自然比降1/8 000～1/12 000;西部最高高程11 m,东部最低高程1 m,自然比降为1/7 000;背河自然横比降为1/7 000,河滩高地高于背河2～3 m(图8-1)。

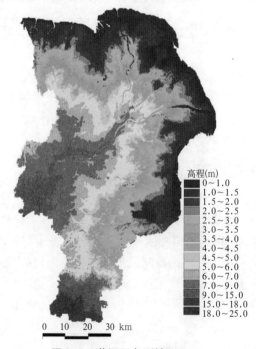

高程(m)
0～1.0
1.0～1.5
1.5～2.0
2.0～2.5
2.5～3.0
3.0～3.5
3.5～4.0
4.0～4.5
4.5～5.0
5.0～6.0
6.0～7.0
7.0～9.0
9.0～15.0
15.0～18.0
18.0～25.0

0　10　20　30 km

图8-1　黄河三角洲地形

海拔小于2 m的地带201 529.8 hm²,占总面积的25%,定期受海潮的影响,海水是土壤盐分的主要来源。海拔介于2～4 m的地带191 840.2 hm²,占总面积的24%,受到大潮间歇性的影响和风暴潮的侵袭,土壤盐碱化是海水和地下水双重作用的结果。海拔大于4 m的地带占总面积的50%,土壤基本上完全脱离了海水的影响。据此,将地形分为3个区:小于2 m、2～4 m、大于4 m。

2.地下水埋深

土壤完全脱离海水影响后,盐碱化是由于土壤水的迅速蒸发,矿化地下水源源不断补给引起的。我们已知,地下水蒸发强度与埋藏深度呈指数负相关关系。地下水埋深越小,蒸发越强烈,土壤积盐越重。地下水临界深度是土壤积盐与否的一个重要指标,当地下水埋深小于地下水临界深度时,土壤开始积盐;反之,当地下水埋深大于地下水临界深度时,土壤一般不会发生盐碱化。

地下水临界深度是指一年中地面蒸发最强烈的季节,不致引起土壤表层开始积盐的地下水埋藏深度(尤文瑞等,1996)。地下水中的盐分是借助土壤毛管上升水向表土累积。因此,为使土壤不发生盐碱化的地下水临界深度,应等于土壤最大毛管上升高度加上耕作土层的厚度,可用下式计算:

$$H_k = H + a \tag{8-1}$$

式中:H_k为地下水临界深度;H为土壤毛管水最大上升高度;a为附加高度(一般为耕层高度)。

地下水临界深度的大小主要与气候条件(尤其是干燥度)、土壤质地剖面构型、地下水矿化度和人为因素有关,气候越干旱,要求临界深度越大;黏质土层中土壤毛管水上升高度虽大,但上升的速度和流量小于沙质和壤质土层,盐分累积的速度慢,强度小,要求的临界深度小;地下水矿化度越高,积盐速度和强度越大;精耕细作、松土、增施有机肥、培肥土壤、改善土壤结构等,可减少土壤水和地下水的蒸发,从而可减小临界深度的数值。

参考前人在鲁北平原的位山灌区和河北平原地下水临界深度和地下水安全深度的确定方面所做的工作(刘有昌,1962;王洪恩,1964;河北省水利局,1979),来确定黄河三角洲地下水临界深度:当地下水矿化度小于2 g/L时,地下水临界深度2 m左右;当地下水矿化度为2~10 g/L时,地下水临界深度2.5~3 m;当地下水矿化度大于10 g/L时,地下水临界深度会变得更大。

由于人类不合理地利用水土资源,过量的水分进入地下水系统,造成了黄河三角洲区域整体地下水位的抬升,大部分地区地下水埋深变得很浅。地下水埋深的变化规律与地形相一致,由南向北,由西向东,地下水埋深越来越浅。黄河三角洲一半以上的地区地下水埋深小于2 m,只在西部的河成高地,东南部的卤水区和南部的井灌区地下水埋深超过了2 m。可见,地下水埋藏过浅,是黄河三角洲土地盐碱化的主要原因(图8-2)。

3.地下水矿化度

地下水作为土壤盐分的主要来源,其矿化度的高低直接影响土壤中盐分累积的速度和强度。

黄河三角洲是海陆因素相互堆积作用形成的海退之地,区内地下水绝大部分为咸水和卤水(图8-3)。除南部山前倾斜平原地区地下水为重碳酸盐—氯化物型外,其余部分主要是氯化物型地下水。黄河三角洲只有23.6%的地区地下水矿化度小于2 g/L,为非矿化水,主要分布在南部的山前倾斜平原和西部远离大海的区域。其余部分皆为咸水和卤水。从内陆向滨海地下水矿化度逐渐增高,东南部地区潜水矿化度大于50 g/L,有的地方甚至高达100 g/L,远远高于海水,成为浅层卤水。且沿黄河有一舌状谷向海的方向突出,这反映了河、海对本区地下水的共同影响。

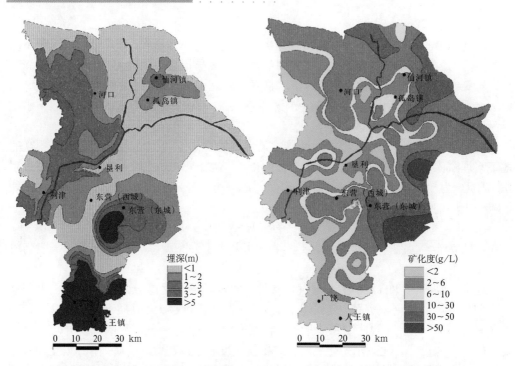

图8-2 黄河三角洲地下水埋深   图8-3 黄河三角洲地下水矿化度

（二）区的划分

确定了主导因子后，根据每个因子对土壤积盐的贡献进行分级赋权如下（表8-1）。

表8-1 主导因子分级赋权

地形		地下水埋深		地下水矿化度	
分级（m）	得分	分级（m）	得分	分级（g/L）	得分
<2	10	<1	10	>50	10
		1~2	7	30~50	7
2~4	3	2~3	4	10~30	5
		3~5	2	6~10	3
>4	0	5~20	1	2~6	2
		>20	0	<2	0

根据每个因子对土壤积盐影响的大小，将地形划分为3级，地下水埋深和矿化度各分为6级，用特尔斐法给每个因子打分，最多得10分，最小为0分。特尔斐法是一种常用的评委会集体评分，给模型的变量赋权及其指标打分，每个委员单独打分，用所有委员的分值平均得到最终的权重和得分。

由于地形、地下水埋深和地下水矿化度3个主导因子对土壤积盐的贡献不同，在空间叠加分析过程中各自所得的权重值也就有所不同。权值也按10分制给定，地下水埋深得4分，地下水矿化度和地形各得3分。

在分级赋权的基础上，对3个主导因子进行叠加分析，建立分区模型（关元秀，2001）：

$$P=\sum_{j=i}^{n} I_j W_i \qquad (8-2)$$

式中：P为叠加分析结果中的各个多边形；j为影响因子个数；I为分级指标得分；W为权重。

　　根据分区模型，黄河三角洲可分为4个区：易改良区、较难改良区、难改良区和不宜改良区（图8-4）。

$$\begin{cases} P<30 & \text{易改良区} \\ 31 \leqslant P<50 & \text{较难改良区} \\ 51 \leqslant P<80 & \text{难改良区} \\ P \geqslant 81 & \text{不宜改良区} \end{cases}$$

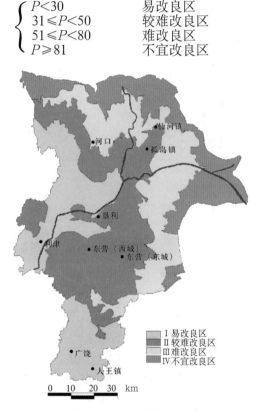

图8-4　黄河三角洲盐碱地改良分区

二、黄河三角洲盐碱地改良亚区

　　同一区内，由于微地貌条件、土壤性状、土地利用方式以及排灌条件等的不同，水盐分异与运移规律也在不同的区位产生差异，为了使得治理对策更具实用性和可操作性，需要进一步进行亚区的划分。如果说区的划分体现了主导性原则，则亚区的划分主要体现的是综合性原则。

（一）基础数据

1.微地貌

　　黄河尾闾多数摆动改道形成了岗、坡、洼相间排列的微地貌类型，黄河三角洲微地貌类型主要分为岗地、河滩地、河成高地、平地、洼地和滩涂地6类，各地貌类型的详细情况见表8-2和图8-5。

表8-2　　　　　　　　　　　　　地貌类型

地貌类型	岗阶地	河滩地	河成高地	平地	低洼地	滩涂地
面积（hm²）	16 228.2	79 027.7	128 487.1	338 505.9	65 930.7	162 605.5
占总面积(%)	2.0	9.5	15.5	40.9	8.0	19.6

2. 土壤类型

黄河三角洲主要是潮土和盐土，另外还分布有少量的褐土、石灰性砂姜黑土和水稻土（图8-6）。

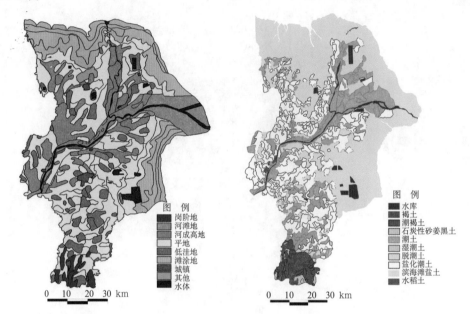

图8-5　黄河三角洲地貌　　　　　图8-6　黄河三角洲土壤类型

潮土面积376 940.7 hm²，占总面积的46.4%。分布在山麓平原至海拔3～4 m的滨海平原上。潮土成土母质有2种：小清河以北为黄河冲积物，小清河以南为淄河冲积物。潮土剖面的冲积层分明，构成多种沙、壤、黏相间的不同土体构型。

盐土面积373 374.5 km²，占总面积的46%。除南部山前倾斜平原外，其余地区均有盐土分布。盐土中含有大量可溶盐类，对植物生长有强烈的抑制或毒害作用。

褐土面积33 480.6 hm²，占总面积的4.1%。分布在南部高程8 m以上的山前缓岗、山前倾斜平原和河流阶地上。成土母质为洪积、冲积物或黄土状物质，富含石灰质。土体深厚，土色呈现褐色或棕褐色。表土质多为中壤土，部分为轻壤土或重壤土；心土一般较表土稍黏重，多为重壤土或是黏土，紧实，色泽也稍暗，出现假菌丝和胶膜；底土层亦可出现胶膜、假菌丝体或铁锰结核，有的仅出现锈纹锈斑，或少量微型砂姜。

石灰性砂姜黑土面积4 337.5 hm²，占总面积的0.5%。主要分布在南部倾斜平原区的交接洼地、扇地和扇间洼地中。砂姜黑土表层多为黄褐色重壤土，质地黏重坚硬，水热不协调，耕性差。

水稻土是面积最小的一类土壤，仅有1 197.2 hm²，占总面积的0.1%。呈斑状分布于水利条件好的低平地或低洼地上，是潮土或盐土经水耕水种后形成的。由于稻区内排水沟多数很浅，只能排地表水，对地下水起不到排泄和降低的作用，田面虽然长期淹水，但对淋洗淡化土体内的盐分作用很小，一旦田面落干，地表立即返盐。

3.土壤质地

土壤质地及其结构决定着土壤水分物理特性，它直接关系到土壤的水盐运动。黄河三角洲自然土壤的成土母质是黄河冲积物，其泥沙组成主要是来自中游黄土高原的古老耕作土，其质地主要是壤质土（图8-7）。

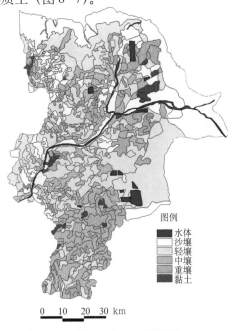

图8-7 黄河三角洲土壤质地

土壤质地的沙黏、土壤的结构状况、毛管孔隙及非毛管孔隙的多少，对土壤水盐的垂直运动具有极为重要的影响。土壤水分垂直运动主要是借助土壤毛管作用，壤质土多为粒径较大的单粒结构，毛管孔隙内径大且分布均匀，毛管水运行迅速，地表蒸发的水分能较快地得到补偿，故壤质土毛管水上升快而高。因此，壤质土比黏质土易于积盐。据六户水利土壤改良试验站对潜水蒸发的观测，在同样气候及地下水埋深条件下，壤质土比黏质土的地下水蒸发强度大3倍。

土壤质地对土壤水盐运动的影响，是在一定的地下水条件下而言的。如果地下水位很浅，矿化度又高，即使黏土也可形成盐碱地。反之，如果地下水很深，矿化度又低，即使壤质土也不会发生盐碱化。

4.土壤养分

氮素在土壤中的存在形态分为有机态和无机态两大类。无机态氮主要为氨态氮和硝态氮，可直接供给植物吸收利用，为速效氮；有机态氮主要为蛋白质、腐殖质等，须经分解转化方能被植物利用，为迟效氮；其数量占全氮的90%以上。黄河三角洲土壤全氮和碱解氮含量普遍很低，大部分地区全氮和碱解氮含量处于四、五级水平，沿海地区为六级。

黄河三角洲土壤中严重缺磷，一般速效磷达20 mg/kg以上、全磷0.1%～0.2%才能维持作物一般产量水平的需要，而三角洲大部分地区速效磷含量都不足 20 mg/kg。

黄河三角洲土壤中惟一不缺的是速效钾，大部分地区处于一级至三级水平（图8-8～图8-11）。

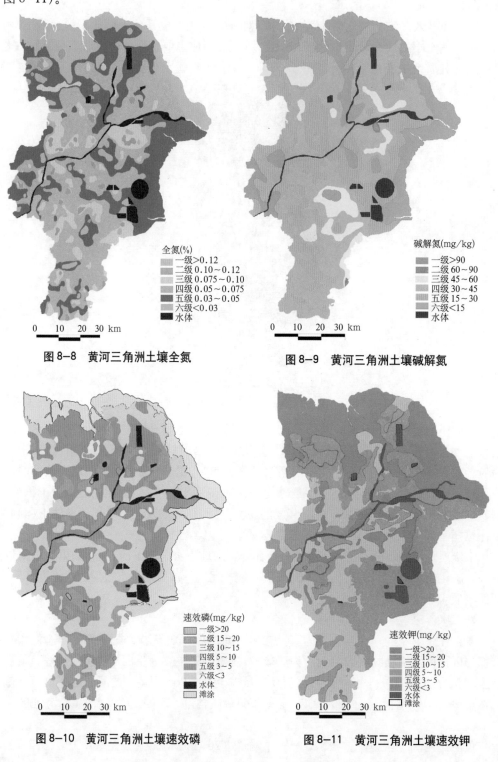

图 8-8　黄河三角洲土壤全氮

图 8-9　黄河三角洲土壤碱解氮

图 8-10　黄河三角洲土壤速效磷

图 8-11　黄河三角洲土壤速效钾

5.土地利用现状

用2000年5月2日成像的Landsat ETM+影像分类解译出黄河三角洲土地利用现状见图8-12和表8-3。

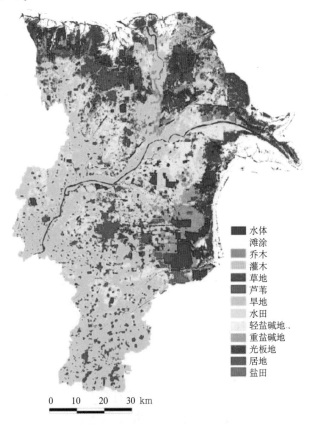

图8-12　东营市土地利用现状图

表8-3　　　　　　　　　　　　土地利用现状

大类	亚类	面积(hm²)	占总面积(%)
湿地	水体	76 097.43	9.7
	滩涂	75 213.45	9.6
	芦苇	41 787.09	1.3
森林	灌木	17 796.69	2.3
	乔木	10 287.72	4.6
草地	草地	35 891.37	5.3
耕地	水田	22 086.27	2.8
	旱地	209 510.6	26.7
盐碱地	轻盐碱地	156 360.6	19.9
	重盐碱地	42 459.3	5.4
	光板地	37 152.81	4.7
居民地	居民地	56 214.9	7.2
盐田	盐田	4 515.03	0.6
合计		785 373.26	100

黄河三角洲湿地面积较大，占总面积的20.6%，其中河流、水库、坑塘、虾池等水体占总面积的9.7%，滩涂占9.6%，芦苇地占1.3%，湿地面积大，无效蒸发和向地下水系统的渗漏都非常严重，是以后水利建设中应引起重视的问题。

黄河三角洲森林覆盖率不高，仅占总面积的6.9%，其中乔木占总面积的2.3%，灌木占总面积的4.6%。黄河三角洲草地占总面积的5.3%。林草地合起来占到总面积的12%，对于黄河三角洲这样一个生态环境脆弱的地区而言，林草地所占比重显然太低，起不到保护和调节环境的作用。

黄河三角洲耕地面积所占比重较大，占总面积的29.5%，其中水田占2.8%，旱作耕地占26.7%。

黄河三角洲盐碱地面积较大，3种类型的盐碱地合起来占到总面积的30%，特别是轻盐碱地占总面积的近20%，盐碱地改造与治理的任务相当艰巨。

黄河三角洲居民地占总面积的7.2%，所占比重较大，一定要注意控制建筑用地规模，避免滥用滥占极其珍贵的耕地。

黄河三角洲盐田面积占总面积的0.6%，条件成熟时，可适当扩大盐田的发展。

（二）亚区的划分

以微地貌为主导，兼顾土壤类型、土壤质地、土壤养分、土地利用现状、灌排水条件等，通过叠加分析和制图综合，在同一大区内又划分出2~4个亚区（图8-13），以便确定更具实用性和操作性的治理对策（包括暗管改碱工程设计）和农业可持续发展方向。

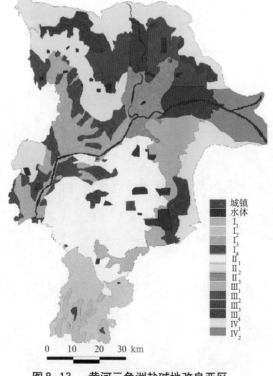

图8-13　黄河三角洲盐碱地改良亚区

三、盐碱地各区和亚区的工程治理

黄河三角洲地区有着良好的水利建设基础,这为大面积实施暗管改碱工程创造了条件。20世纪50年代中期兴建了著名的打渔张引黄灌溉工程,与以后建设的水利工程基本上奠定了黄河以南土地的排灌格局,形成了从一干至七干的引黄灌渠和以小清河、支脉河、广蒲沟、广利河、溢洪河为骨干的排水河道。90年代以后开始实施黄河以北王庄灌区扩建工程,配套形成了王庄一干至七干为骨干的灌水渠道和以卫东河、神仙沟、挑河、沾利河等为骨干的排水河道。各区的盐碱地治理将充分考虑上述水利工程条件,结合地域特点予以分类施治。见图8-14。

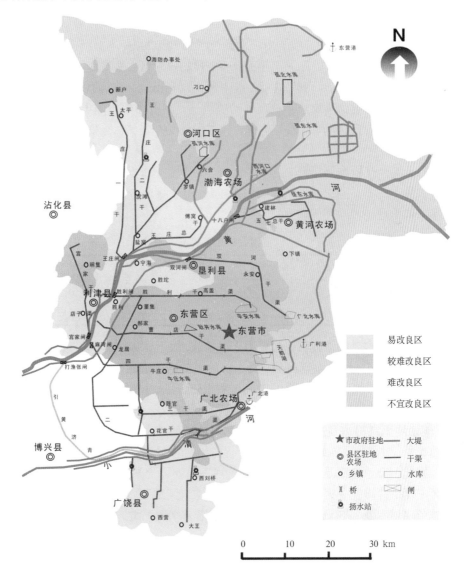

图8-14　黄河三角洲盐碱地分区水利工程

295

（一）各区治理

各盐碱地改良区的自然环境条件决定着其今后的发展大方向（表8-4）。各区的要素数据指标直接指导着暗管改碱工程的设计和规划。

表8-4 各区环境状况

区	埋深(m)	矿化度(g/L)	海水影响	盐碱化影响	发展方向
易改良区	>2	<10	无	基本无	农业
较难改良区	1~2	2~10	轻微	轻度	农牧业
难改良区	<2	6~30	中度	中度	林牧渔业
不宜改良区	<1	>10	强度	重度	渔业

1.易改良区 Ⅰ

易改良区：本区远离大海，地下水埋深超过了临界深度，基本上不受盐碱化的威胁，形成历史较早，耕作历史悠久，是黄河三角洲主要的农业区。易改良区又分为南西两部分：位居南部的区域为山前倾斜平原区，面积6.87万hm²，占总面积的8.8%，分布的土壤类型较多，有褐土、潮褐土、石灰性砂姜黑土、潮土和盐化潮土；位于西部的区域处在黄河三角洲的扇顶，面积12.3万hm²，占总面积的15.7%，分布的土壤主要是盐化潮土和潮土。

据野外土壤调查样本分析资料，本区土壤养分和盐分平均状况见表8-5。易改良区土体盐分含量在0.2%左右，适于各种作物生长。但土壤养分状况不容乐观，有机质含量低，氮、磷不足，钾的情况较好。

表8-5 易改良区土壤状况

位置	样本数	全盐(%)	全氮(%)	全磷(mg/kg)	全钾(mg/kg)	有机质(%)	pH值
西部	13	0.2	0.04	692.4	18 082.9	0.32	8.69
南部	7	0.12	0.06	689.48	20 823.0	0.55	8.96

由于本区属于古老的耕作区，土壤盐分含量低，故不作为实施暗管改碱工程的重点区域。但在西部黄河三角洲扇顶区域，是引黄灌溉的宫家灌区和王庄灌区的上游，排灌设施配套，可相机实施明排改暗排的田间工程，从而强化排碱效果，扩大耕地面积。而本区防治土壤盐碱化的主要措施是节水灌溉和培肥地力。特别是节水灌溉具有联动作用，不仅能使灌溉农田达到高产稳产，而且可用节省的水去浇灌其他因缺水得不到利用和治理的土地。对防止区域地下水位抬高、促进地势较低地区的土壤改良具有非常重要的作用。因此，节水灌溉是本区乃至整个黄河三角洲国土整治的关键。

南部主要是井灌农业区，大量超采地下水，造成了地下水降落漏斗和海水倒灌，应注意发展节水型农业，进行适当的引淡回灌，否则海水倒灌继续扩散将形成新的盐渍化问题。

2.较难改良区 Ⅱ

较难改良区也分两部分：主体部分位于易改良区外侧，面积25.03万hm²，占总面积的31.9%；另有一小块位于黄河三角洲的西侧，面积1.44万 hm²，占总面积的1.8%。本区分布的土壤主要是盐化潮土、盐土和潮土。据20个样本分析，本区土壤平均含盐量为0.5%，全氮、全磷、全钾的含量分别为0.05%、721.9 mg/kg、20 466.4 mg/kg，有机质为0.46%，pH值为8.35。

本区由于地势较低平，地下水埋藏浅，地表水汇集，旱、涝、盐害并存，是盐碱地治理的重点所在。本区的黄河以南部分，水利设施配套，由南向北依次分布有麻湾灌区、曹店灌区、胜利灌区、双河灌区等，可大力推行明排改暗排的水利工程。本区黄河以北的部分，水利设施配套不健全，应抓紧部署灌渠配套建设，而排水则采用暗管改碱工程。该区域的义和镇十万亩农业开发项目，是实施暗管改碱工程取得明显效益的典型工程，应在本区大力推广。

在灌排水有了保证或已实施了暗管改碱工程的地区，应实行边利用边治理，采取综合措施继续改善土地质量。要重视引进耐盐作物品种，通过各种生物途径增加土壤有机质、改良土壤性状并逐渐改善土壤生态环境，重建农田生态平衡。生物体回归到土壤中去是土壤有机质积累的来源。土壤有机质的动态变化是土壤肥力的基础。有机质肥料能改善土壤结构，减少地面蒸发，既有利于盐分下淋，又阻止盐分上升；能够增强微生物活动，产生各种有机酸，不仅能中和土壤酸碱性，又能溶解各种养分；有机质本身的吸附力也起到一定的缓冲作用。经过3～5年的自然淋盐和人工洗盐、排盐，土体含盐量将会明显下降，肥力逐渐提高，可发展种植业，但最好实行粮草轮作，以防连续种植引起地力下降，重新返盐。

在靠近黄河、地势低洼的地方，应在实施暗管改碱工程的基础上，积极引黄淤灌。这样既可以充分利用黄河水沙资源淋碱洗盐，又可改善低洼地的微地貌条件，一举两得。引黄淤灌后的后期管理是改良效果持续的关键，基本原则是降低地下水位，增加地面植被覆盖，防止蒸发返盐积盐。另外，当地人民还发展了"台田—鱼塘"型生态农业模式，通过深挖池塘、高筑台田，实行水土分层治理。在台田上种粮、棉，在池塘中养鱼，创造了改造盐碱地和高效利用低洼地的成功途径。但在实施中一定要从流域角度出发，综合考虑其对周围环境的影响。否则，将会造成此处治理、他处恶化的现象。

3.难改良区Ⅲ

难改良区位于较难改良区的外侧，面积18.6万hm²，占总面积的23.7%，分布的主要土壤类型是盐土，在河滩地与河成高地地区还有少量的盐化潮土和潮土分布。据18个样本分析，土壤全盐量0.57%，全氮、全磷、全钾分别为0.04%、698.06 mg/kg、20 638.22 mg/kg，有机质0.45%，pH值为8.49。

难改良区的土壤受到高矿化地下水和海水的双重影响，属于海陆交错带，生态环境非常脆弱，其特征主要表现为：可被替代的概率大，竞争的程度高；可以恢复原状的机会小；抗干扰的能力弱，对于改变界面状态的外力，具有相对低的阻抗；界面变化速度快，空间移动能力强（于锡军，1998）。就整个生态系统而言，脆弱带对外界变化的适应能力是比较弱的，环境因子的变化可能造成原生环境的变化，从而导致生态环境恶化。

本区生态环境的脆弱是由于前一阶段不合理的开发造成的，原先水草丰美的以草原为特征的生态系统，在滥垦滥伐、毁林毁草以及掠夺式经营和粗放管理下，急剧恶化。因此，本区盐碱地改良的主要措施之一是改变目前不合理的土地利用方式，退耕还林、还草，发展林、牧、渔业，特别是要加强海防林建设，将自然与人类对该区的消极影响减少到最低限度。

林地在整个生态系统中的重要地位是人人皆知的，黄河三角洲林地覆盖率低，在盐碱化土壤上过多的土壤盐分造成了植树造林比较困难。因此，需要退耕还林，扩大森林覆盖率。林地和林带扩展了，还可以反过来通过林木的生物排水抑制蒸发、提高湿度、改良土壤结构、加强淋溶作用等来改良土壤。在黄河故道北部和黄河河滩地应退耕还林、还草。在土地盐碱化严重的地方，可先灌后乔，林草结合，以草养树，以林护草，营造草场防护林和经济用材林。沿海滩涂应实行封滩育林，保护天然灌木林，营造沿海海防林，建立绿色保护屏障。

黄河三角洲草场主要分布在本区，草场面积大但产草量低。近几十年来，由于不合理的利用，草场退化严重。为此，要建设人工草场，保护和改良天然草场，加强草场管理，提高牧草的产量和质量，建设畜牧业基地。草地对于增加地面植被覆盖、减少蒸发和土壤脱盐具有非常重要的作用。

由于本区生态环境脆弱，受土壤盐渍化的威胁严重，因此应作为推广暗管改碱工程技术的重点地区和优先实施地区。因为不论是植树、种草或种植其他作物，均需要排出含盐水、降低地下水位，一旦实施了暗管改碱工程，其在本区产生的效益将最为显著。金川公司实施的孤东十万亩盐碱地改良工程、莱州湾暗管改碱实验工程，均在这一区域，取得了明显的改碱效果，因此应尽可能在这一区域规划布局暗管改碱项目，促使其尽快立项实施。

在本区外缘的超潮滩上，还有着发展渔业的良好条件，这里的对虾养殖已形成一定的规模。在靠近河流和有淡水水源的低洼地区，芦苇种植业为当地造纸工业的发展提供了原材料。但发展渔业和芦苇种植业时，一定要注意修建深沟截渗，防止引起内陆方向地下水位的抬高，造成土壤返盐。

4.不宜改良区Ⅳ

不宜改良区位于黄河三角洲最外侧，面积13.6万hm^2，占总面积的17.3%，分布的惟一一种土壤是盐土。本区土壤样本只有2个，平均含盐量1.61%，全氮、全磷、全钾分别为0.09%、653 mg/kg、19 743.5 mg/kg，有机质0.49%，pH值8.21。

本区受到海水的定期影响，土壤水、地下水和海水含盐量处于平衡状态。一般不生长高等植物，只生长低等植物如藻类等，泥质滩面上出现大量蟹洞。土壤处于自然成土的初期阶段，在海水影响作用强烈、排水困难的情况下，在这里实施改碱工程的成本将会大大提高，因此本区应作为生态保护的重点地区，除了特别需要的局部区域，暂缓实施暗管改碱工程。

（二）各亚区的工程治理

各亚区的划分是根据各区内的具体差异进行的，体现了各个亚区之间在微地貌、土壤类型、质地、养分及适宜性等方面的不同特征，这些因素将为暗管改碱工程设计包括土地治理规划、暗管铺设的深度和密度、管径及滤料的选择、排水级别与方式、成本效益的核算等提供重要依据，下面分别给出各亚区的要素状况和治理对策。

1.易改良山前平原岗地区 I_1

主要分布在广饶县南部的大王、西营、李鹊、小张、花园、广饶和稻庄7个乡镇。这里是黄河三角洲农业条件较好、农业开发历史悠久的地区。土壤没有盐碱化威胁，但灌溉水源不足，土壤肥力较差。应积极推广李鹊乡的经验，发展种植业—农区饲养型生态农业，种植业为饲养业提供饲料，饲养业为种植业提供有机肥料，互相促进，互相受益（许学工，2000）。引进国内外先进的节水管理技术，防止地下水位进一步下降。

2.易改良山前平原平地区 I_2

主要分布在广饶县的石村、颜徐、稻庄、花官、大营、西刘桥和大码头7个乡镇。由于地下水大量超采，出现大小不一的降落漏斗，海水倒灌日渐扩大。应抓紧引黄补源，井、渠结合发展节水农业。调整种植业结构，在保证农产品销路的前提下，扩大花卉、蔬菜和林果的种植面积。增施有机肥和化肥，提高单位面积产量，发展集约化、高效、生态农业。

3.易改良西部河成高地滩地区 I_3

主要分布在太平乡的东部、义和、虎滩、盐窝、北岭、陈庄、集贤、傅窝、大赵、王庄、北宋、店子、南宋等乡镇。这里形成历史较早，种植业发达。但由于灌排水工程不配套，加上灌溉管理不善易引起地下水位的抬高。应配合灌排水工程的改造和完善，综合设计实施暗管改碱工程的规划方案，同时采取综合措施发展节水农业。增施有机肥和化肥，用养结合，精耕细作，提高单位面积产量。监测地下水动态变化，以排定灌，逐步降低地下水位。在高地的边缘地带，可植树种草，形成农田林网，推广林粮间作，防止水土流失。

4.易改良西部平地洼地区 I_4

主要分布在太平、义和、虎滩、汀河、傅窝、大赵、王庄、利津、北宋、胜利、宁海、胜坨、高盖等乡镇。这些地方地下水埋藏较浅，土壤受到盐碱化的威胁，要在水源条件较好的地方，先行实施改碱工程，在治碱已有成效的区块，可实行粮草轮作，改善土壤结构，提高土壤保肥力。重视强排多余的水，调控地下水位。

5.较难改良黄河以南平地洼地区 II_1

主要分布在广饶县北部的陈官、丁庄，东营区的龙居、西范、牛庄、六户、东城、西城、油郭、史口，垦利县的郝家、董集、垦利、永安、西宋等乡镇。这些地方灌排水工程已形成一定规模，需进一步配套和完善排水体系建设，合理调控地下水位。东营市东西城以北的垦利、永安和西宋乡均是实施暗管改碱条件较好的地区，一定要通过强排措施降低地下水位，将改土和改水相结合。要重视发展水产养殖业引起的地下水位抬高。

6.较难改良黄河以北平地洼地区 II_2

主要分布在河口区的新户、河口、六合和利津县的罗镇及渤海农场的西部。目前这里的灌排水条件尚不完善，大量的农田因无水洗盐、压盐而弃荒。应科学规划、合理建设灌排水工程，发展农牧业。在无灌溉条件时，可引种耐旱、耐盐物种，改善地表覆被状况。

7. 渤海农场和六合的东部 II_3

目前这里的土地利用方式以种植业、林业为主，比较适合当地的自然环境条件，不必作调整。今后应注意精耕细作，实行节水灌溉，培肥地力，防止地下水位抬高。

8. 难改良黄河以南平地区 III_1

主要分布在永安和下镇 2 个乡镇。这里地势低平，土壤盐碱化严重，成片的土地处于裸露状态。现有的草场也受到盐碱化影响，退化严重。应退耕还草，建设人工草场，保护天然草场，发展畜牧业。在经营上实行承包到户，以经济效益带动社会效益和生态效益。

9. 难改良黄河以北平地洼地区 III_2

主要分布在河口和仙河 2 个乡镇。这个地区目前的土地利用方式比较合理，不必作大的调整。种稻改土要加强排水，天然草场要加强保护，以草定牧。

10. 难改良河成高地滩地区 III_3

主要分布在河口自然保护区的西部和黄河故道的北部。这些地区分布着黄河新淤潮土，由于不合理的垦殖，土壤返盐。从长远看，应尽早退耕还林、还草，实行全面保护。

11. 难改良沿海滩涂区 III_4

主要分布在新户乡和河口区的北部，孤东油田的外缘以及广南水库和广北水库的外侧。这些地方应引种耐盐、耐旱草种、树种，建立沿海防护林带，不仅对当地土壤脱盐，而且对内地环境的保护起到非常重要的作用。

12. 不宜改良沿海区 IV_1

沿海岸分布在海水定期影响到的地方。这些地方刚刚露出海水面不久，土壤处在自然成土阶段的初期，受海水的影响，土壤含盐量极高，尚无法利用。只是在超潮滩上，水资源条件允许时，可发展水产养殖业。但一定要做充分的市场调查，科学规划，以取得更好的经济效益和生态效益。

13. 不宜改良河口区 IV_2

分布在河口区自然保护区的东部。这里受到河海的双重影响，新淤潮土上生长着湿生草甸植被，对这些地方要采取良好的保护措施。

（三）各亚区工程治理的规划设想

根据以上各亚区的要素状况和治理对策，以及因地制宜、统一规划的原则，对各亚区工程治理的规划方向设计见图 8-15。

根据东营市的土地利用现状（图 8-12），按照土地适宜性及其利用方式计算，各类土地利用情况见表 8-3。

除去目前处于政策保护范围的湿地和水体、靠近沿海的低洼地带、城乡人居用地以及山前冲积平原淡水区等区域不宜安排暗管排碱工程外，其余各种土地利用类型都可推广实施暗管改碱工程，以大幅度改善土地质量和提高土地产出率。这些土地面积约 45 万 hm^2，应进一步予以规划论证，形成具有可操作性的工程可行性研究报告。

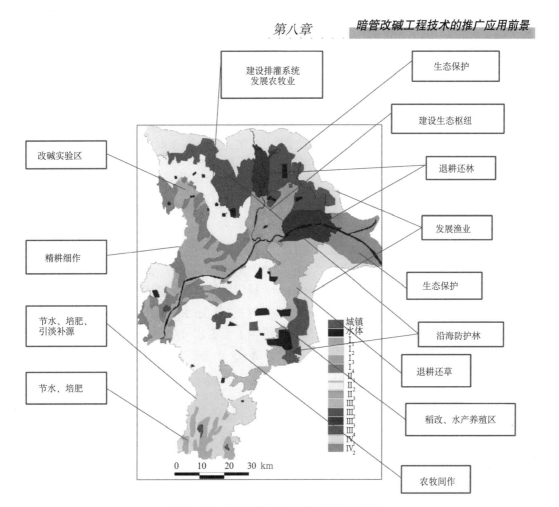

图 8-15 各盐碱地亚区工程治理方向设计

第二节　暗管改碱工程技术在黄淮海平原地区的适应性分析

　　黄淮海平原位于我国东部,跨冀、鲁、豫、苏、皖五省和京津二市,总面积为 31 万 km²,是我国重要的农业区。

　　黄淮海平原属暖温带半湿润季风型气候区,干湿季分明,具有独特的水盐运动特征和规律。土壤的盐渍化与次生盐渍化一直是困扰黄淮海平原农业发展的重要因素,近年来,随着大规模的治理和水资源的日趋紧张,地表水几乎断绝,地下水位大幅下降,土壤盐渍化危害程度相应减轻。但也有学者认为,聚积在黄淮海平原土壤中的盐分非但没有减少,反而因持续的蒸发作用而有所增加。为科学认识黄淮海平原盐渍土地区的水盐运动规律,进而深入研究该区域土壤盐分的空间分布特征和治理措施,我国的许多科研机构和专家多年来做出了积极的努力和艰苦的探索。本书在吸收其中部分重要成果的基础上，对在黄淮海地区推广应用暗管排水技术改良盐碱地进行了适应性评价与分析。

一、黄淮海平原盐渍土地区的水盐运动

水分和盐分在土壤中的运动是相伴而行、不可分割的。易溶性盐类一般溶于水中，或随土壤中水分的运动而运动，或在溶液中呈扩散运动。在蒸发强烈的旱季，土壤水的上行运动占优势，盐分也随之上行，并随着水分的蒸发而积存于土壤上层。在降雨量大于蒸发量的雨季或人工灌溉条件下，土壤水的下行运动占优势，易溶盐类也随之下移，以至于被淋洗到地下水中。从这种意义上来说，土壤盐分的运动在很大程度上取决于土壤水分的运动。

但是盐分运动也有其自身的规律性，不同盐类具有不同的溶解度，不同的盐类离子又有不同的迁移序列，因此不同盐类随水移动的速率是不同的。此外，由于土壤的分散性和多孔性，盐类离子或因被土壤胶体吸附，或因各种盐类相互作用而在孔隙中沉淀，使得盐类在土体内的运动和分布又具有很多特异性。盐类的组成及其浓度也可以影响土壤结构的稳定性和水的渗透速率，它反过来影响了土壤水分的运动。所以，土壤水盐运动的方向和强度与所处地区的气候条件、地形部位、土壤的质地剖面及地下水状况密切相关。

（一）旱季土壤的水分运动

旱季是一年中主要的积盐季节，研究旱季的土壤水盐运动规律、影响因素以及各种调节措施，对抑制旱季的水分蒸发和积盐过程有着重要意义。

1.土壤的导水性能和积盐过程

当气候条件相同，地下水的埋深、水质和地面的覆盖状况相似的条件下，影响土壤水分状况和积盐强度的因素主要是土壤的质地、质地剖面以及相应的导水性能。

土壤积盐过程是伴随着地下水上升和土壤水的蒸发过程而进行的。地下水在水势梯度的作用下，以毛管水的形式通过土体向上运动。毛管水的上升高度与速度决定了地下水补给的速度和土壤积盐的强度。而影响毛管水的上升高度和速度的因素，一是地下水埋深和土壤表层的水势梯度（水分的蒸发、蒸腾愈盛，表土愈干燥，其所造成的水势梯度愈大）；二是土壤的导水性能所决定的土壤导水率。它们共同决定着毛管水上升的高度和潜水通过土体到达蒸发面的通量。研究土壤或某一地区土壤的蒸发—积盐过程，需要对不同土壤的导水性能有所了解和分析。

土壤的导水性能受制于土壤的质地、质地剖面及其相应的结构和孔隙状况。

不同质地的土壤，毛管水上升高度有很大差异。不少研究者通过大量工作，根据当地地下水的矿化度和具体质地的毛管水上升高度或强烈上升高度，拟定出适合于当地情况的临界深度或适宜深度。

河南农学院冼传领在河南人民胜利渠灌区，实测不同质地土壤的毛管水上升高度及毛管水强烈上升高度如表8-6所示。

山东水科所对鲁西北地区主要土壤，提出各种质地土壤的地下水临界浓度（这里指的是毛管水上升高度加土壤物理蒸发层20 cm）和毛管水强烈上升高度，见表8-7。

不同质地土壤不仅毛管水上升高度不同，而且单位时间通过单位面积的毛管水上升

表8-6　　　　　　　　　　不同土壤质地与毛管水上升高度

土壤质地	毛管水上升高度（m）	毛管水强烈上升高度（m）
沙壤土	2.3~2.5	1.5~1.7
壤土	2.0~2.3	1.0~1.2
黏壤－黏土	1.2~1.5	0.6~0.8

表8-7　　　　几种主要质地的地下水临界深度和毛管水强烈上升高度

土壤	临界深度（m）	毛管水强烈上升高度（m）
轻壤土	2.2~2.3	1.5~1.7
中位薄性黏土	1.6~2.17	1.0~1.2
表层厚层土	1.2	0.6~0.8

的最大量也不同，这已为美国、苏联、荷兰的材料所证实（表8-8）。

表8-8　　　　　　　　地下水埋深与毛管水上升最大量

地下水埋深(cm)	毛管水上升高度（m）			
	黏壤、黏土	壤土	沙壤	中粗沙
50	2.5	3	高	1.0
75	1	1	高	0.5
100	0.5	—	10	0.2
150	0.2	—	1~4	—
200	—	—	0.5~1	—

　　综合以上材料，可以看到几种质地土壤中以沙壤质和轻壤质的导水性能最强，无论从高度或强度来看，都是如此。黏土由于毛管孔隙极细，水分运动受到极大的阻力，不能有效地传导水分。在相同水位情况下，实测的春季黏土地下水蒸发强度要比轻壤土小75%，相应地积盐强度也弱（表8-9）。

表8-9　　　　　不同质地土壤的地下水蒸发强度（3~6月）

地下水埋深(m)	土壤质地	地下水蒸发强度（mm/d）
1.0	轻质土	2.65
	黏土	0.66
1.4	轻质土	2.36
	黏土	0.58

　　黄淮海平原为冲积平原，河流冲积物交互沉积，形成极其复杂的层次性。土壤质地剖面的变化常常成为影响水盐运动的重要因素。比较普遍的剖面是在沙壤质和轻壤质土壤中夹有一层或几层黏土层。黏土层的厚薄及层位与水盐运动有密切关系。

　　黏土夹层的厚度和部位的表示方法，在《华北平原土壤》一书中，将2~2.5 m厚土体中所夹的黏土层，根据厚薄分为三等：10~20 cm为薄层；30~60 cm为中层；大于100 cm为厚层。按黏土夹层部位的高低分为：深位，100 cm以下；中位，50 cm左右；浅位，20 cm左右。

　　由于黏土层一般大于10 cm，就有阻止地下水向上运行的作用。因此，北京农业大学曲周试验站的水分模拟土柱试验，以小于10 cm为薄层，10~30 cm为中层，大于30 cm为厚层，将黏土层的厚度分为三等。至于黏土层的部位对水盐运行也有较大的影响。如黏土层接近或处于地下水位处，土壤水分接近饱和，导水率高，对水分运行有阻隔作用；如黏土层处于毛管水强烈上升范围内，离地下水位50 cm左右，则黏土层导水率显著降低，阻隔作用明显。黏土层部位对水分上升和积盐的具体影响，需要参考黏土层厚薄、离地表的远近而定。

中国科学院南京土壤研究所袁剑舫指出（1980），黏土层的存在增加了水分从地下水位上升至地表的时间。黏土愈厚，所需时间愈多。黏土层离地下水面愈近，水分通过黏土层达到土面某一高度所需时间，较黏土层离地下水面远者为多。

北京农业大学曲周试验站的试验材料进一步说明了黏土夹层对土壤毛管水强烈上升高度及地下水补给和返盐的影响。

表8-10　　　　　　　　　　　黏土层厚度及位置与土壤返盐状况

剖面名称	黏土层距地表位置(cm)	厚度(cm)	4~6月积盐率(%)	
			地下水埋深1.0m	地下水埋深1.5m
壤质夹薄黏层 （1）	49~54,66~66,114~116	5~10	45.5	39.2
壤质夹中黏层 （2）	90~110	20	147.1	26.2
壤质夹厚黏层 （3）	20~42,109~150	30~70	2.7	

注：积盐率以1 m土体计算。

从表8-10中可看到黏土层厚薄及位置不同对土壤盐分积累的影响。在地下水埋深为1.0 m时，因黏土层距地下水近，1号与2号土返盐较重，其中2号土因黏土层处于地下水面，阻隔作用不大，地面为稀疏的植被（茅草）所覆盖，不能减弱水分的蒸发，故积盐较1号为重。3号土因第一黏土层厚度为22 cm，距地下水面50 cm左右，正好处于毛管水强烈上升的高度内，所以黏土层的阻隔作用大，积盐最轻。在地下水埋深1.5 m时，1号土的黏土层距地下水位84~101 cm，处在毛管水强烈上升高限附近，此层土壤导水率已经较低，但黏土层薄，其阻隔作用相对较小，所以积盐率与1.0 m水位差不多；而2号土黏土层厚20 cm，正处在地下水面上40 cm处，是毛管水强烈上升区的中部。因此，黏土层的阻隔作用较大，积盐率较地下水埋深1.0 m的土壤大大降低。3号土在1.5 m以上有两层黏土，而且黏土层厚度大于30 cm，阻隔作用最大，基本上不返盐。

为了了解黏土层部位对毛管水强烈上升高度的影响，我们在2号土壤上，用暴晒法进行毛管水强烈上升高度的测定。这个剖面的第一层黏土离地表90~110 cm，厚20 cm上下；第二层在182~200 cm，厚度约20 cm。地下水位变动时，黏土层与水面的距离不同，毛管水强烈上升高度也不同（表8-11）。因此，它的积盐情况也是不同的。其中地下水埋深1.0 m与1.25 m者积盐较重。

表8-11　　　　　　　　黏土层的部位与毛管水强烈上升高度　　　　　　　（单位：m）

地下水埋深	1.0	1.25	1.5	1.75	2.0
黏土层与地下水面距离	0	0.15	0.40	0.65	0.90
毛管水强烈上升高度	1.00	1.15	0.85	1.05	1.30
毛管水强烈上升高限与地表的距离	0	0.10	0.65	0.70	0.70

2.土壤水吸力的变化特征

土壤的水状况通常是以水分含量或吸力值的变化来反映的。在蒸发情况下地下水面以上的土体中水分含量和吸力的变化见图 8-16。图中均质轻壤土的地下水埋深为 2.0 m，土壤含水量和土壤水吸力值随着与地下水位距离的增加而发生相应的变化。其变化特征是：土壤含水量从饱和状态不断降低。而土壤水吸力值则随着地下水位距离的增加，自下而上增高。地下水面处吸力为零，由此往上，开始是随着与水位距离的增加，吸力值均匀地增加，它相当于或略高于水面以上该点的高度值（以 cm 表示），在此段土层范围内的吸力梯度（单位距离内吸力的变化值）约相当于 1 cm/cm。在有上行水流补给时，土层的吸力梯度稍大于 1，我们称由地下水面向上，吸力值约等于其高度值的土层上限为土壤水吸力梯度转折点。此点的水分含量略高于或接近田间持水量。由此向上，愈接近地表，受大气蒸发力的影响愈大，水分含量愈低，吸力值迅速增高，吸力梯度增大。从图 8-16 可以看出，距水位 120 cm 附近的土壤水吸力值略高于 120 cmH_2O（1 cmH_2O=98.0665 Pa，下同），含水量稍高于田间持水量。

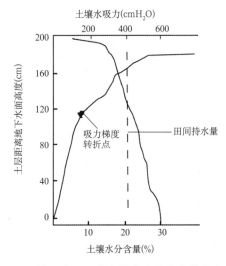

图 8-16　地下水面以上土壤含水量和土壤吸力变化状况

当地下水位较浅时，吸力梯度转折点接近地表，表土仍湿润，吸力低，导水率高，地下水可以直接并持续地补给地表的蒸发损失，所以蒸发量大。当地下水位较深时，则吸力梯度转折点离地表的距离增加，转折点以上土壤水吸力提高较快，蒸发强烈时，表土可出现干土层，导水率低，使蒸发减少。

在非均质土壤中，如土壤夹黏层，常常由于黏土层导水率低，吸力值比同高度的壤土大，使吸力梯度转折点高度降低，从而减小了蒸发强度。

图 8-17 表示不同地下水埋深和相同埋深而黏土层部位、厚度不同情况下的剖面吸力值变化。图 8-17 中的 1-A、1-B、1.25-B、1.5-A 等土壤剖面，吸力梯度转折点离地面近，其上部土层虽受大气蒸发力影响，土壤水吸力增加。但增加的幅度不大，吸力值仍较低。在这种导水率较高的情况下，旱季积盐较重。图 8-17 中 1.5-B、2.0-A、2.0-B 等土壤剖面，由于有黏土层阻隔，地下水位又较上述剖面深，因而吸力梯度转折

点离地表较远，40～60 cm 以上土层的土壤水吸力值增加较快，使吸力梯度加大。但由于含水量低，导水率小，所以地下水补给量受限制，导水能力降低，积盐过程减弱。

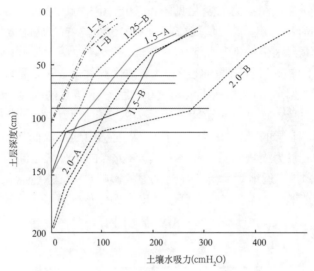

图 8-17　不同地下水埋深的土壤吸力值随土层深度的变化

3. 地下水埋深与蒸发

地下水埋深与土壤蒸发量间的相关数值，可以作为衡量土壤积盐程度的参考。国内外许多土壤和水文地质工作者在这方面作了大量的研究。

根据 W.R.Gardner 等的研究，认为土壤蒸发量是水位深度的函数，由水位深度决定的最大蒸发量：$E_{最大}=A \cdot a/h^n$。h 为水位深度，A、a、n 均为经验常数，W.R.Gardner 提供的经验公式为：

$$n=2/3 \quad E_{最大}=3.77a/h^{-3/2}$$
$$n=2 \quad E_{最大}=2.46a/h^{-2}$$
$$n=3 \quad E_{最大}=1.76a/h^{-3}$$
$$n=4 \quad E_{最大}=1.52a/h^{-4}$$

上述经验公式给出 A 值，其中 n 为与土壤质地有关的经验常数，质地愈粗 n 值愈大，一般壤质土取 $n=2$；a 是与饱和导水率有关的经验常数。

因此，如果能取得各种土壤的 A、a、n 等参数，就可以求得不同地下水埋深的最大蒸发量。

根据曲周试验区试验资料，均质轻壤土柱地下水埋深小于 1.5 m 时，地下水通量明显增加；大于 1.5 m 时，地下水通量则明显减少，与积盐程度一致，见图 8-18。

至于非均质多层次性土壤，地下水通过土体柱达到表土的最大蒸发率，应决定于各个层次的导水特性。

根据曲周试验资料中对不同黏土夹层的人工土柱在 1.5 m 水位条件下地下水通量的测定，其数据见表 8-12。由表 8-12 可见，中位夹黏层仅 5 cm 厚，即具有较显著的阻隔地下水向地表水运行的作用，黏土层愈厚，阻隔作用愈明显。

河北省水文地质观测总站对在 130～160 cm 部位夹有黏土的壤质土作了地下水均衡

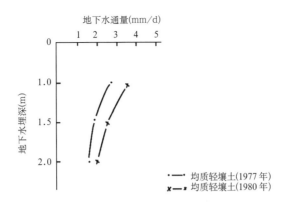

图 8-18 地下水通量和地下水埋深的关系

表 8-12 1.5 m 水位条件下黏土层的部位及厚薄对地下水通量的影响

土 柱	黏土层部位 (距水位,cm)	黏土层厚度 (cm)	旱季(4月12日~6月25日) 地下水通量平均值(cm/d)	相对(%)
均质土	无	0	0.293	100.00
下位夹黏	12.5~32.5	20	0.088	30.03
中位夹黏	42.5~62.5	20	0.030	10.24
上位夹黏	72.5~92.5	20	0.074	25.26
中位夹黏	42.5~47.5	5	0.041	13.99

的研究,其结果与上述资料一致,且发现地下水补给量和地下水埋深的关系较图 8-18 的均质壤土更为明显,其观测资料见图 8-19 所示。

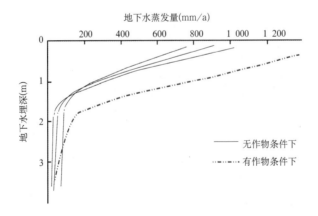

图 8-19 地下水蒸发量与地下水埋深的关系

当土壤质地剖面和结构状况不同时,地下水补给强度明显转折的地下水埋深是不同的。同一土壤也因其结构孔隙状况和水分含量的变动而异。

(二)旱季土壤的盐分运动

土壤的盐分运动和水分运动是分不开的,它是土壤水盐运动的一个方面。影响土壤盐分运动的主要因素是土壤自身的质地剖面和相应的结构、孔隙状况以及地下水埋深和水质。此二者相互配合,共同对土壤的盐分运动发生作用。

壤质土(扰动土柱)在地下水埋深大于1.5 m时,地下水的补给强度有明显减弱。但埋深同为1.5 m的情况下,质地剖面不同,盐分运动状况也会发生很大差异。从表8-13可以看出,同为轻壤土,均质的和在不同层位夹有不同厚度的黏土层的积盐量和积盐部位是各不相同的。

表8-13   旱季(4月12日~6月20日)不同土柱的地下水补给量和积盐的关系

地下水位1.5 m	均质轻壤土	轻壤土于117.5~137.5 cm夹黏	轻壤土于102.5~107.5 cm夹黏	轻壤土于87.5~107.5 cm夹黏
地下水补给量(mL)	5 800	1 790	753	590
进入土体的盐量(g)/增盐(%)	28.54/0.05	8.81/0.015	3.7/0.007	2.9/0.005
0~20 cm土层的盐增量(g)/增盐(%)	21.57/2.83	0.63/0.008	2.59/0.003	0.75/0.010
0~40 cm土层的盐增量(g)/增盐(%)	27.74/0.18	0.82/0.005 4	4.26/0.028	0.73/0.005
87.5~107.5 cm土层(黏土层)的盐增量(g)				2.78/0.037
117.5~137.5 cm土层(黏土层)的盐增量(g)		5.33/0.075		
地下水矿化度(g/L)	4.92			

均质土旱季蒸发70天,自地下水挟入的总盐量如以1.5 m内整个土层平均,其增值为0.05%。但是,由于潜水可以直接补给近地表的土层,故盐分大部分积聚于0~20 cm土层,增盐率达2.83%。表层以下,盐量稳定。轻壤土中若夹有黏层,无论层位高低或厚度大小,均在不同程度上起阻隔作用,地下水通量减小和挟入土体的盐分多积聚于黏土层,防止和大大减缓了土壤表层的积盐过程。为了说明这个问题,以下列举了两个剖面的土壤水吸力(张力计测量)和土壤溶液电导率(美5100-A型盐分传感器测量)在时间上的动态特征,见表8-14。

由表8-14可以看出,均质轻壤土的积盐特点是表聚,盐剖面形态表现为"T"形(图8-20)。用盐分传感器测得的电导率数值和化学分析测定的盐离子等量是相符的。

在87~107 cm处夹有厚20 cm黏土层的轻壤土柱中,土壤水的吸力及溶液电导率状况明显不同于均质土壤,见表8-15。

同一土壤,地下水埋深的变动使土壤积盐量产生差异,主要是地下水变动可引起土壤吸力梯度转折点与地表距离发生变化。在一般情况下,如转折点接近地表,或与地表的距离小于60 cm,将会引起土壤不同程度的盐化。当转折点距地表80 cm以上,一般不致引起土壤盐化,当相距60~80 cm时是否盐化,视地下水矿化度、大气蒸发力、土壤原始含盐量而定。地表有黏土层,相距小于60 cm也不致引起土壤盐化。地下水矿化度高,即使相距大于90 cm也可能盐化。据有关单位研究,地下水矿化度为10~15 g/L,地下水埋深为2.8 m的沙壤土剖面,仍有发生盐渍化的可能。

表8-14　　　　均质轻壤土柱土壤水吸力和土壤溶液电导率随时间的变化过程

土层 (cm)	4月12日	4月17日	4月26日	5月2日	5月11日	5月14日	5月20日	5月29日	6月10日	6月22日	6月25日
土壤水吸力 (cm, H_2O)											
10	144.0	216.0	235.0	289.3	358.0	170.8	376.4	499.7	280.5	383.1	438.1
20	133.1	—	—	—	312.5	—	—	—	252.5	326.4	370.3
40	122.6	156.0	170.4	159.9	203.2	199.2	230.6	322.5	157.0	209.9	235.4
60	98.1	99.4	96.7	96.7	97.4	97.4	96.7	100.2	93.8	94.3	94.3
80	74.1	78.0	75.4	74.1	74.1	76.0	75.4	74.8	74.4	72.9	72.9
100	52.4	52.3	54.3	54.3	53.6	53.6	52.3	53.1	52.0	50.5	51.1
120	30.8	30.1	32.0	32.0	32.0	32.0	32.0	31.5	30.4	31.5	32.2
土壤溶液电导率 (mS/cm)											
10	<1.5	<1.5	1.95	2.69	8.1	10.0	15.6	9.2	13.8	9.6	8.4
20	<1.5	<1.5	2.85	5.74	17.6	18.0	17.7	10.3	9.9	9.8	8.4
40	3.1	4.77	8.30	11.6	12.7	12.1	10.8	8.2	5.7	5.1	4.7
60	15.0	13.4	10.5	7.3	7.8	7.7	7.6	7.6	7.6	7.8	7.8
80	11.5	7.5	7.5	7.5	9.2	7.5	7.6	7.6	7.7	8.3	7.8
100	10.9	7.3	7.4	7.4	7.4	7.4	7.5	7.4	7.5	7.5	7.5
120	6.9	6.7	6.6	6.6	6.7	6.8	6.8	6.9	7.1	6.9	6.9

表8-15　　　　　　　中位夹黏轻壤土柱土壤水吸力和溶液电导率的动态

土层 (cm)	4月12日	4月17日	4月26日	5月2日	5月11日	5月14日	5月20日	5月29日	6月10日	6月22日	6月25日
土壤水吸力 (cmH_2O)											
10	120.6	221.5	341.8	367.3	448.3	197.6	462.3	569.4	376.1	553.7	596.9
20	100.8	181.0	271.0	285.4	359.5	205.9	344.6	413.7	—	434.7	448.4
40	104.9	179.6	249.0	240.5	315.1	305.2	330.2	372.9	304.3	390.3	410.0
60	87.2	158.6	229.3	244.4	294.8	292.9	300.7	337.6	286.5	355.6	370.0
80	48.3	138.2	209.0	223.4	262.0	271.2	278.4	314.0	269.4	330.8	344.7
90	274.6	160.5	184.0	183.4	161.8	215.8	235.1	251.5	243.7	266.4	285.4
110	40.1	42.7	41.4	41.4	41.4	41.4	41.4	42.7	42.2	41.3	42.0
120	33.1	31.6	30.3	30.3	30.3	31.6	30.3	30.5	30.5	30.9	32.0
土壤溶液电导率 (mS/cm)											
10	<1.5	<1.5	<1.5	<1.5	<1.5	<1.5	<1.5	<1.5	<1.5	<1.5	<1.5
20	<1.5	<1.5	<1.5	<1.5	<1.5	<1.5	<1.5	<1.5	<1.5	<1.5	<1.5
40	<1.5	<1.5	<1.5	<1.5	<1.5	<1.5	<1.5	<1.5	1.7	1.9	1.7
60	4.4	4.6	4.6	4.7	5.0	5.5	5.1	5.4	5.8	5.9	6.1
80	10.5	11.8	13.3	13.9	14.5	18.1	15.6	12.2	15.4	12.9	12.95
100	1.9	4.1	4.9	5.7	6.6	10.0	8.2	7.0	8.6	7.3	7.3
120	6.8	8.2	7.2	7.2	7.4	11.1	7.8	7.8	9.8	8.2	8.4

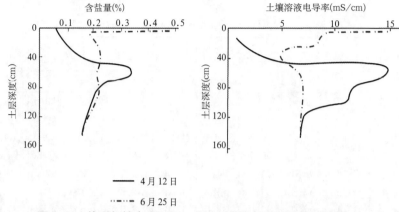

图8-20　均质轻壤土在1.5 m水位时蒸发前后的盐剖面特征

地下水上升过程中,土体内的盐分被溶解而随之向上转移,积累于毛管水上升所能达到的高度,如土柱高度在毛管水活动范围内,则土体盐分积聚于表层;如土柱高度高于毛管水活动层,则盐分在土表以下毛管水上升高度处积聚,而地下水盐分的积聚与毛管水分布状况相似,下层多,上层少。但在连续蒸发条件下,也可在表层积聚。

（三）雨季土壤水盐运动

黄淮海平原在季风气候的影响下,夏季降雨量占全年降水量的60%～70%。在盐渍土地区,夏季是一年中惟一的自然脱盐季节,谚语"七月八月地如筛",生动地描述了这种自然现象。降水集中,为盐渍土地区的季节性脱盐提供了必需的基本条件。但是土壤的自然脱盐过程能否顺利进行,深受各影响因素的制约。要将雨季里可以进行自然脱盐的条件变为现实,首先需要对雨季中土壤水盐运动的规律性和各种影响因素间的关系有一个正确的认识和分析。

雨季中土壤的自然脱盐过程是在土壤中水分下行的过程中产生和进行的。对土壤水分下行运动发生作用的,主要是雨水的实际渗量,集约经营条件下的灌溉或有排水条件下的人工冲洗盐土,实际入渗水量几乎与进入田块的灌溉或冲洗水量相等,但是雨季自然脱盐过程中,情况就复杂得多了。由于受到各种因素的影响,雨水实际入渗量可能接近于降水量,也可能相差甚大。影响雨水实际入渗的因素主要有降水量、降水强度、土地平整和地面覆盖状况、地下水位以及土壤的渗水性能等。所以,雨水实际入渗量能够很好地体现各影响因素综合作用的客观情况,确切地表达出雨水对土壤自然脱盐过程的真实影响。以下分别阐述降水和地下水位对雨水实际入渗量和雨季自然脱盐过程的影响。

在土地平整、覆盖状况和渗水性能较好,而降水因素尚难控制的情况下,地下水位是雨季中影响雨水实际入渗量和自然脱盐过程的一个重要因素。

在高地下水位情况下,淋盐水很快就补充到地下水而抬高地下水位,顶托着雨水入渗,使它不能向下移动将盐分带走。同时,由于地面水入渗困难而加大了流失(自然降水情况下)和蒸发。这说明了在地下水位高而又无排水条件的地方,尽管大雨滂沱,但土壤中盐分变化不大的原因。在地下水埋藏较深的情况下,地下水位以上的土体里有一个较大的空间,地下水位不至于很快上升造成顶托,使洗盐水能带着上部土壤的盐分顺利地向下移动。一般情况下，地下水位愈深，脱盐效果愈好，脱盐率可相差数倍或数十倍。

华北地区降雨集中，本是有利的洗盐时机，可是雨季一到，排水条件不好的低洼盐碱地区的地下水位迅速升高造成顶托，土壤脱盐很微弱。因此，在雨季到来前和雨季期间，把地下水位调控到较深的位置，就可大大提高雨季的土壤脱盐率。

关于雨季期间地下水水位和土壤自然脱盐过程之间的关系，统计了试验区以外的地下水位变动在 1 m 左右，试验区内抽水较差、地下水位变动在 2 m 左右，以及抽水较好、地下水位始终大于 2.5 m 的三种情况下的雨季自然脱盐率。有关数值如表 8-16 所示。

表8-16　　　　　　　　雨季期间地下水位和土壤脱盐率

地下水位	0~40 cm 土层脱盐率（%）	0~200 cm 土层脱盐率（%）
变动在 1 m 左右	5~25	< 5
变动在 2 m 左右	25~45	14~24
维持在 2.5 m 以下	35~65	30~40

从表 8-16 和图 8-21 可以看出，地下水埋深影响雨季土壤的脱盐率，特别是对 0~200 cm 土体的脱盐率关系显著。也就是说，地下水位愈深，其脱盐深度和脱盐率愈大。

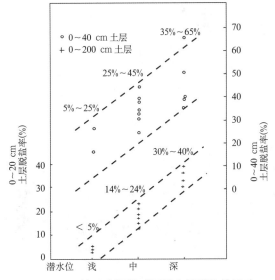

图8-21　地下水埋深对雨季土壤脱盐的影响

近年来，国际上对土壤水盐运动规律的研究，开始从土壤水盐运动的机理出发，根据土壤水流方程和溶质流方程对土壤的水盐状况进行数值模拟，这对进一步定量地预测土壤水盐动态具有重大意义。

二、黄淮海平原土壤盐分分布情况

为了在充分认识黄淮海平原盐渍土地区水盐运动规律的基础上进一步获取该区域土壤盐分的分布状况，中国农业大学石元春院士等曾在国家"九五"攻关项目中进行了有计划、有规模的考察研究。据白由路博士等在《资源科学》（1999.21.4）发表的论文资料，该项目通过GPS定位取样、Kriging插值和GIS处理等先进手段进行分析，认为黄淮海平原盐渍化土壤目前主要分布于沿渤海湾低平原、河北省的衡水和山东省南四湖地区，在上述三地及其周边地区，土壤盐渍化的治理与次生盐渍化的防治仍是近期农业管理所必须考虑的重要因素。

（一）样品采集及分析处理

1.样品采集

该研究采用GPS定位技术，以石元春院士等编纂的《黄淮海平原农业图集》(1985)为基础，对黄淮海平原进行定点取样，样点分布见图8-22。

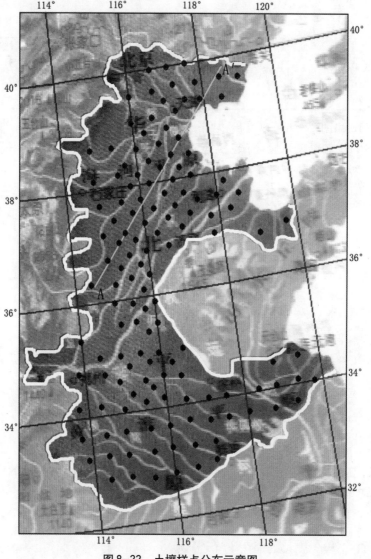

图8-22 土壤样点分布示意图

采样点以东经116°线为中心，以北纬40°为基准点，向东、西、南方向每隔50 km确定一采样点，考虑到在黄淮海平原的某些地区土壤盐渍化问题较为突出，所以在黑龙港地区和南四湖及环渤海湾低平原地区，采样点加密1倍，采样地均为农田。取样层次为0～

10 cm、10～20 cm、20～40 cm、40～100 cm 和 100～200 cm，共取样 139 个,采样时间为 1998 年 4 月至 1998 年 6 月底。

对所采集的土壤样品进行风干,过 1 mm 筛,然后以 5∶1 的水土比进行抽滤浸提,测定土壤盐分及其组成,全盐量以土壤中八大离子的重量总和计算,各离子的测定方法分别为:① K^+、Na^+——火焰光度计法;② Ca^{2+}、Mg^{2+}——原子吸收分光光度计法;③ Cl^-——莫尔法;④ CO_3^{2-}、HCO_3^-——双指示剂法;⑤ SO_4^{2-}——EDTA 容量法。

2.数据处理

主要采用Kriging插值法,对点数据进行空间内插,然后应用GIS进行有关图幅的处理和相关的资料统计。

(1)Kriging插值。Kriging插值是目前在统计学中应用最广泛的内插值法,它是利用已知点的数据去估计任意点（x_0）处的数值,其算法可表示为:

$$Z(x_0) = \sum_{i=1}^{n} \lambda_i Z(x_i)$$

式中: λ_i 为考虑了半方差图中表示空间的权重,所以 Z 值的估计应该是无偏的,因为 $\sum_{i=1}^{n} \lambda_i = 1$,估计偏差是最小的,并可以由下列方程求出:

$$\delta d = b^T \begin{vmatrix} \lambda \\ \mu \end{vmatrix}$$

式中: b 为被估计点与其他点之间的半方差矩阵; μ 为拉格朗日参数。在该研究中,插值密度设为 0.015 度。

(2)GIS平台。本研究主要利用 IDRISI 软件,所有图件均采用经／纬度坐标投影。

（二）结果分析

1.黄淮海平原盐渍化土壤的数量分布

根据《中国盐渍土》所提出的盐渍土盐分含量分类标准,黄淮海平原盐渍化土壤可分为 5 个等级（表8-17）。通过对黄淮海平原近 140 个样点的取样分析,在 GIS 支持下,经处理后,以 0～20 cm 土壤平均含盐量计算,在黄淮海平原,目前已有 25.1 万 km^2 面积的土壤属非盐化土,占总面积的80.76%,其他还存在不同程度的盐渍化现象,其中,属轻度盐渍化的有 5.3 万 km^2,占 17.0%;中度盐渍化的有 0.7 万 km^2,占 2.2%;强度盐化的土壤仅 112 km^2,占 0.04%。在黄淮海平原,土壤含盐量大于 0.6% 的土壤除极少部分盐荒地外,已种植为农田的土壤基本没有。

表8-17　　　　　　　　　黄淮海平原盐渍化土壤等级的划分

等　　级	土壤含盐量（%）
非盐化土壤	<0.1
轻度盐化土壤	0.1～0.2
中度盐化土壤	0.2～0.4
强度盐化土壤	0.4～0.6
盐　　土	>0.6

通过对黄淮海平原不同层次土壤含盐量的分析,在GIS支持下, 得到黄淮海平原不同层次土壤含盐量的面积与比例 (表8-18)。

表8-18　　　　　　　　　黄淮海平原不同层次土壤含盐量的面积与比例

含盐量（%）		<0.1	0.1~0.2	0.2~0.4	0.4~0.6	>0.6
0~10 cm	面积（km²）	257 399.1	44 272.9	9 067.95	21.91	—
	比例（%）	82.83	14.25	2.92	0.01	—
10~20 cm	面积（km²）	242 532.2	60 304.24	7 919.77	238.62	—
	比例（%）	77.97	19.40	2.55	0.08	—
20~40 cm	面积（km²）	235 069.5	64 277.92	10 999.79	431.09	2.19
	比例（%）	75.64	20.68	3.54	0.14	—
40~100 cm	面积（km²）	238 534.5	63 714.9	8 451.37	100.73	—
	比例（%）	76.75	20.50	2.72	0.03	—
100~200 cm	面积（km²）	237 179.2	59 732.18	12 697.72	922.29	—
	比例（%）	76.31	19.22	4.09	0.30	—

由表8-18可见,目前黄淮海平原0~200 cm土体通体含盐量小于0.1%的土壤面积占75%,0~10 cm的表层土壤含盐量低于0.1%的面积高于下层土壤,这说明表层土壤的脱盐效果较下层明显,并且有可能上部脱盐而下部土层盐分积累,并与近年来黄淮海平原土壤的农业利用和培肥有关,从不同土层土壤含盐量小于0.1%的土壤面积变化(见图8-23)可见,有近5%(约1.5万 km²)的土壤表层含盐量小于0.1%而其10 cm以下则高于该值,同时,还有2.3%(约7 000 km²)的土壤20 cm以下土壤含盐量大于0.1%。20 cm以下,土壤含盐量大于0.1%的土层面积相对稳定。总的来看,0~200 cm土体通体含盐量大于0.1%的土壤面积约占总面积的25%, 总计7.7万 km²,暗管改碱技术在这里有着极大的应用潜力。

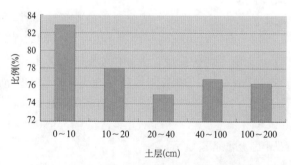

图8-23　不同土层土壤含盐量低于0.1％的土壤面积比例

2.土壤盐分的水平分布

应用Kriging方法,通过对近140个点的插值,可得到不同土层土壤含盐量的平面分布图,为了能清楚地显示黄淮海平原土壤的盐渍化状况,按土壤盐分含量再分类,得到不同土层土壤盐分状况分布图(图8-24)。由图可见,目前黄淮海平原盐渍化土壤主要集中在三个地区,即沿渤海湾的低平原地区、河北省衡水北部地区和山东省的南四湖地区。其他地区土壤基本上没有大面积的盐渍化现象,从不同土层不同土壤盐分含量的面积分布来看,土层越深,土壤含盐量大于0.1%的面积扩展越大,且盐分含量也越高。在盐渍土分布地区,土壤表层一般以轻度盐化为主,伴有少量的中度盐化,20 cm以下土层含盐量在 0.2%～0.4%的面积明显增加。以南四湖地区表现最为典型。所以,在盐化土壤与非盐化土壤的交界地区,一般下层土壤含盐量均较高,是次生盐化易于发生的地区。

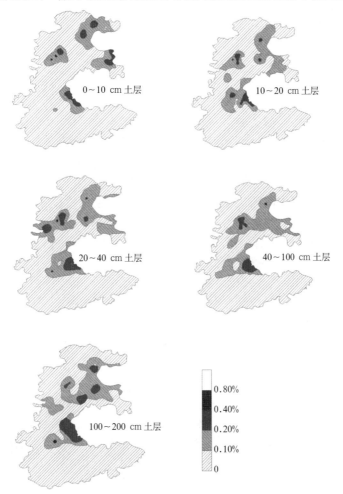

图8-24　黄淮海平原不同土层盐分状况

3.土壤盐分的垂直分布

从以上分析,对黄淮海平原土壤盐分的垂直分布已经有所了解,总的趋势是上部土壤含盐量低于下部土壤。从磁县至滦南的一条切面上(图8-25),在南宫附近至广宗方向,可以清楚地看到土壤下部含盐较多,沧州附近土壤含盐较高的地区也有这种趋势。

三、黄淮海平原盐碱地治理区划及对改碱工程的适应性分析

通过对黄淮海平原水盐运动和土壤盐分分布的研究,可以得出以下结论:黄淮海平原非盐渍土的面积占80.8%,轻度盐化土壤占17.0%,中度盐化占2.2%,重度盐化土壤的面积仅占0.04%。有7.2%的土壤表层虽无盐化现象,但其20 cm以下层次土壤含盐量超

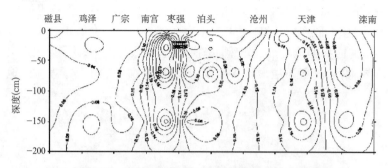

图 8-25　磁县至滦南切面土壤盐分含量分布图(%)

过0.1%,这是土壤次生盐渍化的易发地区。黄淮海平原盐渍化土壤目前主要分布于沿渤海湾低平原、河北省的衡水以北和山东南四湖地区,其他地区已无大面积盐渍土分布。以上三地及其周边地区均是推广实施暗管改碱工程的重点地区。

由于关于土壤盐碱化程度的区划均是根据耕层或耕层以下一定深度的土层脱盐状况划定的,而在许多现已测定土体脱盐的地区是依靠配套的灌排设施进行长期的淡水灌溉压碱完成的,对于这些地区及需要排涝的地区来说,又是实施由明沟排水改暗管排水工程,从而实现长期防止土壤返盐并扩大耕地面积的重要推广地区。

(一)黄淮海平原旱涝盐碱综合治理区划

从宏观地势看,黄淮海平原处于我国第三阶梯低地区,其范围西起太行山和伏牛山,北临滹沱河冲积扇和海河三角洲,南抵大别山和江淮山地边缘,向东穿过鲁中南山地,呈簸箕状分别倾向渤海和黄海。平原海拔较低,大部分地区在海拔 50 m 以下,向东逐渐降低到海拔 5 m 左右,自西向东自然坡度由山前的1/2 000逐级过渡到1/10 000。黄淮海平原的地貌系统格局,主要由冲积扇平原、泛滥平原、滨海三角洲平原和湖洼低地四大子系统构成。

黄淮海平原地处北纬32°40′~40°30′,东经113°20′~120°50′之间,南北跨度很大,北起燕山山麓,南至淮海,约895.8 km,由于南北纬度相差悬殊,使得气候条件存在较大差异。从年降水量的分布看 (图8-26),北部的张家口一带仅有 300 mm,而江苏盐城一带则超过1 000 mm。

而从该区域的蒸发量看 (图8-27),北部却高于南部,如北部的沧州、衡水和近代黄河三角洲地区的年蒸发量高于1 200 mm,而南部沿海年蒸发量仅有 900 mm 左右。总的来看是北部的蒸发量大于降水量,南部的降水量大于蒸发量,这就造成了黄淮海地区南北之间水盐运动方向的根本性差异,这一差异导致北方土壤盐渍化重于南方。

另从地下水位的埋深看,则东部高于西部 (图8-28),与西高东低的地形成反比。一般来说,东部土壤的盐碱化程度也高于西部。

综合考虑黄淮海平原的地质剖面、土地类型、土壤质地、土壤盐分、地表水系、土地适宜性与利用现状等因素,黄淮海平原旱涝盐碱治理区划如图8-29所示。

以上区划将黄淮海平原旱涝盐碱地综合治理划分为9个大区,分别为:Ⅰ太行山与燕山山前平原区;Ⅱ海河衡水平原区;Ⅲ徒骇河—马颊河—卫河平原区;Ⅳ豫北黄河平原区;Ⅴ南四湖西平原区;Ⅵ淮北平原(花碱土)区;Ⅶ淮北低洼平原(砂姜黑土)区;Ⅷ渤海滨海平原区;Ⅸ黄海滨海平原区。

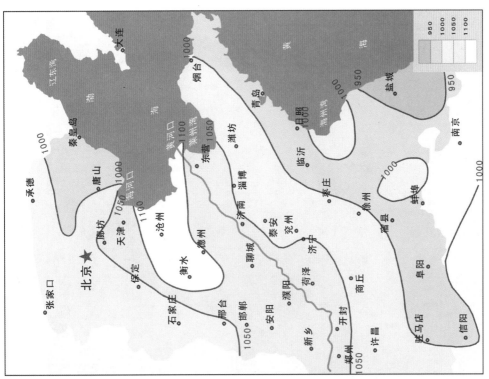

图 8-27　黄淮海平原年蒸发量分布

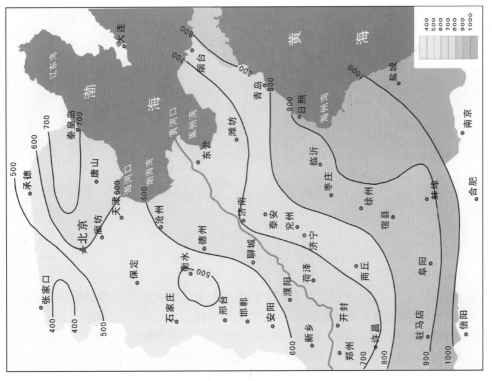

图 8-26　黄淮海平原年降水量分布

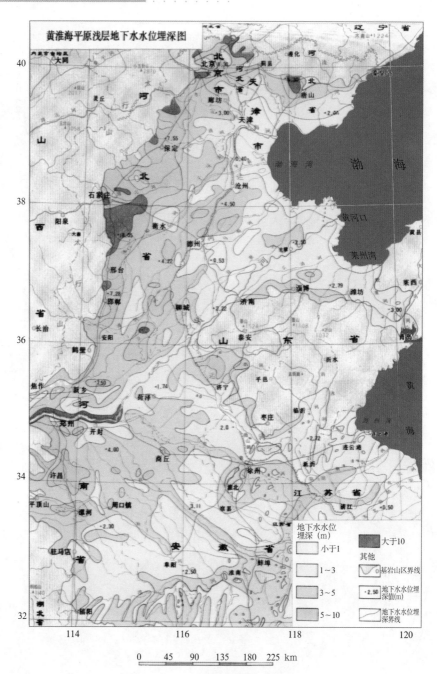

图8-28 黄淮海平原地下水埋深

以上9个大区中又包含59个亚区。根据上节分析,急需进行土壤盐渍化治理的有3个大区,分别是渤海滨海平原区、海河衡水平原区、南四湖西平原区,其中又以包括近代黄河三角洲在内的渤海滨海平原区土壤盐渍化程度最重,实践证明,这一地区是实施暗管排水改良盐碱地工程最易获得显著成效的地区,因此该区属于应优先予以治理的地区。

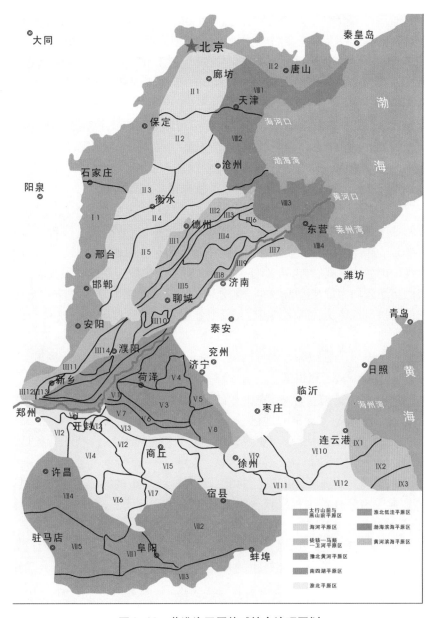

图8-29 黄淮海平原盐碱综合治理区划

（二）黄淮海平原土壤盐渍化演变趋势

从整个黄淮海平原土壤盐分的水平分布来看,土壤盐分已明显集中分布在沿渤海湾低平原、衡水以北及南四湖地区;从垂直分布来看,土壤中的盐分一般呈上低下高的分布趋势。综观黄淮海平原土壤盐渍化的历史,这种空间分布象征着土壤的脱盐过程仍在进行之中,土壤盐分正从土壤的表层向深层移动,致使土壤表层含盐量明显低于下层土壤,由此可见,黄淮海平原的盐渍土区土壤盐渍化的程度正在减轻,土壤的脱盐过程总体上大于积盐过程,在较大的范围内,土壤通体盐分已下降至0.1%以下,这些地区已经脱离了土壤盐渍化的困扰,如广大的豫东南黄泛平原、皖北地区和苏北平原的大部分地区。

黄淮海平原的实地调查也证实了这种看法。但是,在盐化土壤的周边地区,土壤下层的盐分是潜在盐渍化的重要因素,这部分土壤的水盐管理会直接影响到土壤的次生盐渍化,且一旦管理不善,次生盐渍化的速度是非常快的,通过1997年对黑龙港中部的实地调查,1996年的丰水年就造成许多地方农田出现盐斑。所以,黄淮海平原部分地区的土壤水盐生态系统还是十分脆弱的,土壤盐渍化与次生盐渍化的防治还是近期农业管理所必须考虑的重要因素。因此,在黄淮海平原地区推广应用暗管改碱工程有着非常广阔的前景,但是怎样根据各大区和亚区的实际情况制定改碱工程的规划与方案,还应建立专项课题进行更具体、翔实的调查研究。

(三)暗管改碱工程在山东省盐渍土地区优先推广的可行性

山东省地处黄河下游,黄海、渤海之滨(图8-30),属于在海水浸润下发生盐渍化现象较重的地区。但鲁中部分为泰山、沂蒙山山地丘陵,地势高峻,基本不受盐渍化影响;山东半岛虽然伸于黄海、渤海之中,但由于多为丘陵山地,除周边少量狭窄的山前滨海平原受一定盐渍化威胁外,大部分半岛地区对盐渍化危害问题无须忧虑。而鲁北、鲁西以及鲁西南地区均为黄淮海平原的一部分,属于黄河冲泛平原,地势较低,土壤为沙性,毛细作用强烈,易受盐渍化危害,是必须重视推广暗管改碱工程技术、予以根本治理的区域。

从黄淮海平原旱涝盐碱综合治理区划(图8-31)看,山东盐碱化区域分属黄淮海的三个大区:Ⅷ区、Ⅴ区和Ⅲ区。

(1)Ⅷ区——渤海滨海平原区。在山东的部分基本属于本省早期规划的黄河三角洲经济区,是受盐渍化危害最重的地区。该区总面积约15 126 km²,以下又分属两个亚区:①Ⅷ₃——近代黄河三角洲亚区。包括东营市的河口区、利津县和垦利县的黄河以北区域,滨州市的无棣、沾化两县区域。②Ⅷ₄——支脉河下游滨海平原亚区。包括东营市的东营区、垦利县和广饶县的北部地区,潍坊市的寒亭区、寿光县区域。这两个亚区是推广暗管改碱工程已获得重大成功的实验示范区,也是今后推广该工程的重点地区。

(2)Ⅴ区——南四湖西平原区。包括菏泽市全境及济宁市大运河以西地区。是黄淮海盐碱综合治理区中土壤盐渍化较重的地区。总面积约15 738 km²,分属6个亚区:①Ⅴ₁——鲁西沿黄河决口扇形地和浸润洼地亚区。位置在东明、鄄城、梁山的靠黄河区域,由于受黄河水侵蚀,地下水位高,土壤易返碱。②Ⅴ₂——万福河北缓坡地亚区。包括郓城、梁山两县的部分地区。属于东平湖低洼地区,是易受盐渍化侵害的地区。③Ⅴ₃——万福河南缓坡地亚区。包括定陶、成武、单县、金乡等县的部分区域,属于河间洼地,是易受盐碱侵害地区。④Ⅴ₄——湖西咸水低平地亚区。包括巨野和郓城的部分地区,属于南四湖至东平湖之间的三角低洼地,易受盐渍化侵害。⑤Ⅴ₅——南四湖滨湖洼地亚区。地处南阳湖、独山湖以西的鱼台县域等濒湖地区,由于长期受湖水浸润,土壤盐碱化较为普遍。⑥Ⅴ₆——古黄河背河洼地亚区。是古代黄河南决夺泗入淮的古河道地区,系河道左岸的背河洼地,土壤多为黄河泥沙,通透性强,加之古河道区地下水丰富,水盐易升至地表,导致土壤盐渍化。

(3)Ⅲ区——徒骇河—马颊河平原区。属于黄淮海盐碱地治理区划中的徒骇河—马颊

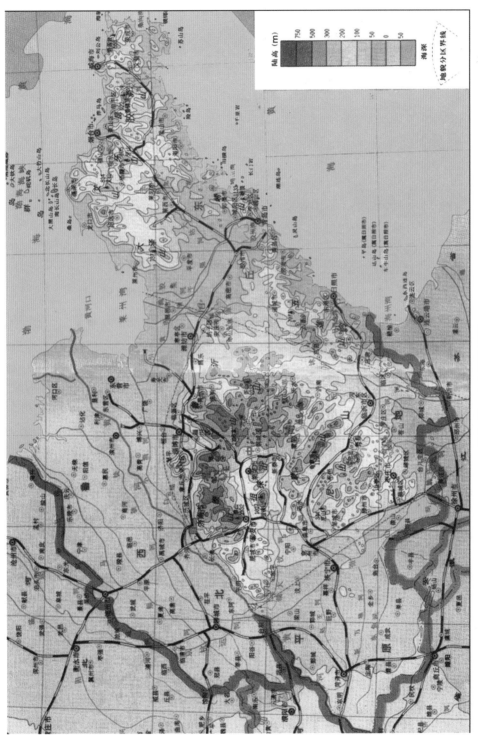

图 8-30　山东省地形图

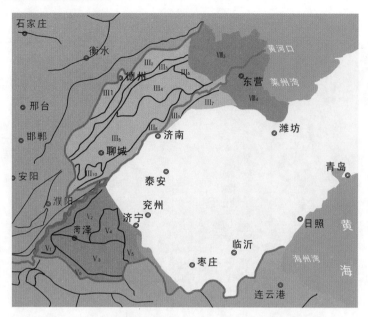

图 8-31　山东省属于黄淮海平原区域的盐碱地治理区划

河—卫河平原区，因卫河平原区属河南省，故该区的山东部分称徒骇河—马颊河平原区，属于马颊河、徒骇河等河流与黄河并行西北入渤海的冲泛区。地域范围包括德州市、聊城市全部，济南市的黄河以北地区，滨州市的惠民、阳信、滨城以及黄河南的小部分地区。该区总面积约23 124 km²，分属10个亚区：①III₁——卫运河右岸背河洼地亚区；②III₂——马颊河左岸古黄河河滩高地亚区；③III₃——马颊河岸背河洼地亚区；④III₄——德惠新河两岸低平地亚区；⑤III₅——徒骇河—马颊河缓坡地亚区；⑥III₆——徒骇河下游咸水低平地亚区；⑦III₇——支脉河上游咸水低平地亚区；⑧III₈——鲁北沿黄河决口扇形地和浸润洼地亚区；⑨III₉——小清河北沿黄河决口扇形地和浸润地亚区；⑩III₁₀——金堤河左岸古黄河河滩高地亚区。

由于徒骇河—马颊河平原区属于河道密集区，区内有马颊河、徒骇河、德惠新河、支脉河、小清河等，这些河道大多与古黄河有袭夺关系，河道的密集造成地下径流丰富，故盐分易随地下水蒸腾到达地表，造成土地盐渍化。该区内的禹城县20世纪80年代就实施过暗管改碱工程，排碱效果良好，但由于多系人工操作，工程效率低，后放弃实施。从整个徒骇河—马颊河平原区的自然条件看，虽然地处内陆但排水条件良好，是实施暗管改碱工程易取得显著成效的地区，因此也应成为改碱工程技术的重点推广地区。

总之，山东省内属于黄淮海平原的三个大区均系土壤盐渍化程度较重且实施暗管改碱工程条件优越和预期效益显著的地区。由于土地基础条件差，综合生产能力薄弱，以上三区长期处于全省的经济后进地区。目前山东作为一个经济实力日益增强的大省，正处于一个工农业及外向型经济蓬勃发展的时期，在"十一五"时期安排一定财力有重点地实施改善农业综合生产能力的规模化工程，改变鲁北和鲁西南地区的农业生产条件，促进广大农民由温饱向小康迈进，有效提高农业现代化水平，推进"三农"工作再上一个新台阶，从而大幅度提升全省经济发展的速度和质量是十分必要和可行的。

附录　黄河三角洲盐碱地改良优先项目计划

编者按: 本附录中的盐碱地改良项目是从近几年东营市各有关部门和企业向市政府或主管部门提报的农业项目中筛选出来的。有的项目本身就是暗管改碱技术的应用项目,如丰盛农场二万亩中低产田改造项目、广南五万亩土地开发项目等;有的项目虽然是以种植业、林业与草业开发为主要目标的项目,但由于其项目承载体均为盐碱地或中低产田,如配套实施暗管改碱工程将会有效增强项目区的基础生产力,从而大幅度提高其经济效益和生态效益;有的项目系东营市有关科研机构提报的关于盐碱地改良技术科技攻关项目,或与支持暗管改碱工程密切相关的水利研究项目。上述项目皆可在国家与省、市相关部门支持下,与市场运作及效益性开发相结合,在已有系统改碱成熟技术的基础上,建设成为高质量的以提高农业综合生产能力为总目标的现代工程项目。

一、黄河三角洲百万亩盐碱地改良项目

项目提报单位:东营市农业局

(一)项目提出背景

几年来,渤海污染日益严重,生态环境急剧恶化,严重影响和制约着环渤海地区经济和社会的可持续发展,威胁着群众的身体健康。为从根本上解决这一问题,1998年12月8日,国家环保总局宣布全面启动渤海碧海行动计划。国务院将渤海环境保护纳入了全国环保工作重点"33211"工程,国家环保总局提出了"以渤海为突破口,实施渤海碧海行动计划,全面推动海洋环境保护工作"。

黄河三角洲地区土地资源丰富,有大量的盐碱地亟待改良,为积极响应国家碧海行动计划要求,抓住我市"发展黄河三角洲高效生态经济"和"建设国际绿色产业示范区"的机遇,进一步提高我市土地资源的利用率,改善黄河三角洲的生态环境,有必要根据项目区的实际情况,有计划地应用暗管改碱工程技术改良黄河三角洲百万亩盐碱地。

该工程的实施,将发挥项目区的开发优势和开发潜力,逐步解决影响项目区发展的主要制约因素,产生较好的经济、生态效益和社会效益,项目建设是非常必要的。

(二)项目区基本情况

1.区域范围

项目区分3大片,第一片位于垦利县永安镇境内,面积2.8万hm^2(42万亩),南至溢洪河,东至济南军区生产基地,西北至镇界(6号地块);第二片也位于垦利县永安镇境内，面积1.07万hm²(16万亩)，北至小岛河，南至县界，东至防潮坝 (7号地块)；第三片位于垦利县黄河入海口，面积2.8万hm²(42万亩)，南至黄河，北至黄河北大堤，东至海岸线，西至济南军区生产基地。

2.社会经济状况

垦利县辖7个乡镇，2个办事处，332个行政村，总人口21.17万人，其中农业人口16.67万人，土地总面积2 203 km²。2001年，全县国内生产总值213 245万元，工业总产值425 669万元，农业总产值87 191万元。全年地方财政收入11 788万元，年度总财力18 167万元，粮食总产量140 996 t，农民人均收入2 890元。

3.自然气候

垦利县属暖温带季风型大陆性气候，年均日照总时数2 541.4小时，年平均气温13.6℃，年平均降水量504.1 mm。

4.资源情况

(1)土地资源。垦利县土地总面积22.04万hm²，其中耕地4.09万hm²，林地1.23万hm²，园地0.06万hm²，居民点及工矿占地1.1万hm²，草地1.43万hm²，未利用土地5.61万hm²，水域8.23万hm²，交通用地0.3万hm²。

(2)水资源。垦利县惟一的客水资源为黄河水，沿黄建有9处引提水设施，设计能力为329 m³/s，水库及坑塘蓄水量为1.5亿m³。

(3)劳动力资源。垦利县农业人口16.67万人，农村劳动力4.39万人，其中男整劳动力2.48万人，女整劳动力1.91万人。

5.基础设施

(1)水利设施。灌溉骨干工程有曹店干渠，胜利干渠，垦利镇一、二分干，双河干渠，十八户干渠，五七干渠，路东干渠等；骨干排涝工程有五干排，五、六干合排，老广蒲沟，清户沟，六干排，广利河，溢洪河，永丰河，小岛河等。

(2)交通设施。垦利县公路通车里程1 032.8 km，93%的村庄实现了通柏油路，有博新路、青垦路、永莘路、辛河路四条主干路贯穿东西南北。

(3)电力设施。2001年全年垦利县农村用电量2 385.4万kWh，以110 kV变电站为中心，实现了村村通电。

从以上分析可以看出，项目区具有良好的开发优势和开发潜力，影响项目区发展的主要制约因素包括：项目区成陆年幼，潜水位高，矿化度大，盐分易升至地表，加之黄河水侧渗和长期以来违背自然规律的农事活动，使土地盐化，改良难度大；黄河水资源丰枯有别，年内分配也不均，并常有断流发生，加之引黄工程不配套，蓄水工程少，调节能力差，农田水利工程严重缺乏，对农业生产影响较大；长期以来形成的广种薄收和跟着黄河跑，毁林、毁草开荒种地的习惯比较严重，以及项目区农业经济和文化技术水平落后等。

(三) 指导思想和建设目标

1.指导思想

以水利建设为龙头，以改善农业基本生产条件、增加农民收入为目标，通过工程措施、生物措施，提高项目区灌溉保证率，降低地下水位，增强抵御自然灾害的能力，大力发展节水灌溉，调整优化种植业结构，促进项目区经济和社会各项事业的发展。

2.建设目标

用3～5年的时间，本着先易后难的原则，开发治理盐碱地6.67万hm²。

项目完成后，新增农产品生产能力：优质牧草75 000万kg，水产品1 800万kg，速生林木138万m³；新增产值75 900万元，利润26 560万元；项目区农业总产值由87 191万元增加到163 091万元，农民人均纯收入增加1 590元以上。

（四）建设内容

(1)土地平整，动用土方2 000万m³；

(2)沟渠开挖，动用土方12 000万m³；

(3)建筑物配套，12 000座；

(4)渠道衬砌，990 km；

(5)扬水站及强排站，150 m³/s；

(6)农业措施；

(7)林业建设。

（五）投资估算及资金筹措

1.投资估算

(1)土地平整，投资3 600万元；

(2)沟渠开挖，投资24 000万元；

(3)建筑物配套，投资18 000万元；

(4)渠道衬砌，投资17 850万元；

(5)扬水站及强排站，投资1 820万元；

(6)农业措施，投资4 090万元；

(7)林业建设，投资3 000万元。

以上投资共计72 360万元。

2.资金筹措

百万亩盐碱地改良工程共需投资72 360万元，其中申请国家扶持21 710万元，省、市、县配套26 050万元，群众自筹及劳务折资24 600万元。

（六）效益分析

1.经济效益

项目建成后，发展优质牧草3.33万hm²(50万亩)，水产养殖1.33万hm²(20万亩)，速生林2万hm²(30万亩)。年可新增生产能力：优质牧草75 000万kg，水产品1 800万kg，速生林木1 380万m³；年可新增产值75 900万元，利税30 360万元，利润26 560万元，投资回收期2.7年。

2.生态效益

通过项目的实施，6.67万hm²盐碱地将得到改良，增加绿色植被5.3万多公顷，项目区林木覆盖率将增加10个百分点以上，田间小气候将会大大改善。

3.社会效益

通过项目的实施，项目区农业总产值将增加75 900万元，农民人均纯收入将增加

1 890 元,增加财政税收 3 800 万元,实现农民增收、财政增收的目的。

4.项目综合评价

从暗管改碱技术在东营市实施的实践来看,此项技术是根治土壤盐碱危害的一项重要的措施,为黄河三角洲甚至黄淮海平原地区大面积改碱带来希望,值得推广。选择垦利地区土地推广暗管改碱技术改造盐碱地和中低产田,可从根本上解决土地盐碱危害,提高土地的产出率和承载能力,具有显著的经济、社会效益和生态效益。该项目的实施对探索和推广先进改碱技术,搭建起实施先进技术改良荒碱地的技术平台,改良东营地区的盐碱地,促进农牧业及相关产业的发展,乃至发挥资源优势,推动黄河三角洲率先实现农业现代化,起到积极的示范和推动作用。

二、二十万亩纸浆生产基地项目

项目提报单位:东营市林业局

东营黄河三角洲工程咨询有限责任公司

(一)项目提出背景

我国造纸工业发展较快,目前纸和纸板的产量已跃居世界第 3 位,消费量居世界第 2 位。但木浆生产发展缓慢,木浆造纸仅占造纸原料的 13% 左右,其中国产木浆占 4.7%,进口木浆占 8.3%,远远低于世界 90% 的平均水平。我国每年不得不花费大量外汇进口木浆、纸板和纸制品,据统计,1998 年共计进口 1 034.34 万 t,用汇约 47 亿美元,进出口逆差约 37 亿美元,进口用汇额已超过了石油、化工行业,位居机械、塑料、钢铁行业之后列第 4 位。而我国大量采用的草浆生产规模普遍较小,平均规模仅为 5 400 t,技术装备落后,治理污染能力不足,造成我国造纸工业经济效益低、竞争能力差、环境污染严重的被动局面。据国家环保单位统计:1998 年全国工业废水为 200.5 亿 t,其中造纸废水排放量为 31.5 亿 t,占全国工业废水总排放量的 16%。废水中化学耗氧量 800 万 t。其中造纸废水含量 369 万 t,占 46%。1998 年上半年,国家轻工业局对 421 家制浆造纸企业进行抽样调查,结果表明,47% 的厂家亏损,比 1997年同期增加了 10%,销售收入下降了 10%,同期利税总额下降了 38%。造成我国造纸工业形势如此严峻的根本原因是原料结构不合理、环境污染严重。特别是随着天然林保护工程的实施,国家林业局明确提出要大幅度调减现有天然林采伐量,致使木材供需更趋紧张,严重地制约了木浆造纸工业的发展。

位于东营市广饶县的华泰集团有限责任公司是一个集造纸、印刷、化工、热电、机械制造于一体的国家大一型企业,是全国 520 户重点企业集团,山东省 136 户重点企业集团,全国造纸行业 10 佳经济效益企业。公司现有员工 4 500 人,固定资产 10 亿元,年生产机制纸 12 万 t,产品畅销全国并远销东南亚等国家和地区,年销售收入 7 亿元,利税 1.87 亿元,利税总额连续多年名列全国同行业第 2 位,但是,作为该集团公司的龙头企业,造纸厂主要以草浆、进口纸板和废纸作为造纸原料,虽然解决了碱回收和水污染等诸多难题,但仍然适应不了当今环境与发展的主流,同时,也受到国际浆纸市场的严重制约。

　　黄河三角洲地区土地资源丰富，有大量的盐碱地亟待改良，为促进"发展黄河三角洲高效生态经济"和"建设国际绿色产业示范区"，进一步提高东营市土地资源的利用率，满足快速增长的国民经济需要和社会的可持续发展以及人民生产和生活对木材的需求，有必要在黄河三角洲的北部地区利用暗管改碱技术切实有效地改良土壤，立足于本地实际，建设速生丰产原料林基地，用人工用材林缓解木材供需矛盾，促进木浆造纸工业发展，使天然林保护工程得以顺利实施，同时也可治理黄河、改善黄河下游区域生态环境。

（二）目标

　　按照速生丰产原料林基地建设的要求，结合东营市河口区的实际情况和发展前景，基地建设规模确定为1.334万hm²(合20万亩)，其中超短周期原料林基地和短周期原料林基地均为0.667万hm²(合10万亩)。

　　参照国家颁布的有关速生丰产林专业标准和技术规程，并根据大量的超短周期杨树小试、中间试验以及示范推广的栽培经验，结合集约经营措施和保障体系的建立，经综合分析研究确定出主要杨树品种的生长量培育目标，见表1。

表1　　　　　　　　　　　主要杨树品种生产量培育目标

序号	树种	轮伐期（年）	经营周期（年）	单位	每公顷年平均生长量
1	欧美杨无性系	3	6	m³	67.5
2	三倍体毛白杨	6	6	m³	45.0
3	中林46号杨	3	6	m³	52.5
4	银新杨	1～3	6	t	25.06
5	108杨	3	6	m³	45.0

　　根据大量的科研成果和多年的经验总结，按照林分生长规律，木本饲料和造纸工艺特性要求的原则确定，即超短周期杨树的轮伐期为2～3年，经营2～3次后更新，则经营周期为6年；短周期的轮伐期为6年。

（三）建设内容

　　根据市场需求预测和林木的生物学特性，考虑到当地具体条件和林业科技的发展水平，为促进木浆造纸工业的发展、改善区域生态环境、实现林业纸业可持续发展，该基地定向培育超短周期（3年）和短周期（6年）的浆纸林或工业原料林，其主要造林模式如下。

　　1.超短周期浆纸原料林

　　主要在集中连片的宜林地和路渠旁营造片状林，其模式采用高、中密度造林。其中高密度造林为30 000株/hm²(合2 000株/亩)以上，中密度造林为5 000株/hm²(合333株/亩)，主要培育浆纸材。

　　2.短周期工业原料林

　　主要以田间地埂为骨架营造网式林，其模式采用低密度造林。造林密度为390～780株/hm²(合26～52株/亩)，主要培育工业用材。

　　项目建成后，基于选定的上述超短周期和短周期原料林主要造林树种，并采用先进的造林技术和集约化管理,木材年均生长量可达 $45\sim60$ m^3/hm^2（合 $3\sim4$ $m^3/$ 亩）;条材年均生长量可达 $22.5\sim24.0$ t/hm^2（合 $1.5\sim1.6$ $t/$ 亩）。为此,结合轮伐期、年均生长量及出材率等因素,经测算,6 670 hm^2（合 10 万亩）的超短周期杨树原料林基地在建成并稳产后,平均每年可产材 30.8 万 m^3;另 6 670 hm^2（合 10 万亩）的短周期原料林基地在建成并稳产后,平均每年可产材 10.8 万 m^3。故在东营市广饶县建立 1.334 万 hm^2（合 20 万亩）的速生丰产原料林基地,合计每年可产材 41.6 万 m^3,以上木材可支持 8.0 万 t 木浆造纸生产能力的原料需求。

（四）投资概算

经估算,本项目工程总投资 25 500.3 万元,包括固定资产投资 25 050.3 万元、铺底流动资金 450 万元。其中基地建设投资包括营林工程费用 12 426.7 万元,占 49.6%;水利工程费用 7 593.1 万元,占 30.3%;电力工程费用 290 万元,占 1.2%;路渠整修及护林房费用 150 万元,占 0.6%;其他费用 4 590.5 万元(含建设期利息),占 18.3%。

（五）效益分析

1.经济效益尚佳

基地建成之后,年均产值可达 9 904.0 万元,可获利润为 2 668.0 万元,上缴税费 1 020.0 万元,财务内部收益率为 13.0%,从建设的第 1 年起,经过 9.6 年即可收回全部投资,经过 9.1 年可偿还贷款。经济效益尚佳,项目是可行的。

2.生态效益突出

该工程的建设,使当地的森林覆盖率进一步增长,森林质量进一步提高,生态环境逐步改善,防止水土流失、防灾减灾能力不断增强,并将筑起一道天然屏障,有效地保护了母亲河,大大地促进了当地农业的丰产丰收,其生态效益突出。

3.社会效益显著

该工程的建设,充分发挥和体现了科技创新和科教兴林战略的重要作用,将缓解木材原料供需矛盾,促进当地农牧业大力发展,并增加地方财税收入,提供大量就业机会,增加农民收入,加快群众致富步伐,促进了社会安定团结,其社会效益显著。

总之,超短周期速生丰产基地的建设,是一项功在当代、利在千秋,集科研、生产、经营为一体,融生态、社会、经济效益于一身的高新技术项目,建设是必要的,也是可行的。

三、黄河三角洲草场封育改良工程项目

项目提报单位:东营市畜牧局

东营黄河三角洲工程咨询有限责任公司

（一）项目提出背景

黄河三角洲是中国的三大河口三角洲之一,土地资源丰富,有天然草场 15.2 万 hm^2,可利用面积 13.5 万 hm^2,其连片面积之大,单位面积产草量之高,在山东省内居于首位,在全国也名列前茅。黄河每年填海造陆 2 万多公顷,黄河三角洲开发建设的潜力巨大，为天然草场提供了重要的后备资源。

牧草产业在一些发达国家早已成为高度集约化的高效益产业,随着东营市绿色畜产品基地建设的发展,牧草产业也有了相应的发展。但是,牧草作物受气候、土壤等因素影响较大,必须分区域、有计划地建设牧草基地,发展牧草种植和加工业,这是调整、优化种植结构,培植黄河三角洲地区产业,加快经济繁荣、增加农民收入,实现可持续发展的重要战略措施。目前,东营市奶牛、肉羊、肉兔产业已初具规模,逐步形成产、加、销一体化的产业模式。肉牛、肉羊基地建设已迈出了新步伐,随着对饲草、饲料的需求量越来越大,草地资源的开发利用也越来越受到重视。人们对人工种植优质牧草、高产饲料作物的需求越来越迫切,商品草业将随之得到迅速发展。

黄河三角洲地处东部沿海,气候温和,四季分明,黄河新淤地土质肥沃,适宜多种牧草的生长,其中国家二类保护植物野大豆生长良好,为建立牧草基地,发展牧草种植、加工业奠定了基础。与粮食作物相比,牧草的适应性强,栽培管理简单,种植一年可多年获益,而且种植成本低,单位载畜量可提高2~6倍,种植效益显著,发展前景广阔。但由于黄河三角洲部分地区土壤盐渍化较为严重,利用暗管改碱技术切实有效地改良土壤,立足于黄河三角洲实际,通过建设草场封育工程项目,大力发展优质牧草种植和加工业,是开发当地资源,保护环境,促进牧业增效、农民增收,实现可持续发展的重要战略措施。

(二) 目标

本项目将以封育与人工营造相结合,工程措施与生物措施相结合,突出黄河三角洲特色,最终建成1处牧草高科技研究中心、5个万亩苜蓿示范样板园以及1处年加工能力10万t的现代化苜蓿加工厂。采用"公司+基地+农户"的方式组织生产,形成牧草良种培育、生产和加工一条龙的经营模式。

(三) 建设内容

1.实施暗管改碱工程

在项目区的部分盐碱化地区通过实施暗管改碱工程,达到土壤脱盐的目的。同时配套建设水利设施,既应用于洗碱,又应用于草场的灌溉。整个项目从盐碱地改良到牧草种植,形成对项目区的综合开发治理。

2.引进苜蓿良种

通过近几年对苜蓿品种的引种对比试验、示范和推广,筛选出中苜1号耐盐苜蓿、WL323、皇后、保定、RS、德国苜蓿等高产品种,这些品种适合东营市的土壤、气候等条件,表现出良好的生产性能和适应性。其中中苜1号、保定、RS苜蓿来源于中国农科院畜牧所,WL323、皇后苜蓿来源于美国,德国苜蓿来源于德国。

3.种植、加工管理

本项目将建立苜蓿的收割、翻晒、打捆机械服务和苜蓿干草产品的收购、销售网络,搞好产前、产中、产后服务,实现沟、渠、路、排、灌设施等的配套,辐射带动周边地区苜蓿产业的发展,形成稳定的苜蓿供应源。

4.项目建设

建设牧草高科技研究中心1处。以中国农科院畜牧所、中国草原学会和内蒙古农业大学等单位作为该项目的科技支撑单位，以现有的东营市畜牧科技推广中心为依托，建立黄河三角洲牧草高科技研究中心，为黄河三角洲草业经济的可持续发展提供强有力的科技支撑。该中心将以中国农科院、中国草原学会和有关大专院校为科技后盾，致力于黄河三角洲农业产业结构调整、农村经济发展和生态环境建设，负责牧草良种选育技术、科学种植技术、加工利用技术项目的开发研究，并为全市牧草产业、畜牧业、生态环境保护和草产品开发提供技术指导和服务。该中心设计劳动定员8人。

建设5个万亩苜蓿示范样板园，种植面积共计4 333万 hm²。包括：广北万亩苜蓿样板园，主要建于广北农场二、三分场，种植面积1 000万 hm²，年产苜蓿干草1.5万t；东营区万亩苜蓿样板园，主要建于东营区牛庄镇和六户镇，种植面积667 hm²(1.0万亩)，年产苜蓿1.0万t；绿宝庄园万亩苜蓿样板园，主要建于利津县陈庄镇，种植面积667 hm²(1.0万亩)，年产苜蓿干草1.0万t；河口区万亩苜蓿样板园，主要建于河口区的太平乡和义和镇，种植面积667 hm²(1.0万亩)，年产苜蓿干草1.0万t；济南军区基地万亩苜蓿样板园，主要建于济南军区生产基地，种植面积1 333 hm²(2.0万亩)，年产苜蓿干草2.0万t。

建设现代化苜蓿加工厂1处。该厂设计加工能力为10万t，设计劳动定员117人。

（四）投资估算

本项目将进行黄河三角洲牧草基地建设，进行牧草生产与加工。项目总投资为6 628.80万元，包括固定资产投资6 128.80万元，流动资金投资500.00 万元。固定资产投资包括：5个万亩苜蓿样板园区的建设投资3 568.80万元，其中农田基本投资2 850万元，机械配套投资718.80万元；苜蓿加工厂龙头企业建设投资2 280万元，其中基本建设投资500万元，机械、水电配套投资1 780万元；牧草研究中心投资280万元，其中基本建设投资200万元，仪器设备及水电配套投资80万元。

（五）效益分析

1.经济效益显著

项目实施后，年实现产值15 510万元，年创利润（税前）1 728万元。同时本项目还有较高的盈利能力，固定资产投资财务净现值为4 489万元，固定资产投资财务内部收益率为24%，税前投资利润率为14.67%。投资本项目可产生很好的经济效益。

2.社会效益突出

本项目将以苜蓿加工厂为龙头，以苜蓿示范样板园为骨干，以牧草研究中心为技术支撑，以千家万户苜蓿种植为基地，形成产、加、销为一体的产业化经营模式，建成黄河三角洲地区以苜蓿生产为主的规模化、集约化、高效益的牧草产业，推动绿色产品基地建设，为振兴农村经济、增加农民收入、确保畜牧业可持续发展做出积极的贡献。

3.生态效益明显

本项目建设过程中强化无公害种植与管理，可大大降低牧草生产、加工过程对环境的危害，确保草产品达到绿色产业标准。苜蓿是多年生豆科牧草，根系发达，入土深度达6~10 m,侧根着生很多根瘤,可有效利用空气中的氮,对改良土壤、培肥地力有着非常特殊的意义。同时,本项目的建设可大大降低黄河三角洲北部盐渍化地区的土壤含盐量。因此,首蓿的大面积种植将对改善区域生态环境发挥重要的作用。

四、丰盛农场二万亩中低产田改造项目

项目提报单位：东营金川水土环境工程有限公司
　　　　　　　胜利油田金润农业发展有限责任公司

(一) 项目提出背景

黄河三角洲是国家八大农业开发区和五大商品粮基地之一。开发黄河三角洲是山东省委、省政府提出的两大跨世纪工程之一。盐碱、旱涝是制约黄河三角洲农业开发的最大障碍,也是造成这一地区农业低产低效、地表植被稀疏、土地荒芜、生态环境脆弱的根源。同时,黄河三角洲土地资源丰富,人口密度低,是山东省农业开发潜力最大的地区,仅东营市范围内的滨海荒碱地和中低产田就达33万多公顷。黄河三角洲的开发对山东省的农业发展既具有巨大的潜力和影响,又具有挑战性,同时也是解决"三农"问题,特别是增加山东省农业土地资源的首选区域。

黄河三角洲是黄河泥沙冲积填海造陆形成的滩海平原,近代成陆以来,经历了农民自流垦荒、解放区垦荒和新中国成立后国营农场垦荒几个阶段。1964年随着胜利油田的开发建立了一批农业基地。这些开发大都对脆弱的生态环境认识不足,盲目垦殖,引黄灌溉,大水漫灌,粗放经营,导致了垦殖后土地次生盐渍化严重,黄河水灌溉减少后又大面积撂荒,形成低产田。

改革开放以来,特别是东营市建市以来,在山东省委、省政府及有关部门的大力支持下,黄河三角洲农业开发取得了实质性的进展,上农下渔的台田式改碱取得成效。2000年在东营市和油田领导的支持下,东营金川水土环境公司引进荷兰暗管改碱技术及成套设备,经过4年的试验、消化、吸收、提高、完善,使这一国际性改碱新技术更加成熟,更加适用于黄河三角洲的盐碱地改良,到2004年底,已成功改造盐碱地3 200 hm²。改造过的土地土壤含盐量迅速下降,原来寸草不生的土地植被得到较快恢复,3年后可达到正常种植条件。暗管改碱与传统改碱方法比较,具有改碱效果既快又好、节约耕地和清淤费用、投入适中且一次性投入数十年受益等优势。2004年3月,山东省委政策研究室对此进行了专题调研,并将调研报告呈报省领导,4月23日,陈延明副省长在调研报告上作出批示,明确要求对此改碱技术进行示范推广。

东营市金润公司丰盛农场1 333 hm² (2万亩)土地是典型的次生盐渍化低产田和撂荒地。拟实施以暗管改碱为主、完善农田水利配套的盐碱地改良方式。该项目是落实陈延明副省长批示而选择的示范推广区,此项目的成功实施不仅对东营市的农业开发,而且对环渤海盐碱地改良和中低产田改造将起到重要的示范、带动和辐射作用。

（二）目标

通过对丰盛农场的 1 333 hm^2（2万亩）中低产田进行改造，使项目区做到旱能灌、涝能排，并通过暗管改碱，洗盐压碱，彻底改良土壤，实现田成方、路成网、树成行、水利灌排工程设施配套、旱涝保收的目标。

（三）建设内容

1.铺设 PVC 螺纹渗水暗管改良荒碱地

在土壤调查的基础上，以科学的方式测算、设计和确定暗管的铺设密度和深度，从而有效地隔断地下盐水上升和渗流地表水。将铺设改碱暗管 132 km，安装检查井 274个。

2.完善水利灌排设施

为减少投资，利用胜利油田孤河水库和5号水库作为主水源，连通项目区已有的4个农用水库，提高水库蓄水和渠道输水能力。由于项目区海拔低，排水自流能力差，原有排水系统淤塞，多数地块排水不畅。为提高脱盐率，项目区需封闭运行，增设强排泵站，确保海水不倒灌。原有的灌排系统和设施由于年久失修，大多已经丧失原有功能，需投资进行恢复、重建或改扩建。将整治、修建各级渠道 162 km，疏挖排水沟 151 km，修建各类建筑物 373 座。

3.土地深松、平整

为破除土壤的分层板结，通过灌水淋盐，加快土壤的脱盐速度，进行深松破结，深松深度 0.6~0.7 m，深松面积 800 hm^2；为提高土地平整度，节约灌溉用水，土地平整采用现代化激光整平机精平土地，精平面积 800 hm^2，平整土方量 40 万 m^3。

4.机耕路

设置斗级田间路 16 条，总长度 26 km，设计路面宽度考虑田间耕作采用大型机械化定为 8 m，土方填高 0.5 m，土方量 10 万 m^3；整修平行于农渠的生产路共 175 条，总长度 132 km，设计路面宽度 5 m，土方填高 0.4 m，土方量 26 万 m^3。

5.林业措施

结合项目区灌排渠沟和道路布置，在各级灌排渠道和道路两侧或一侧种植农田防护林，农田林带设计尽可能考虑与沟渠和道路的走向一致，并根据主害风设置林带间距，以有效保护项目区免遭风沙危害，调节和改善项目区周边的小气候和生态环境。本项目将植树 10 万株，其中三倍体毛白杨和黑杨各 5 万株，开挖土方 5 万 m^3。

（四）投资概算

经估算，本项目总投资 1 590 万元，其中工程投资 1 369 万元，农业、林业措施投资 221 万元。工程投资包括土方工程投资 288 万元，渠系建筑物工程投资 311 万元，暗管改碱工程投资 770 万元。

（五）效益分析

1.经济效益

实施本项目可使 1 333 hm^2（2万亩）撂荒土地复垦。项目建成后，盐碱地将得到治理，土壤肥力培厚，得到改良，作物逐步稳产高产。整个项目区全部种植棉花，项目建成后，棉花稳产在 3 000 kg/hm^2 左右，增加产量 2 250 kg/hm^2，新增棉花产量

180万kg。按照棉花5元/kg计算，每公顷每年实现收入15 000元，每年实现棉花总收入1 200万元。经测算，稳产期每公顷棉花净利润3 945元，每年可增加收入316万元。另外，由于项目区现有水库淡水资源得到保证，可以搞好水产养殖，每三年可增加水产养殖收入16万元。经计算，本项目的财务内部收益率为21%，大于财务基准收益率，并且在规定的基准收益率下，项目的财务净现值为1 458万元，投资回收期为5.2年。

2. 生态效益

通过本项目的实施，灌排渠系配套，1 333 hm²(2万亩)土地盐碱得到治理，沟、渠、路旁可种植农田防护林，防护林面积可达到200 hm²，森林覆盖率可达到20%。同时，现已裸露盐碱化土地覆盖上植被，有利于控制水土流失。本项目实施后，将减少盐渍化土地面积1 333 hm²(2万亩)，同时通过种植棉花、芦竹等作物，不断改变土壤的理化结构和河口城区的面貌，从而形成良好的区域生态系统。

3. 社会效益

(1)提高农业生产力，解决"三农"问题。通过实施本项目将解决农场的生存危机，提高农场的承载力，给广大农场职工、家属一个"饭碗"，从根本上解决农场的社会稳定问题，将对解决"三农"问题起到根本性的作用。这一模式，对于加快发展替代产业，解决东营资源型城市产业转型问题有重要的借鉴意义，不仅事关企业发展的大局，同样也关系着东营市和山东省稳定发展的长远利益。

(2)保持农场农业可持续发展，促进农场农业实现现代化。通过对农场1 333 hm²(2万亩)中低产田进行改造并达到目标，使农场的面貌焕然一新，对促进农业和农场现代化具有重要意义。

(3)生产力提高，安置效果显著。丰盛农场1 333 hm²(2万亩)撂荒中低产田改造完成后，新增良田1 333 hm²(2万亩)。按照当地农业社会生产力平均水平，人均耕地0.224 hm²，项目区可供养5 952人。另外，通过调整农业种植结构，实现农业产业化后，还能进一步吸纳社会富余劳动力。

(4)带动示范作用明显。黄河三角洲地区尤其是东营市土地资源丰富，而且大部分与该项目区土地类似。本项目区拟采用先进的暗管改碱技术改良盐碱地，实施以暗管改碱为主、完善农田水利配套的盐碱地改良方式。这是一项新技术，项目的成功实施必将探索出一条中低产田改造和宜农荒碱地开发的新路子，搭建起实施先进技术改良盐碱地的技术平台，不仅对东营市的农业开发，而且对环渤海盐碱地改良和中低产田改造起到重要的示范、带动和辐射作用。

五、广南五万亩土地开发项目

项目提报单位：胜利石油管理局集体资产管理处

（一）项目提出

项目区是广饶县于20世纪70年代中期划拨给胜利油田1.267 万hm²土地的一部

分，也是油田工农业用地中尚未完全开发的一块土地。项目区北起广利河，南至五干，东起广南水库，西至油田广利水库，此地统称为广南地区。多年来，由于未开发利用，次生盐渍化日益加重，已成为植被稀疏的盐碱荒滩。胜利油田在孤东十万亩土地开发中已积累了成功的经验，形成了一整套土地开发、种植技术和管理模式，有利于在项目区得到推广和应用，为油田有效保护土地、发展农业产业化，同时为安置分流职工提供载体。

（二）技术方案

项目区土地属于重盐碱地，传统的挖沟筑渠、大水漫灌改良措施难以达到标本兼治的目的。于是引进暗管改碱技术，结合东营市的水土环境实际，探索了一条适合该区域的暗管改碱系统工程技术，投资适中、改碱效果好、土地利用率高、维护方便，从孤东十万亩荒碱地开发的应用效果看，实施暗管改碱技术后的次年，多数地块即可种植一些抗盐作物，三年后基本达到种植一般作物的要求，效益显著。而且在其他地区利用此技术改造中低产田，当年即见成效，可满足棉花、大豆等多种作物种植要求。

（三）项目目标

计划用三年时间完成项目区的引水工程、蓄水工程、灌溉工程、排水工程、改碱工程的建设，并且使项目区的土壤含盐量降低到0.1%以下，在开发后的第四年即可全部达到种植条件，适合各种作物的生长。

（四）建设规模

项目区规划面积3 333 hm²(5万亩)，其中改碱面积2 333 hm²。

（五）投资估算

根据以往实施暗管改碱工程的经验，开发667 hm²盐碱地包括沟渠路、桥涵闸、土地精平、暗管铺设等综合费用1 500万元，故本项目总投资约7 500万元。这一投资，拟继续执行山东省国土资源厅鲁国土资发[2000]280号文件，油田打井占用耕地应缴纳的耕地开垦费可部分用于油田荒碱地的开发整理的政策，因此可以应用此资金开发该项目。

（六）效益分析

1.经济效益

开发后的第四年即可全部达到作物种植条件，以种植棉花为例，每公顷棉花产量3 375 kg，售价5元/kg，每公顷收益16 875元，扣去种植成本9 000元，每公顷净收益7 875元。按净面积2 333 hm²计算，年净收入达1 837.3万元。

2.生态效益

项目区位于东营市区的东南部，是当地的主要风口，项目区裸露的土地是春天沙尘飞扬的源头。项目实施后，沟渠路种植树木，农田种植农作物，形成绿色屏障，有利于当地生态环境的改善。

3.社会效益

项目实施后，盐碱荒滩变成了良田，土地的产出率和承载力将显著提高，可以成为油田改制分流、安置富余职工的载体之一。以此为基地，发展农业产业化，走上下游一体化的路子，将可以安置更多的富余职工。

4.项目综合评价

从暗管改碱技术在东营市实施的实践来看,此项技术是根治土壤盐碱危害的一项重要措施,为黄河三角洲大面积改碱带来希望,值得推广。胜利油田农业历来属于区域经济的一部分,已经纳入属地管理。选择广南地区土地推广暗管改碱技术改造盐碱地和低产田,可从根本上解决土地盐碱危害,提高土地的产出率和承载能力,具有显著的经济、社会效益和生态效益。该项目的实施对探索和推广先进改碱技术,搭建起实施先进技术改良荒碱地的技术平台,改良东营地区的盐碱地,促进农牧业及相关产业的发展,乃至发挥资源优势,推动黄河三角洲率先实现农业现代化,将起到积极的示范和推动作用。

六、黄河三角洲林业基地排碱改土实验工程

项目提报单位：东营市林业局

东营黄河三角洲工程咨询有限责任公司

（一）项目背景

黄河三角洲具有中国也是世界上独特的地貌类型,它具有优越的地理位置、丰富的自然资源、独具特色的生态环境,具有很大的开发潜力。黄河三角洲地区成陆新,大环境不稳定,生态环境脆弱,加之黄河上中游森林植被稀少,水资源浪费严重,造成下游径流量减少甚至断流,海潮侵袭,土壤易生盐渍化,森林覆盖率低,海潮蚀退等,严重制约了该区域社会经济的可持续发展。制约其可持续发展的因素固然众多,但生态脆弱、环境质量差乃是首要因素。

黄河三角洲林业生态建设已引起国家和山东省的高度重视,针对黄河三角洲地区土地资源丰富,森林植被稀少,林木覆盖率低,旱、涝、碱、风、暴、潮等自然灾害频繁,生态环境脆弱的现状,1999年2月"全国生态环境建设规划"(林业专题)将黄河中下游生态防护林体系列入重点工程之一,山东省也将黄河三角洲百万亩生态防护林工程列入全省生态环境建设林业生态重点工程之一。

江泽民总书记在视察黄河三角洲地区（东营市）时指出："黄河三角洲石油资源丰富,土地和海洋资源充足,生物资源多样,蕴藏着巨大的开发潜力,一定要好好开发,要把经济建设、生态建设和社会发展结合起来,实现可持续发展。"江总书记的重要讲话为黄河三角洲的资源开发、生态环境建设和可持续发展指明了方向。森林作为陆地生态系统的主体,在生态环境建设中具有重要的地位。因此,在黄河三角洲地区建设林业基地项目可从根本上改善黄河三角洲地区的生态环境。但黄河三角洲林业基地项目区地处现代黄河三角洲,位于东经118°35′～119°15′,北纬37°40′～38°10′,西以挑河,南以南顺堤为界,向东北直达渤海。涉及河口区大部分、利津县的东北部、垦利县的东部。该地区立地条件差,土壤次生盐渍化严重,土壤含盐量高,地下水径流不畅,灌排设施标准低,给项目造林带来一定的困难,故在进行林地建设时实施暗管改碱技术,铺设暗管,安装检查井,整治、修建配套水利灌排工程设施,进行土地整平,通过

这一技术的实施将极大地改变项目区土壤的盐渍化状态,降低该区域的地下水位和土壤含盐量,使各种林木都可以在该地区生长,将会极大地提高该地区的植被覆盖率,改善区域生态环境。

(二)建设目标

项目计划用6年的时间,依靠各级政府,动员和组织全社会的力量,依托暗管改碱技术,加大投入,大力开展植树造林,力争把项目区建设成多林种、多树种、多层次、多功能、多效益的生态防护林体系。项目建成后,新增有效林地面积48 683.8 hm²,使现代黄河三角洲森林覆盖率由12.2%增加到29.9%。再加上项目区涉及范围内的四旁绿化折实面积,林木覆盖率可达30%以上。通过项目的建设,扩大森林资源,使该项目区脆弱的生态环境得到根本性改善,经济社会实现可持续发展。

(三)项目规模

根据项目建设的要求,项目建设规模78 037.8 hm²。其中,营造防护林73 570.8 hm²,占总面积的94.3%;特殊用材林4 467.0 hm²,占总面积的5.7%。

(四)投资估算

项目总投资为28 387.09万元,其中造林投资7 609.06万元,占26.8%;营林投资3 029.0万元,占10.7%;天然林封育5 844.33元,占20.6%;水利工程5 288.8万元,占18.6%;其他工程3 561.6万元,占12.5%;设施设备754.3万元,占2.7%;其他1 700万元,占6%;不可预见费600万元,占2.1%。

(五)效益分析

黄河三角洲林业基地排碱改土实验工程属林业生态项目,生态效益占首位,其次是社会效益和经济效益。

1.生态效益

在防风固沙抑盐林内,大风天气,风速可降低70%,蒸发量减少40%,气温降低19.8%,相对湿度增加5%左右。同时,森林对周围地区有一定的庇护作用,据调查,刺槐林内土壤含盐量为0.16%,距林缘50 m的耕地土壤含盐量为0.27%;距林缘500 m的耕地,土壤含盐量为0.37%;距林缘1 000~1 500 m的耕地,则变成重盐碱地,土壤含盐量高达1.56%。

该项目的建设,通过增加植被,扩大森林面积,提高项目区森林覆盖率,能保护生物多样性,减少旱涝、风沙灾害,改良盐碱地,增强抗御自然灾害的能力,使项目区乃至整个黄河三角洲生态环境得到恢复和改善,并与其他造林绿化工程相配套。构筑起综合防护林体系,对巩固黄河三角洲地区开发利用成果,将发挥巨大作用。经计算,项目建成后,项目区涉及范围内森林覆盖率由12.2%提高到29.9%,项目区森林面积变化率为166.7%,森林覆盖率变化率为147.5%,森林面积变化率为0.51 hm²/万元。

2.社会效益

项目建设能产生一定的社会效益。通过项目建设,将带动项目区林业生产的发展,给项目区林业生态建设再上新台阶注入活力。同时,增添了森林景观,将会带动该区域生态旅游业的发展,为黄河三角洲地区人民提供一处新的游憩场所,能增加社会就业,带动第三产业的发展，促进社会稳定和区域的经济发展。

3.经济效益

至2006年，项目建成后，人工营造的乔木林活立木蓄积可达12.3 m³/hm²，树叶可达3.2 t/hm²，枝材可达3.6 t/hm²，产值可达1 256元/hm²。项目区年产编条可达2 250万kg，年产冬枣可达1 000万kg，鲜桃2 000万kg，蜂产品产值可达1 000万元，项目区总产值估计可达1.05亿元。据国内外专家研究，森林的间接经济效益是直接经济效益的8～10倍，因此本项目建设生态防护林的间接经济效益可达8.4亿～10.5亿元。至更新改建期(第15年)，林分活立木蓄积可达44.4万m³/hm²，枝材可达17.3 t/hm²，树叶可达20.8 t/hm²，产值可达8 500元/hm²。

同时还具有高效林业试验示范作用。项目的实施，将大大地改善投资环境，从而吸引国内外投资，扩大对外开放。同时，由于植被的增加，生态环境得到改善，改变了农业生产条件，可促进农业生产，增加农产品产量，其间接经济效益是不可估量的。

4.项目综合评价

该项目作为林业生态项目，符合国家产业政策，有助于改善黄河三角洲地区环境质量，生态效益显著，并有较好的社会效益和经济效益。

项目布局合理，土地、劳动力、苗木资源充足，造林技术、暗管改碱技术切实可行，技术含量高。项目组织管理机构健全，能够保证项目建设的顺利进行。除人力不可抗拒的自然灾害外，项目建设没有风险。

项目的实施，对项目区乃至整个黄河三角洲的自然环境和社会经济发展产生积极影响。项目的实施，对黄河三角洲森林资源的保护和发展，将产生巨大而深远的意义。

综上所述，从技术、经济、生态、社会等方面来分析，本项目都是可行的。

七、北岭现代化农业示范园项目

项目提报单位：东营市农业局

东营黄河三角洲工程咨询有限责任公司

（一）项目提出背景

发展绿色产业，建设绿色经济，是21世纪世界经济发展的大趋势。随着我国对外贸易的不断扩大，国际市场对我国出口产品质量的要求也越来越高，竞争日趋激烈。加入WTO使中国同时面临着巨大的机遇和挑战。中共中央、国务院在有关文件中指出，要"充分发挥我国农业的比较优势，重点扶持和扩大畜禽、水产品、水果、蔬菜、花卉及其加工品等劳动密集型产品、特色产品和有机食品的出口"。温家宝同志在有关批文中指出，"我国发展有机食品有巨大潜力和广阔前景"。江泽民同志也提出了"积极发展生态农业、有机农业，保证农产品安全"的要求。

推动绿色产业和有机食品的开发势在必行。黄河三角洲作为我国最后一块待开发的三角洲资源宝地，它在新世纪谋发展的必由出路就是发展绿色产业，建设绿色经济。2001年，"发展黄河三角洲高效生态经济"已被列入国家"十五"计划纲要；同年，东营市由联合国工业发展组织（UNIDO）中国投资促进处正式确认为"国际绿色产业示范区"，这更为黄河三角洲发展绿色经济提供了重要契机。东营市在"黄河三角洲绿色产业示范区建设总体规划"中，已明确提出要发展龙头企业，开发绿色食品，带动基地建设，依托10个绿色产业高科技样板园，全面构建六大绿色产业原料生产基地。

该项目将配合灌排水工程的改造和完善，立足于当地实际，综合设计实施暗管改碱工程的规划方案，依托利津县北岭乡高科技蔬菜示范园，建设绿色或有机蔬菜原料生产基地，增加蔬菜品种，提高保鲜度，进行产品的深加工，扩大市场，开拓渠道，有效提高东营市蔬菜产品的市场竞争力，这是贯彻实施"黄河三角洲绿色产业示范区建设总体规划"内容的一项重要举措，它必将为东营国际绿色产业示范区建设提供有益的经验，为全市农业产业结构调整提供新的经济发展"亮点"。

（二）目标

项目的远期目标是建成北岭现代化农业示范区，提高农产品附加值，推动黄河三角洲农业可持续发展的良性循环。

项目的近期目标是建成高科技蔬菜示范园1 333 hm²；工厂化育苗中心30 000 m²；批发市场及信息中心100 500 m²；保鲜加工能力3 000 t；管灌、滴灌1 333 hm²。加大环境治理力度，改善生产条件，优化种植结构，带动农民增收，建立起合理的产业链运行机制和利益分配机制。龙头企业按照国际有机食品加工标准实现满负荷生产，企业与农户之间建立起完善的合同订购机制，真正形成企业带基地、基地连农户的模式。龙头企业通过ISO14000和ISO9000国际认证，基地建设通过有关机构的认证，其辐射带动作用初步显现，产生显著的经济、生态效益和社会效益。

（三）建设内容

(1)环境治理与污染控制。加强项目区环境质量动态监测和污染控制，实施病虫害生物综合防治措施，逐步符合有机产品产地环境质量要求。

(2)缓解水资源供需矛盾，在对现有水利工程设施进行配套完善的基础上，新建蓄水设施，强化用水的计划性管理，推进水的商品化进程，提高水资源的优化利用，同时进一步改善区域交通及电力设施，为基地建设提供良好的环境条件。

(3)建设高科技蔬菜示范园1 333 hm²，其中高温大棚533.33 hm²，低温棚800 hm²。

(4)建设育苗中心30 000 m²。其中智能温室1 500 m²，高标准大棚12 000 m²，生物组培楼600 m²。

(5)建设批发市场及农业高新技术信息服务中心100 500 m²。

(6)建设保鲜加工厂1处，保鲜加工能力3 000 t。

(7)建设节水灌溉1 333 hm²，其中管灌800 hm²，滴灌533.33 hm²。

（四）投资概算

本项目建设总投资12 581万元，包括以下几项。

(1)高科技蔬菜示范园投资7 400万元。其中，高温大棚5 600万元；低温大棚1 800万元。

(2)育苗中心投资265万元。其中，智能温室1 500 m²，110万元；高标准大棚12 000 m²，90万元；生物组培楼600 m²，30万元；电力设备、办公室大门、院墙等35万元。

（3）批发市场及农业高新技术信息服务中心投资960万元。其中，批发市场主要包括交易大棚交易广场及相应的道路建设和设备购置计800万元；高科技信息服务中心主要包括土建及信息系统计160万元。

（4）保鲜加工厂1处，投资2 400万元。

（5）节水浇灌投资1 556万元。其中，管灌516万元；滴灌1 040万元。

（五）效益分析

1.经济效益

节水灌溉工程：每年节水1 600万 m³，新增效益为700万元／年；

优质蔬菜：新增效益6 000万元／年；

批发市场及农业高新技术信息服务中心：新增效益300万元／年；

育苗组培中心：新增效益400万元／年；

加工冷藏：新增效益600万元／年。

以上五项年增效益共计7 400万元；年增税收8 000万元。

2.社会效益

该项目的实施将有力地促进北岭乡城镇化、工业化进程，实现农业生产的粗放型向高效生态型的转化，增加农村就业机会，提高农民收入，推动农村农业结构的战略性调整。

该项目立足当地资源特点，突出生态、绿色和特色，改变传统的农业耕作模式，采取企业带基地、基地连农户的发展模式，开发有机蔬菜，是东营国际绿色产业示范区建设的一部分。

该项目的建设，可以增加项目区农产品供给，优化产业结构，消除品种退化，通过示范带动使农民种植优质蔬菜品种，增加农民收入。同时可安置就业，有利于社会稳定，探索出一条农业产业化的新路子。

该项目可以快速实现农业科技成果转化，提高科技贡献率及科技含量。

3.生态效益

该项目的建设可以节约水资源，同时降低土壤含盐量，改善区域生态环境。

八、黄河三角洲盐碱地数字化监测与系统治理工程技术研究项目

项目提报单位：东营金川水土环境工程有限公司

黄河三角洲保护与发展研究中心

（一）项目提出的背景

1994年，东营市代表团访问荷兰期间，与欧洲咨询公司联合签署了《会谈纪要》，确定就引进荷兰暗管排碱技术进行合作研究。之后中荷专家在黄河三角洲面上完成了大量的钻孔、采样、调查和分析工作。1999年10月，东营市、胜利油田与荷兰荷丰公司

联合组建了金川水土环境工程有限公司,引进了荷兰暗管改碱大型配套设备。2000年在山东省国土资源厅支持下,实施了10万亩暗管改碱项目。2004年4月,山东省委政策研究室完成了针对该项目的调研报告,陈延明副省长作了重要批示:"建议不断总结经验,进一步搞好示范推广工作。"

2004年11月,国家农业部原副部长洪绂曾视察了项目区并给予了充分肯定,建议对工程实施中的关键技术进行深入研究,同时建议应用卫星遥感技术对大面积国土资源进行宏观监测和评价,提出在我国北方盐碱化地区推广该项技术的可行性方案,从而按照中央1号文件精神,为全面提高我国的农业综合生产能力做出更大贡献。

国外利用卫星遥感技术进行土壤盐碱化监测研究始于20世纪70年代。90年代以来,遥感数据源更加丰富,研究方法日趋成熟。国内开展土壤盐碱化遥感监测研究进展较快,但在盐碱地的信息提取和实现自动识别分类方面精度较低。

在改碱工程技术的研究方面,荷兰通过多年来的研究与实践已形成了一套完整的规划设计、施工和管理维护技术,并在世界范围内得到推广。国内已在多个省区进行过工程实验,但均因未能解决与当地环境的技术融合问题而中止。宁夏1997年通过对河套平原2.33万hm²暗管改碱项目区的大面积监测,表明受盐碱化危害的中低产田已得到了有效的改造,单位面积增产粮食10%左右。但该工程主要靠人工操作,没有解决大面积铺设暗管的系统技术和工作效率问题。本项目将在胜利油田继续进行工程实验的同时,应用遥感影像景观图谱技术、多源数据融合分析技术等,对黄河三角洲乃至黄淮海平原的土壤盐碱化问题以及大面积推广暗管排碱的关键、系统技术问题进行更深入的攻关研究。

(二) 项目承担单位简介

1.东营金川水土环境工程有限公司

东营金川水土环境工程有限公司是由胜利油田、东营市、荷兰荷丰公司三家共同投资成立的从事盐碱地改良和生态农业开发的专业化公司,具备水利工程勘察设计资格。已从荷兰引进2台大型开沟埋管机、2套激光制导仪、6台滤料拖车、1台暗管清洗机及土壤调查设备。先后承担了莱州湾暗管改碱工程,孤东仙河农场暗管改碱及水库增容、泵站改造和十万亩土地农业开发等一系列改碱工程项目,获取了丰富的项目经验和第一手土壤数据资料。

2.黄河三角洲保护与发展研究中心

黄河三角洲保护与发展研究中心是由联合国开发计划署(UNDP)援助建立的科研机构。建有一套以局域网为基础,可以综合处理RS与GPS数据的ARC/INFO地理信息系统,ARCVIEW操作平台以及ERDAS遥感影像专业处理软件等,并拥有大型数字化仪、A0型彩色绘图仪、TOPCON专业GPS接收机等硬件设施。在针对黄河三角洲的生态治理与资源利用等多项研究中,该中心发挥了重要的作用。

该中心已申报、实施了一批国际、国家及省级重大科研项目,有5项成果获省部级科技进步奖。在监测评价生态环境演变、项目策划、项目管理、生产要素与风险管理、项目监督与后评价等方面积累了较丰富的经验。2000年在东营市科技局立项,完成"黄河三角洲暗管排碱改良荒碱地可行性研究报告";2004年与中国科学院联合完成的山东省可持续发展科技示范工程"黄河三角洲生态与资源数字化集成研究"为本项目开展土壤盐渍化遥感监测等方面的研究提供了科学的分析方法与数据条件。

在多年的项目研究和合作中,该中心组建了一个高层次的专家网,共有包括来自荷兰、日本、中国科学院、中国农业科学院、中国水利科学研究院、北京大学等的各类高层次专家50多人。目前该中心与东营金川水土环境工程有限公司、中国科学院地理科学与资源研究所资源与环境信息系统国家重点实验室、荷兰爱凯迪公司、荷兰海岸丰收公司等已在暗管改碱工程等生态环境保护领域进行合作经营。

3. 中国科学院地理科学与资源研究所资源与环境信息系统国家重点实验室

现有固定工作人员27人,在读研究生62名。涉及的学科领域包括地理学、地图学、地质学、摄影测量学、数学、计算机科学等。已形成了老中青相结合、以中青年研究人员为核心、以研究生为主要力量的科研队伍。

该实验室拥有以SGI ORIGIN2000和SUN SPARC670为服务器的地理信息网络系统,在陈述彭院士指导下多年从事黄河三角洲数字化的实验与研究,拥有多年黄河三角洲地理、地质、土壤、生态、环境等领域的海量数据源,以及土地利用、交通、水资源、地形、地貌等多专业数据层,并全部建立了标准化数据库。

(三) 项目主要技术指标

(1)遥感监测实现三个综合:多季相影像数据综合、监督分类与非监督分类组合、影像空间或结构信息同地学相关规律的综合。分类精度达到以下指标:分类总精度 =96.33%;Kappa 系数 =0.95。

(2)通过驱动力分析,提出盐碱化的孕灾生态界面,确定影响土地利用、土地覆被变化的主控因素。

(3)提出判断田间土质及土壤渗透性的标准参数,针对黄河三角洲的不稳定土壤特征,参照 SCS 标准 (Soil Conservation Service)、USBR 标准 (United States Bureau of Reclamation) 和其他欧洲国家标准,提出适应黄河三角洲土壤特征并为排碱工程设计提供可靠参数的系列标准。

(4)开发的土壤水盐运动软件模型可适用于黄河三角洲以及我国北方广大地区的土壤模拟分析。

(5)应用多源数据融合分析技术建立土地盐碱化成因预报模型,提出的分区治理方案可应用于国土治理规划的编制和土地整理项目的可行性研究。

(6)在对黄淮海平原进行宏观遥感监测和定点采样分析的基础上,根据《中国盐渍土》所提出的盐渍土盐分含量分类标准,提出黄淮海平原盐渍化土壤等级与面积划分,相应提供区域内不同土层盐分状况图和平原切面土壤盐分含量分布图。

(7)经济评价将按通用参数 (社会折现率、影子汇率和影子工资等) 计算分析;生态评价将采用生态价值的货币化分析方法;社会评价由于缺少统一的指标、量纲和判断标准,本研究将综合研究与项目相关的社会因素和社会影响,对技术推广效果进行综合论证并预测其风险度。

（四）项目研究内容、研究方法和创新点

1.研究内容

(1)黄河三角洲土地盐碱化遥感监测。以现有的YRDGIS平台为支撑，以遥感影像数字图像处理技术为手段，从宏观上把握区域盐碱化状况；结合野外调查从微观上认识盐碱化程度、剖面性状及其他物理化学特征。

(2)黄河三角洲土地盐碱化驱动力分析。选择对土地利用活动或土地覆被产生重大影响关系的生物物理因素进行分析，包括自然驱动力中的气候、水文、地形、土壤、植被、自然灾害；社会驱动力中的人口变化、贫富状况、经济增长、社会结构、观念和价值等。

(3)黄河三角洲土地要素涨落势图谱。提取土地利用类型之间的转化信息，去除冗余的信息干扰，对土地演变图谱予以分类组合，建立重映射表方法，进行图谱重构，相应创建两个"转移"系列图谱——增长系列图谱和萎缩系列图谱。

(4)暗管排碱改良荒碱地关键技术研究。包括土壤采样化验技术、田间排碱工程设计技术、大型工程设备调试技术、地下暗管铺设技术、激光精平与深松破结技术、化学治碱与生物治碱技术，以及优化水资源管理控制盐碱度技术等。

(5)模拟土壤含盐量及排水指标的模型开发。设计开发软件模型，通过输入相关数据即可计算出选定时间段内的土壤含盐量变化、作物产量变化等结果及图件，从而可对是否安装排水系统或实施不同的治理工程所带来的各种后果进行比较，并实现可视化图形表达。

(6)土地盐渍化的预测预报与分区治理。在把握当前土壤盐碱化程度的初始条件下，对土壤盐分的主要来源如地下水和海水的运动规律，影响区域水盐分异和运移的微地貌变化规律，人类开发活动和建设工程（如海堤等）对土壤矿化度、pH值、电阻率、水位差等方面的影响等，进行定量化综合分析，预测预报不同区域盐渍化趋势与程度，以此为依据提出分区治理方案。

(7)黄淮海平原水盐运动与盐土分布。应用"3S"等数字化集成技术，通过GPS定位取样分析、Kriging插值和GIS处理，研究黄淮海平原地区水盐运动规律与土壤盐分空间分布特征，提出在该区域推广暗管改碱系统技术的可行性。

(8)排碱改土技术在提高我国农业综合生产能力方面的产业化前景。以中央1号文件中提出的提高农业综合生产能力为目标，定量分析在更广阔的国土范围内大面积实施以暗管改碱为主体的系统治碱工程的经济、生态效益和社会效益，提出改碱工程的产业化发展前景与操作策划。

2.研究方法和技术路线

(1)总体研究方法和技术路线。整个课题研究过程将广泛应用空间信息技术，以多时相、多平台、多分辨率的遥感数据为主，结合野外典型地区实地考察以及对土壤、水体的采样分析，形成海量数据源，从而应用多源数据融合技术综合分析判断土壤盐渍化程度和盐碱地类型，并做出土地适宜性评价；通过研发反映区内土壤变化趋势的预测模型，为工程治理规划的制定提供依据；通过应用SALTMOD和SAHYSMOD模型，模拟土壤含盐量及主要排水方式，为暗管口径选择、暗管埋深、孔隙度、滤料选择等提供技术指标；改碱系统工程实施后，采用景观图谱方法对不同年份的土地覆被变化过程进

行分析，提出盐碱地改良效果的指标体系。

(2)土壤盐碱化遥感动态监测方法。最常用的遥感动态监测方法基本可分为两种：逐个像元对比和分类后对比。前者是直接将多期遥感影像进行逐个像元对比来发现变化，此法可避免由于分类所带来的误差，但不能从中获取具体的变化类型信息。后者是在对比多时相遥感影像前，先进行各景遥感影像的单独分类，该方法的优点是能获取各个像元的变化类型，但结果在很大程度上取决于各景影像单独分类的精度。本研究将主成分变换法、影像差值法、影像比值法和分类后对比法同时应用于盐碱地动态变化监测，达到对盐碱化机理及变化趋势的精确分析与监测。

(3)地下水位（埋深）预报模型。地下水水位预报方法有试验法、均衡法、数理统计方法、时间序列分析方法和水动力学方法等。本研究将采用水动力学方法，利用数值方法（有限元、有限差、边界元等）对区域地下水运动偏微分方程进行求解。通过建立地下水动力学模型对区域地下水进行动态模拟和预报，从而加深对区域地下水系统内部结构的认识，掌握区域地下水的埋藏条件和水循环条件，为区域土地盐碱化预测预报提供必要的参数。

(4) 系统治理工程技术的创新。本项目从前期工程规划到后期常规管理与维护采用系统治理技术。前期利用遥感技术进行土壤盐碱化的估算和面积的量算；中期采用CAD、GIS等技术辅助暗管的规划与铺设；后期建立土壤监测与预报系统，所有数据进入GIS系统，并将其应用于规划管理，统筹整个工程的进度安排。

3.创新点

(1)将多源数据融合分析技术应用于改碱工程的关键进程。多源数据融合是将应用各种现代采集手段获取的海量数据融合在一起进行模拟和模型分析的一项新技术，过去多应用于区域环境的研究领域。本课题拟创造性地将其应用于盐碱地改良工程的土壤监测评价、改碱方案设计和生态效益分析等关键性进程之中，从而可大幅度提高改碱工程的质量、效益和施工效率。

(2)通过景观图谱方法研究分析大面积土地的盐渍化趋势。景观图谱方法是在RS技术和GIS技术基础上高度集成的可视化表达手段。本课题将应用这一方法搜索影响土地变化的驱动因子，根据众多驱动因子的消长形态又可绘制出土地质量要素的涨落势图谱，从而可清晰地展现土地的盐渍化趋势，进而为科学制定土地改良规划提供重要依据。

(3)根据当地土壤环境将荷兰暗管改碱技术深化为一项系统的改碱工程技术。本项目将综合遥感监测、GIS制图、GPS定位、勘察设计、暗管铺设、激光精平、深松破结、蓄淡压碱、动力排碱、化学治碱、生物改碱等先进技术措施，有机结合形成一套具有国际先进水平的改碱治碱系统工程。

（五）项目的市场需求和产业化前景

党中央关于"三农"问题的2005年1号文件将提高农业综合生产能力放在了重要位置，本项目的主要目标就是通过对广阔国土范围的宏观遥感监测，提出推广暗管改碱系统工程技术大幅度提高土地生产力。同时研究解决大面积推广该项工程的关键技术问题，包括应用高技术获取和分析土壤数据、开发软件模型用于改碱指标体系的调控运算等，因此本项目具有广阔的市场需求和产业化前景。

本研究的产业化推广将分为近期和远期两个阶段：

近期主要在黄河三角洲地区推广。黄河三角洲地区盐碱地面积 235 522.89 hm²，占总面积的30%，其中66%为轻盐碱地，18%为重盐碱地，16%为光板地。盐碱地类型随距海远近和海拔高低呈明显的带状分布，从沿海向内地，依次分布着盐田和虾池、滩涂、光板地、重盐碱地、芦苇地、轻盐碱地、一般耕地。在微域上随岗、洼起伏而表现出轻盐碱地与一般耕地斑状镶嵌分布的规律。将黄河三角洲盐碱地改造为良田可带来上亿元的经济效益。

远期可在黄淮海平原推广。黄淮海平原总面积31万 km²，是我国重要的农业区，但土壤盐渍化一直是困扰其发展的重要因素。根据有关资料对该平原地表（0~10 cm）盐碱程度的粗略统计，土壤含盐量在0.1%~0.6%之间的土地面积为 53 362.76 km²；20~30 cm 耕层以下土壤含盐量在0.1%~0.6%之间的土地面积为 75 710.99 km²。如通过应用暗管改碱为主体的系统工程技术将这一极其广阔的盐碱地改造为良田，将为上亿农民大幅度提高土地生产力，可获得上百亿元的经济效益，并为我国北方生态环境的优化和和谐社会的发展建设创造良好的基础条件。同时也给改良盐碱地工程技术的产业化（包括由机械与管材制造、水土工程实施、水利工程建设、生态农业开发等组成的产业链）和市场开拓带来非常诱人的前景。

（六）投资概算

本项目预计总投资120万元，其中项目承担单位自筹20万元；申请省级科技计划经费50万元，地方科技经费配套50万元。

九、建设黄河口生态水利枢纽修复与重建黄河三角洲生态系统研究项目

项目提报单位：东营市黄河口泥沙研究所

（一）项目提出背景

自20世纪60年代美国海洋生物学家卡逊《寂静的春天》一书出版后，人类与生态系统的关系问题迅速成为当代自然科学与社会科学研究的热点。1972年联合国人类环境会议和1992年联合国环境与发展大会分别制定的《人类环境宣言》和《21世纪议程》，更将人与生态环境关系方面繁富众多的研究内容推向了科技界的主流方向。

我国目前是当代发展速度最快的国家之一，已成为"世界加工厂"，经济与环境的矛盾非常突出。人口激增、资源耗竭和环境污染带来的生态灾难已不断向人们发出警示。如我国西部的以祁连山为源头的黑河，由于人类的过度开发而干涸断流，导致其归宿湖泊嘎顺诺尔（西居延海）枯竭，从而加快了西部沙漠的东进，沙尘暴的肆虐已严重影响我国北方广大城乡的环境质量，甚至及于东北亚地区。

党和国家高度重视生态安全问题，2001年国务院第94次总理办公会议专门研究了

黑河生态综合治理问题。以后的多次总理办公会分别议及黑河、塔里木河与黄河的生态问题。随着黑河规划治理方案的论证，国家决定用 3 年时间投入 23.5 亿元对黑河进行综合治理，从而使黑河流域生态系统得以修复，使西、东居延海再现碧波。黄河全程的生态问题亦十分严重，沿途经济发展已将吸尽母亲河的乳汁，入海水量的急剧减少已严重威胁着黄河三角洲陆地与海洋生态平衡。对此，黄委已郑重提出维持黄河健康生命的时代理念，并专门部署了关于维持海洋生态平衡所需最小黄河水量的研究。但这一研究的立意似不甚科学，因为在缺少科学设计的条件下，最小黄河水量就会带来最小生态效益，对于海洋生态平衡来说，有机淡水的支持应该是多多亦善而不是最小几何。鉴于在相当长的时间内黄河入海水量不足的趋势不可逆转，黄河实质上已难以承受维护海洋生态平衡之重任。惟一可以实现的是：将每年通过采取积极措施可调出的最大入海水量，通过建设生态水利枢纽工程予以科学调配，使之能够对黄河三角洲经济社会的可持续发展、湿地生态维系和部分海域的生态平衡发挥出最大的效益。当维持黄河健康生命取得重大进展可向河口地区大量增水时，这一枢纽工程仍可起到调节和优化海、河、陆生态系统的重要作用。

目前国内外已有不少专家提出在黄河口建设单一的水利枢纽或提出在新老黄河口湿地区建设单一的生态枢纽的问题。下面分别予以简述。

提出建设黄河口水利枢纽的有：1999 年黄河水利科学研究院专家李泽刚提出，在西河口至刁口河故道处修建 3 000 m³/s 的分洪闸，在现行清水沟流路西河口以下建设高度为 4～5 m 的橡胶坝，组成水利枢纽工程；2000 年，东营市黄河口泥沙研究所与黄河口治理研究所联合编制的"黄河西河口水利枢纽系统工程项目建议书"，提出在黄河最下游的摆动顶点西河口建设双向调控大闸，可控制黄河由任一流路入海，疏浚整治另一流路；2001 年，李殿魁等完成的国家"八五"科技攻关专题"延长黄河口清水沟流路行水年限的研究"提出，在黄河最下游的摆动顶点西河口建立分水流量达 3 000 m³/s 的分洪闸，整治 1976 年前由此向北行水的刁口河故道作为分洪河道，当黄河发生难以抵御的大洪水时，提闸分洪，形成清水沟流路的"安全阀"，从而形成"一主一辅、双流定河"的入海流路格局；2003 年，刘曙光、李希宁等提出建设清水沟和刁口河两条流路轮换使用工程，以保持黄河河口长治久安。

提出建设黄河口生态枢纽的有：杨玉珍在编制"东营市海洋产业发展规划"时提出了建设黄河口生态枢纽的基本创意，在黄河口周围划定一个生态枢纽区，采取工程措施加大入海淡水量，可使许多物种得以保存和繁衍，成为与周围海区及渔场进行生物信息交换的生物多样性基地，国内重要的科研生物采集培育基地和珍稀生物基因库；2003 年，黄河三角洲保护与发展研究中心向山东省科技厅建议设立黄河口海陆生态枢纽的研究专题，生态枢纽区宜考虑两处选址，即现黄河河口的海、河、陆交汇区和刁口河故道河口的海、河、陆交汇区，实际上的研究范围涵盖了两大片国家级自然保护区及其临近海域。

根据以上专家建议和论证基础，完全可以有机合成一个生态水利枢纽综合工程方案：在原刁口河流路和现清水沟流路的分汊点西河口，通过合理的闸、坝、涵和大型平原水库设计，建设生态水利枢纽的中枢工程；以清水沟流路和刁口河流路作为该枢纽的两条主动脉，配套建设黄河最下游的输水渠系，可分别向重要经济区和生态区供水；在枢纽终端的北、东两片咸淡水交汇海域建设生物多样性的栅栏圈闭繁育区，从而实现海陆生态枢纽的功能。以上三项分工程共同形成集约利用黄河水资源，维系海、河、陆生态平衡，并以经济效益维持运行和收回投资，促进河口地区可持续发展的系统工程。

（二）项目建设的必要性

(1)探索建设生态水利枢纽的可行性，统筹人与自然和谐发展。

党的十六大提出了科学发展观的重要思想，并将"实现人与自然的和谐发展"列为"五个统筹"的目标之一，本项目的基本创意就是：在现代黄河三角洲的黄河入海流路摆动顶点西河口，研究论证建设一个生态水利枢纽系统工程，将黄河有限的入海水资源进行统筹分配和科学调度，重建黄河三角洲湿地生态系统，恢复浅海湿地生物多样性，实现人的大规模开发活动与生态系统及生物多样性自然演替之间的循环平衡和谐发展。

(2)研究提高黄河有限水资源的利用率，实现黄河口湿地生态系统的修复与重建。

黄河百年来年均挟带10亿t泥沙入渤海，造就了大片宝贵的原生陆地，形成了中国暖温带最完整、最广阔、最年轻的湿地生态系统，成为生物多样性的天然渊薮。但是由于黄河三角洲成陆时间晚、固结过程短、地下潜水位高、水资源不足、土壤易盐渍化等原因，其生态环境又十分脆弱。20世纪60年代以后，这一生态环境面临突如其来的大规模石油开发和区域综合开发，加上20世纪90年代黄河进入枯水期，河道频繁断流，1997年断流时间长达226天，使得河口地区来水量大幅度减少，导致原本极其广阔的湿地逐步向沿海一线退却。湿地无水，带来了生态系统的持续性逆向演替。根据自20世纪70年代以来基本未间断的遥感监测数据及实地考察资料，以水资源失衡为主要诱因的生态退化已给这一地区的可持续发展带来了严重制约。1998年国家成立黄河水调局之后，黄河已不再断流，但已大为缩减了的来水总量远不能维系黄河口湿地与海域的生态平衡。因此，必须建立一个生态水利枢纽，科学调配有限入海水资源，使之充分发挥支持生物多样性和生态平衡的重要作用，恢复和重建这一宝贵的湿地生态系统。

(3)通过对影响黄河三角洲演变诸要素的数字化集成研究和综合技术设计，形成兼顾经济发展与生态恢复的示范性工程方案。

黄河三角洲是一个由河流生态系统、陆地生态系统与海洋生态系统构成的复杂的生态大系统。要论证建立一个支持与平衡这一个生态系统的生命枢纽工程，必须综合考虑影响黄河三角洲演变和工程治理的诸要素，如三角洲发育机理、海岸蚀淤与大陆架延伸、水环境变化、湿地生态演化、土地利用格局、海洋动力条件、海洋生物状况、洪水风暴潮灾害、工程水文地质、社会经济统计数据等，本项目将在应用以"3S"（RS、GIS、GPS）为核心的数字化集成技术进行分析研究的基础上，设计一个可操作性的工程技术方案，从而完成一个兼容黄河三角洲经济社会发展与自然生态系统优化的典型性示范工程可行性研究。

（三）项目承担单位简介

黄河三角洲保护与发展研究中心是1995年由联合国开发计划署（UNDP）援助建立的科研机构，1994～1997年曾成功组织实施了"UNDP支持黄河三角洲可持续发展"项目；1995～2001年组织实施了国家"八五"科技攻关计划专题"延长黄河口清水沟流路行水年限的研究";2003年完成山东省可持续发展十大科技示范工程项目之一"黄河三角洲生态与资源数字化集成研究"。历年成果获得省部级科技进步奖5项,省社科优秀成果奖3项,在UNDP支持下建成了一个基于计算机的黄河三角洲地理信息系统,输入、贮存了27个专题数据层,具有研究大经济区发展和黄河水利工程、生态修复工程的装备基础与操作经验。近期完成并获奖的科研项目的主要有:

(1)"黄河三角洲生态与资源数字化集成研究",山东省可持续发展十大科技示范工程项目之一,项目负责人杨玉珍。项目起止年月2003年1月~2004年6月。项目成果由黄河水利出版社于2004年7月出版。

(2)"延长黄河口清水沟流路行水年限的研究",国家"八五"科技攻关计划增列专题。专题编号:85-925-23。项目负责人李殿魁、杨玉珍、程义吉。项目起止年月1995年9月~2001年12月。项目成果由黄河水利出版社于2002年3月出版。获山东省科学技术进步二等奖。

(3)"黄河三角洲可持续发展实验区可行性研究",山东省1999年软科学项目,项目负责人杨玉珍。起止年月1999年3月~2000年3月。项目成果由石油大学出版社于2001年3月出版。获山东省科学技术进步二等奖。

(4)"UNDP支持黄河三角洲可持续发展无偿援助项目",是联合国开发计划署支持中国21世纪议程的第一个优先项目。项目编号:CPR/91/144。项目主任杨玉珍,起止年月1994年10月~1997年11月。组织国内外专家共完成1个总报告、3个分报告和17个专题报告,为实现黄河三角洲的可持续发展作了全面深入的研究与规划。其最终报告由石油大学出版社于1998年11月出版。获山东省社会科学优秀成果一等奖。

正在承担的相关项目有:

(5)"黄河三角洲生态产业研究",2003年国家软科学研究计划项目。项目编号:2003DGQ3D075。项目负责人杨玉珍。起止年月2003年12月~2005年6月。

(6)"黄河三角洲生态环境评价方法与生态修复技术研究",2004年山东省环境保护重点科技项目。项目负责人杨玉珍。起止年月2004年5月~2005年12月。

(7)"巧用海动力治理黄河口工程技术研究",2003年山东省科技攻关项目。项目负责人李殿魁、杨玉珍。起止年月2003年3月~2005年8月。

(四)项目目标

项目完成的理论成果是科技攻关研究报告,项目的预期标志性成果是最终建成能够充分发挥其设计功能的黄河口生态水利枢纽工程。

(五)项目研究内容和创新点

1.项目研究内容

作为一般工程的常规性论证,应主要通过进入投资项目的可行性研究程序来解决。该工程不同于普通工程项目,其涉及的科技内涵艰深复杂,通过建立枢纽工程来支持海、河、陆生态大系统的循环运行将面临着许多攻关性内容,因此本项目需要申请科技攻关项目的立项。其主要攻关内容可概括为五个专题:黄河三角洲生态系统循环机理和生物多样性消长形态的监测与研究;生态水利枢纽工程运用于恢复和重建海、河、陆生态系统的功能研究;生态水利枢纽工程运用淋洗盐碱改良荒碱工程技术研究;生态水利枢纽工程区各类环境要素的分析与评价；生态水利枢纽工程总体布局与设计方案研究；多种工程布局和设计方案的功能测试和效益比选研究。

2.主要创新点

"生态水利枢纽"的提出是本项目的主要创新点。国内外关于"水利枢纽"的工程论证和科学研究项目非常繁富，但基本上都是服务于水电、防洪和经济建设的，而"生态枢纽"的概念很少有人提出和运用，"生态枢纽工程"更无立项记录。根据科技情报查新资料，"生态水利枢纽工程"的提法及论证研究至今尚未见诸文献报道。

将数字化集成技术应用于工程项目的论证是一项重要探索。由于黄河三角洲是一个"演示"海陆变迁的天然大模型，众多科研机构均以此为科研基地，几十年来积累了非常丰富的数字化基础。本中心已在建立黄河三角洲科技创新基础条件平台和库容巨大的数据库。将积极探索应用以"3S"为核心的数字化集成技术进行生态水利枢纽工程的论证研究，并尝试建立枢纽工程的数字化管理机制，这将是一个创新性的议程。

应用"三条黄河"理论指导生态水利枢纽的攻关研究。"三条黄河"即原型黄河、模型黄河与数字黄河，是黄委提出的指导黄河治理实践的新理论。将该理论综合应用于一项具体的工程论证和科技攻关研究本身是一次具有突出创新意义的实践活动。

（六）效益分析

黄河口生态水利枢纽是一项兼顾经济效益与生态效益的创新型工程。相对来说，其生态环境效益更为突出。根据黄河三角洲保护与发展研究中心与北京大学环境学院共同完成的"黄河三角洲生态环境价值评估"课题成果，近代黄河三角洲1996年主要生态系统的生态服务价值达到276.664亿元，比当年的GDP还高出39.6亿元。根据陈仲新等运用Contanz参数对中国陆地生态系统价值评估的结果，1996年的换算数约为56 315.2亿元。黄河三角洲的生态系统服务价值占全国的0.49%，远远超过黄河三角洲面积占全国陆地面积0.089%的比值。通过建设黄河口生态水利枢纽对黄河三角洲海、河、陆生态大系统予以调节与优化，其生态服务效益将会大幅度增值。

黄河口生态水利枢纽的攻关研究，科技含量高，创新性强，对于修复和重建黄河三角洲生态系统具有重要的支持作用。黄河三角洲生态系统的优化又进而对黄河流域与环渤海大区域生态环境的改善产生重要影响，是一项具有长远战略意义的项目创意。

参 考 文 献

1 ARCADIS. The effect of drainage. ILRI, Holland

2 Bagnold R A. An approach to the sediment transport problem from general physics. Prof. Pap. U.S. Geol. Surv., 1966, 422-I

3 BRIDGE J S, DOMINIC D D. Bed load grain velocities and sediment transportrates. Water Res. Res., 1984, 20: 476~490

4 Coulthard T J, Kirkby M J, Macklin M G. Modelling geomorphic response to environmental change in an upland catchment. Hydrological Processes, 2000, 14: 2031~2045

5 Eklund P W, kirkby S D, Salim A. Data mining and soil salinity analysis. International Journal of Geographical Information Science, 1998, 12(3): 247~268

6 Ritzma H, Frank W Croon, Njland . Subsurface drainage practices. Holland: ILRI publication 60, 2005

7 Ritzma H. Pipe drainage principle and application. ILRI, Holland

8 Jenson S K, Domingue J O. Extracting topographic structure form digital elevation data for geographic information system analysis. Photogrammatric Engineering and Remote Sensing, 1988, 54:1593~1600

9 Murray A B, Paola C. A cellular model of braided rivers. Nature, 1994, 371:54~57

10 O' Callaghan J F, Mark D M. The extraction of drainage networks from digital elevation data. Computer Vision graphics and Image Proceedings, 1984, 28: 323~344

11 Smith R. The application of cellular automata to the erosion of landforms, Earth Surface Processes and Landforms, 1991, 16:273~281

12 Szabolcs I, Darab K. Varallyay G. Methods for the prognosis of salinization and alkalinization due to irrigation in the Hungraian Plain. Agrokemiaes Talajtan, 1969, 18(Supply): 351~376

13 安凤桐,王一曼,等.黄河三角洲及孤东油田生态环境的形成和演变.北京:中国环境科学出版社,1989.86~109

14 白由路,李保国,石元春.基于GIS的黄淮海平原土壤盐分分布与管理研究.资源科学,1999,21(4)

15 崔承琦,李学伦,印萍.黄河三角洲地貌环境体系.青岛海洋大学学报,1994,专辑

16 陈介福,冯永军,东野光亮.黄河三角洲自然资源开发中几个问题的探讨.自然资源,1993,2:5~9

17 刘高焕，等.黄河三角洲生态环境动态监测与数字模拟.北京：科学出版社，2003

18 丁六逸.黄河三角洲工农业发展与河口整治规划.人民黄河，1992,(10)：22～25

19 地质矿产部黄淮海平原水文地质综合评价组.中华人民共和国地质矿产部地质志报，水文地质工程地质第11号（黄淮海平原水文地质综合评价）.北京：地质出版社，1992

20 方生，陈秀玲.旱涝盐碱综合治理与技术经济效果.北京：中国农业科学技术出版社，2003

21 盖世民，徐启春，许乃猷.黄河三角洲近四十年的气候变化特征.海洋湖沼通报，1998,2：1～5

22 高善明，励惠国.谈黄河三角洲湿地变迁.遥感信息，1992（3）

23 高善明，等.黄河三角洲形成和沉积环境.北京：科学出版社，1989

24 耿秀山，徐孝诗，傅命佐.黄河三角洲体系与地貌特征.海岸工程，1992,11(2)

25 谷奉天.黄河口三角洲的垦殖与生态平衡.生态学杂志，1984,2：30～32,52

26 关元秀.黄河三角洲土地盐碱化遥感监测、预报和治理研究：[博士论文].2001

27 关元秀，刘高焕，王劲峰.基于GIS的黄河三角洲盐碱地改良分区.地理学报，2001,56（2）：198～205

28 郭洪海，赵树慧，史立本，等.黄河三角洲及渤海莱州湾滨海区土壤资源及其合理开发利用.自然资源，1994,3：12～19

29 韩景瑞，王世溪.黄河三角洲海岸线蚀退原因及对策.石油工程建设，2002,28(4)

30 黑龙江省水利勘测设计院.北部引嫩地区水利土壤改良分区及其防治土壤盐碱化措施.见：中国科学院南京土壤研究所等.盐碱土改良论文选.济南：山东科学技术出版社，1979

31 河北省水利局.综合治理旱涝碱咸.见：中国科学院南京土壤研究所等.盐碱土改良论文选.济南：山东科学技术出版社，1979

32 何宏明.投资项目可行性研究与经济评价手册.北京：地震出版社,2000

33 何庆成，段永候，张进德，等.黄河三角洲海岸带综合管理——从地学角度展望21世纪.北京：海洋出版社，1999

34 何建邦，李新通.对地理信息分类编码的认识与思考.地理学与国土研究，2002,18(3)：1～7

35 黄定武.关于黄河三角洲的水利建设问题.水利水电技术，1993,1：10～14

36 江苏省盐城地区新洋农业试验站."水、肥、林结合，种、管跟上"综合治理盐土.见：中国科学院南京土壤研究所等.盐碱土改良论文选.济南：山东科学技术出版社，1979

37 焦玉木，王民.黄河断流对三角洲植物多样性的影响.农业环境保护，1998,17(6)：284～285

38 李风全，卞建民，张殿发.半干旱地区土壤盐碱化预报研究.水土保持通报，2000,20（2）：1～4,62

39 李国胜，李柏良，王凯.大河三角洲河口海岸演化机理模型研究(Ⅰ)模式理论与进展.

地理研究，2003，22(1)：21~29

40 李秀彬．全球环境变化研究的核心领域——土地利用/土地覆被变化的国际研究动向．地理学报，1996，51(6)：553~558

41 李宗森．黄河三角洲水资源与可持续发展．黄河三角洲研究，1999，2：17~19

42 林蒲田．中国古代土壤分类和土地利用．北京：科学出版社，1996

43 刘高焕，汉斯·德罗斯特．黄河三角洲可持续发展图集．北京：测绘出版社，1997

44 刘纪远，刘明亮，庄大方，等．中国近期土地利用变化的空间格局分析.中国科学(D辑)，2002，32(12)：1031~1040

45 刘淑瑶，谢逸民．近代黄河三角洲农业资源及开发利用．济南：山东省地图出版社，1995

46 刘有昌，鲁北平原地下水安全深度的探讨.土壤学报，1962，10(4):13~22

47 娄溥礼．土壤积盐与地下水关系的分析．水利学报，1964(3):1~12

48 雷志栋，杨诗秀，谢森传．土壤水动力学．北京：清华大学出版社，1988

49 卢文喜．地下水系统的模拟预测和优化管理．北京：科学出版社，1999

50 毛汉英．黄河三角洲地区可持续发展的问题与对策．地理研究，1997，16(增刊)：23~37

51 农业科学院农田灌溉研究所．黄淮海平原盐碱地改良．北京:农业出版社，1977

52 钱意颖，叶青超，周文浩．黄河干流水沙变化与河床演变，北京：中国建材工业出版社，1993

53 任美锷．黄河长江珠江三角洲近30年海平面上升趋势及2030年上升量预测．地理学报，1993，48 (5)：385~393

54 任美锷．海平面上升对中国三角洲地区的影响及对策．北京：科学出版社，1994

55 山东省东营市地方史志编纂委员会．东营市志．济南：齐鲁书社，2000

56 山东省科学技术委员会．山东省海岸带和海涂资源综合调查报告集（黄河口调查区综合调查报告）．北京：中国科学技术出版社，1991

57 石元春．黄淮海平原的水盐运动和旱涝盐碱的综合治理．石家庄:河北人民出版社，1983

58 石元春，贾大林.黄淮海平原农业图集．北京:北京农业大学出版社，1989

59 石元春，李韵珠．季风气候下盐碱土的水盐动态及其调控．见：中国科学院南京土壤研究所等．盐碱土改良论文选．济南:山东科学技术出版社，1979

60 石元春，李韵珠，陆锦文，等.盐渍土的水盐运动.北京:北京农业大学出版社，1986

61 石元春，辛德惠．黄淮海平原的水盐运动和旱涝盐碱的综合治理．石家庄：河北人民出版社，1983

62 石元春.盐碱土改良——诊断，管理，改良.北京:农业出版社，1986

63 田济马，毛任钊，松本 聪，等．黑龙港地区盐碱地演变的研究．土壤学报，1995，32 (2)：228~234

64 田家怡，王民，窦洪云，等．黄河断流对三角洲生态环境的影响与缓解对策的研究．生态学杂志，1997，16 (3)：39~44

65 田家怡，王民，等.黄河断流对黄河三角洲生态环境的影响与缓解对策的研究.生态学杂志,1997,16(3):39~44

66 汪小钦.黄河三角洲生态环境演化的时空分析:[博士论文].2002

67 王永贵，张志刚，葛明军.播绿盐碱滩——胜利油田暗管排碱技术改造盐碱地纪实.大众日报,2003-11-19

68 王洪恩.鲁西北地区地下水临界深度的探讨.土壤通报,1964,6:29~32

69 王遵亲，刘有昌，等.山东打渔张灌区滨海盐土的形成及其改良利用.土壤学报,1955,28

70 王遵亲，刘有昌，黎立群，等.山东聊城土壤盐渍化防治的区划及措施.土壤学报,1964,12(1):10~21

71 谢承陶.盐碱土改良原理与作物抗性.北京:中国农业科技出版社,1993

72 许学工.黄河三角洲的适用生态农业模式及农业地域结构探讨.地理科学,2000,20(1):27~32

73 许学工,黄河三角洲农牧业生产潜力.地理学报,1991,46(2):151~159

74 许学工.黄河三角洲土地结构分析.地理学报,1996,52(1):18~26

75 许学工.人地关系地域系统的可持续性研究——以黄河三角洲为例.地理研究,1997(增刊):47~53

76 杨建锋.农田水分运移与GSPAC系统的初步构建:[博士论文].中国科学院,2000

77 羊锦忠.土壤积盐与地下水关系的分析.水利学报,1965(2):72~78

78 杨林芳.黄河三角洲土地资源开发利用探讨.自然资源,1992,1:5~12

79 杨玉珍,刘高焕,刘庆生,等.黄河三角洲生态与资源数字化集成研究.郑州:黄河水利出版社,2004

80 杨玉珍.建设黄河口生态水利枢纽工程研究.人民黄河,2005,5:18~21

81 姚志刚，谷奉天.黄河三角洲形成、垦殖与持续利用.生态学杂志,1996,15(1):72~74

82 叶庆华,刘高焕,等.黄河三角洲景观分异及其新生湿地土地覆被重心演替规律.地球学报,2003(增刊)

83 叶庆华.黄河三角洲景观信息图谱的时空特征研究:[博士后出站报告].2001

84 叶青超.黄河断流对三角洲环境的恶性影响.地理学报,1998,53(5):385~392

85 于锡军，莫大伦.黄河三角洲环境脆弱带与农业发展研究.农业环境保护,1998,17(2):91~93

86 张乃兴.孤东油田环境影响验证评价及对策.青岛:青岛海洋大学出版社,1998

87 张士功，邱建军.盐碱土资源与可持续发展.科技日报,2000-05-09

88 郑存虎,等.盐碱地暗管排碱改良盐碱地技术.北京:中国计量出版社,2002

89 周成虎,孙战利,谢一春.地理元胞自动机研究,北京:科学出版社,1999

90 朱庭芸.灌区土壤盐碱化防治.北京:农业出版社,1992

后 记

　　《黄河三角洲暗管改碱工程技术实验与研究》是山东省环保局2003年重点科技招标项目的重要课题,2004年被列入山东省可持续发展科技示范工程《黄河三角洲生态治理技术和资源利用研究与示范》项目。课题组按照山东省副省长陈延明同志关于对暗管改碱技术"不断总结经验,进一步搞好示范推广工作"的批示精神,紧密结合新布置的实验工程,切实围绕实践中的技术难题组织科技攻关,再以新的技术理论指导工程实践,在反复实验与研究过程中系统总结了黄河三角洲暗管改碱工程的整套经验和做法,提出了在整个黄河三角洲乃至我国北方地区大规模推广该项工程技术的规划创意。

　　黄河三角洲是黄河于1855年改道山东行水后冲积而成的新陆地,至今尚有大片极其宝贵的原生生态区,形成了中国暖温带最完整、最广阔、最年轻的湿地生态系统。这一良好生态环境是调节地球生态大循环的有机构成部分。20世纪60年代之后,这一生态环境面临突如其来的大规模资源开发和区域综合开发,在区域经济与城市发展规模大幅度提升的同时,原生植被却不断减少,加上90年代黄河来水量锐减以及气候干旱等因素,造成三角洲土地盐渍化趋势加剧,从而带来了原生生态的逆向演替和湿地的大面积萎缩。东营市和胜利油田非常重视黄河三角洲生态环境的保护与修复工作,持续性地开展了一系列治理工程。其中暗管改碱技术的基本原理是通过敷设排水暗管降低地下水位,结合灌溉淋洗将土壤盐分排出土体,这是从根本上抑制土壤盐渍化、大面积改变区域生态环境脆弱性的显效措施。本课题采取创新性的实验与研究手段,将从荷兰引进的暗管排水技术结合本地实际进行改革、实验、提高,总结为一项包括勘察设计、灌排配套、暗管敷设、激光精平、深松破结、维护管理等在内的系统工程技术。同时研究应用RS、GIS、GPS等宏观监测数据,与土体采样化验的微观数据相融合,科学分析评价国土资源的生态演变趋势和工程治理效果,提出大面积改善与修复生态脆弱区、大幅度提高农业综合生产能力的工程预案。

　　参加本课题研究的专家和工程技术人员经过2年多的艰苦努力,不仅为这一改碱技术的集成应用做出了很大贡献,同时又在不同的实验与研究分工中取得了丰硕成果。其中,彭成山是本实验与研究工程的重要倡议者,对改碱项目的成功决策与实施发挥了重要作用,并承担了课题报告的主编和终审工作;杨玉珍负责课题的总体结构设计和统稿,组织相关专家分工开展实验与研究,提出在大尺度国土范围进行技术推广的规划措施;郑存虎承担了暗管排水技术及设备的引进和实验工作,组织实施了莱州湾暗管改碱项目,创立了浅密敞开式敷设暗管的工程方案;张志刚通过实践探索逐步总结形成了一套完整的大规模铺设暗管的施工方案,使改碱工程的机械化程度和铺管精度都大大提高;秦韧对方案的设计、实施提出了许多重要建议,组织了暗管改碱工程后的田间管理、技术完善及土壤监测等工作;关元秀应用多源数据融合技术对黄河三角洲发育演变过程中的盐渍化趋势进行分析研究,创建了区域盐渍化预测预报模型;卜凡敏长期从事该工程的技术实践和标准研究，绘制了本地土壤与外包滤料级配曲线图；王启来负责运用激光制导技术，合理调配大型机械，形成了大规模、自动化、一次性机械铺管施工技术；林国华通过土壤化验、颗粒分析及暗管功能测试，确定了适合本区盐碱地改良的不同管材和管型；张保国负责项目的经济技术评价与资金筹措，对降低项目投资及推广成本提出了许多建设性意见；刘高焕运用GIS中的加权叠加和分析功能，对盐碱地进行了区和亚区的划分，为制定符合各类区域实际的暗管改碱工程设计方案提供了可靠依据；庄会江赴荷兰进行了暗管排水的技术培训，完成了大量技术资料和专业理论的翻译和撰写任务；刘庆生、黄翀等承担了关于土地适宜性的遥感监测与评价；王建明、刘凤鸣、黄建杰等在工程技术推广方面做了许多有益的工作；宋宏伟、文福生、宫艳峰等积极参与了工程项目的组织协调和实施；李丽、王玉臻、刘鹏承担了课题部分内容的研究编写以及技术报告的编辑、校对和制图工作。本课题在论证黄淮海平原推广暗管改碱工程的可行性研究部分，引用了中国农业大学石元春院士、李保国教授、白由路博士等公开发表的技术成果资料，对此，除特表谢意外，已在行文中予以指明或与引述的其他专家著作一起在《参考文献》中著录。

山东省相关部门对暗管改碱工程技术的推广应用给予了切实的支持，山东省国土资源厅早在2000年就对应用该技术开发荒碱地给予了立项支持，山东省农业厅及农业综合开发办公室、山东省财政厅，东营市政府调研室、发改委、国土资源局、农业局、科技局、环保局等部门和胜利油田的相关处室，都给予了多方面的积极帮助和支持。

本课题的实施得到了九三学社、国家农业部和中国农学会的关心和支持。课题组还组织了多位原部级领导、两院院士和高层专家（名单见彩页）对工程技术成果进行了考察、鉴定。苟红旗、孙好勤、谢军等为筹办鉴定会议与技术成果推广多方奔走，做了大量工作。

黄河水利出版社再次承担了黄河三角洲可持续发展科技示范工程系列图书的出版工作，骆向新社长、武会先副社长非常关心和重视本书的出版，对技术报告的修改提出了指导性意见，景泽龙、席红兵等做了大量的文字校勘与编辑工作。在此，本课题全体研究人员向以上各部门领导、各行业专家以及所有文中未能提及的帮助支持者致以深切的谢意！

编著者
2005 年 10 月